D1162528

» IL CAMMEO «

VOLUME 175

TUTTO IN FAMIGLIA

di ALAN
FRIEDMAN

TRADUZIONE DI
ERMETE SACCHI

VENTITRÉ FOTOGRAFIE

LONGANESI & C.
MILANO

PROPRIETÀ LETTERARIA RISERVATA
Longanesi & C., © *1988 - 20122 Milano, via Salvini, 3*

ISBN 88-304-0834-4

Traduzione dall'originale inglese
Gianni Agnelli
and the Network
of Italian Power
di Ermete Sacchi

Copyright © *1988 by Alan Friedman*

Tutto in famiglia

A Phoebe

Nota dell'autore

PER questo libro ho cercato di intervistare Gianni Agnelli, ma lui ha rifiutato. Sono in Italia, come inviato del *Financial Times* di Londra, da cinque anni; in questo periodo ho incontrato Agnelli in varie occasioni – conferenze stampa, convegni, cene formali e così via – e sempre mi è apparso un uomo bene informato e pieno di charme. Da una lettera che mi è stata scritta il 25 marzo 1988, sei mesi dopo la mia prima richiesta che mi fosse concessa un'intervista, ho appreso che secondo Agnelli l'incontro da me richiesto sarebbe stato « attualmente inopportuno e neppure desiderabile ». Dopo questa lettera, un uomo degli uffici stampa della FIAT ha chiesto a un mio collega di Roma informazioni e la data di pubblicazione di quello che ha definito « quel maledetto libro di Friedman ».

La mia intenzione originale era scrivere un libro sulla « nuova Italia », ma più ci lavoravo, più mi appariva chiaro che subito sotto la superficie di questa Italia « nuova » c'è una rete di potere – feudale, e quindi piuttosto « vecchia » per non dire arcaica – le cui fila fanno capo a Gianni Agnelli. Così, ho concentrato i miei sforzi su questa straordinaria struttura di potere e sulle sue connessioni internazionali, approfondendo le mie ricerche sull'argomento. Sennonché, in Italia non si indaga su Gianni Agnelli: è semplicemente una cosa che non si fa. Mentre il mio lavoro procedeva, vari uomini politici di primo piano, alti dirigenti d'azienda e direttori di giornali mi informarono che il libro non era « gradito » a Torino. Più tardi, il mio editore italiano e altre persone mi dissero che a Milano e a Roma circolavano voci secondo le quali ero, variamente, « un agente della CIA », oppure stavo facendo « lavoro sporco per il partito socialista di Craxi ». Questi commenti sono un pittoresco esempio di quanto sia difficile per la mentalità italiana accettare il fatto che un giornalista americano che lavora in Italia per un giornale inglese possa semplicemente trovare interessante un argomento e – non « commissionato » da nessuno, senza speciali contropartite – mettersi a svolgere un'indagine in proposito.

C'è un antefatto a tutto questo: due mesi dopo che il libro era stato annunciato, alla Fiera del Libro di Francoforte del 1987, la FIAT aveva querelato per diffamazione me e il *Financial Times*. Il fatto senza precedenti era che si trattava di un'azione giudiziaria di carattere penale e non civile. Riguardava un articolo concernente il famoso « affare Telit », ma molti amici italiani la interpretarono come un « avvertimento » da parte della FIAT, una specie di indiretto tentativo di intimidazione. Non ho la minima idea se questa interpretazione corrisponda o no al vero, ma in ogni caso ho proseguito nella stesura del libro, avendo già completato ampie ricerche in Italia, Stati Uniti, Gran Bretagna, Svizzera e Francia. Il mio giudizio sull'azienda FIAT rimane quello che è sempre stato: qualunque cosa possa avere scoperto, continuo a credere che sia, sotto vari rispetti, una delle aziende meglio gestite d'Europa. Nello scrivere *Tutto in famiglia* ho semplicemente voluto seguire alcune piste che avevo incrociato, nella tradizione di quello che da noi si chiama « investigative journalism ».

Molte persone mi sono state di grandissimo aiuto nella preparazione del libro; tra gli altri, dirigenti d'azienda, banchieri, uomini politici, funzionari di governo e diplomatici, parecchi dei quali hanno rischiato di compromettersi parlando con me e con i miei cinque assistenti alle ricerche. Li ringrazio di cuore, insieme a quelle mie « fonti » che hanno chiesto di restare anonime. Desidero esprimere la mia gratitudine anche a due dei miei cinque assistenti che hanno svolto le indagini più delicate e che, dovendo continuare a operare nel contesto italiano, hanno scelto di non essere nominati. Sono entrambi ottimi giornalisti.

Fra le persone che voglio ringraziare per nome sono Geoff Owen, direttore del *Financial Times*, Richard Lambert, vicedirettore, e Jurek Martin, caporedattore per gli esteri, per avermi concesso il tempo necessario alla stesura del libro e per il loro incoraggiamento. Grazie anche al mio collega di Roma, John Wyles, per il suo appoggio morale, per aver « presidiato il fortino » mentre ero assente e per la sua attenta revisione del manoscritto.

In Italia, una speciale parola di ringraziamento a Vesna Hardy, le cui ricerche storiche hanno portato in luce alcuni sorprendenti paralleli; a Cristina Paghera, il cui lavoro come coordinatrice delle ricerche ha costituito una base essenziale in termini di archivi e di organizzazione, e a Neil Clunie, che ha dato un contributo prezioso intervistando i leader sindacali. La stesura dei primi capitoli è stata una delizia grazie a Francesca Duranti e Gregorio Magnani e all'ospitalità che mi hanno offerta a Villa Rossi, vicino a Lucca. In Inghilterra, quando vi sono tornato per finire il libro, Miranda Pearson e Michael Dempsey mi hanno reso più lieto il piovoso inverno dell'East Sussex, come hanno fatto altri buoni amici a Londra e Herstmonceux. A Londra, alla Harrap, da Nicholas Berry e Derek Johns, e a Milano, alla Longanesi, da Mario Spagnol, ho avuto tutto quell'appoggio che soltanto case editrici veramente indipendenti possono dare.

Desidero ringraziare anche alcuni miei amici della comunità finanziaria milanese, che gentilmente hanno riveduto alcune delle parti più tecniche del libro. A Washington, ringrazio Greg e Margaret Powell e Mitch Fushee per la loro ospitalità e Bob Woodward per il tempo che mi ha dedicato e per i suoi consigli. Ho un debito particolare con i funzionari dei governi americano e inglese che hanno accettato di incontrarsi ripetutamente con me e di discutere parecchie questioni piuttosto delicate. Uno speciale ringraziamento a Jon Ehrlich, Phoebe Tait, Nadine Frey, Paul Goodwin, Jim Crown, Robin Pauley e altri amici di New York, Londra e Milano che hanno trovato il tempo di leggere parti del manoscritto, di discutere, avanzare critiche e sollevarmi il morale. Infine, il mio grazie più sentito ai miei genitori, Charles e Lilli Friedman, e a mia sorella Anita; la loro pazienza e affetto mi hanno reso molto meno difficile un periodo non facile.

A. F.

Milano, luglio 1988

Facci dunque uno principe di vincere e mantenere lo stato: e' mezzi saranno sempre iudicati onorevoli, e da ciascuno laudati; perché el vulgo ne va preso con quello che pare e con lo evento della cosa... Alcuno principe de' presenti tempi, quale non è bene nominare, non predica mai altro che pace e fede, e dell'una e dell'altra è inimicissimo; e l'una e l'altra, quando e' l'avessi osservata, li arebbe più volte tolto o la reputazione o lo stato.

MACHIAVELLI, Il principe

In questo Paese, per chi esce dal branco e fa stecca sul coro, la vita è dura. Saranno ghettizzati e silenziati. I cosiddetti mezzi di comunicazione di massa, radio e televisione, ma anche il grosso della stampa – e lo si vede digià – ignoreranno la loro voce spegnendone qualunque eco. Nella subdola arte del « fuori giuoco » (parliamo per esperienza, non per sentito dire), il conformismo italiano è maestro.

INDRO MONTANELLI

1. *Gli inizi*

NELLA seconda metà del secolo scorso una famiglia di nome Agnelli conduceva una solida e piuttosto tradizionale esistenza borghese nel paesino piemontese di Villar Perosa, a 48 chilometri da Torino, situato in una valle le cui principali attività erano allora l'agricoltura e l'industria della seta. A Villar Perosa, nel primo quarto del secolo XVIII, una famiglia da poco insignita del titolo nobiliare, i conti Piccone della Perosa, fece costruire sul pendio di Pra Martino una vasta villa, nella quale soggiornò più volte durante le sue cacce re Carlo Emanuele III. Nel 1853, dopo alcuni cambi di proprietà, questa villa passò agli Agnelli. Era destinata a diventare la casa dell'anima nella vita familiare della dinastia, ed è ancora uno dei luoghi preferiti per i loro « incontri al vertice ».

L'acquisto della villa fu l'inizio della scalata sociale da parte di quella che era allora una famiglia di proprietari terrieri già ricca, ma priva di particolare distinzione. Gli Agnelli del secolo XIX erano originari di Racconigi, e benché il nome sia documentato in epoca antica (le prime tracce risalgono a Mantova e al secolo XI), nessuno di coloro che lo avevano portato l'aveva mai reso memorabile.

Il *Dizionario Biografico degli Italiani* documenta come in tutta la storia d'Italia solo una dozzina di Agnelli (fra l'altro forse neppure imparentati con la famiglia attuale) meritarono che la loro esistenza venisse ricordata. Nel '500 comparve proprio un Giovanni Agnelli, mantovano, che si distinse come diplomatico. Nel '600 un Giuseppe Agnelli, gesuita e teologo napoletano; nel '700 una famiglia di ceramisti a Nove di Bassano. Nel '200 era comparso un Guglielmo Agnelli (o dell'Agnello), domenicano e scultore, che lavorò all'Arca di San Domenico a Bologna. Ma lo spazio maggiore il *Dizionario* lo dedica a una famiglia: quella di Federico Agnelli, milanese, illustre incisore e tipografo del '600, e di suo nipote Giovan Battista Agnelli, sacerdote e stampatore lui stesso, che introdusse la tipografia italiana a Lugano.[1]

Il nonno di Gianni Agnelli, Giovanni Agnelli, nacque a Villar Perosa il 13 agosto 1866. Avviato alla carriera militare, come molti rampolli dell'alta borghesia piemontese, ottenne presto il grado di tenente di cavalleria; nel 1889 conobbe e sposò Clara Boselli, nata a Firenze, sorella di un ufficiale di marina. Gli Agnelli abitarono per qualche tempo a Verona, dove l'esistenza era scandita da un'ininterrotta serie di cerimonie e doveri sociali. Giovanni aveva un debole per le belle donne – una caratteristica che il nipote avrebbe ereditato – ma sotto ogni altro rispetto era un uomo di austerità quasi prussiana, rigido nel portamento, sempre inappuntabile in abito scuro e scarpe nere, con modi severi e uno sguardo intenso che più avanti negli anni avrebbero intimorito non solo i dipendenti ma anche i membri della sua famiglia.

Giovanni Agnelli era anche un uomo irrequieto (altro tratto caratteriale che si sarebbe trasmesso ai discendenti) e nel 1892, a 26 anni, abbandonò la vita piacevole ma troppo monotona di Verona per tornare a Villar Perosa. Anche qui non tardò ad annoiarsi e quattro anni dopo decise di trasferirsi a Torino. Non più capitale, non più grande centro amministrativo, Torino era diventata una città piuttosto provinciale, che per molti rispetti viveva della sua gloria passata, ma conservava un senso molto forte delle tradizioni borghesi. La popolazione era rigidamente divisa in tre classi: la vecchia aristocrazia, la borghesia per la maggior parte terriera, la classe operaia e contadina. Su circa 200.000 abitanti, un decimo circa erano domestici di casa privata.[2]

Giovanni Agnelli non trovò subito un utile impiego del proprio tempo. Per un po', insieme ad alcuni amici, si trastullò con l'idea di inventare una macchina che fornisse « moto perpetuo »; ma non tardò ad accorgersi che era una futile impresa. Quelli erano anni di crisi economica, con scandali bancari in tutto il paese, mercati azionari in ribasso, seta e riso in gravi difficoltà; persino gli allevamenti piemontesi di bestiame avevano cominciato a declinare. Poi giunse la notizia che era stato inventato un veicolo senza cavalli, e Giovanni Agnelli concepì il progetto di mettersi in quest'impresa ancora sul nascere. L'occasione si presentò verso la fine del 1898, quando si associò al conte Emanuele Bricherasio di Cacherano, un eccentrico nobile torinese in cerca di investitori. Così, il primo luglio 1899, quattro anni prima che Henry Ford fondasse la sua società a Dearborn nel Michigan, l'ufficiale di cavalleria diventò partner di una nuova azienda, la Società Italiana per la Costruzione e il Commercio delle Automobili - Torino, il cui nome venne quasi immediatamente cambiato in quello di Fabbrica Italiana di Automobili - Torino, o F.I.A.T.

Con Giovanni Agnelli come amministratore delegato, la modesta azienda cominciò a produrre i suoi primi veicoli con piccoli motori. Fin quasi dall'inizio la FIAT diventò famosa per il talento e la creatività dei suoi tecnici e gli affari non tardarono a prosperare. Nel 1903 la società produsse 135 automobili raccogliendo un modesto profitto; nel 1906 la produzione era aumentata di oltre otto volte, con 1149 automobili, 300 delle quali esportate in Inghilterra.[3] Giovanni, nel frattempo, non si era accontentato di rimanere un azionista in mezzo a parecchi altri, per gran parte eccentrici aristocratici torinesi. Nel giro di pochi anni dalla fondazione della FIAT, alcuni dei soci fondatori avevano venduto le loro azioni e Agnelli era riuscito ad aumentare il suo pacchetto, in parte con manovre azionarie sospette, in parte grazie all'uscita dei suoi ex associati.

Poi, nel 1908, scoppiò uno scandalo che costrinse alle dimissioni Giovanni Agnelli e tutto il consiglio d'amministrazione. Il procuratore di Torino accusava Agnelli e compagni d'una serie di reati finanziari che includevano la diffusione di notizie di borsa falsamente ottimistiche per far salire il prezzo delle azioni FIAT, manovre di borsa fraudolente, falsificazione del bilancio 1907, col risultato complessivo di arricchirsi a spese dei piccoli azionisti. Queste accuse provocarono le dimissioni di Agnelli nell'agosto

1908 e diedero luogo a un processo rimasto famoso. Ma l'accusa non riuscì a portare prove sufficienti e Agnelli fu assolto, sentenza contro la quale il pubblico ministero si appellò. Agnelli era tornato al suo posto come amministratore delegato della FIAT prima del processo, nel luglio 1909, e sarebbe uscito indenne da un processo di secondo grado, voluto dal magistrato. In quest'occasione fu decisiva per l'assoluzione la perizia in difesa del collegio sindacale presentata da Vittorio Valletta, allora direttore di una scuola commerciale.[4] A quel tempo il conte Bricherasio era morto, ma ancor oggi si dice che la sua famiglia fu rovinata finanziariamente da Giovanni Agnelli e dalle sue manovre sospette.

In mezzo a queste controversie, Agnelli riuscì ad avere la meglio sui suoi soci e non tardò ad assumere il controllo della FIAT. Fin dall'inizio capì anche la necessità di coltivare buoni rapporti con gli uomini politici a Roma. Già aveva rapporti molto stretti con un uomo politico piemontese, il liberale Giovanni Giolitti, che sarebbe diventato presidente del Consiglio dal 1903 al '14. E fin dall'inizio vide se stesso come eguale, se non superiore, ai politici di Roma. « Noi industriali », usava dire, « siamo ministeriali per definizione. »[5] E ci credeva così fermamente che, dopo un suo incontro con un ministro a Roma, questi fu sentito osservare che a un certo punto non capiva più se il ministro fosse lui o Agnelli.[6]

Gli stretti rapporti con il presidente del Consiglio non tardarono a dar frutto. Nel 1907 Giolitti insignì Agnelli del titolo di cavaliere al merito del lavoro. Nel 1911, quando la politica giolittiana di espansione coloniale nel Nordafrica portò alla guerra di Libia, la FIAT ebbe commesse per veicoli ed equipaggiamenti militari. L'azienda produsse anche il suo primo motore aereo, un modello da 50 cavalli.

Ma Giovanni Agnelli non era uomo da giocare tutte le sue carte su un tavolo solo. Nel 1914, con l'Italia sul punto di entrare in guerra, accettò di concedere l'appoggio della FIAT a un politico interventista in ascesa, Benito Mussolini.

Mussolini fondò in quell'anno il suo giornale, *Il Popolo d'Italia*, ed ebbe largo appoggio finanziario da grandi industriali italiani che avevano tutto da guadagnare da un'entrata dell'Italia in guerra. Tra questi finanziatori era la FIAT, insieme a banche e ad altri fabbricanti di veicoli e d'armi. Mussolini non solo ebbe l'appoggio finanziario della FIAT per la fondazione del suo giornale, ma dal 1917 in poi ottenne anche molta pubblicità.[7]

Così per la FIAT cominciarono gli anni grassi. L'azienda andò crescendo sempre più in fretta: nel 1914 produceva già più di 4000 veicoli l'anno. Ma la grande occasione le venne dalla guerra mondiale che consentì di diversificare la produzione, da automobili ad autocarri, mitragliatrici, motori d'aeroplano e ambulanze. Nata nel 1899 con 50 dipendenti, ne aveva 10.000 alla fine del 1915.[8] Nel 1916 fu deciso di costruire una grande fabbrica a Lingotto, presso Torino. Mentre la FIAT si espandeva, non altrettanto bene andava agli operai torinesi. Nell'agosto 1917, provocata dalla mancanza di pane, ci fu addirittura una sommossa che costò 24 morti e 50 feriti.[9] Tuttavia Giovanni Agnelli assegnò a se stesso uno stipendio pari a quello di 200 operai, provocando proteste da parte di uomini politici e di azionisti FIAT. All'assemblea annuale degli azionisti nel 1916 uno di loro, proprietario di un grosso pacchetto, prese la parola per criticare aspramente i guadagni, a suo parere sproporzionati, dei direttori generali dell'azienda, dichiarando che « nemmeno il comandante delle armate d'Italia, nemmeno il presidente del Consiglio dei Ministri ha questi favolosi stipendi ». Al che Agnelli rispose che « i cospicui proventi dei dirigenti sono la naturale contropartita dei crescenti impegni di lavoro e delle responsabilità assunte per contribuire al successo delle nostre armi ».[10]

Così l'impero FIAT andò crescendo, e crebbe di pari passo la ricchezza della famiglia Agnelli. Negli anni di guerra la FIAT balzò dal trentesimo al terzo posto fra le più grosse imprese industriali italiane. Per parte sua, Giovanni Agnelli, che i contemporanei giudicavano insieme arrogante e superefficiente, proseguiva la sua scalata sociale e politica e coltivava sempre più stretti rapporti di amicizia con Giolitti, dando consigli, blandendo, promuovendo o contestando iniziative politiche e legislative. Otteneva per esempio dai suoi amici al governo una serie di leggi che erigevano rigide barriere doganali contro l'importazione di automobili straniere o riducevano le tasse sulle automobili e consentivano alla FIAT di fagocitare una serie di imprese più deboli nel suo settore. L'impero FIAT cresceva non solo facendo proprie altre imprese industriali ma anche acquistando, nel dicembre 1920, una grossa partecipazione nel giornale *La Stampa* di Torino, di cui la FIAT sarebbe diventata unica proprietaria sei anni più tardi.[11]

Le condizioni erano mature per l'esplosione di violenti conflitti sociali e politici. Cominciarono gli operai, nel 1920, occupando le fabbriche della FIAT a Torino e quelle di altre società nei centri industriali dell'Italia settentrionale. Agnelli reagì chiedendo l'intervento dell'esercito, ma questa volta Giolitti respinse le richieste del suo vecchio amico. Nel gennaio 1921 fu fondato il partito comunista. Mancavano poco più di due mesi all'ingresso di Mussolini in Parlamento; presto sarebbe iniziato il ventennio fascista, destinato a culminare nel disastro.

In questo periodo di lotte e contrasti, all'unico erede maschio di Giovanni Agnelli, Edoardo, nacque un figlio, il secondo dei suoi sette, un maschietto dagli occhi azzurri che vide la luce il 12 marzo del 1921 e cui fu dato il nome del nonno Giovanni. Sarebbe cresciuto nella consapevolezza che ricchezza e potere erano il suo sicuro retaggio; era destinato ad allargare ancora l'impero della sua famiglia, fino a farlo diventare grande e potente come quello delle grandi famiglie italiane di un tempo, i Savoia o i Medici, i Gonzaga, i Visconti o gli Sforza. Era anche destinato a conquistare un potere di gran lunga superiore a quello che persino il suo dispotico nonno avrebbe potuto immaginare. Ma tutto questo era molti decenni di là da venire. Nel frattempo, il fortunato bambino viveva come un Piccolo Lord Fauntleroy, sotto la tutela di Miss Parker, un'energica governante inglese il cui ammonimento preferito era « Don't forget you are an Agnelli », non dimenticare che sei un Agnelli. Fin dalla prima infanzia, nella casa di Torino, lo chiamarono non con il nome intero del nonno Giovanni ma col diminutivo Gianni.

Non pare che il padre di Gianni, Edoardo, abbia avuto molta influenza sul ragazzo. A partire dall'età di 14 anni, quando Edoardo morì in un incidente aereo, Gianni fu cresciuto sotto la patria potestà del nonno; il nonno fu il suo esempio e il suo maestro. Che tipo d'uomo era il padre di Gianni? Nato a Verona nel 1892, studiò legge, poi come il padre prestò servizio per qualche tempo in cavalleria. Ma, da Giovanni, Edoardo Agnelli ereditò qualcosa di più che la breve carriera militare: come il padre (e come il figlio) aveva un debole per le belle donne, per il sangue blu e per la Juventus. Si diceva che quando membri di casa Savoia erano ospiti degli Agnelli a Torino la conversazione vertesse spesso sui « due eredi » d'Italia, Umberto di Savoia, erede al trono, e Edoardo Agnelli, erede della fortuna FIAT.

Edoardo amava frequentare la nobiltà e sposò l'eccentrica e anticonformista Virginia Bourbon del Monte, principessa di San Faustino. La bella Virginia dai capelli rossi era mezza americana; sua madre, nata Jane Allen Campbell, aveva sposato il principe Carlo di San Faustino, discendente da una delle più antiche famiglie nobili italiane. I Bourbon del Monte erano stati per secoli signori di territori toscani e umbri ai confini degli Stati pontifici. Avevano avuto il titolo di principi di San Faustino da papa Pio IX.

Princess Jane, come la chiamavano, era una donna intelligente e spiritosa, forte bevitrice, esteta appassionata, amante dei pettegolezzi e famosa per i suoi *bons mots*. I nipoti le volevano molto bene (morì nel 1938, quando Gianni aveva 17 anni), ma il vecchio Giovanni Agnelli non aveva simpatia né per lei né per Virginia; con quest'ultima – l'antipatia era evidentemente ricambiata – si sarebbe in futuro scontrato più volte. Secondo il conte Giovanni Tadini, un discendente dei Medici che sa tutto sull'aristocrazia europea, al tempo del matrimonio di Virginia con Edoardo circolava una frase detta ad amici da Princess Jane: « Ci vuole tanta benzina per pulire lo stemma di famiglia degli Agnelli ».[12]

Virginia sarebbe morta nel novembre 1945, in un incidente di macchina vicino a Pisa. Una morte circondata di mistero; nel bel mondo molti raccontarono che Virginia aveva fatto la stessa fine di Isadora Duncan, strangolata da una lunga sciarpa di seta. Quel che è certo è che morì in un incidente automobilistico, seduta vicino all'autista, spezzandosi l'osso del collo.

Di Edoardo è stato scritto che « le sue giacche sono state più eleganti dei suoi pensieri » e che riuscì a fare due cose prima di morire all'età di 43 anni.[13] La prima fu trasformare la Juventus da squadretta provinciale nella grande squadra che è a tutt'oggi, la seconda consistette nel creare un grande centro di sport invernali al Sestrière, sulle Alpi, vicino al confine con la Francia. La trasformazione della Juventus è un chiaro esempio del potere del denaro applicato al mondo del calcio: Edoardo semplicemente pagò quel che era necessario per assicurarsi i più grandi giocatori del tempo, compreso due star argentine, Raimondo Orsi e Luisito Monti. Il Sestrière è ancor oggi un'importante stazione di sport invernali, frequentata dalla borghesia di Torino e Milano. L'ufficio stampa della FIAT ha qui a disposizione degli appartamenti dove si ospitano « amici », giornalisti finanziari italiani e corrispondenti stranieri in Italia, che vi possono godere vacanze invernali gratuite.

A parte il Sestrière e la Juventus, Edoardo dedicò gran parte della sua non lunga vita a ricevimenti alla Gatsby e a rapporti mondani. « Mio padre », ricorda Susanna Agnelli, « era un gran giocherellone. » [14] Persino la sua morte prematura fu dovuta in parte al suo edonismo. La mattina del 14 luglio 1935 si preparava a lasciare la villa di Forte dei Marmi per raggiungere Torino in treno, quando gli venne in mente di passare qualche ora di più sulla spiaggia, facendosi poi portare fino a Genova da un idrovolante privato. Morì per un incidente durante l'ammaraggio.

Susanna Agnelli ha descritto l'infanzia sua e dei fratelli in *Vestivamo alla marinara*, la prima di due autobiografie. « Suni », come la chiamano parenti e amici, racconta come i ragazzi Agnelli vestissero sempre, per l'appunto, alla marinara: in blu d'inverno, blu e bianco in primavera e autunno, tutto bianco d'estate. Si cambiavano però per andare a tavola, indossando abitini eleganti e infilando calzini di seta, con l'eccezione di Gianni, che si metteva un'altra marinara. Miss Parker, la più severa e più inglese delle loro tre governanti, accudiva Susanna, Gianni e gli altri nelle rispettive camere, e dopo i pasti offriva crème caramel e altri dolci.[15]

Più tardi, adolescenti nel 1937, Suni e Gianni avrebbero portato con sé il caos arrivando nella villa affittata dalla famiglia a Cap Martin sulla Costa Azzurra (« una grande casa che cadeva, con un certo fascino, a pezzi. Aveva decine di camere da letto, grandi zanzariere, corridoi tappezzati di cretonne a fiori, saloni che si aprivano su terrazze e giardini, una quantità di mobili in tutti gli angoli e un'atmosfera di antico lusso »). I ragazzi Agnelli, ricorda Susanna, arrivarono con « le cameriere, i cuochi, gli autisti, le macchine; accompagnati da un'aria di vacanza ». Suni e Gianni si davano il turno alla guida delle automobili (« tutti e due senza patente ») e c'erano sempre ospiti e feste. Le abitudini edonistiche di Gianni e sua sorella non erano però « molto popolari ». Per esempio, una mattina la nonna, Princess Jane, trovò i ragazzi in una camera da letto, « tutti mezzi vestiti, sdraiati qua e là per la stanza ». « Ma che cosa state bevendo? » esclamò orripilata. « Questo? » le risposero. « È sugo di ananas con champagne. » « Champagne? All'ora del breakfast? » Gianni e Suni replicarono con una spallucciata: « Perché no? È ottimo ».[16]

Se Princess Jane rimase scandalizzata dalla disinvoltura dei nipoti (e sarebbe forse da chiedersi perché, dato il suo anticonformistico stile di vita), questo fu niente in confronto allo scandalo di tutta la famiglia quando Gianni venne rimandato a ottobre in tutte le materie, non per cattivo rendimento ma per la pessima condotta. Come racconta sua sorella, Gianni fu costretto a studiare l'intera estate e a dare tutti gli esami a ottobre a causa del suo comportamento: « Butta le cartelle dei compagni sui camion che passano, in modo che le devono inseguire per mezza città; ride di tutti; è insolente con i professori davanti alla porta del ginnasio ».

Questa lezione non sembra aver moderato l'arroganza di Gianni, né da bambino né da adolescente. Un biografo degli Agnelli avrebbe più tardi riferito i giudizi di amici di famiglia che definivano Gianni « una Signora Bovary che avendo tutto non ne ha mai abbastanza » o uno che aveva « più coraggio che ideali, più miliardi di rendita che affetti, più cervello che cuore ».[17] È rimasto famoso l'episodio, raccontato da Susanna e da altri, di quando lei era innamorata, e suo fratello si stupì: « Come fai a dire che sei innamorata? Solo le cameriere si innamorano ».

Nell'autunno del 1923, due anni dopo la nascita di Gianni, Mussolini aveva fatto una fra le sue tante visite alle fabbriche della FIAT. In queste occasioni, per dare il benvenuto al duce, Edoardo indossava la camicia nera. Susanna nega che suo padre fosse un fascista convinto: « Si divertiva a mettere quelle camicie nere. Pensi », aggiunge con indignazione scherzosa, « il gusto tremendo della gente che ha disegnato le uniformi dei fascisti ».[18] Però il vecchio Giovanni Agnelli, che nella festosa occasione levò il grido « Viva il Duce! », fu più tardi sentito vantarsi con amici che alla FIAT « il Duce è stato accolto non bene, benissimo ».[19]

I legami fra gli Agnelli e Mussolini furono proficui per la FIAT. Per esempio, una delle prime cose che Mussolini fece quando prese il potere fu sciogliere una commissione governativa che stava svolgendo un'inchiesta sui profitti ricavati dalla FIAT e da altre imprese nelle commesse governative durante la guerra del 1914-18.[20]

Il 1° marzo 1923 Giovanni Agnelli ricevette un riconoscimento personale da Mussolini, che lo nominò senatore a vita. A quel tempo ci furono molte discussioni su quali fossero veramente le simpatie politiche del senatore Agnelli. Ma Agnelli non fu mai un fascista convinto; fu piuttosto un uomo d'affari cinico e opportunista che vedeva la necessità di secondare Mussolini, e lo fece. Come altri grandi industriali del tempo, per esempio Alberto Pirelli, Giovanni Agnelli sperò da principio di poter moderare le tendenze più estremistiche di Mussolini appoggiandolo. Vide anche chiaramente quanto era importante per la prosperità della FIAT guadagnarsi le simpatie del capo del fascismo. Non che tutto fosse sempre facile; la vera o presunta simpatia del Senatore per Mussolini non fu mai al disopra d'ogni dubbio. Per esempio, nel giugno 1923 il prefetto di Torino inviò a Mussolini un telegramma in cui esprimeva l'opinione che Agnelli fosse segretamente antifascista. Le credenziali fasciste del fondatore della FIAT trovarono però un difensore, tre mesi dopo, in Raoul Ghezzi, che nel suo libro *Comunisti, industriali e fascisti* scriveva: « Il Duce sa chi è l'on. Agnelli ed è per quello che lo ha proposto Senatore, riparando una imperdonabile dimenticanza dei precedenti Capi di Governo. L'on. Agnelli ha dato moltissimo per la propaganda fascista sostenendo giornali rappresentanti la più vera espressione del Fascismo ».[21]

Con tutto questo, l'atteggiamento di Giovanni Agnelli nei confronti di Mussolini non fu mai di totale acquiescenza. I due uomini, che negli anni continuarono ad aver bisogno l'uno dell'altro, ebbero i loro disaccordi. Ma nel complesso l'effettivo appoggio dato dal Senatore al capo dello Stato fascista fu di maggior peso delle sue eventuali private riserve. Per usare le parole di Ghezzi, gli industriali di Torino « non saranno mai fascisti, ma sono mussoliniani convinti, ed orgogliosi di esserlo ».

I rapporti fra Agnelli e Mussolini non rimasero limitati all'ambito industriale e politico: a un certo momento il duce si trovò addirittura coinvolto in una questione di famiglia.

L'episodio ebbe luogo dopo la morte di Edoardo e riguardava l'accusa mossa a Virginia di avere un amante.

L'amante in questione era Curzio Malaparte, al confino a Forte dei Marmi, non lontano da villa Agnelli. Benché Edoardo fosse morto, il Senatore trovava inammissibile che la nuora, con sette figli da crescere, avesse rapporti di intimità o di stretta amicizia con un uomo che oltretutto in varie occasioni passate aveva suscitato le sue ire. Così ottenne un ordine del tribunale che gli affidava la patria potestà sui nipoti e che imponeva a Virginia di lasciare immediatamente la casa degli Agnelli a Torino. Virginia si affidò ai migliori avvocati d'Italia, ma con poco successo. « Mio nonno era un dittatore tremendo », ricorda Susanna; « era furioso che mia madre avesse una storia con Malaparte. Mia madre andò a parlare con Mussolini a Roma e disse che non era possibile che Giovanni Agnelli, solo perché era potente, le portasse via sette figli. Dopo quell'incontro, Mussolini telefonò a mio nonno e sistemò le cose. » [22] Poco dopo l'ordine del tribunale fu ritirato. Fu una delle poche volte in cui il potente e duro Senatore non riuscì a far trionfare la sua volontà.

Intanto, l'educazione di Gianni procedeva. Come suo nonno e suo padre prima di lui, fu mandato alla scuola militare di cavalleria a Pinerolo. Si sarebbe laureato in legge a Torino nel 1943, ma i suoi studi furono interrotti dallo scoppio della seconda guerra mondiale, che lo vide in uniforme mentre il nonno, che aveva superato ormai la settantina, continuava ad accrescere le fortune della FIAT. Nel veder maturare l'alleanza fra Mussolini e Hitler, il vecchio Senatore doveva aver pensato che la sua adesione formale al partito era stata una mossa prudente; nel 1932, infatti, Giovanni Agnelli aveva « preso la tessera ». Forse non credeva nell'ideologia fascista né nutriva una grande considerazione personale per Mussolini, ma raccoglieva i frutti della sua adesione, sotto forma di commesse da parte del regime e delle forze armate. La FIAT, naturalmente, a partire dal 1940 era tornata a mietere lauti guadagni dalle forniture all'esercito.

Paolo Ragazzi, che fu dirigente della FIAT in epoca fascista e stretto collaboratore sia di Giovanni Agnelli sia di Valletta, ha rievocato incontri con ufficiali della Wehrmacht a Torino, numerose visite nella Germania nazista per discutere joint-ventures o commesse, e l'importanza che la FIAT dava a questi contatti. Ma, sottolinea Ragazzi, che ha oggi 88 anni, Agnelli e Valletta cercavano di fare affari con tutti, dai nazisti ai francesi. Ed è vero che durante la guerra la FIAT mantenne contatti con i fascisti, i nazisti, gli alleati, la resistenza. Non c'era tempo per scrupoli e ideologie. Gli affari erano affari, e niente era più importante dei profitti dell'azienda. «Ricordo», dice Ragazzi, ora una fragile figura di vecchio nel suo appartamento non lontano dal quartier generale della FIAT a Torino, «che Valletta diceva sempre che saremmo stati buoni tedeschi, buoni americani, buoni fascisti, tutto quel che si voleva, ma dovevamo salvare la FIAT. Questo contava.»[23]

Intanto il ventiduenne tenente Gianni Agnelli si distingueva, nell'inverno 1941-42, combattendo sul fronte russo. Poco dopo fu trasferito in Africa del Nord, dove combatté valorosamente in Tunisia. Il vecchio Senatore era forse in una posizione più difficile. Stava traendo profitti dalle commesse di Mussolini e da quelle della Wehrmacht, ma s'era anche reso conto dell'inevitabile sconfitta della Germania e dell'Italia.

Il bombardamento del gennaio 1943 e lo sciopero alla FIAT nel marzo dello stesso anno determinarono Agnelli a fare passi concreti per sciogliersi dal regime. Cercò ed ebbe contatti con gli ambienti antifascisti e con gli stessi alleati. Durante la repubblica di Salò, mentre la FIAT continuava a lavorare per la macchina bellica nazifascista, Agnelli e Valletta cercarono accanitamente di contrastare i piani tedeschi per il trasferimento di impianti e macchinari in Germania e inoltre aiutarono concretamente la resistenza, il che non impedì loro di essere epurati dopo la liberazione.

La liberazione era stata per il senatore Agnelli una strana svolta. Non aveva mai avuto grande simpatia per Mussolini, ma neanche aveva permesso che i princìpi gli impedissero di fare buoni affari. Dai primi anni del secolo fino al 1945 aveva seguito una politica ben precisa: non fascismo, non antifascismo, ma opportunismo e collaborazione con chiunque, quali che fossero le sue convinzioni politiche, per il bene dell'amata FIAT. Ma la fine della seconda guerra mondiale dimostrava che neppure un Agnelli poteva scommettere sempre sul cavallo vincente.

Il vecchio si faceva accompagnare sotto le finestre di Mirafiori, dove non poteva più entrare, e scuoteva la testa dicendo: «Pensè che l'hai faita mi, tuta!» (E pensare che l'ho fatta tutta io!)[24] Era un vecchio amareggiato, che sulla fine del 1945 fu sentito chiedersi ad alta voce se la sua vita non fosse stata tutta un errore.[25] Con questa domanda in sospeso Giovanni Agnelli morì il 16 dicembre 1945, meno d'un mese dopo la nuora Virginia. Aveva 79 anni. Può non aver lasciato un retaggio di alta moralità, ma a Gianni e agli altri nipoti lasciava una fortuna valutata (allora) un miliardo di dollari.

Gianni e i suoi fratelli furono cresciuti in compagnia di aristocratici e secondo uno stile che sarebbe stato appropriato alla progenie di qualunque dinastia regale europea. E tutti i figli di Edoardo e Virginia avrebbero sposato il figlio o la figlia di un europeo titolato; unica eccezione Giorgio, cui toccò un'esistenza di tremenda malattia e che morì poco più che trentacinquenne nel 1965. I sette figli di Edoardo furono e sono Clara (nata nel 1920), Gianni (1921), Susanna o Suni (1922), Maria Sole (1925), Cristiana (1927), lo sfortunato Giorgio (1929) e Umberto, il più giovane, nato nel 1934.

La sorella maggiore di Gianni, Clara, sposò Tassilo von Fürstenberg, figlio di aristocratici tedeschi le origini della cui famiglia risalgono all'anno 1070. Tassilo non aveva però grandi ricchezze personali, perché la posizione di patriarca della famiglia, e insieme a quella la fortuna dei Fürstenberg, erano toccate a suo zio. Il matrimonio Agnelli-Fürstenberg non fu quindi brillante dal punto di vista economico, ma produsse due fra i personaggi del bel mondo che più hanno fatto parlare di sé: Egon von Fürstenberg, creatore di moda, e sua sorella Ira.

Quanto a Gianni, doveva fare il miglior matrimonio di tutta la famiglia, l'unico paragonabile, sul piano dell'accresciuto prestigio sociale, a quello di suo padre con una Bourbon del Monte. Marella Caracciolo di Castagneto era, e secondo molti rappresentanti dell'alta società è tuttora, una fra le donne più eleganti del mondo, una squisita principessa napoletana, l'antichità e distinzione della cui famiglia sono alla pari con quelle dei principi di San Faustino. Come Virginia, anche Marella è mezzo americana; suo padre, il principe Filippo Caracciolo di Castagneto, duca di Melito, aveva sposato nel 1925 Margaret Clarke, americana originaria di Peoria nell'Illinois ma vissuta sin dall'infanzia a Firenze. La famiglia di miss Clarke, osserva il conte Tadini, era priva di distinzione, ma non così quella del principe Filippo. La bellissima Marella era la scelta ideale come moglie di Giovanni Agnelli. Si diceva di lei che avesse «il collo più lungo d'Europa» e lo scrittore Truman Capote osservò una volta che, se fosse stata un gioiello nella vetrina di Tiffany, sarebbe costata molto ma molto cara.

Il membro della famiglia con cui Gianni Agnelli ha sempre avuto un rapporto più stretto è Susanna; così, almeno, sostiene Susanna stessa. Nata tredici mesi dopo Gianni, rimane fino a oggi la più vicina a lui per spirito e temperamento. Ma mentre il fratello prendeva in moglie Marella, Susanna sposava (il matrimonio sarebbe finito più tardi in un divorzio) uno straordinario personaggio il cui iniziale antifascismo si era trasformato in devozione alle forze di Mussolini negli ultimi disperati giorni della seconda guerra mondiale. Il conte Urbano Rattazzi veniva da una famiglia piemontese, nobile ma non particolarmente ricca, di avvocati e uomini politici. Non era un partito eccezionalmente brillante dal punto di vista economico, e neanche per quanto riguardava il pedigree: la nobiltà della famiglia, come informa il conte Tadini, risale « soltanto » al XIX secolo.

La quarta figlia Agnelli, la timida Maria Sole, sposò non un conte ma due. Il suo primo marito fu il conte Ranieri Campello della Spina, rampollo di un'antica famiglia umbra, che morì nel 1959. Maria Sole sposò poi il conte Pio Teodorani Fabbri, di famiglia romagnola. Non solo i Teodorani Fabbri sono originari della stessa regione che diede i natali a Mussolini, ma il secondo marito di Maria Sole era lontanamente imparentato con la famiglia del duce; un suo cugino aveva sposato una figlia di Arnaldo Mussolini, fratello di Benito.

Cristiana Agnelli, fra le sorelle di Gianni quella che secondo gli amici è la più capace di godersi la vita, fu la quinta tra i figli di Edoardo e Virginia a convolare a nozze con una persona di sangue blu: sposò infatti il conte Brando Brandolini d'Adda, uscito da una famiglia veneta di grande ricchezza.

Umberto, che negli anni '30 malelingue del bel mondo dicevano (a torto, pare) figlio di Curzio Malaparte, avrebbe sposato in seconde nozze una parente di Marella Caracciolo. La prima moglie era nobile solo a metà: Antonella Bechi Piaggio, della grande famiglia di industriali genovesi. Il nonno di Antonella era stato un eroe della prima guerra mondiale e suo padre aveva sposato una principessa romana. Dopo il divorzio da Antonella, Umberto, che come vedremo era destinato a vivere sempre nell'ombra del fratello, fece un matrimonio più riuscito, sposando Allegra Caracciolo, prima cugina della moglie di Gianni e nipote di Luchino Visconti.

Tutti gli Agnelli dunque, allevati come tanti principini, fecero matrimoni aristocratici, mescolando con sangue d'origine più pregiata quello borghese del vecchio Senatore. Il conte Tadini, segretario generale della Giunta Araldica del Corpo della Nobiltà Italiana, conclude che, in un paese dove questi incroci fra alta borghesia non titolata e aristocra-

zia sarebbero diventati sempre più frequenti, il giovane
Gianni Agnelli si poteva considerare, in forza sia della situazione familiare sia della futura posizione nella vita nazionale, qualcosa di molto simile a un « principe senza corona ». Uno storico americano, Arno J. Mayer, ha dimostrato in un suo libro, *Il potere dell'ancien régime fino alla
prima guerra mondiale*, il permanere delle strutture sociali
e culturali dell'ancien régime anche nel secolo XIX, che vide l'ascesa della borghesia. In Italia, dove non ci fu una rivoluzione borghese, l'arcaico modello culturale aristocratico durò più a lungo e in parte dura ancora. Questo va tenuto
presente per capire sia l'educazione sia la psicologia di
Gianni Agnelli. Come si conveniva a un principe più che al
semplice erede di una fortuna industriale, nel 1945 Gianni
non aveva la minima intenzione di interessarsi a cose noio-
se come la fabbricazione di automobili. Per di più, era reduce da un grave incidente di macchina, il primo di due incidenti paurosi che lo avrebbero menomato nell'uso della
gamba destra.

Pur essendo l'erede naturale del vecchio Senatore, nel
1946 Gianni fu ben felice di lasciare la direzione dell'azienda a Vittorio Valletta, ex professore di tecnica bancaria,
che avrebbe ricostruito la FIAT con i fondi del Piano Mar-
shall. L'era Valletta si sarebbe chiusa solo nel 1966, con
Gianni ormai quarantacinquenne. Ma, alla fine della guerra, l'erede Agnelli aveva solo 24 anni, e decise di seguire il
consiglio che il nonno gli aveva dato prima di morire: « Go-
ditela un po' e cavatene la voglia ». Proprio così avrebbe
fatto.

In quei giorni, per la grande maggioranza degli italiani la
vita era ancora dura. Gli anni della ricostruzione post-
bellica furono un tempo di sacrifici, di lotte e conflitti nelle
fabbriche; il necessario non mancava, ma non c'era molto
di più.

Se Gianni Agnelli vide tutto questo, fu da una bella distanza. Lo aspettavano anni ruggenti, di una vita molto più
brillante e lussuosa di quanto avrebbe potuto sognare anche

un uomo amante del piacere come suo padre. Non tardò a lasciare l'Italia, ancora straziata dalla guerra, per trasferirsi nella sua villa di 28 stanze a Beaulieu sulla Costa Azzurra, completa di magnifico yacht, aereo personale, una cerchia di brillanti amici e una schiera di domestici per provvedere alle loro esigenze.

Stava per entrare in scena il Grande Libertino della Riviera, e sarebbe passato molto tempo prima che si rassegnasse all'apparente noia di fabbricare automobili. Perché Gianni Agnelli non se la sentiva, allora, di diventare il capitano d'industria, consapevole delle sue responsabilità sociali ed economiche, di cui il paese aveva un così disperato bisogno. Gianni Agnelli stava per diventare il più brillante playboy d'Europa.

1 Dizionario Biografico degli Italiani.
2 Italo Pietra, *I tre Agnelli*, Garzanti, 1985, p. 19.
3 Pietra, p. 36.
4 Gino Pallotta, *Gli Agnelli: una dinastia italiana*, Newton Compton, 1987, pp. 35-36; Valerio Castronovo, *Agnelli*, UTET, 1971, pp. 35-43.
5 Pietra, p. 10.
6 Pietra, p. 10; vedi anche Francesco Guarneri, *Battaglie economiche*, Garzanti, 1953, p. 56, e Giordano Bruno Guerri, *Giuseppe Bottai, un fascista critico*, Feltrinelli, 1976, p. 107.
7 Denis Mack Smith, *Mussolini*, p. 38.
8 Castronovo, p. 89.
9 Paolo Spriano, *Torino operaia*, Einaudi, p. 235.
10 Pietra, p. 57; v. anche Castronovo, p. 125.
11 Castronovo, p. 277.
12 Intervista dell'autore al conte Giovanni Tadini, 27 agosto 1987, Agnano, Pisa.
13 Pietra, p. 11.
14 Intervista dell'autore a Susanna Agnelli, 26 ottobre 1987, Roma.
15 Susanna Agnelli, *Vestivamo alla marinara*, Mondadori, 1975, p. 10.
16 Agnelli, pp. 67-69.
17 Pietra, p. 12.
18 Intervista dell'autore a Susanna Agnelli, 26 ottobre 1987, Roma.
19 Pietra, p. 83.
20 Pietra, p. 79.
21 Raoul Ghezzi, *Comunisti, industriali e fascisti*, 1923.
22 Intervista dell'autore a Susanna Agnelli, 26 ottobre 1987, Roma.
23 Intervista dell'autore a Paolo Ragazzi, 14 novembre 1987, Torino.
24 Agnelli, p. 221.
25 Pietra, p. 139.

2. Il playboy

« Mio zio », dice Egon von Fürstenberg, uomo di mondo, creatore di moda, « ha molto senso dell'umorismo. È un uomo molto irritabile, ma molto divertente. » [1]

Il figlio quarantaduenne del principe Tassilo e di Clara Agnelli è un aristocratico amante del buon vivere, titolare di un passaporto austriaco ma che si considera di casa a Roma come a Milano, Torino, New York. Seduto in un ristorante milanese, infilza sulla forchetta un boccone di pescespada alla menta, beve un sorso di bianco secco e parla con un misto di orgoglio e irriverenza di suo zio Gianni Agnelli. Egon parla anche del suo albero genealogico, dichiara infondata la voce che Umberto sia un figlio illegittimo (pur aggiungendo con una strizzatina d'occhio: « Avrà notato che alcuni membri della famiglia sembrano Agnelli e altri no ») e infine lamenta quanto sia difficile « essere un Agnelli », con tutti gli occhi sempre addosso, e insieme « darsi bel tempo ».

Il peso che deriva dall'essere un membro d'una famiglia quasi reale è evidentemente considerevole. « Non dimenticare che sei un Agnelli », ripeteva Miss Parker ai piccoli che le erano affidati. Zio Gianni, spiega von Fürstenberg, espresse una volta il concetto con queste parole: « Egon, tu sei fortunato. Sei l'unico della famiglia che può fare quel che vuole. Non hai bisogno di fingere ». Il principe si passa una mano fra i capelli ondulati e sorride malizioso. « Mio zio ha ragione », osserva, « ma penso che anche lui si sia dato un po' di bel tempo. »

« Darsi bel tempo » è un understatement inconsueto nella conversazione di un uomo di solito esuberante. La maggior parte degli amici di Gianni Agnelli usano piuttosto termini come « folle » o « pazzesco » per descrivere il modo in cui egli visse la maggior parte dei due decenni seguiti alla fine della seconda guerra mondiale. Questi amici parlano di Gianni come di uno che è stato « la quintessenza del playboy » e della sua continua ricerca di piaceri, divertimenti, avventure. Lo definiscono molto « chic », allora come adesso, e con una « vena di follia » irrefrenabile. Il suo nemico nella vita, allora come adesso, era la noia. Sempre in cerca di diversioni, l'irrequieto Gianni Agnelli ha passato la vita sempre in movimento. Nessun altro rappresentante del jet-set, neppure Onassis, ha mai vissuto così impulsivamente come Gianni Agnelli. Forse per questo il primo consiglio del principe von Fürstenberg, quando suo zio si ruppe un femore nell'ottobre 1987 – e gli fu detto che rischiava di dover restare in trazione per due mesi – fu di « prendere un bel po' di tranquillanti ».[2]

Uno stile di vita movimentato e lussuoso fino all'ostentazione fu la medicina che Gianni Agnelli prescrisse a se stesso nel 1945, quando la guerra ebbe fine e suo nonno gli consigliò di « godersela un po' ». Con entrate personali valutate a oltre un milione di dollari l'anno, Gianni Agnelli ci si mise con tale impegno da meritare, anni dopo, il commento della rivista *Time* secondo la quale aveva « avuto una carriera nelle rubriche di pettegolezzi molto prima di arrivare alle pagine finanziarie ».[3]

Tutto questo non significa che Gianni Agnelli non abbia mai avuto responsabilità aziendali prima di diventare presidente della FIAT nel 1966. Immediatamente dopo la guerra diventò presidente della RIV, un'azienda produttrice di cuscinetti a sfera, con la sua principale sede di produzione a Villar Perosa, che il Senatore aveva fondato nel 1906 e che sessant'anni più tardi si sarebbe fusa con un'impresa svedese, prendendo il nome di RIV-SKF.

Le funzioni di Gianni alla RIV erano più che altro rappresentative. Più tardi avrebbe venduto la maggior parte del suo pacchetto agli svedesi. Ma nel 1978 ebbe occasione di illustrare la natura della produzione RIV a un intervistatore americano, e lo fece con uno stile veramente tutto suo. I cuscinetti a sfera, spiegò, sono « quelle palline piccolissime che sono la cosa più cara di un'automobile, una specie di tartufi dell'automobile ».[4]

Benché Gianni Agnelli ami cibi semplici e leggeri, sembra che abbia una predilezione per i tartufi. Un consulente americano della FIAT ricorda un pranzo nel lussuoso appartamento di dieci stanze che Gianni Agnelli ha a Roma, in un palazzo del Seicento sulla collina del Quirinale, proprio di fronte alla residenza del presidente della Repubblica. «Eravamo a tavola in quindici, e la prima portata fu una quiche ai tartufi. Ogni porzione doveva contenere una manciata di tartufi affettati: circa cinquanta dollari a testa.»[5]

In Piemonte e nel 1945 Gianni assunse anche per la prima volta una responsabilità politica. A Villar Perosa, Gianni fu eletto sindaco, carica che suo nonno aveva rivestito prima di lui, tenendola per oltre trent'anni. I suoi doveri di sindaco non erano però così impegnativi da distrarlo dalla Costa Azzurra, come non lo erano le sue responsabilità alla FIAT né quelle di presidente della Juventus.

Al principio del 1946 Vittorio Valletta ebbe un incontro con Gianni, che aveva appena compiuto 25 anni, e gli chiese se gli interessava entrare nell'azienda. Questa conversazione fra il sessantatreenne Valletta e Gianni è stata riportata più volte e pare sia stata breve e franca. «I casi sono due: o lo fa lei il presidente o lo faccio io», disse Valletta. E con molto buon senso il giovane Agnelli, che non si sentiva pronto per una tale responsabilità e sapeva di non avere la preparazione necessaria, rispose: «Professore, lo faccia lei».[6]

In seguito a questa conversazione Gianni fu nominato vicepresidente dell'azienda. Cominciò così il periodo, durato vent'anni, della supremazia di Valletta alla FIAT, un periodo che membri anziani dell'azienda chiamano «la stagione di Valletta», altri «la reggenza». E così Gianni fu libero di dedicarsi ad altre attività, cioè, come dice oggi suo nipote, di «darsi un po' di bel tempo».

I rapporti tra Gianni e l'ossessivo Valletta furono in effetti molto simili a quelli fra un sovrano assente e il suo reggente. Mentre Gianni passava il suo tempo su automobili veloci e in compagnia di belle donne, Valletta controllava l'impero FIAT e ne dirigeva la ricostruzione postbellica. Agnelli forse regnava, a distanza, ma Valletta governava. I due uomini avevano ben poco in comune; uno era un giovane mondano, spensierato e ricco, l'altro aveva dedicato tutta la sua vita all'azienda, con pochi o nessun interesse fuori di quella. A giudicare da quel che racconta uno dei più stretti collaboratori di Valletta, il vecchio professore nutriva forse per gli Agnelli, insieme al rispetto, un'ombra di disprezzo. « Valletta », ricorda Paolo Ragazzi, « ha sempre pensato che ci voleva un Agnelli a capo dell'azienda. Il suo gran lamento era che Gianni non faceva niente per prepararsi a questo compito. Gianni non ha fatto assolutamente niente fino a molto tardi nella vita. » [7] Il vecchio Ragazzi, la cui assoluta lealtà nei confronti sia di Valletta sia di Giovanni Agnelli traspare da ogni sua frase, piena di ammirazione e di nostalgia, ricorda come « a un certo punto, negli anni '50, Valletta cominciò a preoccuparsi per Gianni e lo portò in giro per le fabbriche, perché la gente lo vedesse. Ma era chiaro che a Gianni piacevano più le donne che le macchine ». E, giocherellando con fotografie ingiallite che lo ritraggono insieme a Valletta, l'ex dirigente della Fiat aggiunge un commento finale: « È una famiglia, vede, cui non è mai mancato niente. Possono soddisfare qualunque desiderio ».

La soddisfazione dei desideri può prendere molte forme. Per una persona cresciuta nel lusso e abituata a considerare suoi naturali appannaggi la ricchezza, il potere, un'alta posizione sociale, trovare gratificazioni è più difficile che per altri. Per un uomo perpetuamente irrequieto, di intelligenza viva ma non un intellettuale, un po' esibizionista, con accesso a tutti i beni terreni che poteva procurare una rendita di un milione di dollari l'anno, non c'è nulla di sorprendente nella scelta di un tipo d'esistenza alla Scott Fitzgerald.

In quegli anni il bel mondo sulla Costa Azzurra era composto di persone come il principe Ranieri di Monaco, l'attore Errol Flynn, l'ex diplomatico e grande amatore Porfirio Rubirosa, « Rubi » per gli amici, lo spagnolo marchese Alfonso De Portago, pazzo per le macchine veloci, Ali Khan, il brasiliano Baby Pignatari, « re dei metalli non ferrosi », e naturalmente Gianni Agnelli. Quanto alle donne, troppe per ricordarle tutte: case e yacht pieni di bellezze, da attrici a mogli di ricchi uomini d'affari a contesse, principesse e altre titolate di minor rango. Una breve lista di solo alcune fra le tante la cui presenza rendeva più gradevole la vita ai fortunati abitanti della riviera (e, secondo i pettegolezzi, in particolar modo a Gianni) dovrebbe includere Rita Hayworth, Linda Christian, Doris Duke, Danielle Darrieux; e, date le inclinazioni di Gianni e dei suoi amici, c'era anche un buon numero di signore di più facile approccio.

Gianni si sarebbe sposato nel 1953; otto anni lo separavano dal matrimonio, e ne fece buon uso. Fra le donne il cui nome venne associato a quello di Gianni il Playboy ci fu Anita Ekberg, la favolosa bionda svedese. In un'intervista concessa nel 1987 a un settimanale italiano la Ekberg ha rievocato alcuni dei suoi amori, da Tyrone Power (la cui ex moglie Linda Christian, secondo molti vecchi amici, non fu insensibile al fascino di Gianni) a Gary Cooper. Sia Power sia Cooper avrebbero voluto sposarla, rivelò la Ekberg, aggiungendo di aver goduto le attenzioni di Yul Brinner, Clark Gable e Robert Mitchum. Quando però l'intervistatrice chiese chi fosse l'uomo misterioso che in altre interviste l'attrice aveva definito « uno dei più importanti del mondo » e « il re di un'impresa economica importantissima per il benessere della nazione », Anita Ekberg replicò con uno scherzoso: « Vole nome? Pirelli ». La giornalista ribatté che queste erano sciocchezze e chiarì che non interessavano tanto il nome quanto le ragioni di una discrezione così insolita. Ma non riuscì a saperne di più. « Possibile che con capisce da sé? » si schermì la Ekberg. « Che lui vero amore di vita mia. Che cosa molto, molto preziosa e che lo amo tuttora. Anche se non vedo più da tanti anni. »[8]

Forse non sapremo mai se questo amante misterioso fu veramente Gianni Agnelli, ma che la Ekberg e Agnelli si facessero vedere insieme è documentato da amici e da fotografie. Del resto Susanna Agnelli non trova difficoltà a ricordare i giorni di quell'incontro. «Credo», dice col suo bel sorriso, «che quando Gianni vide Anita Ekberg per la prima volta, stesa al sole a bordo di uno yacht, abbia detto qualcosa come 'Non sembra un vulcano?'» Ride e passa ad altri argomenti: la politica italiana, la difficoltà di appartenere a una famiglia così in vista e, interrogata, cerca persino di spiegare che particolare tipo di playboy sia stato suo fratello. Fiuto e immaginazione sono sempre state le sue qualità, dice, sia come playboy sia più tardi come capo d'industria. Negli anni subito dopo la guerra «alla FIAT non c'era bisogno di lui perché all'azienda badava Valletta. Ma lui ha sempre avuto molta immaginazione. Ne aveva come playboy, e dopo l'ha usata come capo d'azienda».[9]

Suni Agnelli è una donna d'un candore riposante; piena di charme come suo fratello, ma secondo gli intimi in modo meno studiato, più naturale e sincero. E, secondo le persone che conoscono bene entrambi, è molto più in pace con se stessa di quanto non sia Gianni.

«È sempre stato un irrequieto. Ed è sempre lo stesso», dice un amico che lo conosce bene fin dall'adolescenza. «Quest'estate mi ha invitato a fargli visita a Saint Moritz, e così ho fatto. Ma lui non c'è mai. È in piedi alle sei di mattina, poi prende l'elicottero e va a fare una nuotata a Cap Ferrat. Poi salta sullo yacht, poi prende il jet e va a Parigi a vedere una casa e torna a Saint Moritz per l'ora di cena. Sono andato a fargli visita, ma gli ho detto: 'Gianni! Cosa faccio qui?' Una mattina voleva che andassi con lui a vedere gli impressionisti alla galleria Thyssen a Lugano. Dovevo essere a Ferrat quel pomeriggio. 'Oh, nessun problema', dice lui. 'Prendiamo l'elicottero alle sette di mattina e andiamo a Lugano. Siamo di ritorno a Saint Moritz per il pranzo, poi tu vai in macchina a Milano e di lì continui per Cap Ferrat.' Sì, è sempre molto irrequieto.»[10]

Se queste erano le giornate di Gianni Agnelli nell'estate 1987, poche settimane dopo avere avvertito disturbi al cuore (e quattro anni dopo aver subito un'operazione di bypass), cercate di immaginare, dicono gli amici, che rompicollo poteva essere da giovanotto, ai tempi di Beaulieu. È però di quei tempi l'incontro con una donna che esercitò su di lui un'influenza importante, in qualche misura rendendolo più calmo e, dice qualcuno, contribuendo a fare di lui una persona più civile. Si chiamava Pamela Churchill (oggi Harriman) ed era la ex nuora di Sir Winston.

Pamela Digby Churchill Hayward Harriman, oggi una delle persone più impegnate nel raccogliere fondi e organizzare campagne per il partito democratico a Washington, era figlia dell'undicesimo Lord Digby. A 19 anni sposò il figlio di Winston Churchill, Randolph. Negli anni di guerra, nella sua qualità di nuora del primo ministro, condusse un'esistenza movimentata e interessante; ma quando il suo matrimonio finì prese con sé il figlio Winston (oggi deputato conservatore) e si trasferì a Parigi. Qui conobbe e frequentò uomini come Ali Khan e Élie de Rothschild, e finì con l'imbattersi nell'onnipresente Gianni Agnelli. In un ritratto di Pamela Harriman sono riportate parole di Susan Mary Alsop, della nota famiglia di Washington, a proposito di Pamela e del suo « passare da un uomo all'altro: Élie de Rothschild, Gianni Agnelli ». La Alsop ricordava anche di essere stata lasciata una volta a badare al figlio di Pamela « mentre lei era a Torino con Agnelli ».[11]

Nella storia fra Gianni e Pamela, l'episodio raccontato più di frequente riguarda la volta in cui lei lo trovò con un'altra donna e Gianni se ne andò al volante della sua Ferrari, che di lì a poco, guidando a velocità pazzesca (fino a 200 km all'ora) vicino a Montecarlo, mandò a sbattere contro un autocarro carico di carni macellate. Erano quasi le cinque d'una mattina dell'estate 1952 quando Gianni fu estratto dai rottami della macchina, e secondo tutti i resoconti poteva considerarsi fortunato di esserne cavato ancora vivo.[12]

La storia del come Pamela Churchill sorprese Gianni Agnelli con un'altra donna è stata raccontata da molte persone negli scorsi trentacinque anni. I resoconti più particolareggiati vengono da Taki Theodoracopulos, giornalista mondano e vecchio amico di Agnelli. Taki, che ama rievocare gli anni vissuti in quel « parco di divertimenti » che era allora la Riviera francese, cita anche parole di Agnelli a proposito di « quelle inebrianti notti bianche sulla Costa Azzurra »; un gioco di parole, dice, che « gli iniziati capiscono ». La « grande svolta » nella vita di Gianni, secondo Taki, si verificò quando « nel pieno di un'appassionata storia d'amore con Pamela Churchill, la ex moglie di Randolph... Gianni fracassò la sua macchina contro un autocarro, ferendosi gravemente. Pamela lo aveva scoperto in flagrante con una ragazza più giovane. Quando l'incidente accadde, lui stava portando a casa la ragazza ».[13] In un altro racconto Taki ha lodato la cavalleria e il coraggio di Agnelli: « Era intrappolato nei rottami della sua Ferrari, ma chiese soltanto che la donna fosse protetta dagli sguardi curiosi ».[14]

Se questo famoso incidente sia stato o no l'immediato seguito di una lite con Pamela, rimane un segreto, condiviso da pochi intimi; certo è che Gianni Agnelli si ruppe la gamba destra in sei punti e finì per tre mesi in clinica. Era la stessa gamba già gravemente fratturata nel 1944, quando una piccola FIAT azzurra guidata da un ufficiale tedesco e con a bordo Gianni e Suni precipitò in un fosso; quella volta Gianni si fracassò una caviglia ed evitò per poco l'amputazione. Dall'incidente di Montecarlo la sua gamba uscì così maciullata che di nuovo i dottori parlarono di amputazione, ma Agnelli non ne volle sapere. Aveva 31 anni. Le conseguenze dell'incidente furono un passo claudicante, parecchie altre operazioni in futuro, uno speciale apparecchio; ma quello che fu un episodio penoso e pauroso è diventato ormai un elemento chiave della leggenda Agnelli.

Il modo migliore di distinguere leggenda da realtà è farsi raccontare i fatti da qualcuno che conosceva Gianni Agnelli e Pamela al tempo in cui i fatti accaddero. Perciò mi trovo a sedere con William Paley, presidente della CBS, nel suo lussuoso ufficio al 35° piano d'un grattacielo a Manhattan, e lo faccio parlare del suo « grande amico » Gianni. Paley è un uomo dall'ossatura robusta, elegante in un abito scuro, con un ciuffo di capelli bianchi come la sua camicia. Siede dietro una grande scrivania rotonda, circondato da quadri di famiglia e mobili antichi.

« Conobbi Gianni quando aveva quella sua casa nel sud della Francia », comincia, « al tempo in cui stava con Pamela Churchill. Quello è stato un periodo curioso nella storia del mondo. Si facevano tanti giochi. Giocavano persone serie e persone non serie. Ci divertivamo tanto. Mi sembrava di essere più leggero dell'aria. » [15]

Paley dice di non aver mai pensato che Gianni e Pamela avrebbero finito per sposarsi. « Quasi tutti dicevano che si sarebbero sposati. Penso che a un certo punto ci fu persino una specie di annuncio. Ricordo che lei stava imparando a diventare cattolica. » Ma quel che Paley ricorda di più è come tutti si « divertivano ». « Gianni era giovane e non aveva molto senso di responsabilità. Attirava le donne e non doveva fare un gran che per conquistarle. E non stava mai fermo. L'uomo più irrequieto che abbia mai conosciuto. » Poi, con ammirazione più che con ironia, il fondatore della CBS scuote la testa e aggiunge: « Non so come abbia fatto a trasformarsi in un industriale responsabile. Ha finito col trovarsi addosso un monte di responsabilità. È andato da un estremo all'altro ».

Paley non è l'unico vecchio amico di Agnelli che sia preso da nostalgia quando si parla del buon tempo andato. Seduta su un divano superimbottito, nel bel salotto affrescato del suo appartamento in un palazzo del Seicento a due passi da piazza Venezia, la principessa Irene Galitzine, 71 anni, grande disegnatrice di moda e amica degli Agnelli, dei Kennedy, di molti altri, accosta le labbra al suo bicchiere di whisky e fruga tra i ricordi del passato.

Cominciamo a chiacchierare alle sei e mezzo del pomeriggio, mentre il barboncino nero della principessa gioca nella grande stanza, piena di vasi cinesi, paraventi e oggetti antichi. Dopo mezz'ora di conversazione, la principessa si toglie gli occhiali neri. La sua famiglia, spiega, è originaria della Lituania, dove i suoi antenati erano re di quel paese dimenticato. Lei è sposata con il marchese Silvio Medici de Menezes, nel cui sangue si mescolano quello dei Medici e quello dell'aristocrazia brasiliana e portoghese. La principessa Irene è una donna ancora piena di vita, attraente nella sua corta gonna nera. Parla di quando aprì il suo studio in via Veneto nel 1949, dei suoi amici nel bel mondo romano, della sua ammirazione per il presidente Kennedy e dell'amicizia, che continua, con Jackie.

Com'era la vita nei primi anni '50? « Oh, a Roma un ricevimento dopo l'altro. Era tutto molto allegro. La gente amava vestirsi. Cominciavano a venire gli americani, ed era *tutto* alta moda; allora non esisteva il prêt-à-porter. » E mi descrive gli « interessanti salotti » di allora, prima di passare ai ritrovi prediletti del jet-set internazionale.[16]

E com'era allora la Riviera francese, in particolare Beaulieu? « A Beaulieu non c'erano altro che feste. Quelli che non erano ospiti di Gianni a Villa Leopolda, alloggiavano al Reserve o in altre ville. Quando Gianni stava con Pamela Churchill non facevamo che correre, tutti, da una villa all'altra. »

Questa idea del « correre » – non certo a piedi, ma in macchina, yacht, aereo personale – da una villa a un casino a un night-club a un campo di polo, dal sud della Francia a Parigi, Torino, New York, Buenos Aires, Rio o qualunque altro luogo suggerito dal capriccio, fa parte di un'epoca irripetibile. Oggi il playboy non è più un personaggio interessante, ma in quel tempo era una figura romantica e piena di fascino; l'esserlo stato ha certamente contribuito al nascere della leggenda Agnelli.

Il principe Nickie Pignatelli, amico di Gianni da tutta la vita, ha una volta così riassunto il generale atteggiamento degli italiani nei confronti dell'Avvocato, un atteggiamento quasi sempre improntato a simpatia: « Agli italiani piace il modo come Gianni si gode la vita ».[17] E certo Gianni Agnelli è da anni una delle figure più carismatiche e accattivanti della vita pubblica italiana, un'incarnazione dei sogni e delle aspirazioni dei suoi compatrioti; un uomo che, dal punto di vista sociale, vive nell'aria rarefatta delle vette, una figura paterna. In una società fino a pochi decenni fa ancora in gran parte agraria, con un Mezzogiorno in misura preponderante contadino, è il cosmopolita, il soave e raffinato playboy diventato patriarca, un esempio e un ideale cui ci si può ispirare. Ed è innegabilmente tutto questo, qualunque altra cosa sia potuto diventare nella sua ascesa a capo d'industria di livello internazionale.

A dire della principessa Galitzine, Gianni non fu sempre così sofisticato. Sì, conosceva bene le lingue, aveva una buona infarinatura di cultura cosmopolita, ma quando approdò sulla Costa Azzurra gli mancavano gli ultimi tocchi. Secondo la principessa, Pamela Churchill diede un importante contributo alla sua educazione. « Fu molto importante per Gianni. In sua compagnia diventò più internazionale, meno provinciale. Gli insegnò un'infinità di cose, sul modo di ricevere, in fatto di gusto, in cose come scegliere i mobili. » Il gusto antiquario instillatogli da Pamela si è poi andato sempre più raffinando. « Meno male che fabbrica macchine », dice di lui un grande antiquario, « altrimenti sarebbe il più bravo di tutti noi. »

Nel 1962 la principessa Irene, che al momento era a Capri, ricevette una telefonata da Gianni Agnelli. Erano gli anni della dolce vita, e la principessa non si stupì più di tanto nel sentirsi annunciare che Gianni avrebbe portato Jackie Kennedy a bere qualcosa. « Gli dissi di no. Tutti quegli agenti segreti, la confusione. Ma insistette e così vennero, Gianni, Jackie e il giovane Mario D'Urso (un mondano banchiere d'affari che è ancor oggi un intimo degli Agnelli). » E naturalmente c'erano « balli e feste, fino alle due o alle tre del mattino ». La principessa continuava a dire a Gianni Agnelli che stesse attento ai paparazzi. « Non sarebbe dovuto andare con Jackie e noi in quei night dove è così facile essere fotografati », e tira fuori da un vecchio album fotografie di Jackie Kennedy, lei, Gianni, Mario D'Urso.

Questo accadeva nel 1962, dieci anni dopo l'incidente di macchina e quando Gianni Agnelli aveva già due figli. Era però vero che, poco più di dodici mesi dopo quell'incidente quasi mortale, Gianni aveva compiuto un passo che secondo i più indicava l'intenzione di « mettere la testa a posto ». In altre parole, si era sposato.

Molto si è detto e scritto sull'effetto del famoso incidente sulla psiche di Gianni Agnelli. L'idea corrente è che lo shock lo rese consapevole della sua mortalità e lo decise ad abbandonare la sua vita di dissipazione e ad assumere un ruolo più attivo nel mondo degli affari. Non è però molto sicuro che le cose siano andate veramente così, perché sarebbero passati ben quattordici anni prima che Gianni Agnelli assumesse la presidenza della FIAT. D'altra parte, tutto questo tempo non fu solo per decisione sua: era chiaro che Valletta voleva mano libera alla FIAT, e non incoraggiò certo il giovane padrone a interessarsi troppo da vicino agli affari dell'azienda.

Quanto al matrimonio con Marella Caracciolo, questa, secondo l'opinione abbastanza severa di alcuni amici della famiglia Agnelli, è stata forse la cosa più saggia che Gianni abbia mai fatto. Saggia perché?

Perché, dicono questi osservatori, Marella portò a suo marito la calma e la stabilità cui aveva sempre aspirato; perché, continuano, la sua educazione aristocratica portò nuovo lustro alla famiglia; e anche perché Marella era già una persona vicina agli Agnelli, amica di Cristiana, Maria Sole e Umberto. Insomma un'ottima scelta, è l'opinione generale, benché al tempo del matrimonio qualche malalingua sussurrasse che avveniva « qualche mese troppo tardi ».[18]

La cerimonia si svolse al castello di Osthofen, presso Strasburgo – il padre della sposa, il principe Filippo Caracciolo di Castagneto, un diplomatico, era allora segretario generale del Consiglio d'Europa – e fu piuttosto semplice. Marella, in bianco, fece sicuramente onore alla sua fama d'essere una fra le donne più eleganti del mondo.

Marella Agnelli era stata fotografa negli Stati Uniti, dove

aveva lavorato per *Vogue*, e ancor oggi passa molto del suo tempo a New York, dove gli Agnelli possiedono un appartamento in Park Avenue. Nonostante la sua posizione sociale, la signora Agnelli si è sempre tenuta un po' in disparte; molto di rado si è esposta alle luci della ribalta. Una delle poche volte fu quando, nel 1957, Richard Avedon la fotografò come una delle « otto donne più belle del mondo » [19] per la rivista *Town and Country*; un'altra nel 1962, quando il New York Couture Group la proclamò una delle donne meglio vestite.[20] Si è dedicata in debita misura a opere di beneficenza, accompagna il marito nelle occasioni ufficiali, e nel 1987 ha dato alle stampe, negli Stati Uniti, in Gran Bretagna e in Italia, uno smilzo volume di fotografie di giardini di ville italiane, un libro che ha una cosa in comune con le memorie pubblicate da Suni: è stato ispirato dall'editore inglese George Weidenfeld, un amico di famiglia.[21]

Essere sposata a un ex playboy e alla Persona Più Importante del Paese non deve essere facile. Secondo gli amici, Marella ha « gestito » il suo matrimonio con grande eleganza.

« È molto importante per lui. Gli dà equilibrio », osserva William Paley, aggiungendo che « negli ultimi anni credo che siano stati più vicini ».[22]

John Fairchild, editore di *Women's Wear Daily*, *W* e altre eleganti riviste americane, non è un amico di famiglia ma ha osservato Marella Agnelli in molte occasioni mondane. Seduto alla scrivania nel suo ufficio a New York, elegante come si conviene a un arbitro mondiale della moda, Fairchild definisce Gianni Agnelli « un uomo di grande gusto ». « Si dice che le donne ne vadano pazze », aggiunge, con l'aria di chi non ha capito bene perché. Quanto a Marella, « è molto importante per lui. È indispensabile all'immagine di Gianni Agnelli, ed è anche molto più umana, molto più naturale di lui ».

Fairchild alza gli occhi al soffitto quando gli si parla di certe bizzarrie nell'abbigliamento di Agnelli (l'orologio sopra il polsino della camicia, la cravatta fuori del maglione, le camicie Brooks Brothers coi bottoni slacciati) e torna a parlare della cosa che lo interessa di più. « È una gioia stare con Marella. Non è il tipo che arriva in un posto e immediatamente dice che deve volare da qualche altra parte. Non è come Gianni. E », aggiunge Fairchild con un lampo di malizia nello sguardo, « è una santa a sopportarlo. » [23]

La principessa Irene, invece, lascia capire che in privato Marella è stata meno comprensiva e accomodante di quanto comunemente si creda. « È andata avanti per anni e anni a piangere e fare scenate », rivela; e racconta di essere stata con gli Agnelli « una notte di Capodanno quando Marella piantò una grana perché Gianni era al telefono con un'amica, un'altra principessa ».

Marella, è l'opinione un po' cinica della principessa Galitzine, doveva sapere a che cosa andava incontro sposando Gianni Agnelli. « Quando ti sposi con un bambino in viaggio e sposi un uomo come Gianni, ti devi aspettare certe cose. Ma lei non lo ha mai capito. È sempre stata dura con lui. » [24]

Un altro amico della famiglia Agnelli è più caritatevole. « È sempre serena. Non l'ho mai vista in collera tranne una volta, per via di una delle infinite amiche di Gianni. Gianni disse a Marella che questa signora era amica mia, ma Marella sapeva la verità. » [25]

Marella stessa ha parlato del suo matrimonio più di dieci anni fa, con Enzo Biagi. Gianni, ha detto, le ha dato il gusto della vita, il divertimento.[26] Ma, ha aggiunto, « non ha mai detto 'noi', ma 'io'. Andiamo sempre a sciare insieme, ma quando indica la destra, intende inevitabilmente la sua. Ha un narcisismo un po' infantile ». Gianni, ha detto Marella, non esprime mai i suoi sentimenti; e ha aggiunto in un momento di straordinario candore: « Per Gianni la donna va conquistata. Non si innamora ».[27]

Chi era dunque il vero Gianni Agnelli in quegli anni? Un uomo la cui vita cambiò dopo l'incidente del 1952 e il matrimonio nel 1953, un uomo che aveva deciso di « diventare serio » e di interessarsi a qualcosa di più che le donne, il lusso e le partite della Juventus? o invece un frivolo non ancora pronto ad assumere le sue responsabilità?

È vero che fece qualcosa di serio anche negli anni folli tra il 1945 e il 1966. Non solo fu presidente della Juventus, ma fece anche viaggi in tutto il mondo come rappresentante del suo gruppo industriale. Nel 1959 assunse la presidenza dell'Istituto Finanziario Industriale (IFI), la grande holding di proprietà della famiglia che il senatore Giovanni Agnelli aveva fondato nel 1927 per i nipoti. Possedendo nell'IFI una quota leggermente superiore a quella degli altri membri della famiglia, Gianni aveva anche il controllo di fatto dell'impero Agnelli, FIAT inclusa. E nel 1963 assunse la carica di amministratore delegato della FIAT, per lavorare tre anni sotto Valletta prima di prenderne il posto come presidente.

Secondo alcuni, Agnelli apparve come un modello (benché più tardi) a un uomo come Henry Ford II, che pur essendo circa suo coetaneo, solo di quattro anni più vecchio, aveva dedicato gli anni della prima virilità ai problemi della sua azienda mentre Gianni viveva in mezzo alle donne e al lusso.[28] Henry Ford era un amico americano degli Agnelli, insieme con i Kennedy (John e Jackie in particolare), i Rockefeller, William Paley e la sua bella moglie Babe, André Meyer della Lazard, Henry Kissinger e molti altri. Ma si può imparare qualcosa a proposito di Gianni anche guardando al modo in cui molti suoi amici dei bei tempi trovarono la fine. Errol Flynn, che la principessa Galitzine ricorda come un grande amico di Gianni (« andavano insieme in barca e in cerca di ragazze ») morì di un attacco di cuore dopo una vita di stravizi. Rubirosa, Alfonso de Portago e Ali Khan condussero una vita altrettanto dissipata e tutti e tre morirono in incidenti di macchina. Quanto a Gianni, secondo un amico di famiglia non ha mai smesso di correre dietro alle belle donne. « È soltanto più discreto », spiega.[29]

Negli anni '50 Gianni Agnelli era una celebrità internazionale; in Italia era visto come un principe frivolo, amante del lusso, indulgente con se stesso. « Non si era mai occupato di affari finanziari, né di industria. Aveva le mani curate, abitudini raffinate e conosceva quattro lingue, ma non aveva mai provato a levarsi dal letto alle sei del mattino, come quotidianamente accadeva al nonno », così lo descriveva *l'Unità* in un profilo pubblicato nel 1959. Conclusione? « Un principe molle, propenso alle mattane, dominato da un insano trasporto verso i titoli nobiliari. »[30]

Se questo era il giudizio impietoso dell'*Unità*, uno politicamente molto più realistico venne da un'altra fonte comunista: dal segretario generale del partito comunista dell'URSS, che nel 1962 era Nikita Kruscev. Si racconta che quando Gianni Agnelli andò a Mosca quell'anno, per una fiera di prodotti italiani, Kruscev lo abbracciò. « Voglio parlare con lei perché lei avrà sempre il potere », disse con la sua caratteristica franchezza. « Questi altri », e indicò con un gesto un gruppo di politici italiani, « non faranno mai altro che andare e venire. »[31]

Capriccioso, indisciplinato, fatuo? O la versione italiana del giovane John Kennedy, nato per la gloria, che ammazza il tempo aspettando il momento della verità? Nel 1966, quando il veterano di Beaulieu decise di prendere il suo trono alla FIAT, la risposta non aveva molta importanza. Si era divertito quanto aveva voluto, ma adesso gli amici lo esortavano a prendere le redini dell'impero fondato da suo nonno. L'ultimo a uscire dal night sarebbe diventato il primo fra gli industriali italiani. Finiti i giorni del playboy. « La gente allora si divertiva perché ne aveva voglia », avrebbe spiegato più tardi. « Oggi i playboy recitano a beneficio del pubblico. Oggi i valori sono di cattiva qualità. Un tempo si potevano avere cattive abitudini, ma non cattiva qualità. »[32]

La qualità, inutile dirlo, è qualcosa che ciascuno giudica a modo suo. La qualità dell'immagine pubblica di Gianni Agnelli, anche prima che la formidabile macchina delle relazioni pubbliche FIAT si mettesse in moto a beneficio del nuovo presidente, era notevole, benché basata più sulle sue avventure come membro del jet-set che sulla sua attività aziendale. Indagini dimostrarono che 99 italiani su 100 sapevano il nome del papa, ma 100 su 100 sapevano chi fosse l'Avvocato. E così l'ex playboy, più famoso del papa stesso, si preparò a sostituire l'ormai anziano Valletta. Nel 1966, a 45 anni, Gianni Agnelli si decise a impegnarsi in un'attività che, visto il modo in cui aveva speso la maggior parte della sua vita adulta, doveva sembrargli non molto gradevole, se non addirittura francamente antipatica. Un'attività chiamata *lavoro*.

1 Intervista dell'autore a Egon von Fürstenberg, 17 settembre 1987, Milano.
2 Intervista dell'autore a Egon von Fürstenberg, 19 settembre 1987, Milano.
3 Rivista *Time*, « A Society Transformed by Industry », 17 gennaio 1969, p. 61.
4 *Esquire*, « On the Razor's Edge: A Portrait of Gianni Agnelli », 20 giugno 1978, p. 28, di Lally Weymouth.
5 Conversazione privata, 18 novembre 1987, Washington, D.C.
6 Italo Pietra, *I tre Agnelli*, Garzanti, 1985, p. 165.
7 Intervista dell'autore a Paolo Ragazzi, 14 novembre 1987, Torino.
8 *Europeo*, « La dolce Anita », 25 luglio 1987, pp. 124-125, di Lina Coletti.
9 Intervista dell'autore a Susanna Agnelli, 26 ottobre 1987, Roma.
10 Intervista dell'autore, 6 ottobre 1987, Milano.
11 *W*, « Pamela Harriman: Queen of the Democrats », 30 novembre - 7 dicembre 1987, p. 21, di Susan Watters e Patrick McCarthy.
12 *The Sunday Express*, « The man with the ever-ready cyanide pill », 23 aprile 1978, di Taki Theodoracopulos; e *Manhattan, Inc.*, « Gianni Agnelli: The Perils of Living on the Edge », gennaio 1988, di Taki; vedi anche *W* (nota 11).
13 *Sunday Express*, 23 aprile 1978.
14 *Manhattan*, Inc., « Gianni Agnelli: The Perils of Living on the Edge », gennaio 1988, di Taki.
15 Intervista dell'autore a William Paley, 26 gennaio 1988, New York.
16 Intervista dell'autore alla principessa Irene Galitzine, 28 ottobre 1987, Roma.
17 *Fortune*, « The Embattled Prince of Fiat », agosto 1971, p. 129, di Walter McQuade.
18 Edoardo, figlio di Gianni e Marella, nacque il 9 giugno 1954, meno di sette mesi dopo il matrimonio, avvenuto il 19 novembre 1953. Una seconda figlia, Margherita, nacque il 26 ottobre 1955.
19 *Newsweek*, sezione « Newsmakers », 27 maggio 1957. Tra le signore fotografate da Avedon c'erano anche la moglie di William Paley, Lucy Saroyan, la viscontessa di Ribes, la signora Lumet, la signora Guinness e sua figlia.
20 Rivista *Time*, « Fashion: Clanship in Clothes », 11 gennaio 1963.
21 *Capital*, « La signora in verde », pp. 55-63, di Antonella Rampino.
22 Intervista dell'autore a William Paley, 26 gennaio 1988, New York.
23 Intervista dell'autore a John Fairchild, 17 novembre 1987, New York.
24 Intervista dell'autore alla principessa Irene Galitzine, 28 ottobre 1987, Roma.

48

25 Intervista dell'autore, 6 ottobre 1987, Milano.

26 Enzo Biagi, *Il Signor Fiat*, Rizzoli, 1976, p. 89.

27 *Ibid.*, p. 92.

28 Dell'influenza esercitata da Gianni Agnelli su Henry Ford II si parla in tre recenti libri sull'impero Ford.
Robert Lacey, in *Ford: The Men And the Machine* (Ballantine Books, 1986, p. 545) cita un membro della famiglia Ford: « Conoscere Gianni Agnelli fu decisivo. Ecco un uomo all'incirca della sua stessa età, bello, cacciatore di donne, abbronzato, dinamico, che dirigeva un'impresa di successo ma trovava anche il tempo di volare fra Saint Moritz e Saint Tropez in compagnia di bionde incendiarie. E d'improvviso Henry Ford ebbe un'illuminazione: 'Diavolo! Questo vuol dire dirigere un'azienda di famiglia!' »
David Halberstam, in *The Reckoning* (Avon Books, 1986, p. 471), scrive: « Il suo modello, secondo gli amici più intimi, diventò Gianni Agnelli della FIAT. Tra loro c'erano alcuni paralleli. Entrambi avevano ereditato l'azienda di famiglia, entrambi l'avevano fatta prosperare. Ma qui i paralleli finivano. Agnelli si divertiva. Era una celebrità internazionale, non soltanto perché possedeva un'azienda automobilistica ma perché era un personaggio in vista nel bel mondo europeo. Possedeva case in tutti i luoghi più esclusivi d'Europa, vedeva le persone più sofisticate di due continenti, apparteneva al mondo della 'bella gente'. Henry Ford non faceva parte di quel mondo; era una personalità in vista a Detroit e a Grosse Point. E ne aveva fin sopra i capelli ».
E infine gli autori di *The Fords: An American Epic* (Summit Books, 1987, p. 287) Peter Collier e David Horowitz: « L'esempio del suo amico e corrispondente alla FIAT, Gianni Agnelli, ebbe su Henry un'influenza enorme. Mentre la moglie di Agnelli se ne stava buona a casa con i bambini, Gianni era sul suo yacht con un harem di donne. Come avrebbe detto più tardi un osservatore, 'Henry stava entrando nei quaranta. Il tempo passava. Vedeva Agnelli spassarsela con le ragazze sul suo yacht e nel suo appartamento privato, poi tornare dalla moglie e dai figli come nulla fosse' ».

29 Intervista dell'autore, 28 ottobre 1987, Roma.

30 *l'Unità*, « Si diverte Gianni Agnelli, l'uomo più danaroso d'Italia », 5 marzo 1959, di Antonio Perria.

31 Biagi, p. 159.

32 Rivista *Time*, « A Society Transformed by Industry », 17 gennaio 1969, p. 61.

3. *Il presidente*

« Ho COMINCIATO dalla cima », ha detto Gianni Agnelli in un'intervista del 1983.[1] Niente di più vero. Nel 1966, quando Gianni Agnelli rivolse la sua attenzione all'azienda familiare, questa era già la più importante e solida impresa privata italiana. Aveva raggiunto questa posizione sotto la guida di Vittorio Valletta, uomo di fiducia del senatore Giovanni, ed era diventata la chiave di volta dello sviluppo economico italiano. Come tale, esercitava un'influenza enorme nei corridoi del potere in Roma; dopo tutto, su quattro macchine che correvano le strade in Italia tre erano prodotte dalla FIAT. E, oltre alla FIAT, la dinastia Agnelli controllava interessi nel campo dell'ingegneria civile e dei cementi, possedeva pescherecci d'alto mare, navi mercantili, il giornale *La Stampa*; gli Agnelli erano nella Cinzano, agli « Agnelli » apparteneva persino l'autostrada a pagamento Torino-Milano.[2]

L'assunzione di Gianni Agnelli al ruolo di capo supremo della FIAT non fu però semplice come può sembrare adesso. Prima bisognava vedersela con Valletta, un uomo abituato a imporre la sua volontà e con idee sue su chi dovesse prendere il potere.

Quando, la mattina di sabato 30 aprile 1966, un Gianni Agnelli impassibile ma un po' nervoso si presentò davanti ai 489 azionisti FIAT raccolti a Torino per l'assemblea annuale, tutti certo si chiesero che prova sarebbe riuscito a dare di sé, come manager, quell'uomo alto, aristocratico, abbronzato dodici mesi l'anno. I giornali italiani snocciolarono tutti i cliché del caso; il rampollo della dinastia Agnelli prendeva lo « scettro » dalle mani dell'ottantaduenne Valletta; era arrivato « un nuovo timoniere ».[3] Ma l'uomo che si presentò all'assemblea degli azionisti era, in fin dei conti, un ex playboy esperto più che altro di donne. Sapeva che i cuscinetti a sfera sono i tartufi di una vettura, ma, come ammise allegramente parlando con un reporter della rivista *Time*, non aveva « la più pallida idea di come si fabbrichi un'automobile ».[4]

Avrebbe certo dimostrato più tardi le sue capacità, ma solo dopo tredici anni di tentativi ed errori, nei quali a volte avrebbe creato per la FIAT non meno problemi di quanti ne risolveva. Nessuno ha mai messo in dubbio il suo straordinario charme, la vivacità della sua intelligenza, il suo saper vivere, né la reputazione che si è ormai guadagnato come industriale e personaggio internazionale di primissimo livello. Ma in quei primi anni, a parere sia di osservatori finanziari sia dei suoi stessi amici, il neo-presidente della FIAT dovette imparare molte cose « sul vivo ». Era veramente tanto quel che non sapeva. Il fatto che Valletta e un gruppetto di aiutanti chiave avessero, sin dalla fine del secondo conflitto mondiale, preso praticamente tutte le decisioni e conoscessero nei particolari le complessità del grande impero economico non gli rese certo il compito più facile.

Come abbiamo già detto, Gianni Agnelli non era completamente nuovo al mondo degli affari; aveva semplicemente preferito una vita di divertimenti. Aveva preso parte attiva alle riunioni del consiglio d'amministrazione, aveva rappresentato l'azienda in una serie di viaggi d'affari all'inizio e verso la metà degli anni '60, si era occupato dell'IFI e aveva visitato i corridoi dei ministeri; ma tutto questo non poteva cambiare il fatto che era ancora, in primo luogo, un bon vivant.

Ci sono uomini, ha scritto Shakespeare, che nascono grandi, mentre ad altri la grandezza è imposta. Gianni Agnelli era indubbiamente nato per la grandezza, ma continuò a rimandare il momento di accettarne il peso. Questo fu dovuto in buona parte al fatto che l'autocratico Valletta non gli lasciò mai spazio e al suo senso di *noblesse oblige* che non gli permetteva di buttar fuori il vecchio collaboratore del nonno. Sta di fatto che, fino a poco prima del vellutato putsch del 1966, Gianni andava dicendo in privato e in pubblico che non aveva nessuna intenzione di assumere il comando a tempo pieno dell'impero FIAT.

Per esempio, nel gennaio 1964 torinesi bene informati riferivano che Gianni non voleva accollarsi la responsabilità di dirigere la FIAT; pensava piuttosto ad assumere le funzioni d'una sorta di stratega dell'azienda, esercitando la sua supervisione sulle attività di questa e impartendo consigli finanziari e politici. La gestione tecnica poteva essere affidata a Gaudenzio Bono, che nella sua qualità di direttore generale era il più stretto collaboratore di Valletta.[5] «La FIAT», disse Gianni Agnelli due anni prima di cambiare idea, «è una macchina che ha bisogno di un capo esperto di tutte le fasi delle sue operazioni, come è Bono.»[6]

Al corrispondente romano del *Financial Times* Agnelli confermava nel 1964 che il successore di Valletta alla carica di presidente sarebbe stato Bono.[7] Nel 1964 già circolavano voci che Valletta, allora ottantunenne, si preparava al ritiro. E, in un significativo preludio all'imminente cambiamento che per Valletta deve essere stato un affronto terribile, il governo di Roma non tenne nessun conto delle sue opinioni circa una nuova tassa automobilistica e si rivolse direttamente ad Agnelli.[8]

La svolta decisiva fu segnata da una conversazione fra Agnelli e Valletta. Con molta gentilezza Agnelli parlò della necessità di cambiamenti gestionali e d'una riforma organizzativa alla FIAT, oltre che d'un rinnovamento al vertice. Chi sarebbe stato il nuovo presidente, domandò Valletta, sicuro che la scelta di Bono fosse un fatto compiuto. «Credo che lo farò io», fu l'inattesa risposta.[9]

Così, quell'ultimo giorno dell'aprile 1966, fu un Gianni Agnelli serio e un po' teso l'uomo che si presentò agli azionisti FIAT e ascoltò il professor Valletta assicurare all'assemblea che «il dottor Agnelli non è soltanto il nipote di suo nonno».[10]

Il capo di terza generazione di un'azienda familiare è sempre oggetto di molta attenzione, e così fu per Gianni Agnelli. Quando ne assunse la presidenza, la FIAT era un'azienda molto più grossa e molto più potente di quella che suo nonno aveva lasciato. Quando il Senatore morì alla fine del 1945 la FIAT produceva 3260 automobili l'anno; nel 1966, questo numero era largamente superato dalla produzione di ogni singolo giorno lavorativo.[11]

Anche in termini di stile c'erano importanti differenze. Mentre il nonno era stato un datore di lavoro duro e dispotico, con modi bruschi verso gli inferiori e atteggiamenti paternalistici che Valletta non mancò di far propri, Gianni Agnelli era ed è uno charmeur, un uomo di educazione raffinata e maniere perfette, un diplomatico. È vero che un ex consulente della FIAT lo ha descritto « molto interessante a starci assieme ma senza molta spina dorsale, senza molto carattere ».[12] Questo giudizio sembra però ingiusto, benché trovi eco in amici e nemici. Eugenio Scalfari, per esempio, ha una volta chiamato Agnelli « l'avvocato di panna montata », traducendo in questa immagine l'opinione – la stessa espressa dall'*Unità* nel 1959 – che Agnelli è un uomo di debole volontà, incerto e irresoluto quando deve affrontare decisioni difficili.[13] Invece, se vogliamo essere onesti, dal 1966 a oggi ha dato prove di debolezza e irresolutezza, ma anche di forza e determinazione.

Il vecchio Senatore non era certo un tenero, ma sentiva forte la responsabilità di provvedere ai dipendenti della FIAT dalla culla alla tomba. Sotto la direzione sua e di Valletta, la FIAT assicurò ai suoi dipendenti cure mediche, abitazioni, case di riposo, asili d'infanzia per i figli delle madri lavoratrici. E per un certo periodo i dipendenti furono sinceramente grati per tutto questo. Torino era, dopo tutto, la città della FIAT, e ci furono momenti in cui la sopravvivenza di oltre metà della popolazione dipendeva direttamente o indirettamente dall'azienda. Ma insieme alla gratitudine questo generò risentimento. Si racconta che nel 1945, quando il senatore Agnelli e Valletta furono accusati di complicità coi fascisti, tra due giovani operai si svolse in tram questa conversazione. « Dovremmo impiccare Agnelli », disse uno dei due. « Sta' zitto », rimbeccò l'altro, « che se non fosse per Agnelli tu saresti ancora a mungere le vacche. »[14]

Il vecchio senatore Agnelli rispettava l'operaio che faceva bene il suo lavoro, ma al suo rispetto e alla sua benevolenza paternalistica si mescolava ben più di un'ombra di snobismo e di disprezzo. Per esempio una volta, visitando un albergo in costruzione al Sestrière e ispezionando le stanze da bagno, una ogni cinque camere, si fermò davanti a un lavabo e – almeno così si racconta – dichiarò all'architetto che lo accompagnava: « Questi lavabi li voglio dieci centimetri più su ». Stupito, l'architetto obiettò che quella era l'altezza standard in tutt'Italia. « Lei non capisce », ribatté il Senatore. « Qui verrà della gente molto ordinaria, e non voglio che mi piscino nei lavabi. Più su, più su. » [15]

L'interesse del vecchio Senatore per gli impianti idraulici sembra fosse condiviso da Valletta, del quale si racconta che, visitando un campeggio estivo per i figli dei dipendenti, fece scendere l'acqua in tutte le toilette e aprì tutti i rubinetti, col risultato che si trovò a uscire « bagnato dalla testa ai piedi da una doccia che non funzionava bene ».[16]

Mentre suo nonno poteva essere spietato con i dipendenti, Gianni per contrasto proiettava un'immagine di maggiore amabilità. Che però, secondo i critici, ben di rado si tradusse in azioni concrete da parte della FIAT. Nel 1966 il paternalismo vecchio stile cominciò a sembrare fuori posto in una società sempre più urbanizzata. Lo stesso valeva per la struttura manageriale vecchio stile, che aveva un unico centro di profitto cui facevano capo oltre cento divisioni e che prendeva quasi tutte le decisioni chiave, dai problemi di contabilità alla strategia industriale. Qualcosa di molto vicino a un potere assoluto era stato concentrato nelle mani di Valletta.

Nel 1966 la FIAT era un organismo potente ma in crescita; non poteva più essere guidata come un reggimento dell'esercito piemontese. Doveva sfruttare il suo successo in modo più moderno. L'azienda aveva prosperato negli anni del boom; alla fine del 1965 le vendite toccavano il miliardo e mezzo di dollari l'anno, le fabbriche FIAT mettevano sul mercato ogni anno più di un milione fra autovetture, autocarri e trattori, e l'incremento nella sola produzione di automobili era più che doppio rispetto alla media europea.[17] Non solo, ma la motorizzazione in Europa non aveva superato il livello raggiunto in America negli anni '20: c'era dunque spazio per crescere, e la FIAT aveva tutti i numeri per trarne vantaggio. In Italia erano FIAT tre automobili nuove su quattro; la FIAT era la seconda azienda automobilistica europea (dietro la Volkswagen) e la quinta nel mondo.[18]

L'anno in cui Gianni Agnelli assunse la carica di presidente vide la realizzazione di vari progetti avviati da Valletta e dai suoi assistenti. Prima e più importante fra tutti, ci fu la firma di un grosso contratto per la costruzione di una fabbrica d'automobili in Unione Sovietica, a Togliattigrad sul Volga, un trionfo che fu il coronamento della carriera di Valletta. Il contratto di Togliattigrad, di cui torneremo a parlare in un altro capitolo, fu firmato solo quattro giorni dopo la conferma di Gianni Agnelli alla carica di presidente; Valletta ci aveva lavorato per quasi quattro anni. Nel 1966 fu lanciata sul mercato la FIAT 124, un modello diventato ben presto popolare che sarebbe stato costruito anche in Russia. Lo stesso anno vide anche il lancio della piccola elegantissima Dino Spider. Fu firmato con la Romania un contratto di licenza per la costruzione di trattori, a Torino furono presentati nuovi modelli di macchine per movimento terra, società del gruppo FIAT intrapresero lavori di ingegneria in varie parti del mondo: porto di Montecarlo, cave in Pakistan, miniere di fosfati in Giordania, centrale idroelettrica in Turchia, autostrada in Argentina. In più, erano in corso progetti di collaborazione con l'IRI per la costruzione di una grossa fabbrica di motori diesel a Trieste. Inoltre, fu collaudato il jet bimotore G 91 Y e furono realizzati dalla FIAT lo scudo termico del razzo vettore e la struttura dei satelliti Europa 1 e Eldo. Tutto sommato, un anno niente male per assumere la direzione dell'azienda. O così almeno pareva.

In realtà, il neo-presidente aveva anche da risolvere grossi problemi. E il più grosso, insieme alla necessità di cambiare il suo stile di vita, era quello di intervenire in qualche misura sulla centralizzazione del potere aziendale alla FIAT.

Il professor Valletta aveva governato con pugno di ferro, licenziando operai se si scopriva che erano comunisti, o avevano simpatie a sinistra, o in un qualunque modo, anche nelle questioni più banali, si opponevano alla sua volontà sovrana. E che Valletta qualche volta ricorresse alla corruzione era «un fatto della vita»: una cosa nota e accettata.[19]

Non c'è quindi da stupirsi se, a quel tempo, Agnelli non poté dedicare molta attenzione al problema delle crescenti tensioni sociali che si facevano sentire a Torino. Non tutto era bene nella sempre più affollata e inquieta cittadella del suo impero. Torino aveva avuto un'espansione parallela a quella della FIAT, diventando una fra le più grosse città del mondo cresciute intorno a un'industria; ma servizi fondamentali, come case d'abitazione e ospedali, non avevano potuto tenere il passo con quell'espansione. Decisioni prese molto tempo prima da Valletta – di espandere gli impianti di produzione dentro e intorno a Torino, invece che altrove in Italia – richiamavano nuovi immigranti a centinaia di migliaia, creando altro sovraffollamento. Molto prima delle decisioni, prese negli anni '60, di allargare la fabbrica di Mirafiori e costruire quella di Rivalta, inviati della FIAT avevano girato il Sud reclutando a Torino operai non qualificati.

La popolazione del capoluogo piemontese era così salita da 700.000 abitanti nel 1950 a oltre un milione negli anni '80.[20] Quando Gianni Agnelli assunse il potere, la FIAT impiegava più di 130.000 persone; includendo nel conto i famigliari, dalla FIAT dipendeva più di mezzo milione di persone.

Chi era a Torino negli anni '50 ricorda come i meridionali arrivavano, vestiti di stracci, e dormivano sulle panchine della stazione in attesa di trovare un posto alla FIAT. A momenti sembrava che Torino, da qualcuno ribattezzata Fiatville, stesse per scoppiare. La situazione era aggravata da una corrente sotterranea di razzismo. La maggioranza degli immigrati erano siciliani o pugliesi o calabresi, poveri contadini del Mezzogiorno sottosviluppato; interi villaggi, a volte, migravano verso il Nord in cerca di una vita migliore. I torinesi, chiusi e diffidenti, trovavano le loro maniere, origini e aspirazioni sgradevoli e socialmente inaccettabili. Il Po diventò qualcosa più che una divisione geografica. Da una parte vivevano i torinesi privilegiati, in eleganti ville sulla collina; dall'altra, folle squallide e rumorose, con facce di pelle scura, abiti logori, mani ruvide. I vecchi torinesi avevano un termine per gli immigrati, ed era un termine usato dal senatore Agnelli anni prima: li chiamavano « *quegli* italiani ».

Le condizioni di Fiatville non erano forse molto diverse da quelle prevalenti in qualsiasi città-fabbrica, ma la FIAT è stata severamente criticata per non aver fatto nulla per alleviarle; un'accusa che l'azienda ha sempre respinto. L'economista Gian Maria Gros-Pietro, professore all'Università di Torino, dice senza mezzi termini che la FIAT « non ha fatto niente » per la città, pur ammettendo che la Fondazione Agnelli è stata più attiva;[21] gli scopi della Fondazione sono però culturali ed educativi più che immediatamente sociali.

Nel 1972 il sindaco di Torino, Giovanni Porcellana, spiegava: « Il nostro principale problema è che non siamo riusciti a ottenere dalla FIAT di studiare con noi la soluzione ai vari problemi, e scelte vitali non passano attraverso i nostri uffici ».[22] Quando un giornalista americano riferì tali lagnanze a Gianni Agnelli, questi sorrise: « Oh, abbiamo rapporti eccellenti », disse. « Ho visto il sindaco due mesi fa e lo rivedrò presto. » Il vero problema del sindaco, spiegò Agnelli, era che « ha un apparato terribilmente inefficiente ».[23] Che Agnelli avesse ragione o no, certo è che la FIAT doveva pagare a caro prezzo, negli anni '70, il fatto di avere allargato gli impianti produttivi torinesi senza tenere conto delle conseguenze sociali: le tensioni create dalla mancanza di case, dal cattivo funzionamento dei trasporti pubblici e dalla crescente criminalità urbana dovevano esplodere più tardi con estrema violenza.

Ma nella primavera del 1966 Gianni Agnelli aveva certamente altre cose cui pensare. Per esempio, con le misure di liberalizzazione introdotte dal Mercato Comune in Italia cominciava a tirare un fresco vento di competizione, e il 75 per cento del mercato interno che la FIAT si assicurava al momento rappresentava già un calo rispetto al 90 per cento che gliene toccava nel primo dopoguerra. La lotta per la sopravvivenza che conducevano giorno per giorno i suoi operai non occupava dunque uno dei primi posti nella lista di problemi cui andava l'attenzione di Gianni Agnelli. Le priorità erano altre, come togliere il potere ai vecchi dirigenti del regime Valletta, arroccati nelle loro posizioni, e trovare modi nuovi per imporsi su un mercato che sembrava pieno di promesse ma in realtà aveva già vissuto, col boom degli anni '60, il suo periodo più fiorente.

La necessità di modernizzare gli impianti appariva evidente a Gianni Agnelli, che, nei vent'anni del regime Valletta, aveva visitato più volte Detroit e aveva visto coi suoi occhi quel che si poteva fare sul piano dell'efficienza sia manageriale sia produttiva. Non aveva esperienza nel gestire un'azienda, ma non gli mancavano le idee, che puntavano verso l'introduzione di riforme di tipo americano. Prima fra queste doveva essere l'immissione di sangue nuovo nei quadri dirigenti, talmente vecchio stile che quasi tutti i loro membri, con la sola eccezione di quelli all'estremo vertice, timbravano ancora il cartellino. Già il primo anno di presidenza vide così un colpo di mano di grandi proporzioni: la FIAT stabilì nuovi e rigorosi limiti d'età per l'andata in pensione dei suoi alti dirigenti, mandandone a casa più di cento.[24] Non ci fu davvero nulla di debole o incerto in questa iniziativa di Agnelli; fu anzi un vero e proprio terremoto, e del genere che la vecchia guardia più temeva.

L'attenzione del mondo era ancora appuntata su immagini di Gianni Agnelli velista, a torso nudo sul suo yacht, o Gianni Agnelli uomo di mondo, in compagnia di Jackie

58

Kennedy, ma il centro degli interessi di Agnelli si era spostato: dopo anni spesi nella ricerca del piacere, era pronto a passare a un'altra fase, quella della gestione del potere.

1 *M*, «Gianni Agnelli; Really Living», dicembre 1983, p. 46, di Patrick McCarthy.
2 *The Financial Times*, «I.F.I. and Fiat – The Agnelli Empire», 23 febbraio 1962.
3 *Il Giorno*, 1° maggio 1966, «Gianni Agnelli alla scrivania di suo nonno», di Nantas Salvalaggio.
4 Rivista *Time* «A Society Transformed by Industry», 17 gennaio 1969, p. 62.
5 Bono era un fedele di Valletta. Fu anche uno dei 77 dipendenti FIAT messi sotto inchiesta nel 1972 in quanto accusati di far parte di un servizio interno che sorvegliava segretamente migliaia di operai FIAT e teneva dossier sulla loro vita privata e convinzioni politiche. Del fatto parlarono, fra gli altri, il *Sunday Telegraph*; «Kindly uncle Fiat is watching you!», marzo 1972, di Leslie Childe; *The Sunday Times*, «Spy row starts Fiat clean-up», 4 giugno 1972, di Andrew Hale; *The Economist*, «Fiat's spies: Whatever for?», marzo 1972.
6 *Newsweek*, «Fiat: The Big Wheel in Italy's Traffic», 20 gennaio 1964, p. 69.
7 *The Financial Times*, «The End of an Era at Fiat», 24 aprile 1964.
8 *The Financial Times*, 24 aprile 1964.
9 Della conversazione Agnelli-Valletta si parla nei seguenti libri: Enzo Biagi, *Il Signor Fiat*, Rizzoli, 1976, p. 69; Gino Pallotta, *Gli Agnelli: una dinastia italiana*, Newton-Compton, 1987, p. 177; Italo Pietra, *I tre Agnelli*, Garzanti, 1985, p. 198.
10 *Il Giorno*, 10 maggio 1966.
11 Pubblicazione dell'ufficio stampa della FIAT, «FIAT», 1986, pp. 54-55.
12 Intervista dell'autore, 18 novembre 1987, Washington, D.C.
13 Eugenio Scalfari sull'*Espresso*.
14 Intervista dell'autore a Paolo Ragazzi, 14 novembre 1987, Torino.
15 La storia è attribuita all'architetto, che la raccontò a Paolo Ragazzi (conversazione del 14 novembre 1987).
16 *Newsweek*, «Fiat: The Big Wheel in Italy's Traffic», p. 69.
17 Pubblicazione dell'ufficio stampa della FIAT, «FIAT», 1986, p. 55. Nel 1966 la FIAT raggiunse una produzione record di 1.151.900 auto; la produzione europea totale era di circa 8 milioni di vetture.
18 *The Financial Times*, «Fiat s.p.a. annual shareholders' meeting», 3 maggio 1967. Nel 1966 la FIAT ebbe un profitto netto di 24 miliardi di lire e la sua quota del mercato mondiale superò il 6 per cento.
19 Del dispotismo di Valletta e del suo ricorso alla corruzione parla Giuseppe Turani nel suo libro *L'Avvocato* (Sperling & Kupfer, 1985, pp. 46-47): «Anche Valletta ha dovuto imparare l'arte del compromesso e della corruzione. Un gruppo di quelle dimensioni non era governabile senza la fedeltà e la dedizione di molti uomini, almeno dei massimi dirigenti. La FIAT di quegli anni era una struttura che stava cercando di violentare il paese, imponendogli la strada su cui marciare. Non era possibile tollerare tradimenti o cedimenti interni. Per ottenere la compattezza desiderata, il presidente della FIAT ricorse ampiamente alla tecnica delle 'tangenti' o delle 'rendite'. In pratica si tratta-

va di questo: la FIAT aveva bisogno di molti pezzi per le sue vetture e non tutto poteva essere fatto all'interno. Tutti i grandi dirigenti, i 'samurai' di quella lunga stagione di boom, ebbero in appalto qualcosa, un componente dell'automobile. Il meccanismo era quasi perfetto: tutti avevano il loro posto di rilievo alla FIAT, ma in più avevano anche un tornaconto personale, un'aziendina che derivava i suoi utili direttamente dalla grande casa-madre. Tutti spogliavano la FIAT di un po' dei suoi profitti, ma tutti erano anche interessati a che il gigante stesse in piedi e continuasse a dispensare i suoi favori. E il domatore del gigante, la persona in grado di togliere o dare gli appalti, era il professor Valletta, il centro, il sole di questo sistema ».

20 Arnaldo Bagnasco, *Un profilo sociologico*, Einaudi, 1986, pp. 7-9.
21 Intervista dell'autore al professor Gian Maria Gros-Pietro, 3 novembre 1987.
22 *The New York Times*, « A Bursting Turin is Looking to Fiat for Help », 28 marzo 1972, di Paul Hoffman.
23 *The New York Times*, 28 marzo 1972.
24 *The Financial Times*, « Fiat to retire 100 top men », 30 giugno 1967.

4. *Tentativi ed errori*

NON era finito il primo decennio della presidenza Agnelli quando la FIAT si trovò a fronteggiare la crisi più grave che l'avesse mai colpita dai tempi della seconda guerra mondiale. Scosso da scioperi e violenze di estremisti, minato dall'indebolirsi dei mercati e dal deterioramento delle finanze, attaccato insieme sul fronte commerciale e su quello politico, il pilastro dell'impresa privata italiana parve a qualcuno sull'orlo del crollo.

Fu in quegli anni, fra i più duri che l'industria automobilistica mondiale abbia mai attraversato, che Gianni Agnelli, con al fianco il fratello Umberto, fece il suo apprendistato come imprenditore. Alcuni fra i problemi che l'azienda dovette affrontare dopo i primi dieci anni della sua presidenza erano fuori del suo controllo, riflesso di un difficile e complesso momento di transizione per cui stava passando tutto il mercato mondiale. Ma altri furono dovuti a debolezza decisionale e cattiva gestione.

Oggi sono passati più di vent'anni da quando Gianni Agnelli assunse la carica di presidente. Un giudizio sul suo operato si può ben riassumere nell'osservazione che Agnelli « vorrà essere ricordato per la seconda metà di quel ventennio piuttosto che per la prima ».[1]

Gianni Agnelli è sempre pieno di grandi idee; secondo molti addirittura un visionario, nel senso migliore della parola. Ma il vero segno dell'imprenditore di genio è la capacità di tradurre idee e sogni in realtà concreta; una capacità che Agnelli non possedeva quando prese le redini della FIAT, e ad acquistare la quale dedicò, fra tentativi ed errori, i primi dieci anni del suo regno.

Le sue intenzioni e la « filosofia » che dettava le sue iniziative erano di solito inappuntabili. Nessuno avrebbe potuto trovare men che sane idee come quella di togliere il potere alla vecchia guardia, di decentralizzare la struttura della FIAT, di emulare le innovazioni manageriali americane, o l'aspirazione a espandere l'azienda oltre i confini d'Italia. Suo scopo ultimo, disse un osservatore, era « creare una azienda automobilistica veramente internazionale, lungo le linee della General Motors ».[2] Ad aiutarlo, dopo aver coperto per due anni le cariche sia di presidente sia di amministratore delegato, Gianni Agnelli chiamò al suo fianco il fratello Umberto, fin allora a capo delle operazioni francesi del gruppo, nominandolo amministratore delegato aggiunto a fianco dello sfortunato Gaudenzio Bono. Poco dopo aver assunto le sue nuove responsabilità, il trentaquattrenne Umberto annunciava che la FIAT voleva « un'auto per ogni incremento di 50 dollari sulla scala sociale, esattamente come la General Motors ».[3]

Ma non doveva essere così facile come s'immaginava Umberto. Trasformare il massiccio edificio costruito dal professor Valletta era come cercare di far cambiare rotta a una superpetroliera. Ci voleva tempo, un tempo lungo e prezioso. I due Agnelli, abbastanza inesperti, si trovavano alle prese con l'incredibile complessità di un leviathan industriale di cui fino al 1980 non furono neppure consolidati i bilanci.

« In questi tempi di management sistemico, la FIAT fa una ben magra figura », dichiarava un analista ancora nel 1978. « Persino secondo gli standard italiani, i suoi bilanci sono un incredibile rompicapo, perché sono frammentati in un tale numero di operazioni non consolidate che fuori del gruppo nessuno sa quanto denaro questo guadagni. L'organizzazione è altrettanto confusa, con una vasta gamma di prodotti che abbraccia le più svariate attività: automobili, autocarri, macchine utensili, siderurgia, turismo e altro ancora. »[4] E questo si diceva non all'inizio della carriera di Agnelli, ma dodici anni buoni dopo che aveva assunto la presidenza.

La struttura supercentralizzata creata da Valletta aveva dato all'azienda un'impronta di cui era difficile liberarsi; anzi, secondo alcuni l'azienda non se ne è liberata completamente neanche oggi. Certo è che nei primi anni questo centralismo contribuì a far fallire alcuni fra i più ambiziosi progetti internazionali di Agnelli, come per esempio lo sfortunato « matrimonio » con la Citroën.

Nel 1968 le vendite della FIAT erano in ascesa; non solo, ma l'anno prima l'azienda era diventata la numero uno tra le fabbriche europee d'automobili soppiantando la Volkswagen. Sennonché Gianni Agnelli voleva per la sua azienda il terzo posto *nel mondo*: il posto che era allora della Chrysler. Uno dei modi di arrivarci poteva essere una fusione, e la Citroën sembrava la candidata ideale. A quei tempi, l'azienda francese era debole. Nei tre anni precedenti il 1968 la sua quota del mercato francese era calata dal 31 al 23 per cento, e cominciava ad accumulare perdite.[5] La FIAT invece si era rafforzata; dominava il mercato italiano, ma aveva bisogno di maggiori sbocchi di vendita all'estero. Inoltre, il punto di forza della FIAT era la fabbricazione di macchine piccole e motori semplici, mentre la Citroën era specializzata in macchine più grosse ed era nota per possedere una delle migliori divisioni progettazione d'Europa; la divisione autocarri della FIAT era solida, quella della Citroën un disastro. Insomma, sembravano fatte per compensare l'una le debolezze dell'altra e prosperare grazie all'unione delle forze. Invece tutto andò storto.

Molto si è scritto sulla serie di incontri clandestini che ebbero luogo nel 1968 tra Gianni Agnelli e François Michelin, il magnate dei pneumatici che controllava la Citroën. Entrambi viziati, entrambi ricchissimi, i due uomini fecero subito amicizia e, dopo alcuni viaggi segreti fra Roma e Parigi, riuscirono ad accordarsi su una fusione dei loro due gruppi che fu acclamata come un grande passo avanti per l'Europa.[6] Sembrava che Agnelli, con i suoi grandiosi progetti di cooperazione industriale paneuropea, avesse fatto un colpo da maestro: un trionfo per il grande visionario europeo dell'industria. Là dove i politici erano falliti, proclamò Agnelli, sarebbero riusciti gli industriali; loro avrebbero abbattuto le barriere fra le nazioni del Vecchio Continente.

Giudicandone oggi, l'idea era buona, e in anticipo sui tempi. Ma ci furono problemi fin dall'inizio, e il primo a crearne fu il presidente De Gaulle in persona. La sua limousine personale era una Citroën! e il suo orgoglio francese non poteva accettare che la Citroën fosse assorbita da un'azienda italiana. Perché i dirigenti della FIAT, cresciuti alla scuola di Valletta, non avevano la minima intenzione di dividere il potere: la FIAT non voleva « sposare » la Citroën, la voleva controllare.

Alla fine si arrivò a un compromesso, ma la FIAT non riuscì a ottenere la cosa più importante: il controllo completo. Nei cinque anni che durò il matrimonio, i suoi investimenti arrivarono, secondo le stime di analisti inglesi, a 30 milioni di sterline, ma il suo pacchetto azionario non superò mai il livello di minoranza.[7]

Il disegno architettonico concepito da Agnelli poteva essere stato grandioso, ma l'edificio cominciò a crollare dall'interno. Nacquero e si aggravarono disaccordi a proposito di tutto, organizzazione, modelli di macchine, particolari economici, poi vennero gli inevitabili scontri di personalità fra dirigenti francesi e italiani, e l'unica via d'uscita diventò il divorzio. Notizie dell'imminente rottura trapelarono alla stampa nell'autunno 1972. Al Salone dell'Auto a Torino Agnelli cercò di minimizzare il fiasco dichiarando: « Se guardiamo oggettivamente a quello che è stato fatto in questi anni di cooperazione, dobbiamo concludere che i risultati sono stati interessanti e positivi ». Ma, ammise, « gli stessi risultati si sarebbero potuti raggiungere senza la partecipazione azionaria della FIAT ».[8]

Anche in quell'occasione Agnelli diede prova della sua abilità diplomatica, ma la verità è che la Citroën uscì dalla vicenda molto meglio della FIAT, il cui apporto finanziario aveva contribuito a rafforzarla.[9] La quota della FIAT sul mercato italiano calò invece dal 75 al 61 per cento nei cinque anni della disastrosa partnership con la Citroën.

Proprio il timore della competizione in Italia aveva spinto Agnelli a cercarsi un partner straniero. Il problema era che la FIAT aveva una tale abitudine al dominio del mercato interno che, di fronte a una vera concorrenza, non sapeva come comportarsi. Nel 1964, quando le vendite in Italia di macchine straniere cominciarono ad aumentare seriamente grazie al mercato comune, Valletta non seppe far di meglio che reagire come se le aziende che invadevano il suo abituale terreno di caccia stessero commettendo un'indelicatezza. «Quando si mangia alla tavola di qualcuno, bisognerebbe stare attenti a prendere solo la propria porzione», ringhiò.[10] E pare che più tardi Agnelli spiegasse con pari candore la ragione fondamentale del successo della FIAT: «il quasi completo monopolio del mercato italiano per mezzo secolo».[11] Quando dunque si seppe che l'IRI, proprietaria dell'Alfa Romeo, progettava la costruzione di una nuova fabbrica di automobili a Pomigliano, vicino a Napoli, Gianni Agnelli la vide subito come una minaccia e, profondamente urtato e preoccupato, si preparò a combatterla.

L'idea era che Pomigliano triplicasse la capacità produttiva dell'Alfa, portandola a quasi mezzo milione di macchine l'anno. Fino ad allora l'Alfa non aveva rappresentato un pericolo per la FIAT: nel 1967, quando il progetto di Pomigliano diventò di pubblico dominio, la sua produzione era un decimo di quella FIAT; e alla nuova fabbrica sarebbero occorsi anni perché la produzione raggiungesse il pieno della sua capacità. Ma agli occhi di Torino il progetto rappresentava una nuova e inaccettabile minaccia alla posizione di predominio della FIAT. Quel che era peggio, secondo Agnelli la nuova fabbrica era un'idea degli uomini politici di Roma, che rispondeva principalmente allo scopo di creare posti di lavoro per il Mezzogiorno. Non gli piaceva la possibile concorrenza, ma soprattutto era convinto che il progetto non avrebbe funzionato sul piano economico; e in questo i fatti dovevano dargli ragione.

Nella primavera 1967 fu presentato al governo italiano un lungo memorandum della FIAT, in apparenza ispirato dal desiderio di mettere il governo al corrente di ambiziosi piani d'investimento per il Mezzogiorno. Però – tratto tipico,

e che sarebbe diventato sempre più comune in anni futuri –
il memorandum aggiungeva che la decisione della FIAT su
questi piani sarebbe dipesa dal veto governativo al progetto
IRI di espansione dell'Alfa.

Cosa abbastanza insolita, il gioco però non riuscì: la fabbrica sarebbe stata costruita comunque. La FIAT dovette
aspettare quasi vent'anni per gustare la rivincita, che si assicurò annettendo l'Alfa dopo una gara con la Ford, vinta
solo in extremis.

La violenta opposizione di Agnelli al complesso Alfa
Sud è un esempio caratteristico del complicato rapporto
della FIAT con l'industria di Stato: una delle poche forze in
grado di controbilanciare l'immenso potere della dinastia.
L'IRI, per esempio, creato da Mussolini negli anni '30, è
oggi uno dei più grandi complessi industriali e finanziari
europei, con 410.000 dipendenti e con interessi che vanno
dall'Alitalia a banche, siderurgia, supermercati e catene ali-
mentari, progetti aerospaziali, ingegneria, e la lista potrebbe continuare.

La FIAT ha sempre avuto un atteggiamento fortemente
critico nei confronti dell'industria di Stato, in cui Gianni
Agnelli vede soltanto un'appendice parassitica dell'establishment politico. « Gianni è piuttosto scettico nei confronti di tutti i politici », osserva sua sorella Suni.[12] Un vecchio rivale degli Agnelli, che si è battuto contro la dinastia
in nome dei politici di Roma, dichiara: « Ha sempre visto
l'industria di Stato come non remunerativa e come qualcosa
che può servire gli interessi della FIAT. Per Agnelli, l'industria di Stato esiste per comprare i prodotti che lui ha bisogno di vendere e per togliere dalle mani della FIAT le imprese in perdita, pagandole anche bene ».[13] Molte costose
guerre sono state combattute fra Torino e Roma: il prezzo
non si calcola, naturalmente, in vite umane, ma in occasioni perdute di creare un'economia italiana veramente competitiva a livello mondiale.

Nel complesso tuttavia la FIAT ha tratto profitto dai rapporti con lo Stato. « Con le aziende pubbliche, raccolte […]

sotto il ministero delle Partecipazioni statali, gli Agnelli [hanno fatto] negli anni '70 molti affari, e quasi tutti a loro vantaggio », scrive Giuseppe Turani. Ma aggiunge: « non gradiscono l'idea che queste imprese siano sotto la direzione di un ministero, che possano muoversi tutte insieme, come se si trattasse di un grande gruppo ».[14] La debolezza delle accuse di inefficienza mosse dalla FIAT all'industria di Stato sta, secondo i critici, nel fatto che troppo spesso Torino vuole, come dicono gli inglesi, avere la torta e mangiarla.

Al tempo dell'affare Citroën l'industria di Stato italiana stava espandendo aggressivamente le sue partecipazioni e il presidente della FIAT si sentiva sotto assedio. Nel 1968, nel pieno dei negoziati con la Citroën, Agnelli venne a sapere che Eugenio Cefis, allora il discusso e determinato capo del gruppo ENI, aveva acquistato un grosso pacchetto di azioni Montedison, a quanto pareva con l'appoggio della Democrazia Cristiana. Per Agnelli questo non poteva significare altro che un attacco frontale da parte degli eserciti romani dell'industria di Stato, e questi eserciti stavano minacciando il riparato mondo oligarchico dell'impresa privata, di cui la Montedison era uno dei bastioni. Agnelli e con lui uomini come Leopoldo Pirelli, avvezzi a gestire l'economia italiana secondo il proprio volere, erano furiosi. Cefis stava violando « il sacrosanto confine fra industria statale e privata ».[15] Erano semplicemente cose che non si facevano senza chiedere il permesso.

Prima la fabbrica dell'Alfa, adesso un ente di Stato che prendeva il controllo della Montedison. All'aristocratico Gianni Agnelli dovette sembrare una rivoluzione. Tanto più che per il gruppo di Torino chiunque non avesse ricevuto la sua preventiva consacrazione era un parvenu o peggio.

Nel 1968, però, Agnelli non era pronto per uno showdown con Cefis e il resto dell'industria di Stato: quello sarebbe venuto dopo, quando le carte sarebbero state a favore della FIAT. Al momento Agnelli alzò le mani al cielo e non fece nulla: una prova di irresolutezza che gli sarebbe costata credibilità in anni più tardi. Più di un decennio dopo, Agnelli avrebbe guidato una cordata per rilevare la partecipazione statale nella Montedison, ma chi poteva saperlo allora? Per allora, agli occhi dei rivali Agnelli parve un uomo senza spina dorsale. « Dopo aver assunto la carica di presidente nel 1966 », ricorda un membro del campo Cefis, « rimase sostanzialmente lo stesso uomo di prima. Era elegante e spensierato, un piacere a stargli assieme. E lavorava anche molto in azienda; ma non era ancora maturo per esercitare il potere. » [16]

Agnelli non era preparato per gli orrori che gli anni '70 avevano in serbo per lui. La quota di mercato automobilistico che la FIAT riusciva ad assicurarsi era in continuo calo, erosa dalla concorrenza, e sulla fine del 1969 l'azienda dovette affrontare il famoso « autunno caldo », una serie di agitazioni sindacali particolarmente pesanti alla FIAT perché gli accordi salariali che si raggiungevano a Torino venivano poi generalmente assunti a pietra di paragone per il resto dell'industria italiana.

Gianni Agnelli scelse la strada del compromesso. Cercò di stabilire un dialogo con gli operai e di migliorare le condizioni di lavoro e acconsentì ad aumenti generosi.[17] Ma gli scioperi selvaggi diventarono sempre più frequenti. La combinazione degli scioperi con un assenteismo che toccò il 14 per cento costò alla FIAT una perdita di produzione stimata in 130.000 automobili.[18] Nel 1972 questa cifra era salita a 150.000 [19] e il gruppo utilizzava le fabbriche per soli tre quarti della loro capacità produttiva.[20] Nel 1973 la FIAT ebbe per la prima volta un risultato operativo negativo, tanto che non poté pagare dividendi, come non era mai capitato dalla fine del secondo conflitto mondiale.[21]

Il caos cresceva, e sarebbe continuato a crescere per tutti gli anni '70. Agnelli tentò altre vie di compromesso, ma i suoi accordi con i sindacati servirono solo ad aumentare i costi lavoro. Per di più, fatti nuovi vennero a buttare altro olio sul fuoco della contestazione operaia.

Nel 1972 si scoprì infatti che la FIAT si dedicava ad attività che mal si accordavano con l'immagine di un Agnelli imprenditore illuminato e accomodante: l'azienda fu accusata di avere un proprio servizio d'investigazione per spiare molti dei suoi 190.000 dipendenti.[22] Secondo le accuse, quest'operazione di spionaggio includeva la compilazione di schede personali a opera di agenti speciali, fra i quali c'erano membri dei servizi segreti governativi che la FIAT aveva corrotto. La causa immediata di queste rivelazioni fu il licenziamento, nell'agosto 1971, di un certo Caterino Ceresa, ex carabiniere che sarebbe stato assoldato dalla FIAT per spiare i suoi compagni di lavoro. Invece di accettare una liquidazione da operaio e far fagotto in silenzio, il Ceresa pretese un trattamento da impiegato, e per ricevere soddisfazione si rivolse ai tribunali. Fu così che la magistratura scoprì il sistema messo a punto dalla FIAT per raccogliere informazioni sulla vita privata e sulle convinzioni politiche dei suoi dipendenti.

Data la presenza nelle fabbriche FIAT di militanti estremisti e più tardi anche di terroristi, l'azienda poteva giustificare la sorveglianza esercitata sul personale. Poteva anche sostenere che era indispensabile una scelta attenta degli operai impegnati in progetti militari come la costruzione del caccia G91 o il montaggio del jet F104S. Ma le misure e la portata di quest'attività clandestina erano inaudite. La questione fu giudicata così scottante che l'inchiesta venne affidata a un magistrato napoletano, Ivan Montone. Quando gli fu chiesto perché del caso fosse stato incaricato lui e non un collega torinese, il giudice Montone fu chiaro: «Sono cose che si fanno quando si teme che giudici locali non sarebbero completamente oggettivi o disinteressati».[23]

Il giudice Montone firmò avvisi di procedimento contro 77 dirigenti e altri membri di minor livello del personale FIAT, comunicando l'esistenza di un'istruzione penale a loro carico per sospetta corruzione. Fra i sospetti c'erano persino Gaudenzio Bono, amministratore delegato, Umberto Cuttica, capo del personale, e Niccolò Gioia, direttore generale. Seguì, per gli ultimi due e per molti altri dipendenti della FIAT, un processo, che si chiuse nel maggio 1978 in un tribunale di Napoli, con parecchie condanne per la maggior parte poi annullate in appello.[24] La questione mai pubblicamente affrontata fu se Gianni Agnelli o suo fratello Umberto fossero o no al corrente di quelle operazioni di sorveglianza.

Il clamore suscitato da questo scandalo andò a tutto profitto della sinistra, tanto più che da anni i sindacati protestavano di essere spiati, e rinfocolò il risentimento degli operai contro il paternalismo vecchio stile della FIAT. Un meridionale immigrato dichiarava nel 1973: «È vero che in Sicilia abbiamo la Mafia e la Chiesa, ma questa è proprio la ragione per cui siamo venuti a Torino: pensavamo che saremmo stati liberi. Eravamo schiavi in Sicilia; adesso siamo schiavi della FIAT».[25] Gianni Agnelli capiva la necessità di un cambiamento, si sforzava di stabilire un dialogo con sindacalisti e uomini politici comunisti, concedeva sostanziosi aumenti; ma tutti i suoi sforzi cadevano nel vuoto.

Come se non bastasse, arrivò lo scrollone della prima crisi petrolifera, provocata dalla decisione dell'OPEC di aumentare il prezzo del petrolio. Di riflesso, nei primi mesi del '74 le vendite di automobili FIAT subirono un calo del 40 per cento.[26] E non era finita, perché proprio allora la FIAT dovette piegarsi a massicci aumenti salariali, che Umberto Agnelli dichiarò imposti all'azienda da un ultimatum del ministro del Lavoro: o lui, Agnelli, acconsentiva a una soluzione le cui motivazioni erano politiche e che era economicamente inaccettabile per l'azienda, oppure si assumeva la responsabilità di una nuova prova di forza con il sindacato.[27]

Umberto Agnelli appariva o molto arrabbiato o in preda al panico, e pare difatti che nel marzo 1974 fosse sul punto di dare le dimissioni. Suo fratello lo convinse però a non farne nulla.[28] Fu deciso invece di rilasciare una dichiarazione pubblica contenente un duro attacco al governo. Per gli Agnelli il costo dell'accordo salariale era gravoso, ma anche più serio era l'affronto al loro prestigio: agli Agnelli, pare che sia stato il ragionamento, non si fanno imposizioni del genere, da parte di nessuno. Nel denunciare l'accordo, Umberto dichiarava che in quelle condizioni era impossibile assicurare l'efficienza e lo sviluppo della società, e aveva quindi deciso di convocare d'urgenza il consiglio d'amministrazione per esaminare le conseguenze.[29]

La crisi alla FIAT era grave, e pareva che né Gianni né Umberto Agnelli sapessero da che parte girarsi. In un'intervista del 1974 Gianni Agnelli negava la possibilità che la FIAT finisse con l'essere assorbita dallo Stato o col cercare un compratore straniero. Lamentava però di avere investito un miliardo di dollari negli scorsi cinque anni senza ottenere un aumento di produzione. « E dunque, in che cosa abbiamo investito? Migliori rapporti di lavoro, certo. E meno ore di lavoro, e meno straordinari. » [30] Ammetteva che la FIAT aveva chiuso in pari nel 1973 solo attraverso un aggiustamento contabile. « Altrimenti avremmo perso 100 milioni di dollari. » La FIAT, disse ancora Gianni Agnelli, veniva « strizzata come un limone » e questo era dovuto a « un aumento dei contributi previdenziali intesi a compensare i lavoratori dell'inefficienza del governo ».[31]

In questo clima di anarchia industriale, verso la metà degli anni '70 Gianni Agnelli cominciò a rilasciare dichiarazioni che alcuni interpretarono come velate minacce di dimissioni. « Alla metà degli anni '70 lo vedevo spesso », ricorda un ex collaboratore ad altissimo livello. « Era veramente stanco e stufo, e pensava di lasciare il paese. Per un po' ha pensato di mollare la FIAT e diventare ambasciatore italiano a Washington. » [32] Suni lo conferma: « Si è parlato di mandarlo ambasciatore a Washington, e sarebbe stato molto bravo. Ma ci sarebbe stata gran battaglia qui al Ministero degli Esteri ».[33]

In verità Gianni Agnelli ha sempre dimostrato maggior bravura come ambasciatore che come dirigente della sua azienda, ma agli Agnelli è occorso molto tempo per accettare questo fatto. Franzo Grande Stevens, fidato amico della famiglia e consulente legale, avrebbe osservato molti anni dopo che «un capitalista intelligente e illuminato non tenta di dirigere un'azienda se non ne ha l'abilità. Nelle economie capitalistiche avanzate i manager devono avere grandi capacità tecniche e professionali. Non ne segue che i proprietari abbiano le qualità necessarie per diventare manager».[34]

A metà degli anni '70, Gianni e Umberto non sembravano però pensarla in questo modo, e così il playboy diventato imprenditore, convinto di sapere quel che stava facendo, commise quelli che si sarebbero poi rivelati due grossi errori: tentò un ambizioso piano di diversificazione, nello stesso tempo ignorando la necessità di investire nell'attività chiave dell'azienda, la fabbricazione di auto; e cercò di guadagnarsi la non belligeranza di tutto il sindacalismo italiano gettandogli denaro.

Con i prezzi della benzina in vertiginosa salita in tutto il mondo occidentale, e le vendite di auto che crollavano allo stesso ritmo, a Gianni Agnelli parve che la risposta ai problemi della FIAT fosse ridurre la dipendenza del gruppo dalla fabbricazione di auto, diversificando la produzione sia in Italia sia all'estero. In Italia, dove si chiedeva con insistenza un miglioramento dei trasporti pubblici, Agnelli decise di tentar di sviluppare più stretti rapporti col governo, sperando che la classe dirigente politica accettasse di modernizzare gli scadenti servizi ferroviario, tranviario e filoviario e che aziende come la FIAT riuscissero ad assicurarsi alcuni grossi contratti. Per la sola Torino la FIAT presentò un progetto di modernizzazione, da attuarsi in dieci anni, che avrebbe comportato metrò e marciapiedi mobili e il cui costo era preventivato in oltre mille miliardi di lire. Estendendo l'attività della FIAT ai trasporti pubblici, Agnelli sperava che la dipendenza dell'azienda dalle vendite di auto si sarebbe ridotta dal 75 al 50 per cento dei ricavi.[35] È vero che le idee di diversificazione di Agnelli portarono poi a una migliore ripartizione delle attività, mettendo l'azienda al riparo dagli alti e bassi nel mercato dell'auto, ma questo effetto non fu dovuto alle iniziative prese a metà degli anni

'70 bensì a quelle promosse più tardi da un management professionale. Si aggiunga che, fra le idee del presidente della FIAT, ci fu quella di non investire in nuovi modelli d'automobili; gli effetti disastrosi si sarebbero visti alla fine del decennio, quando le FIAT sarebbero apparse antiquate e scadenti mentre la concorrenza preparava eleganti modelli nuovi.

Agnelli incrementò le attività della FIAT all'estero, con grossi investimenti in Brasile; e investì nella fabbricazione di autocarri, trattori e in altri campi diversi da quello dell'automobile; per non parlare di un grosso investimento inteso a espandere la capacità produttiva del Mezzogiorno. In un altro tentativo di matrimonio internazionale, fuse la divisione macchine per movimento terra della FIAT con la statunitense Allis-Chalmers, avente base nel Milwaukee. Anche quest'unione finì in un divorzio, ma questa volta furono gli americani a volerlo, cinque anni più tardi, e i rapporti rimasero acrimoniosi fin avanti negli anni '80. Richard Fitzsimmons, vicepresidente della Allis-Chalmers, accusò l'azienda torinese di « avere finito per considerare la FIAT Allis come un'estensione della FIAT stessa; già dal 1979 ci era chiaro che la FIAT Allis aveva perso le sue caratteristiche di società a capitale misto. Adesso vogliamo il divorzio e vogliamo gli alimenti ».[36] La FIAT negò di aver sfruttato a suo vantaggio l'associazione con l'azienda americana. Ma negli ambienti di affari italiani, sempre più gente era convinta che la FIAT, entrando in società con qualcuno, « cerca sempre di prendere il comando ».

La strategia di diversificazione sembrava logica: la produzione FIAT stagnava e l'azienda aveva una grande capacità produttiva che non poteva essere pienamente sfruttata a causa della crisi energetica che aveva cambiato il mercato dell'auto. Impegnarsi in grandi progetti di lavori pubblici sembrava anche questa una soluzione sensata. Ma la diversificazione avrebbe soltanto ostacolato la ripresa della FIAT.

Nel 1974 sembrava che l'unico modo di far sentire il proprio peso a Roma, l'unico modo per assicurarsi che i grandi progetti di lavori pubblici dessero qualche frutto, fosse per la FIAT assumere una posizione di maggiore spicco nella politica interna italiana. Questa decisione di tentar di influenzare la politica nazionale portò Gianni Agnelli a compiere un altro passo. Era già il leader indiscusso del mondo degli affari in Italia, ma nel 1974 andò oltre: diventò, a malincuore, presidente della Confindustria, che di lì a poco si sarebbe trovata a fronteggiare l'urto del movimento sindacale nel pieno della sua forza.

Tempie brizzolate, faccia abbronzata più carismatica che mai, cinquantatré anni eccezionalmente ben portati, la mattina del 18 aprile Gianni Agnelli scese dal suo jet personale a Ciampino; di lì una macchina lo portò al quartier generale della Confindustria, in un palazzo di vetro ai margini della capitale.[37] Dalla riunione, durata meno di quaranta minuti, uscì eletto presidente della Confindustria, con 86 voti su 96. La realtà non era però semplice come sembra da questo resoconto. Agnelli era stato eletto solo dopo un'aspra battaglia con il suo più acceso rivale, Eugenio Cefis. Agnelli aveva proposto come suo candidato alla presidenza della Confindustria il presidente della Olivetti, Visentini, ma Cefis aveva opposto il suo veto. La questione era altamente politica. Cefis, alleato con la Democrazia Cristiana, si era buttato contro Agnelli su parecchi fronti, dalla proprietà di giornali al potere industriale.[38] Agnelli accettò di assumere la presidenza della Confindustria, ma solo sino alla fine del 1974 e con Cefis al suo fianco come vicepresidente.

Con la FIAT tuttora in crisi, Agnelli non si poteva permettere di combattere su troppi fronti. Nell'autunno 1974 aveva uno stock di 300.000 macchine invendute.[39] In ottobre ridusse a tre giorni, per quattro mesi, la settimana lavorativa di 71.000 dei suoi 100.000 operai del settore auto.[40]

A molti osservatori, i fratelli Agnelli sembravano alle corde. Alla fine del 1974 era chiaro che per vari motivi Gianni Agnelli avrebbe dovuto rimanere alla presidenza della Confindustria per un altro anno. La situazione era matura per il disastroso accordo che per la prima volta avrebbe attirato ad Agnelli l'inimicizia di molti membri della classe imprenditoriale italiana.

L'Italia stava attraversando una grave crisi economica e quasi tutte le industrie andavano accumulando perdite. Al preoccupato presidente della FIAT sembrava che l'unica soluzione ai problemi del paese stesse nel mantenere aperto un dialogo fra imprenditori privati e leader sindacali e comunisti. Nel gennaio 1975 Agnelli firmò con Lama, segretario della CGIL, l'accordo su una riforma della scala mobile, la riforma nota sotto il nome di « punto unico di contingenza ».

L'accordo a livello nazionale che Agnelli accettò pensando di comprarsi anni di pace sindacale diede il via a massicci aumenti dei salari, che in qualche caso superarono addirittura il tasso d'inflazione, e provocò un livellamento retributivo delle varie categorie di lavoratori, fonte in seguito di scontenti tra i quadri e le prime categorie.

L'accordo Agnelli-Lama fu disastroso per l'economia italiana, e fallì lo scopo di assicurare un lungo armistizio fra aziende e sindacati. L'inflazione superò il 20 per cento e l'industria si vide messa con le spalle al muro dall'aumento dei costi e costretta a coprire le perdite con dispendiosi prestiti bancari. Gianni Agnelli l'avrebbe però sempre difeso. « Lo rifarei », dichiarò nel 1978, aggiungendo: « Non lo rimpiango affatto ».[41] In una delle non molte interviste concesse alla televisione difese più tardi l'accordo con Lama, dicendo che lo scopo principale era stato ridurre il conflitto fra operai e management.[42]

Quel che Agnelli non ha mai detto è che l'accordo contribuì, anche se indirettamente, a una svalutazione della lira, grazie alla quale la FIAT poté vendere a miglior prezzo le sue macchine all'estero. Non tutte le aziende italiane poterono rivalutare i loro prezzi, ma dovettero rivalutare i salari che pagavano agli operai. Il risultato, dissero molti italiani, fu che Agnelli « dimostrò di essere tanto potente da poter firmare un accordo cui il governo si opponeva, e poi si salvò la pelle, sacrificando insieme i suoi colleghi imprenditori e l'economia italiana ».[43]

In ogni caso, avrebbe poi appoggiato lo storico decreto con cui nel 1984 Craxi, allora presidente del Consiglio, rimediò in parte al danno fatto con l'accordo del 1975, e avrebbe giustificato quell'accordo dicendo che erano « tempi diversi ».[44] Che gli anni '70 e gli anni '80 siano differenti non si può negare, ma che l'accordo Agnelli-Lama abbia danneggiato le prospettive economiche italiane a metà degli anni '70 è oggi opinione largamente diffusa.

Naturalmente l'accordo sul punto unico di contingenza non risolse i problemi della FIAT; e fu alla fine Umberto Agnelli, amministratore delegato del gruppo, a convincere il fratello che era tempo di assumere un nuovo manager, e uno che fosse un professionista.

Gli Agnelli erano convinti che la FIAT andasse riorganizzata e avevano già creato dieci holding che controllavano oltre cento divisioni operative. L'azienda non aveva ancora pubblicato un bilancio consolidato e benché Gianni Agnelli fosse presidente da dieci anni né lui né il fratello erano riusciti a creare un'efficiente struttura organizzativa per la gestione delle vaste e svariate attività del gruppo.

Nel 1976 Gianni Agnelli lasciò la presidenza della Confindustria e poté riprendere le sue funzioni di grande stratega della FIAT. L'anno prima l'azienda aveva venduto in Italia solo 1.200.000 macchine, il che rappresentava un calo del 25 per cento rispetto al 1972.[45] E le prospettive per il 1976 continuavano a essere scoraggianti.

La soluzione migliore sembrava portare sangue nuovo. L'uomo scelto per rinverdire le fortune della FIAT fu Carlo De Benedetti, che nel 1976 si era già fatto una fama di mago della gestione industriale dirigendo l'azienda di famiglia, la Gilardini, e imponendosi all'attenzione di tutto il mondo italiano degli affari quand'era stato presidente dell'Unione Industriali di Torino. De Benedetti aveva colpito gli Agnelli per la sua intelligenza, la capacità di vedere i problemi in un contesto internazionale e soprattutto per la chiarezza delle idee. Ma il suo regno sarebbe stato breve: cento giorni, si suol dire, benché in realtà fossero qualcuno di più.

A quel tempo, come vedremo meglio più avanti, entrambi gli Agnelli flirtavano con la politica. Molti dicevano che Gianni Agnelli avrebbe capeggiato una coalizione di partiti di centro, intesa a rompere l'impasse politica italiana creando una terza forza che si sarebbe proposta come alternativa ai due grandi partiti tradizionali, democristiano e comunista.

Solo pochi mesi prima Gianni Agnelli si era trastullato con l'idea di diventare ambasciatore italiano a Washington; adesso pensava di presentarsi come candidato repubblicano al Senato o come una figura di salvatore stile Kennedy. Però non riuscì mai a decidersi, e, proprio quando sembrava sul punto di farlo, Umberto cedette alle lusinghe della Democrazia Cristiana che gli offriva un seggio al Senato. Questo significava tagliare l'erba sotto i piedi di Gianni, vanificando un tentativo da parte sua di creare una terza forza. Ma secondo amici e collaboratori, Umberto Agnelli ha sempre avuto un complesso d'inferiorità nei confronti del più illustre fratello. Questa era la sua occasione di brillare. Umberto pensò che avrebbe presentato la sua candidatura al Senato, sarebbe stato eletto, poi sarebbe andato a Roma come ministro e in qualche modo avrebbe trasformato dall'interno la Democrazia Cristiana. Si presentò e fu eletto, ma tutto il resto non si è mai verificato.

Con Umberto impegnato in politica, la FIAT nel caos, e persino la holding di famiglia, l'IFI, che chiudeva il 1975 in perdita, l'idea di portare alla FIAT un uomo come De Benedetti sembrava più che saggia.[46] A 42 anni, De Benedetti aveva la stessa età di Umberto, con tredici soli giorni di differenza; erano persino stati compagni di scuola. Nell'esaltazione di quei giorni di ambizione politica, Umberto parlò più volte di De Benedetti come del suo successore.

Amici di De Benedetti dicono che questi accettò con entusiasmo di diventare amministratore delegato del più importante gruppo privato italiano. Sua responsabilità iniziale era la direzione delle operazioni al di fuori della produzione di auto: attività come componenti, acciaio, energia, macchine utensili e materiale ferroviario. L'idea era che De Benedetti formasse parte di un triumvirato comprendente, oltre a lui, Umberto come direttore delle divisioni automobili, trattori, autocarri e macchine per movimento terra e Cesare Romiti, veterano dell'industria di Stato, che era entrato alla FIAT nel 1974 come direttore per la finanza, la pianificazione e il controllo. Quando arrivò De Benedetti, Romiti fu investito di altre responsabilità e fu nominato amministratore delegato; ma chiaramente De Benedetti doveva essere la star del triumvirato e persino convinse gli Agnelli a cedergli una partecipazione azionaria del 5 per cento nella FIAT in cambio delle sue azioni Gilardini. Non era un semplice dipendente della FIAT, disse ad amici. In effetti, ne era diventato il più grosso azionista dopo gli Agnelli, col loro pacchetto del 30 per cento (proprietà dell'IFI).

Carlo De Benedetti e Umberto Agnelli non potevano essere più diversi per temperamento. De Benedetti non è uomo che ricorre alle mezze parole e il suo franco parere era che, dalla fine della gestione Valletta in poi, il gruppo FIAT era stato diretto male, dagli Agnelli e da una manica di burocrati. Umberto poteva avere una grande opinione di lui, ma il sentimento non è mai stato contraccambiato. De Benedetti giudicava Umberto debole e inesperto, e più tardi avrebbe confessato a un intervistatore: «Non ho stima di Umberto».[47]

Nel giugno 1976, un mese dopo l'arrivo di De Benedetti alla FIAT, Umberto Agnelli si dimise dalla carica di amministratore delegato per buttarsi anima e corpo nella campagna elettorale; rimase vicepresidente, ma cessava di svolgere qualunque attività direttiva. Secondo un ex collaboratore che al tempo occupava alla FIAT un posto di alto livello (e che come alcuni altri intervistati di questo genere ha chiesto di rimanere anonimo), era «un modo di evadere da una situazione di fallimento personale come manager».[48] Nel contempo De Benedetti assumeva più ampie responsabilità.

Il nuovo amministratore delegato non tardò a scontrarsi con l'opposizione della gerarchia costituita. La purga operata da Gianni Agnelli nel 1967 non aveva spazzato il tradizionale stile FIAT. Per esempio, De Benedetti si trovò in urto con uno dei più stretti collaboratori di Umberto, Gianmario Rossignolo, le cui idee trovava ridicole. Più tardi avrebbe spiegato: «Agli Agnelli, a Umberto in particolare, piacciono i discorsi complicati: loro li chiamano le filosofie. L'anno scorso esplode la crisi dell'auto e Umberto cosa fa? Ascolta con molta attenzione i discorsi di Gianmario Rossignolo, il responsabile della componentistica. Le sue tesi si sono rivelate suicide: Rossignolo era convinto della teoria cosiddetta della 'discesa delle tecnologie', insomma sosteneva che i paesi più avanzati, USA, Germania, Francia, avrebbero rinunciato gradualmente a produrre automobili; altri paesi, tra cui l'Italia, avrebbero avuto quindi il monopolio della produzione».[49]

Presto De Benedetti si vide alle prese con l'ostruzionismo burocratico messo in opera dai promotori della «diversificazione», da coloro che, a causa della crisi energetica, erano contro l'idea di spendere denaro in nuovi modelli di auto. «Io avevo idee opposte», ricorda oggi De Benedetti. «Secondo la mia analisi, dovevamo iniettare denaro fresco, perché l'azienda era sottocapitalizzata. L'attività principale della FIAT erano le auto, e nessuna diversificazione avrebbe mai compensato le perdite in questo settore. Avevamo bisogno di modelli nuovi. E dovevamo rompere le barriere psicologiche che da anni vietavano di licenziare, di ridurre la manodopera, di trovare capitali sul mercato.»[50] La nuda realtà, dice De Benedetti, era che la FIAT aveva 250.000 dipendenti, aveva esaurito il capitale e lavorava in grave perdita.

Il suo piano strategico per la ripresa della FIAT è degno di un libro di testo, benché lui adesso dica che nel 1976 sembrava originale, ma in realtà era banalissimo. De Benedetti voleva ridurre drasticamente la manodopera, anche se questo significava incorrere nelle ire dei sindacati. Avrebbe però cominciato rinnovando i quadri direttivi al vertice, e sveltendo al massimo le procedure decisionali, convinto che in questo modo avrebbe guadagnato credibilità fra gli operai. Sosteneva inoltre la necessità di un programma d'austerità finanziaria in base al quale non si sarebbero dovuti distribuire dividendi per due anni; e questo fu una prima nota d'allarme per i molti membri del clan Agnelli che grazie a quei dividendi vivevano nel lusso.

De Benedetti era anche a favore di grossi investimenti in nuovi modelli d'auto; più precisamente, voleva investire in tre modelli nuovi circa 1200 miliardi di lire, finanziando l'investimento con un aumento di capitali.[51] In retrospettiva, De Benedetti sembra di qualche anno in anticipo sul suo tempo: di tre anni, per l'esattezza. Ma per gli innervositi Agnelli, l'insieme era troppo; De Benedetti stava pestando troppi piedi, era troppo impetuoso. Non si poteva, tutto in una volta, rischiare scontri col mondo politico e coi sindacati, privare la famiglia Agnelli dei dividendi, e introdurre così in fretta cambiamenti radicali nella gestione dell'azienda.

Intanto Umberto, con le sue troppo vaghe idee sul cambiare la faccia alla Democrazia Cristiana, si stava accorgendo che a Roma non avevano steso tappeti rossi per dargli il benvenuto. Benché fosse un Agnelli, i politici di Roma non sembravano inclini ad accoglierlo come un messia. Come fu scritto a quel tempo, « Umberto ottenne un trionfo elettorale, ma non un posto nel nuovo governo, e presto rimpianse di avere lasciato la sua posizione alla FIAT, dove il suo successore De Benedetti cominciava a farsi odiare dai manager ».[52]

Quando, in quell'estate 1976, Umberto fece visita a De Benedetti nella sua casa in Sardegna e confidò all'ex compagno di scuola che aveva deciso di rinunciare alle speranze di carriera politica e voleva tornare a Torino, De Benedetti finalmente capì quello che per tutti era chiaro da molto tempo: che la FIAT era per gli Agnelli qualcosa di diverso da un'azienda da amministrare secondo criteri rigorosamente professionali. Era una proprietà di famiglia, con priorità familiari, nella quale per esempio dare qualcosa da fare a un fratello dilettante era più importante di una gestione oculata. De Benedetti capì allora che non aveva più nulla da offrire al gruppo.

Il mondo esterno non seppe nulla del dramma che si svolse dietro le quinte alla fine dell'agosto 1976, quando De Benedetti era alla FIAT da meno di cinque mesi. Umberto aveva appena ottenuto il suo seggio al Senato. Nessuno si aspettava un tale colpo di scena proprio nel momento in cui la gestione della FIAT sembrava avere assunto un carattere più professionale. Ma il 25 agosto un secco e conciso comunicato stampa annunciò che De Benedetti lasciava la FIAT «in seguito a divergenze sulle politiche aziendali». La macchina relazioni pubbliche dell'azienda si mise subito in moto. Furono fatte circolare voci secondo le quali Umberto sarebbe forse stato richiamato al suo posto di amministratore delegato, mentre fra gli agenti di borsa di Milano ne girava un'altra: forse De Benedetti aveva cercato di assicurarsi il controllo azionario della FIAT. Questa però fu subito smentita, perché De Benedetti rivendette immediatamente all'IFI il suo pacchetto del 5 per cento. Che cos'era accaduto in realtà?

In un'intervista del 1986 Gianni Agnelli ha dato questa versione dell'uscita di De Benedetti dalla FIAT: « È il tipo di persona che può dirigere un'azienda solo se non deve dividere il potere con nessuno, e questo era impossibile. Avrebbe diretto l'azienda da solo; bene, probabilmente. Ma queste non erano le mie intenzioni. Tutto qui ».[54]

Secondo la versione di De Benedetti, resa pubblica un mese dopo le sue dimissioni in un'intervista rilasciata a una rivista italiana, le cose però non andarono esattamente così. De Benedetti disse di essere stato assunto dopo che Gianni e Umberto gli avevano detto che non erano più capaci di mandare avanti l'azienda, non erano più credibili per poterla rilanciare, mentre lui ne era capace ed era anche credibile all'interno e all'esterno.[55]

Come il solito, De Benedetti non usò mezzi termini. « Quando sono entrato ho trovato un'azienda a pezzi e mi sono reso conto che la gestione degli Agnelli era stata disastrosa... Nel 1967 la FIAT aveva in cassa 400 miliardi, oggi non ha una lira. Era la prima fabbrica d'automobili d'Europa, oggi è la quarta.»[56] Oltre a mettere a punto un programma di risanamento, De Benedetti aveva persino detto agli Agnelli dove pensava che avessero sbagliato, e i fratelli non ne erano parsi irritati, a quanto ricordava, «perché Gianni si sentiva sempre più estraneo alla FIAT, mentre Umberto pensava al suo seggio in Senato».[57]

L'azienda, avvertiva De Benedetti in quell'intervista, aveva davanti un ben misero futuro se gli Agnelli non si decidevano a prendere quelle radicali misure che andavano rimandando da troppo tempo. «Non è lontano il giorno in cui il discorso sulla FIAT dovrà essere affrontato in maniera definitiva.» E quel giorno venne nel 1980, quando Umberto, dopo un altro tentativo di collaborare alla direzione dell'azienda, finalmente alzò bandiera bianca e ammise che non era fatto per quel mestiere.

Nel 1980, dopo varie riorganizzazioni dei quadri direttivi, tentativi falliti di alleanze internazionali, fallite strategie di diversificazione, una varietà di battaglie politiche e sogni politici, crescenti problemi finanziari, scioperi e persino violenza nelle fabbriche, finalmente il timone fu messo nelle mani di Cesare Romiti, l'uomo dalla faccia dura e dal pugno di ferro.

La decisione di Gianni e Umberto Agnelli di rinunciare alla quotidiana direzione dell'azienda e di tornare a un ruolo di supervisione come vigili azionisti fu presa dopo un periodo incredibilmente turbolento. Venne, anche, quasi quattro anni dopo che la disperata ricerca di capitali aveva indotto Gianni Agnelli a un accordo che vide la Libia di Gheddafi diventare azionista della FIAT: un accordo del quale parleremo più avanti.

Ma abbiamo anticipato troppo. Nel 1976 c'erano altri problemi da risolvere. Per dirne uno, la politica di Gianni Agnelli di accontentare le richieste sindacali si era rivelata un costoso boomerang; gli scioperi continuavano con frequenza crescente e le vendite non facevano che calare. Poi vennero le Brigate Rosse.

La FIAT, simbolo per eccellenza del capitalismo italiano, era diventata il bersaglio numero uno dei terroristi, e Torino, con la sua manodopera scontenta, era un vivaio di estremisti. La tensione andava crescendo in tutte le fabbriche FIAT e specialmente a Mirafiori, che nel 1979 aveva quasi 60.000 operai. I semi del problema erano stati gettati negli anni '60, con la rapida espansione della capacità di Mirafiori e la costruzione fuori Torino di Rivalta, che dava lavoro ad altre 12.000 persone. L'allora sindaco Diego Novelli ha parlato, descrivendo la situazione, di « una massa biblica di emigranti dal Mezzogiorno depresso ».[58]

Le Brigate Rosse e Prima Linea trovarono il loro terreno ideale in una città, per usare le parole del sindaco « senza un'identità propria, dove lo status sociale si misura in base alla potenza del motore dell'automobile che si possiede ».[59] Per le Brigate Rosse non era difficile trovare reclute in una città dove si erano affittati letti all'ora a causa della mancanza di case.

Si può dire che gli anni fra il 1975 e il 1980 furono ossessionati dal terrorismo. Intento degli estremisti era nientemeno che « attaccare lo stato imperialistico delle multinazionali ».

Si disse persino che un gruppo di terroristi era riuscito a procurarsi la pianta della casa di Agnelli a Saint Moritz.[60] Agnelli ne uscì personalmente incolume, ma in quegli anni di anarchia le Brigate Rosse riuscirono a ferire ventisette dirigenti FIAT. Nelle fabbriche scoppiarono ripetutamente incendi dolosi, e il numero di auto di dipendenti distrutte o gravemente danneggiate sarebbe bastato a formare un piccolo parco macchine aziendale. I dirigenti della FIAT non erano al sicuro nemmeno nelle loro case e avevano paura a metter piede nelle fabbriche, non parliamo poi di dirigerle. A ragione, perché alla fine di quegli anni di sangue quattro di loro erano stati uccisi.[61]

Non c'è da stupirsi che Gianni Agnelli si sentisse minacciato personalmente. Si diceva che portasse con sé una capsula di cianuro, per il caso che fosse stato rapito da terroristi, e un conoscente gli sentì dire che, se fosse stato rapito, non pensava di poter sopravvivere, che gli sarebbe sembrato di perdere « ogni traccia di prestigio ».[62]

I fratelli Agnelli viaggiavano in cortei di automobili corazzate, con una scorta sempre presente di guardie del corpo. Casa Agnelli sulle colline torinesi era difesa come Fort Knox, e nessuno si recava mai nella villa di campagna perché non c'era modo di garantirsi da un agguato lungo la strada per raggiungerla.

Bisogna ammirare il coraggio dimostrato da Gianni Agnelli in quel periodo. « La Fiat fa automobili con una mano e combatte la guerriglia con l'altra », dichiarò all'inaugurazione del Salone dell'Auto nel 1979.[63] Gli anni delle Brigate Rosse, culminati nel rapimento e assassinio di Moro, lo videro anzi più frenetico che mai. Aveva sempre guidato veloce; ma adesso, dal modo come saliva in macchina, buttava la gamba destra dove non poteva dar fastidio e sistemava in posizione il piede sinistro, pronto a premere l'acceleratore, si capiva che avrebbe divorato la strada.

Più che mai gli Agnelli si sentivano sotto assedio. Dopo dieci anni difficili, il tasso di assenteismo fluttuava tra il 15 e il 20 per cento. Nel 1979, a causa degli scioperi, la FIAT ebbe una perdita di produzione di 200.000 macchine.[64] Alla fine di quell'anno la quota FIAT di mercato interno era calata al 50,7 e la produttività della manodopera era scesa a meno di due terzi rispetto a quella degli operai della Germania federale. In quell'anno l'azienda subì una perdita operativa di circa 200 miliardi di lire.[65] Crescevano le voci di un assorbimento della FIAT da parte dell'industria di Stato, mentre altri dicevano che gli Agnelli stavano per vendere. Ma, e va detto a loro credito, gli Agnelli tennero duro.

A questo punto un fatto drammatico fece precipitare la situazione. La mattina del 21 settembre 1979, poco dopo le 8, il cinquantunenne ingegnere Carlo Ghiglieno, capo della pianificazione dell'auto, fu ucciso a rivoltellate in una strada di Torino, appena uscito di casa, mentre si avviava a prendere un caffè. Gli Agnelli conoscevano e rispettavano il bravo e mite Ghiglieno, e il suo brutale assassinio parve galvanizzarli. Poche settimane più tardi la FIAT prendeva l'iniziativa senza precedenti di licenziare 61 operai sospetti di legami con il terrorismo, un provvedimento più tardi difeso con successo in tribunale. I licenziamenti provocarono una bufera di proteste, ma la violenza era diventata troppa e dopo anni di compromessi ed equivoci gli Agnelli avevano deciso di contrattaccare.

All'incirca nel tempo in cui Ghiglieno fu assassinato cominciavano a mettersi in luce due dirigenti della FIAT. Uno era Vittorio Ghidella, 48 anni, piccolo, dinamico, appassionato di automobili; l'altro, fisicamente più imponente, Cesare Romiti. Ghidella aveva prima occupato un posto di grande responsabilità alla RIV-SKF e all'inizio del 1979 era stato nominato amministratore delegato della FIAT Auto, la divisione che raggruppa FIAT, Lancia e Autobianchi. A Ghidella più che a chiunque altro del gruppo viene riconosciuto il merito per il risanamento della divisione auto negli anni '80. Oggi anche i rivali lo considerano uno dei più brillanti manager nel campo dell'auto.

Cesare Romiti, che nel 1979 divideva ancora con Umberto Agnelli la carica di amministratore delegato, era ed è un tipo d'uomo completamente diverso. Non, come Ghidella, uno che si dedica in silenzio al suo lavoro. È sempre stato pieno di sé, un uomo che, secondo uno stretto collaboratore, forse « ama un po' troppo il potere ».[66] Col passare degli anni, agli occhi di molti sarebbe diventato sempre più simile all'autoritario Valletta.

Nato a Roma nel 1923, Romiti è per molti versi la personificazione del romano tipico, dalla parlata a un generale atteggiamento che sembra dire « qui sono e qui resto ». Provate a camminare per una strada di Roma e incontrerete sempre una coppia di romani immersi nella conversazione che ignorano la vostra presenza e vi costringono, se volete passare, a scendere dal marciapiede. Romiti, un tipo bellicoso che si diverte a raccontare storielle spinte alla fine di cene con potenti banchieri e industriali, non ha tempo per le raffinatezze. Non si può dubitare del suo talento finanziario e manageriale né della sua capacità di ottenere quello che vuole a dispetto dell'opposizione più ostinata. Perciò fu prima notato, poi nel 1974 raccomandato alla FIAT, da Enrico Cuccia, l'eminenza grigia che per quarant'anni ha controllato con pugno di ferro i vertici della finanza italiana grazie alla sua posizione a Mediobanca.[67] Cuccia, l'artefice di tante decisioni chiave nel capitalismo italiano dell'era postbellica da essere diventato per gli Agnelli una sorta di figura pontificale, pensava che Romiti fosse l'uomo ideale per la FIAT.

Romiti è sotto ogni rispetto un professionista. Ma i colleghi lo vedono anche come uno degli operatori più machiavellici in una nazione dove tutti amano considerarsi allievi di Machiavelli. Dopo essersi laureato in economia all'Università di Roma nel 1945, Romiti lavorò per breve tempo in banca prima di essere assunto, nel 1947, dalla Bombrini Parodi Delfino (BPD), una fabbrica di munizioni fondata vicino a Roma nel 1912 e poi incorporata nel 1968 dalla SNIA, società chimica e tessile. La SNIA-BPD è adesso controllata dalla FIAT e Romiti ha la soddisfazione di esserne il presidente. Sulla fine degli anni '60 Romiti lavorò alla SNIA prima di passare al più romano dei settori: l'industria di Stato. Dopo un breve periodo all'Italstat, azienda statale per la costruzione di strade e infrastrutture, nel 1970 diventò amministratore delegato dell'Alitalia; dopo quattro anni all'Alitalia, nel 1974 fu assunto come esperto finanziario alla FIAT. Qui divise le responsabilità di amministratore delegato prima con Umberto Agnelli e con De Benedetti, poi con Umberto solo, e infine nel 1980 gli fu dato quello cui aveva sempre ambito, un potere direttivo assoluto. Oggi Romiti è forse la figura più controversa nella vita pubblica italiana, ammirato da molti manager e detestato da molti politici, dalla sinistra alla destra, che lo definiscono arrogante e dispotico.

Nel 1980 era in gioco la sopravvivenza stessa della FIAT. Indebitati per 7000 miliardi di lire con le banche, dopo anni di perdite e di scioperi gli Agnelli si erano resi conto che la loro politica non era valsa a mettere sotto controllo la situazione.[68] Dopo aver cercato per anni cure miracolo, accettarono il fatto che il destino della FIAT era inesorabilmente legato alla fabbricazione di automobili. Anche la struttura dirigenziale decentralizzata, che a Gianni Agnelli era sembrata un'idea così brillante negli anni '60, non aveva funzionato. Nel giugno 1980 Umberto ammetteva che la FIAT sarebbe dovuta presto tornare a «uno stile manageriale più centralizzato».[69] Nello stesso tempo la FIAT abbreviava la settimana lavorativa per 78.000 dei suoi operai nella divisione auto e accennava alla possibilità di futuri licenziamenti. In una famosa intervista a *Repubblica* Umberto dichiarava: «Abbiamo avuto questi dieci anni brutti soprattutto sotto il profilo sindacale», e aggiungeva che era tempo che il governo riconoscesse alla FIAT il diritto di ridurre la manodopera, concludendo: «Ci vuole meno gente nelle fabbriche».[70]

Nello stesso tempo in cui cercavano di fare ordine sul fronte lavoro, gli Agnelli lanciavano una controffensiva contro i produttori giapponesi di automobili. Già nel 1975 Umberto Agnelli aveva chiesto l'istituzione di barriere doganali europee per ridurre le importazioni di auto giapponesi, che spingevano i fabbricanti stranieri a cercare sbocchi oltre confine e in Italia.[71] Gianni e Umberto si infuriarono quando nel 1980 il governo diede la sua approvazione al progetto dell'Alfa Romeo e della giapponese Nissan di costruire insieme una fabbrica vicino a Napoli: si ripeteva il caso di Pomigliano, si permetteva l'instaurarsi di altra concorrenza, e per di più in parte giapponese. Gli Agnelli mossero un altro attacco all'IRI, che controllava l'Alfa, ma anche questa volta invano.

Sembrava che la FIAT semplicemente non riuscisse a imporre la sua volontà al governo Cossiga. L'accordo Alfa-Nissan aveva l'appoggio sia delle forze politiche sia di quelle sindacali, soprattutto perché avrebbe creato nuovi posti di lavoro nel Mezzogiorno. In questa situazione, un uomo testardo come Romiti era proprio quello che occorreva agli Agnelli.

La decisione che segnò la fine della carriera di Umberto Agnelli come manager industriale, e di cui le prime pagine dei giornali italiani avrebbero parlato come di un « terremoto » alla FIAT, fu annunciata ai venti più alti dirigenti nella tarda mattinata del 31 luglio 1980. Gianni Agnelli convocò i collaboratori nel suo ufficio all'ottavo piano del quartier generale dell'azienda, in corso Marconi a Torino, e li informò che Umberto stava per rinunciare alle sue responsabilità manageriali. Al volonteroso ma dilettante fratello minore, ancora considerato in Italia l'erede designato del più anziano, si applicava la tecnica del *promoveatur ut amoveatur*. Manteneva la carica di vicepresidente della FIAT e in più veniva nominato vicepresidente dell'IFI, ma questo non alterava la sostanza dei fatti. Il comunicato ufficiale della FIAT parlava di « separazione fra proprietà e management » e fu interpretato da alcuni come una misura per preparare la strada alla successione di Umberto alla presidenza quando suo fratello, di dodici anni più vecchio, si sarebbe ritirato.[72]

La verità è che gli alti quadri direttivi della FIAT erano fatti segno ad aspre critiche. Avevano agito come una sorta di calamita dello scontento sindacale. Lo stesso Umberto era convinto che, con i licenziamenti in programma e una previsione di scontri tra FIAT e operai, la sua presenza avrebbe potuto rendere la situazione ancora più esplosiva. Quel pomeriggio dichiarò: « La mia presenza come capo operativo del gruppo, in un momento così delicato e importante per il suo futuro, a mio giudizio determina, a causa della sua natura, reazioni che possono essere viziate da pregiudizio. Ne può così derivare un elemento di ulteriore difficoltà e critiche all'azienda e ai suoi uomini, oggi tutti fortemente impegnati, con competenza e valore professionale, a superare l'attuale situazione. Ritengo quindi corretto da parte mia lasciare il ruolo di amministratore delegato della capogruppo ».[73]

La stampa diede però un'altra interpretazione dei fatti. «Mi chiamo Agnelli e non posso dirigere la FIAT», proclamava un titolo. E considerando la scia di rovine che entrambi i fratelli si erano lasciati dietro nei loro sforzi di gestire l'azienda, un osservatore esterno sarebbe ben potuto giungere alle stesse conclusioni. Anche la Borsa di Milano mostrò di avere un'opinione: nei giorni seguiti alle dimissioni di Umberto Agnelli il prezzo delle azioni FIAT aumentò a ritmo costante, e il 12 agosto aveva guadagnato quasi il 10 per cento.[74]

Romiti era pronto, e si buttò a corpo morto nel lavoro che lo aspettava. Dopo le vacanze estive le fabbriche FIAT riaprirono il 4 settembre 1980. Ma molti operai, già temendo i licenziamenti imminenti, iniziarono subito una serie di scioperi, manifestazioni di protesta e sabotaggi. Lo stesso Romiti avrebbe ricordato più tardi: «Era una situazione impossibile. Avevamo terrorismo, droga e prostituzione nelle fabbriche. L'atmosfera era prerivoluzionaria».[75] In settembre furono spedite le prime lettere di licenziamento a oltre 13.000 operai nelle divisioni auto e acciaio.

L'effetto fu come un colpo di cannone, che fece trattenere il fiato a tutto il paese. Licenziare operai era una cosa che in Italia non si faceva, che nessuna direzione aziendale aveva mai tentato, specialmente su quella scala. I dirigenti sindacali, col loro retroterra politico a Roma, avevano diritto di veto. Quella della FIAT era un'iniziativa unilaterale. Al Parlamento non si parlava d'altro, e la questione fu portata direttamente davanti al presidente del Consiglio. Il 26 settembre la FIAT tentava un compromesso, sospendendo i licenziamenti e mettendo 24.000 operai in cassa integrazione per tre mesi, a più del 90 per cento del salario. Ma questo non risolse nulla.

Gli operai occuparono le fabbriche impedendo ai manager di medio livello di entrare nei loro uffici; i dirigenti tanto coraggiosi da tentare di recarsi al lavoro furono fatti segno al lancio di sassi e bottiglie, mentre molti di loro ricevevano telefonate minacciose o lettere intimidatorie. Cominciarono così a Torino i famosi « trentacinque giorni » di paralisi e di crescente violenza. Intanto i sindacati, in una prova di forza, indicevano uno sciopero generale.

Ma questa volta la FIAT – grazie soprattutto al caparbio Romiti – faceva sul serio; gli operai minacciassero pure le barricate, gli Agnelli e Romiti non avevano intenzione di mollare. Del resto, quel che facevano i sindacati andava contro i loro stessi interessi; rifiutando tre mesi di sospensione, con più del 90 per cento dei salari pagati dallo Stato, paralizzavano gli impianti e sembravano non avere altro scopo che distruggere la FIAT. Era un atteggiamento irragionevole e inutilmente aggressivo che faceva il gioco di Romiti. Ma a rovesciare completamente la situazione in quel violento autunno 1980 non furono né Romiti né gli Agnelli bensì un dirigente di medio livello chiamato Luigi Arisio. La FIAT aveva 18.000 quadri intermedi, uomini che guadagnavano stipendi modesti e tuttavia erano venuti a trovarsi in prima linea. E mentre Agnelli poteva aspettare la fine dello sciopero nella sua casa in collina, erano questi impiegati a pagare le spese, perdendo denari di cui avevano gran bisogno ed esponendo al pericolo se stessi e le loro famiglie.

L'allora cinquantacinquenne Arisio, un uomo deciso, con baffi a manubrio che lo fanno somigliare a una versione italiana di Lech Walesa, ne aveva fin sopra i capelli, e pensò di organizzare, per il 14 ottobre, una marcia di protesta dei quadri intermedi. Sperava di riuscire a raccogliere due o tremila persone. Se ne presentarono invece 40.000, e la sua iniziativa cambiò la storia dei rapporti fra sindacato e aziende in Italia.

I 40.000, fra i quali c'erano molti operai e rappresentanti di altre aziende oltre la FIAT, percorsero in silenzio le strade di Torino, passarono davanti al quartier generale della casa automobilistica e invasero infine la settecentesca piazza San Carlo, trasformandola in un mare di cartelli con un semplice ma inequivocabile messaggio: volevano tornare al lavoro. E in effetti la sensazionale marcia non solo pose fine allo sciopero ma anche ridusse i sindacati all'impotenza. Quattro giorni dopo firmavano con la FIAT un accordo che lasciava a casa 22.884 operai.

Arisio dice oggi di non avere previsto che la manifestazione da lui organizzata avrebbe rivestito una tale importanza storica, isolando i sindacati e costringendoli a mollare la presa con cui rischiavano di strangolare l'economia italiana. Tutto quel che Arisio voleva era rendere noti i sacrifici che dovevano sopportare quelli presi nel mezzo perché i picchetti impedivano loro di lavorare. La protesta, dice, doveva però anche essere una lezione dei subordinati ai più alti dirigenti sul come tener testa ai sindacati in un momento in cui « l'azienda non se ne preoccupava e non aveva la forza necessaria ».[76]

Romiti, secondo Arisio, non era entusiasta dell'idea. « Quelli della FIAT avevano paura che l'iniziativa non avesse successo », ricorda Arisio, aggiungendo che non c'è niente di vero nella voce che la FIAT avesse contribuito a organizzare o finanziare la marcia. È vero invece che lui, come altri dirigenti di livello medio fatti segno a minacce, godette della protezione della FIAT: fu portato addirittura a pronunciare il suo discorso in una 131 corazzata e passò tutta la giornata circondato da guardie del corpo. « La marcia non sarebbe mai stata permessa », spiega oggi, « se l'azienda avesse avuto un'idea chiara sul modo di affrontare i sindacati. Poi », aggiunge, « l'azienda si è presa il merito per i risultati positivi della marcia. »[77]

La FIAT fece più che prendersi il merito. Romiti e gli Agnelli erano euforici. Il loro destino era stato cambiato non tanto dal loro atteggiamento di fermezza o da un intervento politico, ma in gran parte da un colpo di fortuna. Per Arisio la marcia significò fama immediata. Due settimane dopo, fu invitato a un ricevimento nel corso del quale Agnelli in persona gli fece le sue congratulazioni; vide così realizzarsi il sogno di ogni dipendente della FIAT, conoscere personalmente l'Avvocato. Poi arrivò un telegramma nientemeno che da Ronald Reagan. Infine Arisio venne eletto in Parlamento come deputato per il partito repubblicano, quello cui Gianni Agnelli negli ultimi anni si è sentito più vicino.

In Italia, la «marcia dei 40.000» smentì le opinioni correnti sulla forza dei sindacati e del partito comunista; per i comunisti fu un colpo duro. L'atmosfera nell'industria italiana cambiò enormemente dopo il 1980, e gli effetti si videro in molte altre aziende, dove dirigenti imbaldanziti ridussero drasticamente la manodopera. Per Romiti, l'uomo dalla faccia sempre arrabbiata e preoccupata, la via era aperta per l'operazione risanamento. Non si vuol dire con questo che tutto mutò dalla sera alla mattina: sarebbero occorsi anni per cambiare le fortune dell'azienda. Ma Romiti, che nel mondo degli affari italiano sarebbe diventato noto come «il duro», era adesso libero di applicare i rimedi che Carlo De Benedetti aveva visto respinti nel 1976: sfoltimento drastico della manodopera ed enormi investimenti in nuovi modelli di macchine.

Alla FIAT era venuto il tempo di una rivincita: non nel senso di vendetta ma in quello sportivo di un incontro in cui il perdente sfida il vincente. Ma anche «vendetta» rende bene l'idea, secondo coloro che criticano oggi l'impero Agnelli. Nel 1980 l'azienda, che si era mossa su strade sbagliate per tutto il tempo in cui gli Agnelli avevano cercato di dirigerla, venne finalmente puntata di nuovo nella direzione giusta. Stava per diventare la protagonista di una delle più grandi storie di risanamento aziendale che si siano mai svolte in Europa, e questa volta, quando si sarebbe diversificata sotto la ferma guida di Cesare Romiti, non avrebbe commesso errori; perlomeno, non sul fronte finanziario e industriale.

Forte della vittoria dell'ottobre 1980, Romiti lanciò un piano di risanamento che avrebbe visto enormi investimenti in nuovi modelli d'auto e raccolta di fondi sul mercato azionario milanese per alleggerire il peso schiacciante dei debiti. Ora che la FIAT si sentiva libera di assumere e licenziare operai senza timore dei vecchi tabù, non tardò a farlo, riducendo la manodopera totale del gruppo di circa 100.000 persone nel periodo fra il 1980 e il 1985. Nello stesso periodo, mise in opera un ambizioso programma di modernizzazione. L'azienda, che nel decennio precedente non riusciva a guadagnare sulle macchine, che non poteva introdurre cambiamenti importanti per paura dei sindacati o dei terroristi, che non era in grado neppure di pagare i debiti con le banche, stava per conoscere una ripresa spettacolare. Un nuovo senso di fiducia in sé pervase i quadri dirigenti del gruppo. Nei primi tre anni della gestione Romiti, la produttività raddoppiò e l'assenteismo operaio scese da percentuali di due cifre a meno del 5 per cento. Attività in perdita come alcune operazioni siderurgiche della Teksid furono vendute, questa volta al governo. Sul piano internazionale, la FIAT si ritirò da mercati difficili, concentrandosi su quella che qualcuno ha chiamato la strategia della « Fortezza Italia ». Nel 1981 cominciò ad abbandonare la partecipazione azionaria all'azienda automobilistica SEAT − fortemente passiva − in Spagna, e un anno più tardi scaricò la maggior parte dell'attività automobilistica argentina, anche questa in perdita.[78] Nel 1983 si convinse che non riusciva a vendere con profitto le sue macchine negli Stati Uniti e, con l'eccezione dei modelli a prezzi più alti, abbandonò il mercato nordamericano.

In Italia Romiti e Ghidella, pur non essendo quel che si dice amici per la pelle, riuscirono a coordinare il loro movimento a tenaglia: mentre Romiti ordinava la chiusura di fabbriche piccole e inefficienti, Ghidella si dedicava alla modernizzazione di tutte le operazioni connesse con la fabbricazione di automobili. Presto ebbero qualcosa da mostrare. Nel gennaio 1983 la FIAT affittò due jumbo e trasportò 700 giornalisti europei in Florida, dove aveva organizzato un'elaborata presentazione della prima auto fabbricata dalla sua linea di robot fabbricati dalla FIAT stessa, la piccola e brillante Uno, destinata a diventare di lì a poco l'« Automobile dell'Anno » europea e un vero best-seller sul mercato automobilistico (ha venduto a tutt'oggi più di 3 milioni di

unità). Sembravano avviati alla fine i giorni in cui la gente
rideva della cattiva qualità delle macchine FIAT; invece di
« bidonate » che arrugginivano alla prima pioggia, finalmente l'azienda aveva prodotto un piccolo gioiello.

L'automazione del lavoro fu uno dei fattori chiave nella
ripresa della FIAT, e la COMAU, l'azienda del gruppo che
fabbrica robot industriali e macchine utensili, diventò così
famosa per le sue innovazioni tecniche che persino la General Motors non tardò a ordinare robot fabbricati a Torino
per le proprie linee di montaggio. Le macchine della CO-
MAU furono messe al lavoro anche nello stabilimento di
Termoli, sulla costa adriatica, dove i robot cominciarono a
produrre un « Fully Integrated Robotised Engine » (FIRE)
ogni 20 secondi.

A metà degli anni '80 la FIAT faceva buoni profitti, rad-
doppiando le entrate da un anno all'altro. Grazie a Romiti e
ai suoi professionisti l'utile netto raddoppiò nel 1984 a 627
miliardi di lire, nel 1985 balzò a 1326 miliardi e nel 1986 a
2162 miliardi. I profitti continuarono ad aumentare nel
1987, sfiorando i 2400 miliardi.

Il gigante di Torino diventò un prediletto degli investitori
internazionali. Oltre ai successi del settore automobili, la
FIAT traeva profitti da un nuovo ventaglio di attività, che
andavano dalla bioingegneria alla robotica, alle telecomunicazioni, alla finanza e alla difesa, per nominarne solo una
parte. « Il management è deciso a non permettere che quanto è accaduto alla fine degli anni '70 accada di nuovo »,
scriveva un analista finanziario. « Tutti si rendono conto
che una FIAT forte è meglio per l'Italia, tanto più in quanto
l'Italia, a causa della sua instabilità politica, non può contare su una leadership politica che la guidi. » [79]

Nella primavera del 1986 la FIAT annunciava il più grande aumento di capitale della storia italiana; si proponeva di
raccogliere mille miliardi di lire che, diceva l'azienda,
avrebbero garantito necessari investimenti futuri.

Romiti, il principale artefice di questa storia di successo,
alla fine del 1985 si sentiva già abbastanza fiducioso da po-

ter predire che i successivi tre anni sarebbero stati « brillanti ».[80] E non espresse grande rimpianto nell'annunciare che una serie di promettenti colloqui riguardanti la fusione tra le attività automobilistiche della FIAT e quelle europee della Ford non stavano andando per il meglio. Gianni Agnelli predicava la necessità di razionalizzare il mercato automobilistico europeo, ma le trattative FIAT-Ford, che se fossero andate in porto avrebbero creato il più grosso consorzio automobilistico in Europa, non arrivarono nemmeno alla fase raggiunta, a suo tempo, con la Citroën. Tuttavia Romiti era certo che la FIAT potesse sopravvivere benissimo anche senza la Ford, ed era orgoglioso di poter dire che il successo della FIAT aveva galvanizzato tutta la grande industria italiana.

Nel 1986, quando la FIAT finalmente chiuse la partita con la Ford e pose fine a tutta la concorrenza interna comprando l'Alfa Romeo, era già cominciata una nuova ondata di diversificazione, un'espansione senza precedenti, orchestrata con successo da Romiti più che dagli Agnelli. Romiti stava però pestando anche molti piedi, tanto da mettere in allarme uomini politici e uomini d'affari ai più alti livelli. Non solo aveva fatto prosperare la fabbricazione di automobili; aveva anche collezionato un'incredibile gamma di altre attività.

Ormai la FIAT era diventata, indiscutibilmente, il simbolo della rinascita economica italiana e una potenza senza eguali, non soltanto in campo industriale. Eliminati i debiti, con un bilancio così brillantemente in attivo, Romiti, con la benedizione di Agnelli, comprava come un forsennato. Nel 1987 gli interessi del gruppo Agnelli andavano dai veicoli a motore alle telecomunicazioni, dai giornali ai fondi comuni di investimento, dalle assicurazioni ai grandi magazzini, dalla pubblicità al turismo, dall'industria aero-spaziale alle banche, dal cemento alla bioingegneria. Le vendite di macchine continuavano a salire, nuovi modelli come la Thema e la Croma erano altrettanti successi, e quando la Fiat comprò l'Alfa Romeo, nel 1986, la quota di mercato interno che toccava alle automobili prodotte dal gruppo tornò a balzare al 60 per cento. Nel giro di pochi mesi l'acquisto dell'Alfa aveva riportato la FIAT in cima alla lista dei fabbricanti europei di macchine, permettendole di soppiantare la Volkswagen nella prima metà del 1987, poi ancora nella prima metà del 1988, e facendola diventare il più grande produttore di macchine in Europa. Il lancio nel 1988 del nuovo modello Tipo dovrebbe permetterle di mantenere questo primato.[81]

Gianni Agnelli, l'uomo che una volta era stato definito un personaggio di «panna montata», era in ottima forma. Il presidente di un'azienda automobilistica era diventato il re senza corona d'Italia. La sua mano era dappertutto e in ogni cosa. Presto, dicevano banchieri e politici, e solo a metà per scherzo, per loro non sarebbe rimasto più niente da comprare.

L'impero Agnelli era diventato un gruppo che controllava quasi un quarto del mercato azionario italiano. La FIAT sola aveva quasi 40.000 miliardi di fatturato (senza contare gli altri interessi della famiglia Agnelli), e secondo i critici non aveva scrupoli a fare uso del potere che le derivava dalle 569 controllate e 190 consociate. Il gruppo operava in 50 paesi. Stava diventando troppo. A Roma si parlava sempre più spesso di sfida all'autorità dello Stato, e anche in circoli bancari conservatori l'influenza esercitata dalla FIAT era vista come potenzialmente non sana per l'economia e la società italiane. La sua capacità di influire sul destino della nazione turbava gli equilibri, ed era basata su una rete di potere che si espandeva sempre più oltre i confini della tradizionale attività di fabbricanti d'auto. Non c'è niente di male nella diversificazione di un'azienda, sostenevano alcuni operatori di borsa, ma si stava arrivando all'assurdo.

A chi conosce bene gli Agnelli e li ha studiati, tutto questo sembrava però molto facile a prevedersi. Nel 1966, un Gianni Agnelli frivolo e giocherellone aveva deciso di mettersi al lavoro per tentar di imparare a dirigere l'impero che aveva ereditato. I suoi fervidi tentativi di elaborare una strategia economica avevano rischiato di distruggere la FIAT. Adesso, più di vent'anni dopo, la FIAT prosperava, e Agnelli aveva imparato ad amare il potere e la gloria molto più che i facili piaceri della sua gioventù. Poteva ancora raggiungere in elicottero Saint Moritz per fare una sciata all'ora di pranzo ed essere di ritorno a Torino nel pomeriggio; ma Gianni Agnelli era diventato l'individuo più potente in una nazione di 57 milioni di persone e la combinazione Agnelli-Romiti appariva imbattibile. Dopo anni di tentativi e di errori Gianni Agnelli aveva trovato il suo nuovo Valletta. Insieme, stavano allargando la loro ragnatela di potere.

1 *The Economist*, « What Mr Fiat Learnt: Agnelli and Fiat », 30 agosto 1986, p. 50.
2 *Fortune*, « The Embattled Prince of Fiat », agosto 1971, p. 128, di Walter McQuade.
3 *The Sunday Telegraph*, « Fiat: All Roads Lead to Europe », 31 maggio 1970, di Donald Last.
4 *The Financial Times*, « How Fiat's Two Princes Are Modernising Their Empire », 29 agosto 1978, di Terry Dodsworth.
5 *Newsweek*, « The Man Who Put Fiat Into High », 23 dicembre 1968, p. 72.
6 La FIAT aveva in precedenza posseduto una partecipazione di controllo nel gruppo automobilistico francese Simca (*Financial Times*, 2 ottobre 1968), ma nel 1960 ne vendette buona parte alla Chrysler, tenendo solo il 20 per cento. Nel 1968 Agnelli ammise che forse avrebbe fatto meglio a tenersi quelle azioni (*Financial Times*, 30 ottobre 1968).
7 Nel tardo 1968 la FIAT accettò di pagare una somma non specificata per una partecipazione nella Pardevi, una holding appena formata che a sua volta possedeva il 52 per cento delle azioni Citroën. Il pacchetto della FIAT corrispondeva al 15 per cento della Citroën (*Financial Times*, 29 ottobre 1968). Più tardi la FIAT aumentò al 49 per cento la sua quota nella Pardevi pompando altro denaro nella dissestata società automobilistica francese. Quando la decisione della FIAT, a metà del 1973, di non sottoscrivere un nuovo aumento di capitale alla Pardevi mise fine a un rapporto durato cinque anni, il gruppo Michelin rilevò la partecipazione FIAT, per una somma che non è mai stata rivelata. È stato calcolato che nei cinque anni la FIAT abbia investito nella Citroën un totale di 30 milioni di sterline (vedi *Financial Times*, « Why Citroën and Fiat are Breaking Up », 25 giugno 1973).
8 *Financial Times*, 25 giugno 1973.
9 Nel 1972 la Citroën registrò un piccolo profitto (32 milioni di franchi francesi) e poté pagare un dividendo per la prima volta in cinque anni, mentre nel 1970 aveva registrato una perdita di 372 milioni di franchi. Le fortune del gruppo prosperarono grazie all'introduzione del popolare modello GS, resa possibile in parte dal finanziamento FIAT. Nei cinque anni del « matrimonio » la produzione della Citroën quasi raddoppiò, da 460.000 vetture a 800.000 (vedi *Financial Times*, 25 giugno 1973).
10 *Newsweek*, « The Big Wheel in Italy's Traffic », 20 gennaio 1964, pp. 68-69.

98

11 *Newsweek*, « The Man Who Put Fiat Into High », 23 dicembre 1968, p. 72.
12 Intervista dell'autore a Susanna Agnelli, 26 ottobre 1987, Roma.
13 Intervista dell'autore, 5 novembre 1987, Milano.
14 Giuseppe Turani, *L'Avvocato*, Sperling & Kupfer, 1985, p. 78.
15 Vedi Italo Pietra, *I tre Agnelli*, Garzanti, 1985, p. 207. Vedi anche Eugenio Scalfari e Giuseppe Turani, *Razza padrona*, Feltrinelli, 1984, pp. 169-170.
16 Vedi nota 13.
17 La risposta alle sempre più insistenti richieste dei sindacati che venissero migliorate le condizioni degli operai alle catene di montaggio consistette principalmente nell'automatizzare le operazioni di saldatura nella fabbrica di Mirafiori, ma la FIAT sperimentò anche « isole di produzione » tipo Volvo, alla fabbrica motori di Termoli, e allestì una catena di montaggio « 4 Track » nella nuova fabbrica di Cassino (*The Sunday Times*, 8 luglio 1973; *The Financial Times*, 18 maggio 1973; *The Guardian*, 9 luglio 1973).
18 *The Financial Times*, « Fiat's Plans for Europe Once It Controls Citroën », 1° giugno 1970, di James Ensor.
19 *The Financial Times*, « Agnelli disappointed with Fiat-Citroën collaboration », 1° novembre 1972, di James Ensor.
20 *The Financial Times*, « Italian Industry at the Crossroads », 11 marzo 1974, di Robert Graham.
21 *The Financial Times*, « A Passing Indisposition », 1° maggio 1974, di Anthony Robinson.
22 *The Economist*, « Fiat's Spies: Whatever For? », marzo 1972; *The Sunday Telegraph*, « Kindly Uncle Fiat is Watching You », marzo 1972, di Leslie Childe; *The Sunday Times*, « Spy Row Starts Fiat Clean-up », 6 aprile 1972, di Andrew Hale.
23 *The Sunday Telegraph*, marzo 1972.
24 Vedi verbali del Tribunale Civile e Penale di Napoli, in data 25 maggio 1978 e sentenza del 20 febbraio 1978. Fascicolo n. 2299, registro n. 7092/15/74, pp. 1-118. Vedi anche *Il Giorno*, « Dossier Fiat 77 avvisi di reato », 3 marzo 1972.
25 *The Evening Standard*, « The 30,000 Spanners in Mr Fiat's Work », 7 marzo 1973, di Mary Kenny.
26 *The Financial Times*, 11 marzo 1974.
27 *The Financial Times*, « Warning by Fiat after pay deal », 9 marzo 1974, di Robert Graham.
28 Turani, pp. 103-104.
29 Vedi nota 27.
30 *Newsweek*, « The View From Turin », 17 giugno 1974, p. 45.
31 Vedi nota 30.
32 Conversazione privata, 4 novembre 1987, Milano.
33 Intervista dell'autore a Susanna Agnelli, 26 ottobre 1987, Roma.
34 *The Financial Times*, « Lawyer who tightened the Agnelli dynasty's grip on Fiat », 15 marzo 1988, di David Lane.
35 *Newsweek*, 17 giugno 1974.
36 *The Financial Times*, « The Fiatallis Marriage – And Divorce », 2 febbraio 1985, di Alan Friedman.
37 *Panorama*, « Fiat presidente », 25 aprile 1974.
38 *L'Espresso*, 21 aprile 1974.
39 *The Financial Times*, « Fiat said to seek opening of $ 600 million credit line », 15 ottobre 1974, di Robert Graham.
40 *The Financial Time*, « Fiat tries to live with its labour », 8 gennaio 1975, di Robert Graham.
41 *Esquire*, « On the Razor's Edge: A Portrait of Gianni Agnelli », 29 giugno 1978, di Lally Weymouth, p. 35.
42 Giovanni Minoli, *I Re di Denari*, Mondadori, 1987, p. 30.

43 Vedi nota 41.
44 Vedi nota 42.
45 *Il Sole - 24 Ore*, « Fiat: Un direttorio per il rilancio », 1° maggio 1976, di Ernesto Auci.
46 Turani, p. 149. Le perdite dell'IFI nel 1975 furono trasformate in profitti attingendo alle riserve.
47 *L'Espresso*, « Macché auto! Quelli fabbricano filosofie », 10 ottobre 1976, p. 170, di Mario La Ferla.
48 Intervista dell'autore, 4 novembre 1987, Milano.
49 Vedi nota 47.
50 Intervista dell'autore a Carlo De Benedetti, 6 novembre 1987, Ivrea.
51 Vedi nota 47.
52 *The Financial Times*, « Keeping it in the family », 27 agosto 1976, di Anthony Robinson.
53 *The Financial Times*, « New man resigns in Fiat clash », 26 agosto 1976, di Anthony Robinson.
54 Vedi nota 1.
55 Vedi nota 47.
56 Vedi nota 47.
57 Vedi nota 47.
58 *The Financial Times*, « Unions off balance as Fiat acts against 'intimidators' », 23 ottobre 1979, di Paul Betts a Roma.
59 Vedi nota 58.
60 *New York*, 1° maggio 1978, « The King of Fiat: Living With Terrorism », di Anthony Haden-Guest, p. 41.
61 L'elenco degli atti terroristici compiuti in quegli anni comprende – oltre a ferimenti e assassinii – 18 incendi dolosi in fabbriche FIAT, il danneggiamento delle automobili di circa 58 dipendenti e cinque attacchi alle case di dirigenti FIAT (*The Times*, « Fiat: a company in the front line », 23 gennaio 1980, di John Earle; *The Financial Times*, « Heads begin to roll at Fiat », 18 giugno 1980, di Paul Betts.
62 *The Sunday Express*, « The Man with the ever-ready cyanide pill », 23 aprile 1978, di Taki Theodoracopulos.
63 *The Financial Times*, « Heads begin to roll at Fiat », 18 giugno 1980.
64 *The Financial Times*, « Hardening approach to the unions », 4 dicembre 1979, di Paul Betts.
65 Dai libri contabili risultava un utile netto di 39 miliardi (*The Financial Times*, « Fiat sees unchanged group operating loss of L200bn », 12 novembre 1980, di Rupert Cornwell).
66 Intervista dell'autore, 13 novembre 1987, Milano.
67 Turani, p. 138.
68 Nel 1981 l'indebitamento netto totale della FIAT era 7035,6 miliardi di lire, il doppio del patrimonio netto del gruppo. Pubblicazione dell'ufficio stampa della FIAT, « FIAT », p. 50.
69 Vedi nota 63.
70 *La Repubblica*, « Umberto Agnelli: per salvare il paese licenziare e svalutare », 21 giugno 1986, di Giuseppe Turani.
71 *The Guardian*, « Fiat head wants EEC car barrier », 19 aprile 1975, di Charles Cook.
72 *The Financial Times*, « Agnelli moves 'upstairs' at Fiat », 1° agosto 1980, di Rupert Cornwell.
73 *La Repubblica*, « Umberto Agnelli se ne va: terremoto al vertice Fiat », 1° agosto 1980, di Giuseppe Turani.
74 *The Financial Times*, 12 agosto 1980, di Rupert Cornwell. Il prezzo delle azioni ordinarie FIAT era 1530 lire il 1° agosto, all'indomani dell'annuncio, e aumentò poi, toccando il 12 agosto 1679 lire.

75 *The Wall Street Journal*, « Fiat Chief Romiti Wins Much of Credit for Firm's Turnaround », 27 novembre 1985, di Roger Cohen.
76 Intervista dell'autore a Luigi Arisio, 3 novembre 1987, Torino.
77 Vedi nota 76.
78 *The Financial Times*, « Fiat seeks to give Seat stake to INI », 30 maggio 1981, di James Buxton; *The Financial Times*, « Fiat sells 60 per cent of Argentine car unit », 23 giugno 1982, di Rupert Cornwell.
79 Rapporto sulla Fiat, First Boston equity research department, Londra, 15 settembre 1987, p. 26.
80 *The Wall Street Journal*, « Fiat Official calls Outlook 'Brilliant' for Next 3 years », 8 ottobre 1985, di Roger Cohen.
81 *The Financial Times*, « Fiat tops European car sales », 22 luglio 1987, di Kenneth Gooding.

5. *La ragnatela del potere*

SUL fianco del Teatro alla Scala a Milano corre una via stretta e tranquilla, con poco traffico, senza vetrine: via Filodrammatici. Qui, al numero 10, sorge un edificio di tre piani, elegante ma anonimo. Nessuna scritta sopra il grande portone di legno, e uno sguardo all'interno del cortile non rivela niente, tranne una fila di Alfa Romeo blu scuro, dalle quali si può dedurre che qui lavora gente importante. È sempre così al 10 di via Filodrammatici: nella nebbia di un freddo pomeriggio invernale o nell'afa di un giorno estivo, il visitatore trova sempre silenzio, decoro e le lussuose macchine scure parcheggiate in cortile.

Ma non si può fare a meno di sentire che c'è qualcosa di misterioso in questo edificio che dà così poco nell'occhio. Passandovi davanti, basta solo un po' d'immaginazione per figurarsi che ospiti una quantità di segreti, ricchezza e potere. E difatti è proprio così; questo è il quartier generale di Mediobanca, il tempio supremo della finanza italiana.

Il nome Mediobanca richiama immediatamente l'immagine di una figura curva e una faccia rugosa: quelle di un banchiere ottantenne di origine siciliana, che si tiene nell'ombra in modo quasi ossessivo, non parla con la stampa da quarant'anni ed è famoso per questo gusto dell'anonimato non meno che per il potere quasi assoluto che ha esercitato sul mondo finanziario italiano per la maggior parte del periodo seguito alla fine della seconda guerra mondiale.[1] Il suo nome è Enrico Cuccia.

Amici e nemici sanno che Cuccia è un genio della finanza. Gli intimi assicurano che è anche molto simpatico, avido lettore di James Joyce, un intellettuale i cui interessi si estendono ben oltre il suo campo professionale. I critici, e sono molto più numerosi, dicono che quest'uomo piccolo dai capelli lisciati sul cranio, dai freddi occhi azzurri, sempre vestito con abiti grigi di gran taglio che pendono semivuoti sulle sue ossa fragili, è stato il grande burattinaio della finanza italiana, un uomo testardo e vendicativo, famoso per creare e distruggere aziende, accordi finanziari e anche uomini. Il suo amore per la privacy è leggendario, e ha contribuito non poco a creargli intorno un'aura di potere e di autorità. Cuccia, dicono in Italia, non si confida neanche con la sua ombra. La più diffusa tra le poche fotografie che è stato possibile scattargli lo mostra con un cappello a lobbia, mentre si stringe addosso il cappotto e si lancia un'occhiata alle spalle, sullo sfondo di via Filodrammatici.

Cuccia, più di ogni altro individuo nella storia dell'Italia dopo la guerra, è stato l'artefice della rete di potere del settore privato italiano. Paradossalmente, Mediobanca, controllata dallo Stato, è diventata lo strumento degli imprenditori privati. Cuccia si è servito della sua posizione privilegiata a Mediobanca, fino alla metà degli anni '80 l'unica vera merchant bank o banca d'affari italiana, per tessere una rete di partecipazioni incrociate; perciò Mediobanca è considerata la chiave di volta del capitalismo italiano.

Sotto Cuccia, il capitalismo italiano è rimasto la riserva di una piccola e chiusa cerchia di alleati. Nel disegno di Cuccia, il controllo delle aziende ha poco a che fare con chi possiede la maggioranza delle azioni, perché i pacchetti azionari non tanto si contano quanto si pesano. L'idea è di controllare un'azienda con un pacchetto di minoranza, più un piccolo aiuto da parte di amici e di azionisti che la pensano nello stesso modo. Nella ragnatela di potere creata da Cuccia i vincitori non son necessariamente quelli con più denaro. C'è invece un ordine di beccata. La proprietà di aziende può essere passata da una mano all'altra, dall'una all'altra parte della ragnatela, spesso senza che avvengano passaggi di denaro. Questo fenomeno è stato spesso descritto come uno « spostare il contenuto di una tasca all'altra ». I vecchi baroni dell'economia italiana mantengono così un controllo rigido senza tirar fuori molti soldi. L'importante è che il controllo delle grandi industrie rimanga « in famiglia ». È tutto molto italiano e, diciamolo pure, molto arcaico.

Quali sono state le motivazioni di Cuccia nel tessere questa intricata ragnatela? Agli inizi, Cuccia voleva assicurare alle aziende un accesso costante di capitali di cui potessero aver bisogno, e nello stesso tempo metterle in grado di difendersi dagli attacchi di eventuali scalatori. Voleva anche proteggere le aziende private dalle interferenze dei politici e dell'industria di Stato. L'Italia è un paese in cui, più che altrove in Europa, un presidente di società o di banca cerca il potere non solo per promuovere gli interessi dell'azienda, ma anche per la sua gloria personale. Potere per amore del potere. E il piccolo abilissimo banchiere, che si compiaceva della sua reputazione di lavorare dodici ore al giorno, chiuso nel suo santuario al primo piano di Mediobanca anche durante le vacanze di agosto, amava il prestigio che gli veniva dal controllo della ragnatela di potere da lui creata, per non parlare della paura che ispirava a molti potenti industriali. Perché Cuccia, si dice, conosce i segreti di tutti. Estremamente conservatore, addirittura un uomo dell'Ottocento, ha sempre creduto nella necessità di mantenere l'ordine.

Ordine, e il rispetto assoluto delle regole del suo gioco: questi sono i lasciapassare per quanti sperano di ottenere approvazione nel mondo di Cuccia. Segretezza, amore del potere, intolleranza assoluta per chiunque osi sfidare lo status quo, sono invece le caratteristiche di quest'uomo dalla volontà di ferro, di cui anche amici e ammiratori dicono che è « un testardo ». Enrico Cuccia ha anche fama di uomo incorruttibile, che nonostante il suo potere non ha mai accumulato ricchezze personali. Sicuramente potrebbe far sue le parole che Curio Dentato, modello di frugalità romana, rivolse agli ambasciatori sanniti venuti a offrirgli denaro e ricchi doni: « Riferite ai Sanniti che Manio Curio preferisce dare ordini ai ricchi che diventare ricco lui stesso ».

Uno fra i più grandi ammiratori di Cuccia è, superfluo dirlo, un industriale di Torino che ha tratto enorme beneficio dai rapporti che da molti anni li legano, e per il quale mettere in discussione la preminenza di Cuccia nella finan-

za italiana sarebbe impensabile quanto il gettare un dubbio
sulla propria posizione di leadership nell'industria. I tempi
staranno forse cambiando, ma per Gianni Agnelli il vecchio
banchiere siciliano rimane uno dei pochi uomini per i quali
prova ammirazione. Questo rapporto è tanto più curioso
quando si pensa che, per la maggior parte dei suoi quarantadue anni a Mediobanca, Cuccia è stato, almeno tecnicamente, un dipendente dell'industria di Stato, e che Mediobanca era, almeno sulla carta, un'istituzione il cui controllo
di maggioranza appartiene all'IRI.

Anche se riceveva la sua paga dallo Stato, per ogni altro
verso – comportamento, abbigliamento, abitudini – Cuccia
è un tipico rappresentante della tradizionale élite industriale
e finanziaria dell'Italia del Nord. A qualche punto della sua
carriera il dipendente dello Stato ha preso a identificarsi, almeno psicologicamente, con le vecchie « grandi famiglie »
lombarde e piemontesi.

Le motivazioni che possono avere ispirato la trasformazione di Cuccia da dipendente dello Stato a difensore degli
interessi dei « Vecchi Ricchi » hanno molto a che fare con
un aspetto fondamentale del carattere italiano: il bisogno,
quasi compulsivo, di appartenere a un gruppo. Questo
aspetto, che nella sua forma peggiore si può definire come
una mentalità mafiosa, si rende nel modo migliore con la
parola *appartenenza*. Un osservatore non italiano potrebbe
supporre che l'appartenenza sia qualcosa di sinistro, ma
questo non è necessariamente vero. L'idea di appartenere a
un gruppo è così naturale per un italiano come l'idea della
conformità di gruppo per un giapponese. Perché una struttura di potere, tenuta insieme da legami strettissimi e intol-
lerante degli estranei, pervade tutta la società italiana. « Gli
outsider », ha dichiarato Franzo Grande Stevens, il fidato
legale della FIAT, spiegando come ha contribuito a rafforzare la presa della dinastia Agnelli sulle sue holding, « sono
tenuti rigorosamente fuori. »[2] Questa mentalità del « noi
contro loro » è stata ed è la quintessenza non solo del gruppo Agnelli o di Mediobanca, ma di molte reti di potere in

Italia. *Appartenenza* dunque definisce il modo in cui gli italiani si legano fra loro in gruppi sociali, politici, finanziari, e il modo in cui vedono il mondo intorno a loro.

Enrico Cuccia evidentemente si sente a suo agio appartenendo alla ristretta élite finanziaria con a capo la famiglia Agnelli. Le ragioni possono essere diffidenza per gli intrighi politici romani, fiducia nella comunità industriale e finanziaria dell'Italia del Nord, o parte di un desiderio di essere socialmente «accettato». Naturalmente lo scopo non è, qui, psicanalizzare Cuccia, ma spiegare come Cuccia abbia fatto di Mediobanca un'anomalia: un'istituzione fondata dallo Stato, con una maggioranza di controllo in mano allo Stato, eppure sostanzialmente al servizio degli interessi di pochi industriali privati, principale fra i quali Gianni Agnelli.

Il senatore Guido Rossi, già presidente della Consob – l'autorità italiana di controllo sulla borsa –, sa meglio di tanti altri che cosa significhi appartenere a un gruppo, essendo lui stesso membro dell'élite industriale e finanziaria del paese. Simile nell'aspetto più a un gentiluomo di campagna inglese che al politico di sinistra che si suppone sia diventato, ha il suo elegante ufficio legale a due passi da via Montenapoleone a Milano. «Questo è un paese», spiega il senatore Rossi, «in cui l'appartenenza a un gruppo conta molto più della competenza. Se quindi ho bisogno di qualcosa nel campo degli affari, per prima cosa vado da qualcuno del mio gruppo. Così funzionano le cose nelle reti di potere del mondo sia politico sia finanziario.» [3] Mediobanca, dunque, è stata ed è il simbolo di una consorteria, e di una molto prestigiosa. Fino ad anni recenti, quando nuovi venuti della finanza italiana hanno cercato di rendere un po' più aperto il mercato, chi non vi apparteneva è stato costretto a rimanere fuori, al freddo.

Il senatore Rossi ha lavorato come consulente legale per gli Agnelli in molte occasioni. Ma ha scandalizzato profondamente l'establishment Agnelli-Cuccia quando nel 1987 è stato eletto al Parlamento come candidato indipendente nella lista comunista. Rossi è un borghese quant'altri mai, tanto che la sua elezione come comunista è sembrata a molti il colmo dell'ironia. Ma ha dato molto fastidio alla Vecchia Guardia della ragnatela del potere. Rossi tradiva i princìpi del gruppo. Pare che Agnelli, quando ha saputo che Rossi era candidato nella lista comunista, gli abbia detto di essere molto deluso per la sua scelta. Al che Rossi avrebbe risposto: «Perché, Avvocato? Forse perché non le piace che ci siano persone indipendenti?» E nei circoli legali milanesi si dice anche che la FIAT non dà più lavoro a Guido Rossi. «Quelli ti cancellano dalla carta geografica se fai qualcosa che a loro non piace o vai contro l'ordine stabilito delle cose», commenta un imprenditore milanese di primo piano che da trent'anni vede in azione la rete di potere della Vecchia Guardia.[4]

Il risultato di questo stato di cose è che Mediobanca, con a capo Cuccia, è stata spesso accusata di servire gli interessi della ristretta élite del settore privato capeggiata dagli Agnelli e dai Pirelli, invece di proteggere l'interesse pubblico che ufficialmente rappresenta. Paolo Azzoni, uno dei principali operatori di borsa milanesi, ha una volta espresso la frustrazione di quanti pensano che Cuccia si sia servito di un'istituzione al 56,9 per cento proprietà dello Stato per favorire gli interessi di un'élite privata. «Come contribuente italiano trovo incredibile che per tutti questi anni Mediobanca sia stata gestita con denaro del contribuente come società privata a beneficio di pochi azionisti privati come gli Agnelli, i Pirelli e altri membri della plutocrazia italiana. Mi sembra scorretto perché in qualsiasi altro paese se possiedi il 51 per cento di un'azienda, la controlli.»[5]

Bisogna d'altra parte dire che molte pratiche economiche la cui legalità parrebbe dubbia in altri paesi industrializzati sono invece considerate in Italia perfettamente normali. Per esempio, l'auditing, ossia la revisione dei libri contabili da parte di esperti esterni, è entrato in vigore solo negli ultimi dieci anni. Così, il fatto che la revisione dei conti di Mediobanca sia ancora affidata alla Reconta Touche Ross, una società che ha inglobato la Reconta, posseduta dalla banca fino al 1981 (quando è stata venduta al management) non è illegale in Italia, anche se susciterebbe varie perplessità a Londra o a New York.

Altro esempio, l'«insider trading» – ossia la compravendita di azioni approfittando di informazioni riservate su operazioni sconosciute ai più – in uso alla Borsa valori di Milano avrebbe provocato decine di avvisi di reato se invece che a Milano si fosse in America. Il mercato azionario milanese è ancora di modeste proporzioni, anche tenendo conto della sua notevole espansione negli anni '80. Tutti conoscono tutti, e in un'atmosfera così familiare è più facile mantenere il potere. Una ragione chiave del perché la struttura feudale del potere funzioni così bene per le vecchie famiglie sta nel fatto che da quasi una generazione praticamente non sono state introdotte norme per la regolamentazione del mercato.

E non è una coincidenza che, con una serie di governi deboli a Roma, e con potenti aziende che spesso contribuiscono al finanziamento dei partiti politici, non ci siano state pressioni per introdurre norme più severe. Norme più severe potrebbero irritare gli imprenditori che contribuiscono a finanziare gli uomini politici, minacciando così il supporto di cui i politici hanno bisogno per sopravvivere.

Quanto a Cuccia, chiaramente non vede niente di anomalo nella strana creatura che ha fatto di Mediobanca. In una inconsueta apparizione pubblica davanti a una commissione del Senato nel 1978, ha detto: «Sono per così dire un centauro, metà uomo e metà cavallo. Scegliete voi qual è il pubblico e qual è il privato».[6] Pubblico o privato? Servo dello Stato o dell'élite privata che fa capo ad Agnelli? È tutto molto, molto strano.

«Per Gianni è come uno zio. Gianni sta a sentire quello che Cuccia dice e poi fa quasi sempre quello che raccomanda», dice un grande uomo d'affari milanese.[7] Altri sono meno caritatevoli e sostengono che da decenni l'impero Agnelli è aiutato e favoreggiato dalla rete di potere creata da Cuccia. Nella visione del mondo di Cuccia, i gioielli della corona (il controllo delle grandi società) sono tenuti in una cassaforte (Mediobanca) e nessuno tranne la famiglia reale (gli Agnelli e i loro alleati) li può toccare. Se si fa avanti un aspirante usurpatore, gli sono offerte due scelte: o si mette al servizio del potere regale e diventa un ben pagato vassallo, o, se si ostina a sfidare in qualche modo il potere, viene bandito. E se non se ne va di buon grado, allora, come vedremo più avanti, finisce schiacciato.[8] Può sembrare melodrammatico, ma disgraziatamente è fin troppo vero nel reame che Enrico Cuccia ha contribuito a creare per Gianni Agnelli e i suoi vassalli. Come si è arrivati a questa situazione? E come funziona?

Per rispondere, bisogna risalire all'aprile 1946, quando l'Italia stava cercando di mettere ordine fra le macerie dell'era mussoliniana. La Banca d'Italia (la banca centrale italiana) e il gruppo statale IRI, che controllavano tre « banche di interesse nazionale » (la Banca Commerciale Italiana, il Credito Italiano e il Banco di Roma), diedero il loro benestare alla creazione di una banca che avrebbe dovuto chiamarsi Unionbanca, ma il cui nome fu cambiato all'ultimo momento in Mediobanca. L'idea di Mediobanca si era sviluppata nel corso di conversazioni fra il giovane Cuccia, allora un dipendente dell'IRI, e Raffaele Mattioli, uno fra i più importanti personaggi della finanza italiana del dopoguerra e presidente, dopo la guerra, della Banca Commerciale Italiana. Anzi, le prime conversazioni fra Mattioli e Cuccia ebbero luogo, negli uffici romani della Banca Commerciale, nell'agosto 1944.[9] La guerra non era ancora finita, i tedeschi occupavano ancora l'Italia settentrionale, ma Mattioli stava già pensando al modo di finanziare la ricostruzione. La sua idea era creare un istituto di credito a medio termine che sarebbe stato controllato congiuntamente dalle tre banche di interesse nazionale. Questo arrangiamento avrebbe permesso a Mediobanca di fare quello che, secondo le leggi bancarie, le banche commerciali non potevano: concedere prestiti a medio termine all'industria. Solo più tardi l'ente avrebbe allargato le sue funzioni all'acquisto di partecipazioni azionarie nelle aziende, gestione di fondi, organizzazione di fusioni industriali e così via.

L'uomo scelto da Mattioli per dirigere Mediobanca fu l'allora trentottenne Enrico Cuccia, il brillante protégé che tra l'altro aveva anche sposato la figlia di un uomo influente, Alberto Beneduce, presidente dell'IRI (la moglie di Cuccia porta l'insolito nome di Idea Socialista Beneduce). Negli anni un po' selvaggi della ricostruzione post-bellica, il giovane Enrico Cuccia fece di Mediobanca una creatura che neanche Mattioli avrebbe creduto possibile. La curiosa istituzione giocò, onore al vero, un ruolo vitale nel rimettere in piedi l'economia italiana, ma Cuccia si sarebbe tanto allontanato dall'idea di gestire un istituto finanziario d'interesse pubblico da capovolgere completamente quelle che erano state le intenzioni di Mattioli. Cuccia infatti riuscì ad assicurarsi pacchetti di minoranza, ma d'importanza chiave, in tutte le più grosse aziende italiane del tempo, e di queste imprese divenne l'unico banchiere. Mediobanca acquistò così un'influenza enorme sul destino dell'economia italiana; diventò *la* forza con cui si dovevano fare i conti.

Il gioco di Cuccia a Mediobanca divenne sempre più sofisticato e dominato dalla logica dell'*appartenenza*. Essendo per molti anni praticamente l'unica fonte di finanziamenti alle aziende, Mediobanca era già nella posizione di dare ordini. Ma la sua autorità era accresciuta dal fatto che, oltre a dispensare denaro, aveva diritti di voto di minoranza, d'importanza strategica, nelle varie aziende. Le partecipazioni di minoranza di Mediobanca erano infatti strutturate in modo che Cuccia poteva decidere da solo i termini delle emissioni di azioni e di obbligazioni, poteva bloccare uno scalatore semplicemente alzando il telefono, poteva assicurare il successo o decidere il fallimento praticamente di qualsiasi nuovo progetto industriale nel paese.

A questa posizione di supremo arbitro dell'economia Cuccia arrivò non solo grazie alla duplice funzione di Mediobanca come fonte di prestiti e come azionista delle aziende che ne beneficiavano, ma anche per virtù di un fattore meno tangibile: più Cuccia cresceva in statura, più gli industriali accettavano la logica secondo la quale, se non fossero stati « bene introdotti » presso Cuccia, non sarebbero mai riusciti a finanziarsi. Diventò una specie di circolo vizioso, di cui il potere di Cuccia si nutrì ma che tornava a vantaggio di molti altri, perché non c'era nessuno che osasse sfidare lo status quo. Bisognò aspettare ben avanti negli anni '80 prima che a qualcuno venisse in mente di tentar di cambiare il sistema. Lo status quo, nel quale le vecchie famiglie stavano al sicuro sul loro Olimpo e i giocatori di livello medio dipendevano interamente da Mediobanca, fu così mantenuto da Cuccia, che godette per anni di un potere quasi assoluto e fu sia il creatore sia il difensore di un *ancien régime* del capitalismo italiano, il cosiddetto « salotto buono » o « ala nobile ». Un salotto buono in cui non si lasciava entrare chi non stava col gruppo.

Enrico Cuccia ha messo insieme una piccola ma influentissima cerchia di interessi imprenditoriali e finanziari, con lui stesso, e Mediobanca, al centro. Oggi Mediobanca controlla partecipazioni di minoranza d'importanza chiave in molti fra i più grossi complessi industriali italiani, come FIAT, Pirelli, Olivetti, Montedison, Mondadori, Zanussi, più molti altri fra cui il gioiello della Corona, le Generali, la più importante compagnia italiana di assicurazioni, in cui Mediobanca ha una partecipazione del 5 per cento.

L'influenza di Mediobanca sull'economia è assolutamente sproporzionata al valore contabile ufficiale dei suoi pacchetti. In base ai prezzi delle azioni al principio del 1988, il valore di questi pacchetti si aggirava infatti sui 3000 miliardi di lire, ma nei libri contabili di Mediobanca al portafoglio di Cuccia era attribuito un valore pari solo a un quarto di questa somma. È necessario un lungo e attento esame per stimare al vero valore le azioni in possesso di Mediobanca. Un esempio è offerto dalla partecipazione azionaria nelle Generali, che sono uno dei più grossi gruppi assicurativi europei, con 49 società affiliate o controllate in tutto il mondo e premi per oltre 7 miliardi di dollari nel 1986. Nei bilanci di Mediobanca del dicembre 1987, alle azioni Generali veniva attribuito un valore contabile complessivo di 52 miliardi di lire, mentre il prezzo sul mercato sarebbe stato 19 volte quella somma.[10] A parte i valori contabili, tutte le operazioni di Mediobanca si svolgono in una segretezza che, dicono degli esperti, non sarebbe mai permessa in paesi come gli Stati Uniti o l'Inghilterra, e contro la quale hanno protestato persino piccoli azionisti dell'istituto milanese. Per esempio, all'assemblea annuale tenuta nel 1986 un azionista si alzò a chiedere al consiglio d'amministrazione di giustificarsi su questo punto. Perché, domandò, ai titolari di azioni ordinarie Mediobanca non è mai dato sapere niente delle più grosse operazioni dell'istituto tranne quando se ne discute in Parlamento o nei tribunali? La discrezione professionale è un conto, ma come poteva Mediobanca giustificare il fatto di tenere segreti aspetti elementari come le condizioni di prestiti di centinaia di miliardi?[11] La richiesta di informazioni formulata da questo azionista, come molte altre che sarebbero seguite, fu semplicemente ignorata dai dirigenti di Mediobanca. Neppure quando sarebbero state in gioco importanti operazioni e partecipazioni dell'istituto, i discepoli di Cuccia avrebbero rotto la regola del silenzio.

Molti fra i più importanti pacchetti azionari di Mediobanca furono messi insieme negli anni '60, in coincidenza col boom economico italiano, che fu reso possibile da prestiti bancari in buona parte forniti da Mediobanca. Ma Cuccia aveva cominciato ben prima d'allora a creare una ragnatela di potere per proteggere gli interessi dei suoi alleati del « salotto buono ». E come poté farlo, se il controllo di maggioranza di Mediobanca era statale? La risposta è da cercare in un meccanismo, veramente molto « machiavellico », di cui il pubblico rimase all'oscuro per trent'anni, un « sindacato » segreto.

Nel mondo economico italiano non è molto comune il concetto di public company, cioè società di proprietà diffusa come per esempio una IBM, una General Motors o una British Telecom, le cui azioni sono distribuite fra centinaia di migliaia di piccoli azionisti. In Italia, come mostra la tavola in Appendice, la proprietà delle grosse società industriali e finanziarie è ancora concentrata nelle mani di poche famiglie e individui. Fino a poco tempo fa, la maggioranza degli imprenditori non aveva pensato neppure a quotare le loro aziende sul mercato azionario. Quel che più conta, gli italiani amano avere un Padrone, e stentano a concepire una FIAT o una Pirelli senza una figura dominante.

Per comandare, però, il « padrone » non deve necessariamente detenere il controllo di maggioranza dell'azienda. Gli Agnelli, per esempio, possiedono quasi il 40 per cento della FIAT, ma nessun altro ha un pacchetto più grosso del loro, e il resto delle azioni è disperso fra molte migliaia di piccoli investitori. Il controllo di Leopoldo Pirelli nella Pirellina, la sua capogruppo, è del 5,3 per cento. Il « padrone », colui che comanda, è di solito il detentore di una maggioranza *relativa*, non *assoluta*; e, per rafforzare la sua posizione di più grosso azionista di minoranza, forma la più italiana fra le strutture di potere: un'alleanza. Questa alleanza viene codificata in quello che si chiama un « patto di sindacato » fra vari azionisti. In questo modo il « padrone » mette insieme un gruppo di azionisti minori, ciascuno dei quali spesso ha soltanto il due o tre per cento delle azioni; insieme, possono raggiungere una maggioranza del 51 per cento votando in blocco; oppure possono formare un blocco che rimane al disotto del 51 per cento, ma che impone la sua volontà perché gli altri azionisti sono troppo disparati o disorganizzati per costituire una controforza. E a capo del sindacato, il « padrone » comanda.

Fin qui, niente di scorretto. Ma negli anni '50 Enrico Cuccia creò a Mediobanca un sindacato di azionisti veramente molto inconsueto. Fu una mossa audace, un patto segreto che aumentò enormemente il potere decisionale di Cuccia stesso e di amici suoi come Agnelli o Pirelli. Detto con parole semplici, il meccanismo escogitato da Cuccia di fatto privò l'azionista di maggioranza, cioè lo Stato, del potere di maggioranza.

Il patto segreto ebbe per effetto una situazione assolutamente fuori dell'ordinario. Passò per tre diverse incarnazioni, nel 1958, 1967 e 1983, ma il risultato fu sempre lo stesso: il potere decisionale a Mediobanca, anche per quanto riguardava la scelta dei membri del consiglio d'amministrazione, era diviso in proporzioni *eguali* fra le banche di Stato, che possedevano il 56, 9 per cento di Mediobanca, e un pugno di piccoli azionisti privati che all'inizio possedevano insieme solo il 6 per cento delle azioni.

Nel 1985, quando la rivelazione di questo patto segreto provocò una bufera politica a Roma, divenne nota l'esistenza di un sindacato di blocco formato dalle banche di Stato e da quattro minuscoli azionisti privati: Pirelli, Berliner Handels-und-Frankfurter Bank (BHF), Lazard Brothers di Londra e Lazard Frères di Parigi. Gli azionisti privati detenevano il 50 per cento del potere decisionale, o l'effettivo potere di veto. Secondo i critici, non avevano semplicemente ottenuto molta più influenza di quanta ne meritassero: i privati azionisti di minoranza, con una piccola percentuale delle azioni di Mediobanca, si erano in realtà resi padroni di uno dei più grossi istituti finanziari italiani. E tre sui quattro membri privati del sindacato (Lazard Frères, Lazard Brothers e Berliner) non erano neppure italiani. Però erano, naturalmente, alleati di Cuccia.

Le banche di Stato non protestarono, al momento, perché il sindacato di blocco sembrava che avesse un senso. In fondo, i banchieri di nomina statale che rappresentano l'IRI hanno sempre avuto più cose in comune con Cuccia e con i suoi amici che con Roma. A Milano la vita era dolce e il sindacato di blocco di Mediobanca sembrava un piccolo club esclusivo: come in effetti era. Questo club includeva, benché non vi appartenesse ufficialmente, il più illustre membro del consiglio d'amministrazione, e cioè Gianni Agnelli.[12]

Il gruppo Agnelli non ha bisogno di possedere una grossa quota azionaria di Mediobanca per avere un trattamento regale; può ragionevolmente giustificare il suo rapporto preferenziale col fatto che la FIAT è uno fra i più grossi clienti della banca, come di tutte le maggiori banche italiane. La partecipazione azionaria a Mediobanca è irrilevante, come gli uomini di Agnelli hanno fatto notare più volte: per molti anni (per la precisione fino al 1988, quando fu aumentato) la FIAT fu proprietaria di un pacchetto pari a meno dello 0,5 per cento delle azioni Mediobanca, tramite la finanziaria Fidis. Al principio del 1988 questo pacchetto valeva poco più di 14 milioni di dollari, mentre il valore complessivo di Mediobanca sul mercato azionario era di quasi 3 miliardi (sempre di dollari), cioè 220 volte tanto. In modo analogo Leopoldo Pirelli, che anche lui fa parte del consiglio d'amministrazione e nel corso degli anni ha tratto grande beneficio dai suoi rapporti con la banca, possedeva solo l'1,2 per cento delle azioni.

Ma chi conta le azioni? Per Cuccia le azioni non si contano, si pesano. E la sua concezione di quel che abbiamo chiamato *appartenenza* ha fatto sì che per quarantadue anni un amico nel bisogno, se è amico di Cuccia, non abbia mai avuto nulla di cui preoccuparsi. Agnelli preferisce mettere le cose in altro modo. In un'intervista del 1987 ha spiegato che « le azioni si contano e si pesano » e che i « veri interessi » difesi a Mediobanca consistono nell'evitare le interferenze politiche dei partiti.[13] Si è però ben guardato dal dire che nessuno ha pensato a evitare l'uso potenzialmente preferenziale dell'influenza di Mediobanca a favore d'un gruppo scelto di clienti.

Il potere e l'influenza della FIAT e di altri membri del club di Cuccia sono stati enormemente accresciuti dal fatto che fino a un periodo molto recente il mercato finanziario italiano è rimasto così chiuso e provinciale. Quando finalmente negli anni '80 ha cominciato ad aprirsi ed espandersi, a nuovi finanzieri e imprenditori è parso di « respirare » – parole loro – per la prima volta. Fino a quel momento, la ragnatela di Cuccia aveva paralizzato nuove idee, nuovi investitori e nuovi protagonisti del mondo imprenditoriale. I suoi amici, tutti appartenenti all'oligarchia industriale italiana, formavano la cerchia più esclusiva che si possa immaginare. Parleremo più avanti dell'avvento di questo gruppo di nuovi imprenditori, considerati «usurpatori» dalla Vecchia Guardia, ma vediamo fin da ora come Carlo De Benedetti, il più pericoloso ribelle contro il «salotto buono» (nel quale è oggi accolto benché forse non ancora esattamente benvenuto), ha parlato di sé e del proprio operato sulla fine del 1987: «Non sto cercando di rovesciare l'establishment del business italiano», ha detto, benché a tutti sembrasse che stesse cercando di fare proprio quello. «Non ho nessun bisogno di rovesciarlo perché sta comunque diventando un monumento storico. Nel nostro paese abbiamo già tanti monumenti, vorrà dire che ne avremo uno di più.» [14] Ma, anche se il capitalismo italiano si è aperto al mondo e il mercato azionario milanese ha conosciuto un grande sviluppo negli anni '80, le proporzioni sono sempre piuttosto modeste sul piano mondiale, un'ombra rispetto ai mercati di New York, Tokyo o Londra. Per quanto brillanti siano state le sue imprese, De Benedetti ha dato prova d'un ottimismo un po' eccessivo. La Vecchia Guardia non è ancora diventata un monumento.

Oggi le società quotate sul mercato azionario italiano sono ancora soltanto 250, a paragone con le molte migliaia della Borsa di New York, e gli agenti di borsa autorizzati sono soltanto 124. Quasi due terzi delle contrattazioni non sono nemmeno condotte nella sede ufficiale ma si svolgono per telefono. Meno d'una mezza dozzina di grossi gruppi è in grado di manipolare i prezzi sul mercato semplicemente parlando con amici; sono conosciuti negli ambienti finanziari milanesi come «le mani forti». Quel che più conta, la maggior parte degli scambi si concentra su 30 o 40 titoli azionari, e in generale i titoli circolanti sul mercato, il flottante, rappresentano meno del 25 per cento del capitale. È in questo ambiente che Mediobanca e i suoi alleati, possedendo direttamente solo minuscoli pacchetti di minoranza, possono decidere il destino di un'azienda. È in questa situazione che una ragnatela di pacchetti incrociati mette tante aziende in condizioni di assoluta dipendenza dalle persone che siedono al vertice della piramide del potere.

Consideriamo questo semplice fatto: Gianni Agnelli esercita un potere sovrano su un impero industriale e finanziario il cui valore complessivo (dipendente naturalmente dalle quotazioni dei titoli del gruppo) nello spazio di tempo che va dal luglio 1987 al giugno '88 oscilla tra i 29.000 e i 40.000 miliardi di lire. Un impero che controlla sia direttamente sia indirettamente. Questo significa che circa un quarto dell'intero mercato azionario italiano è nelle mani della dinastia Agnelli. In nessun altro paese occidentale industrializzato una sola famiglia esercita un controllo di simili dimensioni; nessun individuo possiede un quarto, in termini di valore, delle aziende inglesi o americane o tedesche quotate in borsa. Questo dipende almeno in parte dal fatto che in qualsiasi altro paese moderno esistono leggi anti-trust o anti-monopolio, mentre l'Italia fino al luglio '88 non aveva neanche un disegno di legge. Nel gennaio 1988, quando gli è stato chiesto di rispondere alle accuse che la FIAT è troppo potente, Agnelli ha detto a una commissione del Senato che l'idea è completamente assurda.[15] Che lo ammetta o no, il presidente della FIAT sta al centro di una ragnatela di potere che non si può definire se non feudale. Tra i suoi alleati o vassalli ci sono nomi fra i più prestigiosi del capitalismo italiano, come Pirelli, Borletti, Orlando, Lucchini e Bonomi.

Primo fra questi alleati è Leopoldo Pirelli, vecchissimo amico di Agnelli e Cuccia. Un uomo introverso, secondo molti milanesi che lo conoscono bene, addirittura malinconico, che è sempre stato messo in ombra dal ben più esuberante Gianni Agnelli. Pur essendo il più grosso industriale lombardo, Pirelli non è un tipo che si impone all'attenzione come Agnelli; e ha avuto una vita molto diversa. È cresciuto in una famiglia severa, con un padre che in casa parlava spesso di lavoro, e, mentre Agnelli folleggiava sulla Costa Azzurra, lui viveva nella grigia Milano e passava i suoi giorni in azienda. Oggi può apparire un po' stanco e annoiato quando siede a una colazione di lavoro, respirando un po' affannosamente, fumando Nazionali, sorseggiando whisky prima, durante e dopo il pasto, fra anziani collaboratori, seri e vestiti di scuro come lui.

Le cicatrici di un pauroso incidente di macchina danno a Leopoldo Pirelli un'aria severa: più di quanto lui sia in realtà, dicono i collaboratori. Banchieri e operatori di borsa milanesi parlano di lui come di un alleato subalterno di Agnelli. Persino nei giorni delle lotte operaie, nel 1969, quando i muri erano coperti di slogan, il suo nome non ha mai avuto l'onore del primo posto: « Agnelli e Pirelli, ladri gemelli », dicevano le scritte. A Mediobanca, il suo ruolo è sempre quello dell'attore di spalla, mentre l'apparizione di Agnelli a una seduta del consiglio d'amministrazione è l'entrata in scena di una star.

Mentre gli Agnelli sono enormemente ricchi, i Pirelli vengono considerati, relativamente parlando, « poveri di contanti ». E in Mediobanca, dove secondo le parole di vari banchieri hanno sempre fatto da « violino di spalla », i Pirelli hanno avuto una posizione di secondo piano.[16] Il più grosso affare orchestrato da Cuccia e Pirelli, il matrimonio nel 1970 fra la Pirelli e l'inglese Dunlop Tyres, terminò in divorzio. Pirelli, sempre modesto e portato a sottovalutarsi, ne ha dato la colpa a se stesso piuttosto che a Cuccia.[17]

Anche il gruppo Pirelli è tenuto insieme da un'intricata rete di partecipazioni che è parte integrante della ragnatela di potere della Vecchia Guardia: è, per questo aspetto, un esempio di come funzioni il sistema. Difficile però capire com'è strutturata la ragnatela senza guardare al *Documento 1 in Appendice*: anche solo per avere un'idea di quanto sia intricata bisogna rifarsi a quell'immagine. Sarebbe faticosissimo tentar di elencare le molte partecipazioni grazie alle quali la Pirelli si inserisce nel sistema. Per esempio, bisognerebbe cominciar col notare che Mediobanca possiede un pezzo di Pirelli & C., mentre la Pirelli & C. possiede un pezzo di Mediobanca. Gemina, un veicolo finanziario indirettamente controllato dalla FIAT, possiede a sua volta un pezzo della Pirelli & C., e tra i più importanti azionisti di Gemina c'è Mediobanca. Mediobanca possiede anche una partecipazione nella Pirelli SpA, la più grande società operativa del gruppo. Anche la Fidis, del gruppo FIAT, ha una partecipazione nella Pirelli SpA. La Fidis ha anche una piccola partecipazione nella Mediobanca. E così di seguito.

Con un fatturato pari a 5,6 miliardi di dollari per il 1987, la Pirelli è al quinto posto fra i più grossi gruppi privati del paese, ma, pur essendo quotata, non ha mai pubblicato un vero bilancio consolidato ma solo delle aggregazioni di conti. Il primo è promesso per il 1988. La Pirelli & C. a Milano, in cui Leopoldo ha una quota del solo 5 per cento, detiene una partecipazione in un'altra azienda Pirelli a Basilea, la quale a sua volta detiene una partecipazione nella Pirelli SpA di nuovo a Milano, che a sua volta controlla le aziende operative in 16 paesi. E la ragnatela di potere garantisce che i Pirelli siano protetti: il patto di sindacato degli azionisti assicura alla holding della famiglia Pirelli il controllo sul resto del gruppo, a dispetto del fatto che i Pirelli hanno solo una partecipazione di minoranza.

È bello avere degli amici, e Leopoldo Pirelli è sempre stato felice di godere dell'amicizia di Gianni Agnelli e della protezione di Enrico Cuccia. Per quest'ultimo nutre anzi un rispetto quasi religioso; nulla potrebbe esprimere la sua ammirazione per il vecchio banchiere meglio della frase che ha detto una volta e che è diventata famosa: « Quello che vuole Cuccia, Dio lo vuole ».

Ci sono altri esempi di soci subalterni – o, come sono chiamati in Italia, « vassalli » – dell'establishment Agnelli. Uomo di Agnelli, per esempio, è generalmente considerato Luigi Lucchini, bresciano, magnate dell'acciaio, che è stato presidente della Confindustria fino all'inizio del 1988. Cesare Romiti ha anzi detto apertamente che dietro la sua nomina a presidente della Confindustria c'era la FIAT. In un'intervista rilasciata a Giampaolo Pansa di *Repubblica* nel 1985,[18] Romiti infatti cominciò a rispondere con una certa condiscendenza quando gli fu chiesto un giudizio sull'operato di Lucchini alla Confindustria: aveva appena cominciato, disse; lo si lasciasse lavorare, e si sarebbe visto. Poi, quando Pansa avanzò la supposizione che Lucchini dovesse la nomina all'appoggio di Carlo De Benedetti, Romiti replicò con un secco no. A suggerire il nome di Lucchini era stata la FIAT, e De Benedetti aveva accettato la scelta perché rispettava Lucchini. Ammiratore di Agnelli e di Cuccia, Lucchini ha nei confronti dell'Avvocato un atteggiamento di tale deferenza che sembra un suo dipendente. Nelle dichiarazioni pubbliche sostiene invariabilmente la linea Agnelli e ha frasi in codice per il « salotto buono », come per esempio quando dice che crede nel « rispettare i patti ».

Luigi Orlando, fiorentino, magnate dei metalli, è un altro che tiene nel più alto conto i suoi rapporti con la ragnatela Agnelli-Cuccia. Orlando, un tradizionalista, ama dire che bisogna osservare « le regole del gioco ». Come vedremo più tardi, quando questa frase viene pronunciata è quasi sempre a proposito di una battaglia finanziaria in cui si pensa che un nuovo venuto o un finanziere indipendente stiano sfidando il vecchio ordine. Per esempio, quando nel 1985 Carlo De Benedetti comprò il 10 per cento della società Orlando, che da anni era sotto la protezione di Mediobanca e a sua volta possedeva un pacchetto di minoranza della Pirelli & C., la Vecchia Guardia protestò che De Benedetti non aveva chiesto il permesso a nessuno. Che qualcuno potesse semplicemente comprare azioni sul mercato era un'idea che non aveva mai sfiorato i detentori della rete di potere. De Benedetti incorse di nuovo nelle loro ire quando, più avanti nello stesso anno, comprò sul mercato azionario il 4 per cento dell'azienda di famiglia di Leopoldo Pirelli. Più tardi De Benedetti e Pirelli si sarebbero accordati su uno scambio di partecipazioni; ma alla Vecchia Guardia non era piaciuto che De Benedetti non avesse chiesto la sua benedizione.

Parlando con giornalisti Luigi Orlando osservò che aveva «autonomamente... ritenuto di effettuare l'investimento».[19] Solo aspiranti usurpatori potevano comportarsi in quel modo. La rete di potere trasse però conforto dal fatto che certo non poteva considerarsi minacciata per un paio di acquisti di azioni; e aveva sempre partner influenti oltre confine.

In campo internazionale, la rete non può avere alleato più grande del gruppo di banchieri d'affari Lazard, operante a New York, Londra e Parigi. La Lazard entrò in Mediobanca come azionista nel 1956.[20] Ma sia Cuccia sia Agnelli furono sempre in stretti rapporti con l'oggi defunto André Meyer, il controverso e dispotico partner della Lazard a New York: un uomo per molti versi simile a Cuccia, come lui amante del segreto, fanatico del lavoro, rispettato e temuto. I due uomini fecero molti affari insieme; tra l'altro, pare, investendo insieme in azioni delle Generali.[21] Ma uno degli affari più grossi trattati dal team Cuccia-Meyer fu una serie molto sospetta di trasferimenti internazionali riguardanti azioni dell'ITT e della Hartford Insurance Company, che non solo attirò l'attenzione della Securities and Exchange Commission (SEC), l'autorità americana di controllo sulla borsa, e compromise la reputazione di Meyer a New York, ma coinvolse nelle indagini una società di investimenti con sede in Lussemburgo. Questa società, la International Investment Associates, apparteneva agli Agnelli, e il suo presidente, Monsieur Jean Guyot, era partner della Lazard a Parigi e faceva parte anche del consiglio d'amministrazione di Mediobanca.[22]

Da molti anni la Lazard svolge parte attiva di consulente sugli investimenti internazionali delle holding Agnelli. Anche Meyer fu uno dei grandi consiglieri di Agnelli. Come ha osservato Carey Reich, biografo di Meyer, Agnelli era insieme un cliente e un amico, e «quale delle due cose venisse prima è una domanda cui neanche i più fidi discepoli di Meyer hanno mai saputo rispondere».[23] Lo stesso vale per i rapporti di Agnelli con molti altri potenti banchieri e leader politici. Dice Henry Kissinger, la cui ditta newyorkese, Kissinger Associates, è generosamente pagata dalla FIAT per le sue consulenze di politica internazionale: «Agnelli era un caro amico già prima che avessi con lui rapporti di lavoro. Ci conosciamo da molto tempo».[24]

Prima di diventare presidente della FIAT, Agnelli passò molto tempo ad ascoltare i consigli del suo amico André Meyer, che incontrava spesso in occasioni mondane a New York. Meyer aveva grandissima simpatia per Agnelli; lo aiutò nell'affare Citroën e nei suoi investimenti nell'editoria americana (l'IFI fu azionista della Bantam Books per un certo tempo negli anni '70) e lo persuase a investire in centri di shopping a Long Island.[25] I sentimenti di Meyer erano ricambiati, perché Agnelli aveva per lui un'ammirazione enorme. «Sapeva tutto sulla finanza», ha detto a Reich, «e conosceva tutti. Era in rapporto con un'infinità di persone, e ai più alti livelli.»[26]

I rapporti tra la Lazard e Mediobanca non si sono limitati al controverso affare ITT. Un altro interesse che hanno in comune dipende dal fatto che entrambi gli istituti possiedono una partecipazione strategica nelle Generali: Mediobanca un po' più e Lazard (indirettamente, tramite una società di investimenti con base nel Lussemburgo, chiamata Euralux) un po' meno del 5 per cento.[27] Le Generali non sono controllate da un singolo gruppo, benché siano una tale fonte di denaro che molti aspirerebbero al controllo; le sue azioni sono invece così largamente distribuite che un blocco compatto del 5-10 per cento può, nelle circostanze adatte, assumere un'importanza strategica.

Dati i rapporti fra Cuccia e i dirigenti della Lazard non è irragionevole supporre che possano, volendo, coordinare i loro voti. Come presto vedremo, anni fa Cuccia ha anzi tentato di scambiare il 20 per cento di Mediobanca con la partecipazione Euralux alle Generali, e ci era quasi riuscito quando i politici insorsero e i dirigenti dell'IRI bloccarono l'affare.

Se negli anni '60 e '70 André Meyer fece da occhi e orecchie per Agnelli e Cuccia a New York, questa funzione è oggi generalmente attribuita a Michel David-Weill, anche lui un partner della Lazard, un uomo incredibilmente ricco che si muove in jet fra New York e Parigi come altri si spostano fra casa e ufficio. David-Weill è anche un consigliere chiave dell'IFI e, fra i sette membri del consiglio d'amministrazione, uno dei tre non appartenenti alla famiglia.

I legami fra Agnelli, Cuccia, Meyer e David-Weill fanno parte di una più complessa e internazionale confluenza di interessi che ha cementato i rapporti tra FIAT, Lazard e Mediobanca. Nell'ottobre 1971, per esempio, Gianni Agnelli assunse un uomo nuovo cui affidare la direzione dell'IFI; era Gianluigi Gabetti, un elegante piemontese dai capelli bianchi che a quel tempo lavorava a New York. Buon amico di Meyer, Gabetti veniva da una famiglia torinese di grande distinzione sociale, conosceva cugini di Agnelli e si era acquistato una fama di mago della finanza. Cosmopolita, quasi troppo raffinato, in grado di parlare un inglese impeccabile, Gabetti è anche un intimo di Cuccia, verso il quale nutre deferenza. Vedendolo uscire dal Toulà di Milano e avviarsi lungo via Filodrammatici, per fare una visita a Mediobanca, si colgono i punti di somiglianza. Gabetti, di cui oggi Agnelli si fida come di Cuccia stesso, ha lo « stile Cuccia »: il medesimo tipo di esagerata riservatezza, il medesimo snobismo. Il suo charme, si dice, nasconde un disprezzo feroce per chi non fa parte della « gente bene », di buon ceppo e di buona famiglia.

Gabetti, Meyer, Cuccia, David-Weill: in tutti i finanzieri divenuti intimi di Gianni Agnelli, il genio degli affari si combina con un senso di superiorità sociale che il loro amico e *patron* deve vedere come un riflesso del proprio. Al livello immediatamente inferiore, i Romiti di questo mondo sono lì apposta per fare il lavoro sporco, gestire l'impero, trattare con il mondo esterno dell'industria, dei politici, della stampa.

Ben lontano da questo rumore, nell'ufficio dove lavora le sue famose dodici ore al giorno, Cuccia ha o architettato di persona, o legittimato col suo benestare quasi tutte le più importanti operazioni finanziarie nell'Italia del dopoguerra. «È molto esigente. E molto brillante. Ma se non vai a chiedere il suo benestare per un'operazione, cercherà di mandarla in fallimento, per pura e semplice vanità», osserva un banchiere che da decenni tratta con Mediobanca.[28]

All'inizio degli anni '60 Cuccia però creò una delle molte «scatole» finanziarie destinate a salvaguardare gli interessi di pochi grossi capitalisti. Chiamata Fidia, acquistò partecipazioni di minoranza in società come la Pirelli, la SNIA e altre aziende affermate per metterle al riparo dall'industria di Stato. Sarebbero seguite molte altre finanziarie dello stesso genere, sempre più o meno sullo stesso schema, che consiste nel fondare società marsupio a cascata, con un capitale soltanto nominale, che poi acquistano partecipazioni azionarie in altre società. Varie società si possono poi legare l'una all'altra con incroci di pacchetti.

Il risultato è una sorta di elaborata architettura finanziaria, labirintica e soprattutto impenetrabile. Per cementare questo complesso edificio di società Enrico Cuccia, chiamato negli ambienti finanziari «il folletto di via Filodrammatici» si serve di tecniche e formule ricorrenti, e tanto caratteristiche da essere quasi la sua «firma». Elenchiamone alcune: 1. l'emissione di obbligazioni convertibili, emesse dalla stessa Mediobanca avendo in garanzia azioni o cespiti delle società beneficiarie di queste obbligazioni; 2. la formulazione di patti di sindacato ove il socio di maggioranza, se è lo Stato, ha voto pari al socio di minoranza, mentre il potere decisionale viene delegato a un privato, al presidente del patto, ovviamente designato da Mediobanca; 3. il parcheggio di quote di minoranza di varie società in una fiduciaria come la SPAFID, anche al fine di congelare questi pacchetti fuori del mercato. Per effettuare queste operazioni, Mediobanca, come tutte le grandi banche del mondo, ha bisogno di una grande capacità di collocamento. E niente può essere meglio per Mediobanca che piazzare queste azioni nelle braccia delle tre grandi banche d'interesse nazionale che hanno dato vita a Mediobanca e che continuano a esserne le azioniste principali. Così, mormorano i critici di Cuccia, la grande banca d'affari, per i primi quarantadue anni della sua vita proprietà in larga maggioranza dello Stato, ha finito col fare gli interessi di pochi privati con i soldi dello Stato e/o della gente. Cioè, come si dice in Italia, di Pantalone. Tutto ciò non viola la legge; dal punto di vista legale, anzi, tutto è inattaccabile. Solo di recente, come si vedrà più avanti nel capitolo sull'affare di Libia, qualcuno ha osato accusare Mediobanca e la holding della famiglia Agnelli di aver commesso vere e proprie illegalità. Ma il punto è che il complesso schieramento di società finanziarie creato da Cuccia è servito a perpetuare la ragnatela del potere; e al centro, chissà perché, uno trova quasi sempre Mediobanca.

Dal 1946 fino a metà degli anni '80, quando cominciò a emergere una vera competizione, il mondo industriale non poté far altro che rendere omaggio a Cuccia e chiederne la benedizione, e Cuccia svolse con impegno il suo ruolo di amico e consigliere di Gianni Agnelli. Con questo non si vuol dire che la FIAT o altri membri della Vecchia Guardia controllassero Mediobanca; non ce n'era bisogno. In Italia quello dell'*appartenenza* è un istinto forte, quando viene il momento di prendere decisioni importanti. Gli affari orchestrati da Cuccia nel corso degli anni furono molti. Cuccia fu, per esempio, uno dei principali promotori della disastrosa fusione fra Pirelli e Dunlop nel 1970. Fu Cuccia a combinare nel 1966 la fusione fra Montecatini e Edison, da cui risultò quello che è oggi il gigantesco complesso chimico Montedison. Ancora Cuccia organizzò nel 1968 l'incorporazione della Bombrini Parodi Delfino (BPD) da parte della SNIA Viscosa e più tardi combinò l'affare che aiutò la FIAT ad assumere il controllo della SNIA-BPD. Nel 1976 ebbe un ruolo chiave nell'affare che vide la vendita di azioni FIAT alla Libia, quando la FIAT era alla disperata ricerca di capitali, e dieci anni più tardi, con Gabetti, contribuì a organizzare la controversa operazione per mezzo della quale la Libia rivendette le azioni FIAT procurando al colonnello

Muhammar Gheddafi un utile netto di vari miliardi di dollari, e nel contempo cementando il controllo della famiglia Agnelli sulla FIAT (e suscitando le indignate proteste dei banchieri internazionali che in conseguenza dell'affare subirono pesanti perdite).

Cuccia diede la sua approvazione quando, nel 1978, l'Olivetti decise di vendere un pacchetto chiave a Carlo De Benedetti, e ancora lui nel 1980 approvò Mario Schimberni come nuovo presidente della Montedison.

Quando, nel 1984, la Zanussi fu venduta alla svedese Electrolux associata a una cordata italiana che includeva l'onnipresente FIAT, Cuccia fu l'orchestratore dietro le quinte, mentre si diceva che lo « sponsor » dei suoi amici svedesi dell'Electrolux fosse un certo Gianni Agnelli.[29] Nell'estate 1984 Carlo De Benedetti (che non apparteneva al « salotto buono ») avanzò una sua offerta per la Zanussi, ma la ragnatela del potere gli fece capire che non era il benvenuto. Vittorio Merloni, ex presidente della Confindustria, osserva che questa sfida a Mediobanca fu un fatto eccezionale. « Fino a non molto tempo fa in Italia c'era una sorta di patto tacito, non scritto ma rispettato da tutti, per cui dove Mediobanca entrava, nessun altro osava avventurarsi. »[30]

Ancora nel 1984, quando De Benedetti voleva acquisire il controllo della Italmobiliare, il gruppo che controllava la RAS, il secondo gruppo assicurativo italiano, Cuccia fece in modo di facilitare una transazione con la quale la compagnia assicuratrice è finita nelle mani del gruppo tedesco Allianz Versicherung, che ha fra i suoi consiglieri internazionali Umberto Agnelli.[31] L'elenco di affari organizzati da Cuccia al servizio del vecchio establishment è tutt'altro che finito. Fu Cuccia a organizzare il consorzio capeggiato da Agnelli che nel 1984 acquistò il controllo della Rizzoli e del gruppo Corriere della Sera; e naturalmente fu Cuccia a orchestrare (e spesso garantire) ogni importante emissione di azioni FIAT, inclusa quella per raccogliere capitali nei giorni bui del 1980.

L'unico pericoloso rivale di Cuccia doveva essere un altro banchiere siciliano, Sindona. Dopo un incontro con Cuccia, Sindona scriveva nel suo diario: «Ha un'insaziabile fame di potere».[32] Al principio degli anni '70 Cuccia contribuì a scalzare la posizione di Sindona nel mondo della finanza milanese, e nel 1985 testimoniò contro il suo nemico informando una corte milanese che Sindona gli aveva detto che avrebbe tolto di mezzo Giorgio Ambrosoli, liquidatore della Banca Privata Italiana, l'istituto di credito dello stesso Sindona. Sindona fu poi condannato come mandante del delitto, ma i giudici avevano un'altra domanda per Cuccia: perché, con un'informazione così esplosiva, non era andato alla polizia o non aveva almeno avvisato lo stesso Ambrosoli? «Non avevo le prove», fu la debole spiegazione di Cuccia, che accontentò la corte ma non la vedova Ambrosoli, che uscì dall'aula piangendo.[33]

I rapporti fra Agnelli e Cuccia sono rimasti sempre molto stretti, e non diversi da quelli che possono correre fra un re e il custode del tesoro regale. Anche dopo aver lasciato la carica di amministratore delegato nel 1982, all'età di 75 anni, Cuccia conservò il controllo di Mediobanca. Continuò a far parte del consiglio d'amministrazione e insediò come suo successore un uomo di lealtà a tutta prova, Silvio Salteri, definito da banchieri milanesi un «cucciano dalla testa ai piedi». Per come la vedeva il mondo finanziario italiano, Cuccia si era ritirato solo a parole; nei circoli milanesi, per esempio, si diceva che Cuccia avrebbe potuto dirigere Mediobanca «anche se il suo titolo ufficiale fosse quello di portiere».

Cuccia diventò forse ancora più attivo dopo aver lasciato la sua carica ufficiale. Cominciò a fare piani per il futuro di Mediobanca, cercando modi per mantenere il vecchio equilibrio e conservare intatta la ragnatela del potere, a dispetto di una tendenza alla modernizzazione che si faceva sentire nella finanza italiana. La sua prima soluzione fu di «privatizzare» Mediobanca, ma non vendendo azioni della banca sul mercato azionario; sarebbe stato troppo rettilineo. Secondo molti banchieri di Milano il suo vero scopo era garantire che il controllo dell'impero non andasse perduto; e il miglior modo per ottenere lo scopo sarebbe stato mettere le azioni di Mediobanca in mano ad amici, per esempio la Lazard. Fu un'idea che trovò grande favore a Torino.

Ogni grande personaggio ha uno o due punti deboli, e Cuccia non fa eccezione. Per più di una generazione era stato il misterioso stratega della finanza italiana. Aveva servito bene la Vecchia Guardia: troppo bene, forse. Perché l'establishment era ancora molto forte, ma ora gli altri cominciavano a tenerlo d'occhio. Alla fine del 1984 Cuccia sembrava aver messo a punto il piano perfetto per tenere Mediobanca in famiglia e lasciare rigorosamente fuori gli estranei. Ma quel che Cuccia non aveva preso in considerazione era il fatto che il mondo stava, seppure lentamente, cambiando. Predisporre mentalmente una partita a scacchi e poi imporre agli altri tutte le mosse era stato forse possibile in altri tempi, ma nel 1984 l'Italia stava cercando di riformare i suoi mercati finanziari. Sulla scena erano comparsi imprenditori nuovi, come Luciano Benetton nell'abbigliamento, Carlo De Benedetti all'Olivetti, Silvio Berlusconi alla televisione, e altri che si sarebbero presentati come usurpatori del vecchio reame.

Gli italiani volevano un'economia più moderna, più democrazia e meno di quell'elitismo vecchio stile di cui Agnelli e Cuccia erano diventati i simboli. Ora, invece di meditare le sue mosse nel segreto e nel silenzio, Cuccia si trovò addosso la luce dei riflettori; il vecchio centauro era diventato oggetto di pubbliche discussioni. E sotto le polemiche e proteste circa il ruolo di Cuccia c'era una nuova consapevolezza della portata e delle ramificazioni dell'impero Agnelli. Per lui dev'essere stato raccapricciante, ma nel 1985 Enrico Cuccia e la ragnatela del potere di Mediobanca diventarono argomenti da prima pagina.

Tutto accadde molto in fretta. Si cominciò con incidenti fastidiosi. La mattina del 15 ottobre 1984 la polizia romana arrestò il presidente di Mediobanca, Fausto Calabria, ex responsabile finanziario dell'IRI. Con altri, Calabria era accusato di aver diffuso false informazioni finanziarie, di falsificazione di bilanci e di aver avuto parte negli anni '70, quand'era all'IRI, in una vasta operazione di distrazione di fondi grazie alla quale 243 miliardi di lire erano stati sottratti a società statali di costruzioni e usati in parte per fini politici. Parte dei fondi, accusavano i magistrati, erano stati parcheggiati in una società fiduciaria di Mediobanca, o, come dicevano scherzando i banchieri milanesi, « sotto il letto di Cuccia ». In un primo momento parve che lo « scandalo dei fondi neri dell'IRI », come fu chiamato, non compromettesse Mediobanca, ma la causa si trascinava ed entro sei mesi Calabria diede senza scalpore le sue dimissioni.[34]

Era molto seccante che il presidente di Mediobanca fosse stato arrestato proprio mentre Cuccia stava manovrando per vendere alla Lazard una partecipazione nella banca. D'improvviso quell'istituto così amante dell'ombra si trovava esposto a tutti gli sguardi. La proposta di Cuccia era che la Lazard, fiancheggiata da altri alleati come la Berliner Handels-und-Frankfurter Bank, scambiasse il suo 4,7 per cento di azioni Generali (valutato 100 milioni di dollari) contro il 20 per cento di azioni Mediobanca. L'idea provocò una reazione furibonda nel mondo politico, tanto più che a Roma gli animi erano già maldisposti. Solo pochi mesi prima Mediobanca aveva aiutato la società d'investimenti Gemina, di cui la FIAT era il maggiore azionista, ad acquisire il controllo del gruppo Rizzoli-Corriere della Sera. Mediobanca, naturalmente, possedeva anche una parte di Gemina. La FIAT possedeva già *La Stampa*, e ora si era assicurata il controllo non di uno ma di due quotidiani tra i più influenti del paese. Se l'operazione Lazard fosse andata in porto, scriveva Scalfari, avrebbe creato una delle più grandi concentrazioni di potere finanziario-assicurativo, bancario ed editoriale in Europa, e certamente il più importante in Italia.[35]

Nel frattempo, altre due bombe facevano vacillare la fortezza di Cuccia. Prima venne la rivelazione al pubblico dell'esistenza del sindacato segreto, creato da Cuccia negli anni '50, che in Mediobanca dava agli azionisti privati con a capo Agnelli poteri eguali a quelli delle banche di Stato[36]. Tutto cominciava a diventare chiaro. Cuccia stava cercando di mantenere il controllo nelle mani degli stessi alleati che per trent'anni avevano esercitato un'influenza enorme e segreta sulla ragnatela del potere. Se la rivelazione del patto segreto fu, come pareva, una mossa motivata politicamente per mandare a monte l'affare con la Lazard, sicuramente funzionò. Cuccia fu costretto a fare marcia indietro. Seguì quello che per il vecchio consigliere di Agnelli fu un colpo personale. Nel marzo 1985 Cuccia fu informato da un magistrato romano che era personalmente sotto inchiesta per una sua possibile partecipazione alla distrazione di fondi IRI in cui era implicato il presidente di Mediobanca, Fausto Calabria.[37] Pochi mesi dopo, quando fu chiamato a comparire davanti al magistrato, venne fuori che Cuccia era accusato di avere aiutato ex funzionari dell'IRI a trasferire buoni del tesoro da un conto a un altro. Cuccia negò ogni illegalità, affermando che non sapeva come erano stati acquisiti quei buoni del tesoro.[38] Alla fine Cuccia riuscì a evitare di essere imputato.

Passarono i mesi e Cuccia continuava a fare e brigare come se nulla fosse accaduto, e continuava a godere della fiducia degli Agnelli e dei Pirelli. Ma si andavano addensando nuvole di tempesta. Nell'autunno 1985 l'IRI fece un aperto tentativo di deporre Cuccia avvertendolo che la sua carica di membro del consiglio d'amministrazione di Mediobanca, che stava per spirare, non sarebbe stata rinnovata; scusa ufficiale, Cuccia aveva superato di otto anni l'età di pensionamento, fissata per legge a settant'anni. Il professor Romano Prodi, presidente dell'IRI, disse di voler « aprire Mediobanca al mercato »,[39] ma a tutti in Italia era chiaro il vero significato dell'« affare Cuccia »: in realtà, si stava svolgendo una battaglia fra la Vecchia Guardia dell'establishment industriale e Roma, e la posta in gioco era l'equilibrio del potere in un largo settore dell'economia. Tutti i partiti politici presero posizione con dichiarazioni polemiche. I democristiani, che sostenevano l'IRI, denunciarono il potere egemonico di Cuccia, mentre i repubblicani asserivano che il tentativo di estrometterlo faceva parte di una manovra dei grandi partiti per esercitare il loro potere anche sul mondo degli affari. Superfluo dire che l'establishment Agnelli si oppose energicamente all'estromissione di Cuccia: era in gioco non semplicemente il destino di un uomo, ma il controllo di Mediobanca che quell'uomo assicurava.

A questo punto Gianni Agnelli si fece avanti per difendere di persona i suoi interessi. Onore al vero, lo preoccupava la prospettiva di interferenze politiche, in effetti tutt'altro che impensabili in un paese come l'Italia; ma il mondo finanziario era convinto che Agnelli fosse in egual misura preoccupato di quel che poteva accadere alla serie di partecipazioni azionarie posseduta da Mediobanca (molte in tandem con la FIAT) se Cuccia fosse stato costretto a lasciare il suo posto. Cosa sarebbe stato, senza di lui, della ragnatela del potere?

Il 10 novembre 1985 il professor Prodi si recò a Torino ed ebbe quella che fu definita una « vivace » discussione con Agnelli.[40] Come capi di feudi in guerra, i due uomini si azzuffarono per quel Sacro Graal che Mediobanca era diventata. Quello di cui Agnelli si dava pensiero non era tanto il destino della partecipazione di Mediobanca nella FIAT – la sua posizione di azionista di maggioranza relativa gli assicurava il controllo di fatto dell'azienda – quanto piuttosto la rete di partecipazioni nelle società dei suoi alleati, o se vogliamo vassalli. Oltre alle azioni Generali e Pirelli, Mediobanca possedeva pacchetti della SNIA, del gruppo metallurgico controllato da Luigi Orlando, della ricca compagnia di assicurazioni La Fondiaria e di Gemina, la società d'investimenti che cominciava a emergere come il più importante nuovo veicolo d'espansione dell'impero Agnelli. L'importanza della questione Mediobanca fu messa in risalto anche da una serie di incontri fra Agnelli e uomini politici di primo piano, ivi compreso, pare, il presidente della Repubblica Francesco Cossiga.[41]

Entrò in azione anche Romiti. In un'intervista alla *Stam-*

pa, l'amministratore delegato dipinse a colori cupi il futuro di Mediobanca, costretta ad affrontare gli orrori dell'interferenza politica, se Cuccia avesse dovuto lasciare il suo posto. «Finora Cuccia, benché il suo azionariato fosse a maggioranza pubblico, è riuscito a salvaguardare il ruolo asettico di Mediobanca, al riparo dall'invadenza dei partiti.»[42]

La battaglia contro Cuccia tuttavia continuò, tanto che alla fine Gianni Agnelli si sentì costretto a fare un'offerta insolita, e una delle poche provenienti da lui che siano mai state respinte: si offrì di rinunciare al suo posto nel consiglio di amministrazione di Mediobanca se a Cuccia fosse stato consentito di restare. Ma l'IRI disse di no.[43] La FIAT ne faceva una questione di principio; ma agli occhi di molti banchieri, di politici e persino di comuni cittadini che seguivano lo svolgersi della vicenda, non poteva esserci prova più chiara di quanta importanza dessero gli Agnelli al fatto di avere Cuccia dentro la banca di via Filodrammatici, al controllo della rete del potere.

In definitiva, Cuccia fu costretto a lasciare il suo posto nel consiglio d'amministrazione di Mediobanca come rappresentante dell'IRI, ma un membro del gruppo di azionisti privati di minoranza rinunciò al suo seggio per cederlo a lui. Questa persona tanto gentile era Jean Guyot, un uomo Lazard. È bello avere degli amici. A conti fatti, poco importava che Cuccia cessasse di essere un membro del consiglio di nomina statale per diventare un membro nominato dalla Lazard. A lui non occorrevano titoli né posizioni ufficiali, e in fondo neanche seggi nel consiglio d'amministrazione: quello che gli occorreva era di poter essere fisicamente dentro il palazzo di Mediobanca, nel suo ufficio, alla sua scrivania, dove in effetti restò.

L'affare Mediobanca era ormai diventato un caso nazionale. Quello che in un altro paese sarebbe sembrato un problema riguardante soltanto il mondo della finanza, in Italia era visto come un episodio in una lotta per il potere combattuta a livello nazionale. Tutto riesplose alla fine del 1986, quando l'IRI respinse un'altra proposta di privatizzazione, avanzata da Leopoldo Pirelli in nome della Lazard e degli altri alleati di Agnelli. Anche questa volta l'IRI riteneva che il progetto avrebbe servito solo gli interessi della Vecchia Guardia. Prodi portò la questione davanti al Parlamento e denunciò quello che definì «il diritto di veto sproporzionato degli azionisti privati»,[44] e alla fine di gennaio del 1987 le banche dell'IRI informarono gli azionisti privati che avrebbero cessato di onorare il patto segreto degli anni '50. In una lettera del 6 febbraio 1987 alle banche IRI Leopoldo Pirelli protestava contro questo fatto, ma il sindacato fu ufficialmente sciolto il 30 marzo 1987.

Passarono parecchi mesi prima che fosse dichiarata una tregua nel tiro alla fune tra establishment capeggiato da Agnelli e funzionari dello Stato, tregua segnata dall'accordo su un piano di «privatizzazione» in base al quale azioni sarebbero state offerte a una più vasta cerchia di investitori prima esclusi dal «salotto buono» e un'altra porzione della banca sarebbe stata quotata pubblicamente sul mercato azionario.

Proprio mentre si dibatteva la privatizzazione di Mediobanca, col dichiarato intento di introdurre un maggiore pluralismo nel mondo finanziario italiano, i rappresentanti della vecchia rete del potere si riunirono pubblicamente per una sorta di rito di famiglia. La mattina del 3 dicembre 1987 Enrico Cuccia, per una volta fuori del suo adorato ufficio in via Filodrammatici, sedeva in un banco di chiesa, con indosso il suo impermeabilino, le mani in tasca e sulla faccia un sorriso insolitamente angelico. Alla sua sinistra sedeva Cesare Romiti, con le braccia conserte e l'aria di pensare che il prete non andava abbastanza in fretta. Era presente anche Gianni Agnelli, com'era stato in altre mattine di dicembre di anni precedenti.

Tutti questi uomini si erano riuniti a santa Maria delle Grazie, a Milano, per la messa in suffragio di un defunto presidente di Mediobanca, Adolfo Tino. A Cuccia, Tino era sempre piaciuto, si diceva, perché non metteva mai bocca in quello che Cuccia faceva. Tino era morto nel

1977; da allora, Agnelli e il suo clan partecipavano ogni anno a questo rito in onore di un amico, un banchiere o forse uno scomparso cavaliere del regno. E, nella primavera del 1987, l'uomo scelto come nuovo presidente di Mediobanca era stato proprio un nipote di Tino, Antonio Maccanico, un rispettato funzionario statale. Agnelli e Romiti speravano nella nomina di Maccanico fin dal settembre 1985. Maccanico è un gran diplomatico ma non sa niente di banca; e a Cuccia, si disse a Milano, questo piaceva molto.

Se occorreva un'altra prova della riluttanza di Cuccia a cedere il potere, si ebbe nel marzo 1988, quando la famosa « privatizzazione » di Mediobanca fu messa ad effetto. La stampa italiana diede grande rilievo all'ammissione in quel sancta sanctorum di nuovi azionisti e di nuovi membri del consiglio d'amministrazione come De Benedetti; ed è vero che Cuccia uscì dal consiglio d'amministrazione. Però fu immediatamente nominato « presidente onorario », un titolo che in qualsiasi altro luogo sarebbe potuto essere veramente onorario, ma a Mediobanca significava che in sostanza Cuccia sarebbe rimasto. I banchieri di Milano osservavano che il vecchio consigliere di Agnelli « se n'era andato dalla porta per rientrare dalla finestra ». Maccanico poteva essere il presidente di Mediobanca, ma l'istituto era sempre nelle mani di pupilli di Cuccia, e a successore di Maccanico, nell'aprile 1988, fu eletto Francesco Cingano, altro ammiratore del vecchio banchiere. Venne anche creata una nuova carica di vicepresidente, che fu data ad Antoine Bernheim, partner della Lazard con base a Parigi e vecchio amico di Cuccia. E tra i dirigenti « emergenti » a Mediobanca c'erano pupilli di Cuccia come Maurizio Romiti, figlio di Cesare. Ma appena un mese dopo il suo arrivo in via Filodrammatici, Cingano, con Cuccia e altri sette alti dirigenti di Mediobanca, si trovò davanti a un mandato di comparizione di giudici milanesi con l'accusa di aver costituito e operato un fondo occulto di 24 miliardi e di false comunicazioni sociali, non avendolo mai dichiarato in bilancio.[45] Al momento in cui scriviamo, l'indagine è ancora aperta.

Certo Mediobanca non è onnipotente come in passato, ma la rete di Cuccia tiene ancora sotto il suo controllo una parte notevole del capitalismo italiano. Quando si somma la rete di Mediobanca con le holding dell'impero Agnelli, si comincia a capire perché nel 1987 tanti politici a Roma fossero allarmati. E quando si considera l'enorme influenza su Roma che l'esercito di lobbisti della FIAT e i suoi « amici » nei partiti contribuiscono a perpetuare, un osservatore imparziale può concludere che il gigante torinese è qualcosa di molto più grande e molto più potente di una semplice azienda produttrice di automobili. La ragnatela del potere si estende dalla finanza, alla politica e, come vedremo, alla stampa e ai media.

Non è necessario appartenere a una specifica corrente politica per stimare al giusto valore l'analisi presentata da Franco Bassanini, un dotto professore eletto al Parlamento come indipendente di sinistra. Senza fare esplicito riferimento alla FIAT o ad Agnelli, Bassanini osservava che « sono ormai presenti in questo paese alcuni potentati di fatto insindacabili, non soggetti ad alcuna forma di controllo democratico... Essi incorporano banche, imprese, finanza, assicurazioni, giornali. Si apre qui un problema che non riguarda certo solo l'economia ». Questa rete di potentati, questo sistema di centri di potere, concludeva, è responsabile di « decisioni che investono porzioni sempre più rilevanti della vita nazionale ».[46]

Oggi, denunce di questo genere vengono da destra non meno che da sinistra. A metà degli anni '80 nel lessico italiano ricorreva sempre più di frequente una parola, usata per definire gli eccessi dell'impero Agnelli. Quella parola era *strapotere*.

---

1 È noto con quanta cura e ostinazione Cuccia eviti ogni contatto con la stampa, rifiutando interviste e scusandosene con ironico garbo. A un giornalista straniero, che non volle incontrare neppure per una visita di cortesia, inviò un biglietto così concepito: « Mi rincresce di apparirLe scortese, il che è ben lungi dalle mie intenzioni. La mia abitudine di non parlare di argomenti di la-

voro non è determinata dal timore di un uso indiscreto delle mie dichiarazioni da parte dei miei interlocutori, bensì dal convincimento che la mia riservatezza, per non essere scortese verso qualcuno, deve essere mantenuta rigidamente verso tutti. Le aggiungo che ho l'impressione che tante brave persone si facciano molte illusioni sull'importanza delle cose che io potrei dire; La assicuro che anch'Ella perde assai poco».

2 *The Financial Times*, «Lawyer who tightened the Agnelli dynasty's grip on FIAT», 15 marzo 1988, di David Lane.

3 Intervista dell'autore a Guido Rossi, 23 ottobre 1987, Milano.

4 Intervista dell'autore, 2 settembre 1987, Milano.

5 *The Financial Times*, «Mediobanca old guard under siege», 19 dicembre 1986, di Alan Friedman.

6 *Panorama*, «Mediobanca: Dietro lo scontro su Cuccia – Affari loro», 11 ottobre 1985, di Giuseppe Orlandi e Armando Zeni.

7 Intervista dell'autore, Milano, 2 settembre 1987.

8 Vedi capitolo 16, *L'impero colpisce ancora*.

9 *L'Espresso*, «Mediobanca Story», 14 dicembre 1986.

10 *Corriere della Sera*, 15 marzo 1988, elenco delle partecipazioni di Mediobanca.

11 *Il Sole – 24 Ore*, «Ma molte domande restano senza risposta», 29 ottobre 1986, di Cristina Jucker.

12 Per la storia dei sindacati segreti, vedi le dichiarazioni di Romano Prodi, presidente dell'IRI, in Parlamento, il 7 febbraio 1985. I particolari sono basati in parte su pubbliche rivelazioni, in parte su documenti in possesso dell'autore.

13 *Corriere della Sera*, «Agnelli: ciò che temo, ciò che spero», 28 gennaio 1987 di Alberto Ronchey.

14 *Maclean's*, «Olivetti's global deal maker», 30 novembre 1987, di Peter C. Newman.

15 Citato in *The Spectator*, «The Cult of the Agnellis», 30 gennaio 1988, di Rupert Scott.

16 Vedi anche *Europeo*, «Cercasi salotto nuovo», 25 ottobre 1986.

17 *Harvard-Espansione*, «Leopoldo Pirelli: ecco la mia vera storia di imprenditore», dicembre 1986, di Leopoldo Pirelli.

18 *La Repubblica*, «Io e l'Avvocato», 20 gennaio, 1985, di Giampaolo Pansa.

19 *Panorama*, «Basta con i salotti buoni», 1° dicembre 1985, di Giuseppe Oldani.

20 *L'Espresso*, «Mediobanca Story», 14 dicembre 1986.

21 Nick Tosches, *Power on Earth*, Arbor House, 1986, p. 70.

22 Carey Reich, *Financier: The Biography of André Meyer*, William Morrow and Company, 1983, pp. 295-333.

23 *Ibid.*

24 Intervista dell'autore a Henry Kissinger, 27 gennaio 1988, New York.

25 Reich, pp. 88-89.

26 *Ibid.*

27 La Lazard possiede il 4,73 per cento delle Generali attraverso la controllata Euralux della sua compagnia Eurofrance. Vedi *La Repubblica*, «Una fitta rete di alleanze per impedire ogni attacco», 23 ottobre 1987, pp. 16-17 del supplemento; vedi anche *La Repubblica*, «Partita la grande corsa alla conquista delle Generali», 24 ottobre 1986, p. 7 del supplemento; *Il Mondo*, «Le paure di Randone», 1987, p. 100; *La Repubblica*, «Gemina vuole entrare nelle Generali», 10 gennaio 1986, p. 38.

28 Intervista dell'autore, 6 ottobre 1987, Milano.

29 *Panorama*, «Elettrodomestici/Parla Merloni», 1° ottobre 1984.

30 Vedi nota precedente.

31 De Benedetti aveva anche comprato una quota del 13,6 per cento nell'Italmobiliare, la holding gravata di debiti della famiglia Pesenti, cui apparteneva la

136

RAS, e sperava di formare un'alleanza, ma Giampiero Pesenti preferì portare i suoi problemi a Cuccia. Si dice che Cuccia abbia persuaso Pesenti e tenersi alla larga da De Benedetti, e alla fine Pesenti optò per vendere alla Allianz. Più tardi Mediobanca rilevò la quota di De Benedetti nella holding Pesenti. Vedi *The Financial Times*, « Mediobanca purchase », 3 giugno 1985, di Alan Friedman.

32 *Lombard*, « Who's really in charge at Mediobanca? », ottobre 1987, di Paul Bompard, p. 55.

33 *Milano Finanza*, « Padre, padrone e padrino », 14 marzo 1988, di Maurizio Blondet.

34 *The Financial Times*, « Italian businessmen on embezzlement charges », 16 ottobre 1984, di Alan Friedman; *The Financial Times*, « Mediobanca chief quits », 21 maggio 1985, di Alan Friedman; vedi anche *Milano Finanza* del 14 marzo 1988, dove si parla della fiduciaria di Mediobanca.

35 *The Wall Street Journal*, « Mediobanca's Proposed Stock Swap With Lazard Ignites Controversy », 28 dicembre 1984, di Daniel Liefgreen.

36 Prodi, presidente dell'IRI, dichiarò al Parlamento (in una testimonianza resa il 7 febbraio 1985) di aver sentito parlare del patto segreto per la prima volta il 16 ottobre 1984, quando incontrò dirigenti di Mediobanca e gli amministratori delegati della Banca Commerciale Italiana, del Credito Italiano e del Banco di Roma per discutere con loro l'arresto del presidente di Mediobanca Fausto Calabria. Ma ricevette una copia del patto solo a metà gennaio 1985. Prodi disse al Parlamento che leggendo questo documento vide come fra l'azionista di maggioranza – lo Stato – e gli azionisti di minoranza era stato stabilito un accordo di parità decisionale. Prodi aggiunse che il patto vietava espressamente la preparazione di più di nove fotocopie, che dovevano essere fatte avere a specifici destinatari, fra i quali non figurava l'IRI.

37 *The Financial Times*, « Milan banker investigated », 21 marzo 1985, di Alan Friedman.

38 *The Wall Street Journal*, « Cuccia is accused of aiding alleged Italian slush fund » 10 luglio 1985; *The Financial Times*, « Italian banker summonsed by court », 10 luglio 1985, di Alan Friedman.

39 *The Financial Times*, « IRI chief defends bid to oust Cuccia from bank », 4 novembre 1985, di Alan Friedman.

40 *Panorama*, « Basta con i salotti buoni », 1° dicembre 1985.

41 Vedi nota precedente.

42 *La Stampa*, « Romiti parla di Mediobanca e Montedison: dietro l'autunno caldo della finanza italiana », 1° novembre 1985, di Mario Pirani.

43 *The Financial Times*, « Mediobanca power struggle comes to a head », 6 novembre 1985, di Alan Friedman; *The Wall Street Journal*, « Mediobanca's Ex-Chairman Cuccia is at the centre of battle for control », 30 ottobre 1985, di Roger Cohen.

44 *The Financial Times*, « IRI seeks to retain control over bank », 12 dicembre 1986, di Alan Friedman.

45 Vedi la stampa italiana del 24 maggio 1988 e *The Financial Times*, « Mediobanca top executives face criminal charges », 24 maggio 1988.

46 Ipotesi per una legislazione « antitrust », Franco Bassanini, in *Il villaggio di vetro*, a cura di Antonio Zollo, Editori Riuniti, 1987, p. 42.

6. Il potere della stampa

L'INFORMAZIONE è potere. Perciò qualsiasi rete di potere, per funzionare nel modo più efficace, cerca di influenzare l'informazione, e con questa l'opinione pubblica. Nelle democrazie occidentali tale scopo è in genere perseguito con metodi indiretti, cioè con efficienti servizi di relazioni pubbliche e affrontando un libero mercato di idee. Ma a volte ci si può arrivare più facilmente grazie al diretto possesso dei media.

Nel 1988 l'impero Agnelli esercita diritti di sovranità sulla più grossa concentrazione di quotidiani e periodici italiani, compresi due dei tre quotidiani più influenti. Inoltre ha il più grosso budget pubblicitario del paese, da cui possono dipendere i maggiori o minori guadagni di giornali fuori della sua diretta sfera d'influenza. E, come se non bastasse, si sta mobilitando per un attacco strategico al mercato televisivo privato.

Sarebbe sbagliato dire che l'impero Agnelli si comporti in modo diverso dal resto d'Italia. Scriveva Machiavelli: «Li uomini in universali iudicano più alli occhi che alle mani; perché tocca a vedere a ognuno, a sentire a pochi. Ognuno vede quello che tu pari, pochi sentono quello che tu se' ».[1] È vero che in tutto il mondo il possesso dei media procura influenza; ma, più che in qualsiasi altro paese europeo, in Italia il controllo della stampa è visto come un'altra leva, un'altra arma nell'incessante lotta per il potere e il prestigio. Non è quindi una sorpresa che il possesso dei media sia in gran parte diviso secondo linee di partito o di potere economico.

I principali quotidiani, riviste e reti televisive italiani sono controllati da poche élite politiche ed economiche che in generale possono condizionare l'informazione senza infrangere nessuna legge. *La Stampa* è al 100 per cento proprietà della FIAT da più di sessant'anni, il *Corriere della Sera* è entrato nell'orbita FIAT nel 1985, insieme a 23 altri giornali e riviste. *Repubblica* non appartiene all'impero Agnelli ma a due gruppi: il 50 per cento è della Mondadori, in cui importante azionista è Carlo De Benedetti, l'altro 50 per cento dell'editoriale *L'Espresso*, in cui Carlo Caracciolo di Castagneto, cognato di Agnelli, controlla una partecipazione del 34 per cento. Carlo Caracciolo è anche consigliere delegato di *Repubblica*.

Altri grandi proprietari di giornali sono il gigante alimentare e chimico Ferruzzi-Montedison, che possiede *Il Messaggero* di Roma e *Italia Oggi* di Milano, e De Benedetti, che, a parte il suo pacchetto di azioni della Mondadori, ha una partecipazione anche nell'*Espresso*. L'ENI possiede *Il Giorno*. Gli interessi della FIAT nell'editoria possono non sorprendere nel contesto italiano, ma l'ampiezza e portata di queste holding è oggetto di crescente attenzione. Per esempio, il gruppo Agnelli controlla quasi un quarto della circolazione di quotidiani, mentre il limite legale fissato dal Parlamento è il 20 per cento. Due volte è stato avvertito dal garante per l'editoria che questa concentrazione di testate viola la legge, ed entrambe le volte ha risposto contestando le regole, in dichiarazioni pubbliche e in tribunale.

I gruppi che possiedono giornali sono anche i maggiori inserzionisti. Il più grosso di tutti è la FIAT, che per promuovere se stessa e i suoi prodotti ha speso nel 1986 una cifra valutata a 586 miliardi di lire, pari al 13 per cento del totale nazionale.[2]

« Questo è di per sé uno strumento potentissimo », osserva il presidente di uno dei maggiori gruppi editoriali, che ha chiesto di non essere nominato. « Se qualcosa che fai non gli va, ti tagliano la pubblicità. Questo è uno dei modi in cui opera il potere della FIAT. Naturalmente le mani all'opera non si vedono mai, ma i loro annunci non arrivano più. Non puoi provare niente. È tutto invisibile. »[3]

In Italia i proprietari di giornali sono spesso anche le persone che più « fanno notizia ». Rupert Murdoch possiede il *Times* di Londra, ma non succede che tutti i giornali inglesi parlino di lui quasi una volta la settimana; Katherine Graham possiede il *Washington Post*, ma la famiglia Graham non svolge attività industriali e politiche che meritino titoli in prima pagina. Possedendo gran parte dei media, gli imprenditori italiani possono indirettamente e sottilmente condizionare il trattamento che ne ricevono. Spendono una quantità di tempo e di energie a coltivare « amici » nei media, in un modo che un public relations man americano non immagina nemmeno nei suoi sogni più folli. Proprietà, pubblicità, fare notizia: una combinazione molto efficace.

Il fenomeno non si limita al settore privato; gli abusi nel settore pubblico sono anzi ancora più clamorosi. Presso le tre reti della RAI la manipolazione politica delle notizie date nei telegiornali e la spartizione di questi tra i partiti sono un male cronico. L'Italia è un paese dove quasi ogni settore della vita pubblica è politicizzato. La distribuzione dei posti e delle cariche alle tre reti RAI è decisa in base a un sistema esclusivamente italiano chiamato *lottizzazione*. Nello stesso modo ottengono il posto i presidenti di molte banche e i « vertici » dei più grossi gruppi industriali statali: IRI, ENI, EFIM.[4] Tutti sanno che l'IRI è sotto l'« influenza » democristiana mentre all'ENI comandano i socialisti. Sono divise fra i partiti persino le più alte cariche amministrative al Teatro alla Scala.

RaiUno è controllata dai democristiani, e le notizie che trasmette sembrano a volte propaganda di partito. Lo stesso vale per RaiDue e i socialisti, RaiTre e i comunisti. In Italia a ciascuno tocca una fetta di torta, e gli italiani amano fare queste divisioni: alla RAI tutti i posti di lavoro, da membro del consiglio d'amministrazione talvolta anche a giornalista, sono tradizionalmente distribuiti in base alle affiliazioni politiche: e il modo in cui vengono date le notizie è spesso tendenzioso. Per esempio, quando nel 1984 un ministro democristiano molto in vista fu sollecitato da un altro partito a dare le dimissioni, il telegiornale di RaiDue diede alla notizia il massimo rilievo possibile, mentre quello di RaiUno la seppelliva dopo un lungo servizio d'un ennesimo viaggio del papa.

La sfida principale al sistema televisivo statale è venuta, fino a oggi, da Silvio Berlusconi. L'impero televisivo di Berlusconi, che come la RAI conta oggi tre reti, fu fondato al principio degli anni '80 e cominciò subito a sottrarre telespettatori alla televisione di Stato. C'erano leggi in base alle quali la diffusione nazionale avrebbe dovuto essere riserva esclusiva della RAI, ma Berlusconi riuscì ad aggirarle; è riuscito anche a dare una batosta alle reti di Stato in termini sia di pubblicità sia di indici d'ascolto.[5] Però, fatto significativo, non ha ancora il permesso di trasmettere telegiornali in diretta. Così, il mondo dei media italiani specula da anni su quali possano o potrebbero essere le sue affiliazioni politiche.

Da chi andrebbe Berlusconi per ottenere un appoggio politico? Si sa che è vecchio amico di Craxi, ma il modo in cui si comporta non è proprio da socialista. Ha anche dedicato molto tempo a coltivare rapporti con i democristiani. Non riuscendo ad appiccicargli un'etichetta, la stampa italiana ha finito col battezzare Berlusconi uno « slalomista », uno cioè che scia in mezzo e intorno ai paletti dei principali partiti politici.[6]

Ma tutti i grandi industriali italiani tendono a essere slalomisti, a reprimere i loro sentimenti politici o a cambiarli se questo può servire a far passare qualche legge atta a favorire il loro interessi. Agnelli, almeno personalmente, si tiene al di sopra della mischia, ma questo non significa che non cerchi di usare la sua influenza per promuovere i suoi interessi: significa soltanto che la sua posizione di « principe rinascimentale » della « nuova Italia » è troppo elevata perché lo si possa vedere abbassarsi ai normali traffici politici. Il suo impero include però una vasta rete di media politicamente potenti, e all'inizio del 1988 era avviata anche la creazione di una nuova forza in campo televisivo.

Buona parte dei media italiani, si tratti di editoria o di televisione, è quindi pesantemente manipolata sia dai partiti politici sia dai grandi imprenditori. Agnelli e Romiti, come altri imprenditori, lo negano, ma molti osservatori, sia dentro sia fuori il paese, non sembrano convinti dalle loro negazioni. Per esempio nel gennaio 1988 la rivista inglese *Spectator* dichiarava senza mezzi termini che in Italia « articoli dannosi per gli interessi o l'immagine della FIAT o degli Agnelli ben di rado vedono la luce », e un mese più tardi l'*Economist*, parlando di come *La Stampa* e il *Corriere della Sera* siano l'una posseduta, l'altro praticamente controllato dal gruppo di Torino, osservava che « in questi giornali la FIAT è in generale molto meno criticata ».[7]

Gianni Agnelli in persona ha provocato violente critiche da parte del direttore di *Repubblica* quando si è presentato davanti a una commissione parlamentare al principio del 1988. Dopo aver negato di controllare un troppo grande settore della stampa e aver sostenuto che non c'è niente di sbagliato nel fatto che un industriale possieda dei giornali, Agnelli si è sentito chiedere da un senatore se pensava che nella stampa italiana ci fosse abbastanza competizione. « Per l'amore di Dio! » è stata l'indignata risposta. « La concorrenza c'è se è vero che negli ultimi dieci anni è nato un giornale come *Repubblica* che ha raggiunto il massimo come diffusione anche se non il massimo come credibilità. »[8]

Scalfari ha risposto per le rime: « Una persona di buon gusto come certamente è il presidente della FIAT non dovrebbe avventurarsi in giudizi soggettivi e non provabili. Tanto più non dovrebbe farlo nei giorni in cui il giornale di proprietà della FIAT ha dato prova evidente di parzialità, nel riferire con fastidio e quasi sottacendo i successi europei di un gruppo finanziario non gradito alla FIAT, a differenza di tutta la stampa non soltanto italiana, ma mondiale ».[9]

A Milano il direttore del settimanale *Milano Finanza* ha risposto a sua volta ad Agnelli con un sarcastico editoriale: « Non possiamo concordare con l'avvocato Agnelli, di cui pure va riconosciuto lo sforzo attento di adempiere al meglio al ruolo di re d'Italia e contemporaneamente di editore del secondo e terzo quotidiano del paese, quando dice che la proprietà dei giornali in mano alle imprese non minaccia la libertà di stampa. Abbiamo la presunzione di ritenere che sia lui il primo a non crederci».[10]

Ma dagli inizi del 1988 Agnelli s'impenna quando qualcuno insinua che la sua influenza sulla stampa italiana è eccessiva; e, forse con un occhio all'immagine internazionale della FIAT, fa di tutto per difendersi da quest'accusa anche all'estero. In un'intervista concessa al *Nouvel Économiste* nel marzo 1988, quando il giornalista francese osservò che l'editoria ha poco a che fare con le automobili, Agnelli la prese male. «Dire che la stampa italiana è controllata è un'eresia», replicò molto irritato.[11]

Forse non gli sarebbe stato tanto facile difendere quest'affermazione se il giornalista francese gli avesse chiesto di spiegare l'attacco incredibilmente brutale mosso solo pochi giorni prima dal *Corriere della Sera* a Carlo De Benedetti. «De Benedetti alle corde», annunciava su cinque colonne a caratteri di scatola il titolo d'un articolo in prima pagina dedicato ai tentativi di De Benedetti di assicurarsi il controllo della Société Générale de Belgique. Lo stesso numero del *Corriere* pubblicava un editoriale, intitolato «Errori e arroganze», e non meno ostile di quanto lasci indovinare il titolo, in cui fra l'altro si diceva che a Bruxelles l'«avventura» di De Benedetti era apparsa come quella di «un *raider* che si è autoproclamato *builder*» e lo si accusava fra i suoi tanti errori, soprattutto di «presunzione».[12]

Secondo giornalisti del *Corriere*, la pubblicazione di questo articolo suscitò un pandemonio a via Solferino. E alla FIAT? Secondo *Prima Comunicazione*, una rivista italiana che si occupa di media, gli alti dirigenti erano furiosi, perché «è evidente che molti vedranno nel pezzo di Guatelli la mano – nemmeno tanto lunga – della FIAT»; l'Avvocato invece, quando ebbe letto il pezzo, avrebbe spianato le rughe «in un albore di sorriso compiaciuto».[13]

Altrove le reazioni furono solo di imbarazzo e stupore. *Prima Comunicazione* deplorava il «linguaggio davvero eccezionale per durezza e rudezza» usato dal *Corriere* e la violenza dell'editoriale che faceva apparire De Benedetti

« mezzo bandito e mezzo bru-bru ».[14] Un'altra rivista pubblicava un fotomontaggio della prima pagina del *Corriere*, con la famosa testata corretta in *Corriere della Fiat*, sotto il titolo « La Voce del Padrone ».[15] E Biagi, nella sua trasmissione televisiva settimanale, criticava il tono « trionfale » del *Corriere* e l'esultanza che il giornale esprimeva per i supposti errori di De Benedetti era così smodata « che aveva quasi il sapore del servilismo: abbasso Ivrea ed evviva Torino ».[16]

Come Gianni Agnelli, anche Romiti si è trovato a dover rispondere a domande riguardanti l'influenza della FIAT sui media. « Provi a domandare agli uomini della *Stampa* – quelli che ci sono stati, quelli che ci sono adesso – », ha risposto a un intervistatore, « se noi abbiamo mai esercitato una pressione, un'interferenza. » [17] Questa però non è una vera risposta. Che bisogno ha la FIAT di intervenire direttamente quando già beneficia dell'autocensura che i giornalisti italiani praticano regolarmente, anche se lo ammettono solo in privato?

Quando un giornalista italiano intervista il presidente di una società, è considerato pratica quasi normale sottomettere alla sua approvazione l'articolo finito prima di pubblicarlo. Giuseppe Turani, nella sua biografia di Gianni Agnelli pubblicata nel 1985, racconta come un'importante intervista rilasciata a *Repubblica* nel giugno 1980 da Umberto Agnelli fu sottoposta all'approvazione della FIAT. Turani racconta la storia con assoluta franchezza: talmente diversa è la pratica giornalistica italiana da quella anglosassone che non ci vede niente di strano. L'intervista fu pubblicata da *Repubblica* il 21 giugno 1980. « Il testo definitivo », scrive Turani, « è stato rivisto, parola per parola, dall'avvocato e da Cesare Romiti, che vi hanno apportato correzioni minime. » [18]

È difficile per uno straniero capire come ragiona un giornalista italiano; le regole del giornalismo anglosassone qui non hanno corso. Per esempio, in Italia non usa mettere in dubbio i comunicati stampa di un'azienda o sottoporli a un'attenta analisi. Ci sono eccezioni, ma la maggior parte dei giornalisti finanziari si limita a ripetere pari pari i comunicati, e un giornalista che li mette in dubbio è considerato un « rompiscatole ».

In Italia non è considerato contrario all'etica professionale che un giornalista lavori part-time come consulente di relazioni pubbliche per un'azienda di cui scrive. « Do solo una mano all'azienda tal dei tali », spiega lo stesso giornalista, assolutamente senza patemi d'animo, a un collega che cerca di persuadere a scrivere un articolo favorevole. Questa pratica, che in altri paesi sarebbe considerata inaccettabile, in Italia è giustificata con la scusa che i giornalisti sono pagati poco. Il risultato di questo sistema è che i giornalisti finiscono con l'avere in aziende e partiti politici « amici » contro i quali non scriveranno mai una parola men che gentile. Si sa anche di giornalisti pagati per scrivere articoli su richiesta specifica delle aziende; questi articoli vengono definiti « redazionali ». Ci sono molti giornalisti onesti, ma ce ne sono molti anche di corrotti. Le aziende compensano generosamente i loro « amici »: regali sontuosi possono arrivare l'indomani della pubblicazione di un articolo, e sempre a Natale, qualche volta a Pasqua, persino in occasioni di un compleanno.

Molti fra i principali giornalisti politici italiani sono sostenitori o simpatizzanti di questo o quel partito; e nei loro articoli si vede. Quanto ai giornalisti finanziari, molti non hanno la preparazione sufficiente per leggere in modo critico un bilancio aziendale. Ne deriva che, quando un capo d'azienda dice qualcosa, le sue parole sono spesso semplicemente annotate su un taccuino e poi stampate tali e quali. Ogni scalata o acquisizione è trattata come una telenovela, e se il « salotto buono » decide contro un uomo d'affari indipendente, il trattamento che gli tocca sui giornali riflette questo giudizio. Le cronache di eventi del mondo economico danno rilievo più allo stile che alla sostanza di questi fatti. I giornalisti italiani sono brillanti nel descrivere atmosfere o riferire particolari – se il tale uomo d'affari o un uomo politico vestiva Armani o Caraceni, se Gianni Agnelli quel giorno portava la cravatta sotto o sopra il maglione o che tipo di macchina guidava – ma quelli di loro che si mettono d'impegno a fare domande difficili sono veramente molto pochi.

Nel suo libro *Carte false*, che è un'accusa al giornalismo italiano, Giampaolo Pansa ha diviso i giornalisti suoi colleghi in 18 categorie, a ciascuna dedicando un capitolo. I titoli di alcuni capitoli sono *Gli ingenui, I ciechi, I reticenti, I dormienti, Gli imbonitori, Gli asini, I corrotti*.[19]

Naturalmente la corruzione nel giornalismo non è un problema solo italiano. Il punto è che in Italia sono considerate perfettamente innocenti e normali alcune pratiche che sarebbero considerate corrotte in altri paesi occidentali. Prendiamo per esempio l'«insider trading», cioè la compravendita di azioni eseguita mettendo a profitto informazioni riservate e ancora sconosciute al grande pubblico. Secondo Pansa, la pratica di «insider trading» da parte di giornalisti italiani è soltanto la forma di corruzione più «sofisticata». «Un tempo, il giornalista economico che stava al gioco veniva di solito compensato in natura, ossia con beni in quell'epoca poco diffusi: un'automobile, un orologio di marca, una vacanza all'estero. Correva anche denaro. Oggi sono di moda sistemi più sofisticati.»[20]

Ettore Fumagalli, presidente della Borsa di Milano, ha lamentato più volte l'esistenza di questo problema. «Il mercato azionario italiano è sempre stato un mercato di insider. È un fatto», ha spiegato una volta.[21] Anche Franco Piga, presidente della Consob, ha espresso deplorazione per questo stato di cose e ha cercato di introdurre sanzioni legislative. Ma ben poco è stato fatto, e i giornalisti italiani possono ancora tranquillamente far uso di informazioni privilegiate che raccolgono dalla bocca di «amici»; e fra gli amici ci sono qualche volta dei presidenti d'azienda in persona. La comunità giornalistica italiana è poi così piccola che tutti conoscono per nome i più noti «insider traders». Si sa addirittura che certi giornalisti inventano storie e stampano informazioni false a beneficio delle loro speculazioni in borsa e di quelle di amici. L'élite del mondo finanziario non tiene alcun conto di certi « scoop » giornalistici, perché le è chiaro che le informazioni sono false; ma il normale investitore non lo sa. Si può osservare il prezzo di queste o quelle azioni il giorno in cui compaiono queste notizie e vedere quale è stata la reazione.

Con questo non si vuol dire che la maggioranza dei giornalisti italiani sia corrotta; la maggioranza non lo è. Ma una nutrita minoranza « sta al gioco » e serve gli interessi di determinate aziende o uomini politici piuttosto che quelli dei lettori. Dopotutto, è così che il sistema funziona.

Per quanto riguarda i regali ai giornalisti, tutte le aziende ne fanno, in tutti i paesi del mondo. Il gruppo FIAT, secondo molti giornalisti italiani e stranieri, è uno dei donatori più generosi, anche se non certo l'unico. Ogni azienda ha un suo modo di fare regali. Le case di moda concedono spesso ai giornalisti di moda grossi sconti o capi gratis. Le società di computer, inclusa l'Olivetti, fanno lo stesso con i « personal ». Alla FIAT ci sono grossi sconti per ogni giornalista che voglia acquistare una macchina.[22] Poi ci sono « prestiti » gratis di auto ai giornalisti, e sono prestiti che in qualche caso possono durare mesi. Poi ci sono offerte di chalet al Sestrière, e macchine con autista sempre a disposizione per portare giornalisti da Milano alle conferenze stampa a Torino, e in qualche caso aerei per portare a Torino giornalisti romani.[23]

A Natale poi è la cuccagna, con i regali che vanno da vino e champagne a cravatte firmate, orologi di marca, apparecchi radio o telefonici, argenteria e altro. Giornalisti italiani dicono che i regali di Natale della FIAT sono uno dei modi in cui l'azienda manifesta la sua maggiore o minore soddisfazione per il modo in cui è stata trattata nell'anno che sta per finire. In altre parole, un giornalista che non è stato giudicato abbastanza buon « amico » può magari ricevere un'agenda rilegata in plastica, mentre chi si è dimostrato un « bravo ragazzo » è compensato con più ricchi doni.

La FIAT ha anche altri modi di far conoscere ai giornalisti i suoi sentimenti. Nel dicembre 1976, per esempio, il giornalista americano Michael Ledeen pubblicò in *The New Republic* un articolo provocatorio in cui parlava di un «triplice affare»: la Libia, sosteneva, aveva comprato azioni FIAT su ordine di Mosca per rafforzare l'azienda italiana in vista di nuovi progetti sovietici. La FIAT andò su tutte le furie. Ledeen dice che ricevette una telefonata dalla segreteria di Gianni Agnelli e fu informato che il presidente della FIAT era molto irritato dall'articolo, il quale articolo conteneva degli errori. Ledeen suggerì che Agnelli glieli indicasse, promettendo di pubblicare una rettifica. Qualcuno della segreteria propose invece un incontro a Torino: un jet privato della FIAT poteva venirlo a prendere a Roma e portarlo a Torino per una colazione con Agnelli. Ledeen declinò l'invito, ma disse che sarebbe stato felice di incontrare Agnelli a Roma, la prima volta che l'Avvocato si fosse recato nella capitale.

Nella fase successiva di questa piccola partita gli fu proposto un incontro alle 8 del mattino, per il breakfast, nell'appartamento di Agnelli a Roma. Ledeen accettò. Ma alle 11 della sera precedente l'appuntamento qualcuno telefonò per avvertire che il presidente della FIAT non sarebbe più partito per Roma perché a Torino c'era troppa nebbia. Pochi giorni dopo, altra telefonata dalla segreteria che proponeva un altro breakfast a Roma, questa volta alle 7. Di nuovo Ledeen accettò, ma pregò che non telefonassero a mezzanotte per disdire l'appuntamento. L'appuntamento fu tuttavia disdetto, stavolta con una telefonata nel tardo pomeriggio. La saga, secondo Ledeen, continuò. L'ultima mossa fu la proposta che Ledeen prendesse un normale volo Roma-Torino per fare colazione col presidente della FIAT. Ledeen, che è ebreo, disse un'altra volta di sì, ma aggiunse che doveva essere di ritorno a Roma per le 4.17 del pomeriggio, in tempo per accendere le candele di Hannukah. La colazione non ebbe mai luogo. Ledeen dice che incontrò finalmente Agnelli, quasi due anni più tardi, nel 1978, a una colazione organizzata da Henry Kissinger. Grazie a questo incontro i due uomini tornarono in buoni rapporti, e anzi nel 1978 Ledeen fu assunto come consulente per mettere a punto un sistema di sicurezza per Agnelli.[24]

In altri casi la FIAT usa sistemi più diretti. « Se lei stampa questa storia noi roviniamo tutti i rapporti col suo giornale », dichiarò un funzionario dell'ufficio stampa della FIAT a un giornalista straniero nel novembre del 1986. « Da noi non riceverete più nessun comunicato stampa. » Quando l'uomo della FIAT capì che il giornalista non si lasciava convincere, tentò una nota più minacciosa: « Qui in Italia abbiamo un detto. Speriamo che la notte le porti consiglio ».[25] In un'altra occasione un mondano banchiere d'affari, vecchio amico di Gianni Agnelli, telefonò a casa di un corrispondente estero a proposito di un articolo che la FIAT non aveva gradito. « Il grand'uomo non è contento », disse al giornalista.[26]

Questo modo insolito di trattare coi giornalisti non ossequienti lascia pensare che il gruppo di Torino sia particolarmente sensibile alle critiche. Altre grandi aziende italiane come Pirelli, Montedison, Olivetti o Benetton non ricorrono a tattiche di questo genere. Il ricorso a tecniche intimidatorie quando altre forme di persuasione si sono rivelate inefficaci è solo uno fra i tanti strumenti nell'arsenale dei creatori d'immagine della FIAT; e comunque queste tecniche sono usate di rado, perché rare sono le critiche alla FIAT. La società inglese della FIAT ha però reagito con una certa violenza a un'inchiesta sull'affidabilità di vari modelli dell'automobile pubblicata nel gennaio 1988 da Which, la più importante rivista inglese in difesa del consumatore. Which definiva « lemons », cioè « bidoni », due modelli FIAT, la Uno e la Regata. Lo stesso termine era usato, per inciso, nei riguardi di modelli Austin Rover. La FIAT reagì prima minacciando di fare causa alla rivista, poi spendendo 250.000 sterline per un blitz pubblicitario di un giorno solo a favore della Uno, la cui immagine a doppia pagina apparve nei giornali della domenica con lo slogan « You don't have to believe the press. Test drive one for yourself» («Non siete obbligati a credere alla stampa. Provate voi stessi a guidarne una»).[27] Certo la FIAT è abituata a un altro trattamento anche nella stampa straniera, che di solito parla dello charme personale di Agnelli, di elicotteri e yacht, della performance finanziaria, innegabilmente superba, del gruppo torinese negli anni '80, delle sue catene di montaggio robotizzate e in genere insomma dei molti importanti risultati che l'azienda può vantare al suo attivo.

Agnelli è un beniamino della stampa italiana. Un osservatore ha persino creduto di riconoscere «una somiglianza leggermente imbarazzante» fra quello che si scrive di lui e «il tipo di propaganda che appariva un tempo nel *Popolo d'Italia* a proposito di Mussolini. Un esempio recente nel settimanale *Panorama*», continuava questo osservatore, «è un classico del genere. Da questo servizio ho saputo che tipo di tè l'Avvocato beve alla prima colazione, che si alza immancabilmente alle 6.30 e che fuma una sola sigaretta dopo cena. La sua capacità di lavoro, ho letto, è grande quanto la sua disposizione al divertimento. Ama lo sport e la velocità, e a dimostrarlo c'era una profusione di lusinghiere fotografie di Agnelli in vari atteggiamenti sportivi. Articoli di questo tipo, devo aggiungere, non hanno niente di insolito. Cose del genere appaiono di continuo nei giornali più diversi».[28]

Quando schiere di giornalisti italiani e stranieri arrivano, anzi vengono portate a Torino per una conferenza stampa, c'è sempre il senso di una grande occasione; Agnelli non convoca la stampa se non ha qualcosa d'importante da dire. La routine è quasi sempre la stessa. Dopo un rapido aperitivo i giornalisti sono di solito scortati nella grande aula parecchio tempo prima che arrivi l'Avvocato. Lo staff relazioni pubbliche della FIAT funziona come una macchina ben oliata, controllando che tutti abbiano un posto a sedere e carta e penne a sufficienza. Poi entra Gianni Agnelli, sempre elegante, salutando con un cenno della mano un giornalista amico, sorridendo a un altro. Cala il silenzio, i funzionari stampa della FIAT si ritirano ai loro posti. Su uno schermo a parete dietro la cattedra appare d'improvviso, enormemente ingrandita, la faccia accidentata dell'Avvocato. Quando lui ha finito di parlare, il suo principale collaboratore per le pubbliche relazioni e membro della più intima cerchia di consiglieri, il cherubico Alberto Nicolello, invita i giornalisti a far domande. Dopodiché Agnelli è circondato da quella che sembra una folla di ammiratori ed è invece la stampa italiana; lascia cadere un commento su una partita di calcio, dice una battuta, saluta con la mano e viene portato via dai suoi assistenti. Per i giornalisti è venuta l'ora di un ricco buffet; poi, nutriti e abbeverati, vengono condotti in un grande locale che la FIAT ha attrezzato appositamente per la stampa, dove siedono davanti a banconi di macchine per scrivere e telefoni. Mentre scrivono, i funzionari stampa della FIAT camminano su e giù per il locale, rispondendo a domande supplementari e gettando occhiate discrete sopra le loro spalle. « Certe volte vengono a dirti che quello che stai scrivendo è sbagliato, o che sarebbe meglio usare altre espressioni. Io gli dico di lasciarmi in pace, ma mi danno veramente sui nervi », si è lamentato un giornalista della Reuter, dopo che un uomo della FIAT aveva cercato di correggergli un articolo ancora sulla macchina per scrivere. « Sembra di aver a che fare col Grande Fratello », ha commentato dopo un episodio analogo un reporter del *Wall Street Journal* con base a Milano.

La FIAT non la vede così. « Siamo qui solo per aiutare », spiegano i funzionari stampa. « Non ci verrebbe neanche in mente di interferire. » I racconti di prima mano dei giornalisti stranieri narrano una storia ben diversa, ma gli italiani proprio non capiscono cosa ci sia che non va. « Siamo tutti amici qui! » ti spiegano. Dopo tutto, in Italia, trovarsi in presenza di Gianni Agnelli è un po' come per un americano partecipare a una cerimonia alla Casa Bianca. E l'immagine di Gianni Agnelli in Italia, data la generale deferenza che sconfina quasi in venerazione, è certo equivalente a quella di un popolare capo di Stato.

L'immagine è importante per gli uomini di Agnelli; estremamente importante. È l'immagine del successo; Gianni Agnelli personifica il successo. La macchina pubblicitaria della FIAT ha lavorato duro e a lungo per mettere a punto l'immagine pubblica del presidente. Il carisma è genuino, ma la « mistica » che circonda Agnelli non è frutto del caso. Da ormai più di due decenni Agnelli viene presentato alla stampa mondiale come una leggenda vivente – l'ex playboy, lo sportivo di classe mondiale, il capitano d'industria, l'industriale-statista, il charmeur internazionale, l'uomo elegante. Non si irrita quasi mai, non alza mai la voce; pronuncia le parole con chiarezza, lentamente, anzi strascicandole in un suo modo inconfondibile con il più aggraziato dei difetti di pronuncia, quando incespica nella lettera *erre*; passa senza sforzo dall'italiano al francese o all'inglese. È sempre diplomatico, sempre gran signore. Romiti è il duro, quello che mena botte; Agnelli dispensa le carezze.

Agnelli è davvero molte delle cose che dice la sua macchina pubblicitaria, e la sua faccia sulla copertina d'una rivista fa vendere meglio delle ragazze poco vestite. « Sì, penso che siamo come la famiglia Kennedy », risponde sua sorella Susanna quando le si chiede se il paragone è giusto. « Ma certe volte è noioso non poter andare a comprarti un deodorante senza che la gente ti guardi con gli occhi sgranati. » [29]

L'immagine di Agnelli non è però solo foraggio per riviste popolari. Secondo Gino Pallotta, un osservatore con anni d'esperienza, serve anche a far apparire in una luce più favorevole operazioni difficili o addirittura discutibili. Pallotta cita come esempi il controverso acquisto dell'Alfa Romeo nel 1986 e il decennale possesso Libico di azioni FIAT. « La lotta con la Ford, conclusasi sul filo del traguardo, rappresenta una vittoria... dovuta alla credibilità di Agnelli presso il pubblico e il mondo politico italiano. Così come la vicenda dei libici avrebbe preso certamente un'altra piega se non ci fosse stata di mezzo l'immagine di Agnelli. Vale a dire che anche operazioni arrischiate lo sono apparse molto di meno che nella realtà grazie all'immagine dell'Avvocato.» [30]

Naturalmente, osserva Pallotta, nessuna immagine può durare in eterno, e l'importante è «saperla gestire nel tempo». Tutto dipende dal contesto, e anche la migliore delle immagini può cessare di esistere dall'oggi al domani. Quella di Agnelli però continua a funzionare bene, anche quando la FIAT è accusata di violare la legge e di comportarsi in modo aggressivo e monopolistico nella sua espansione editoriale. L'italiano medio non è molto consapevole di questi sviluppi. Solo politici, uomini d'affari e giornalisti prestano attenzione ai pareri del garante per l'editoria secondo i quali Torino ha violato le leggi sulla concentrazione editoriale. Gli uomini politici prestano un'attenzione particolarmente vigile, e non ultima fra le ragioni è il fatto che al cuore del dibattito c'è un giornale di grande influenza politica, il *Corriere della Sera*.

«Negli Stati Uniti», scriveva un commentatore verso la fine del 1987, «sarebbe semplicemente inconcepibile, non solo per la legislazione quanto per l'etica di quel capitalismo, che la Ford o la General Motors possedessero il *New York Times* o il *Washington Post*.» [31] Ma non in Italia.

«La General Motors, la Philips e la Royal Dutch Shell non comprano giornali né reti televisive, ma la FIAT, De Benedetti e la Montedison lo fanno», dichiara Franco Bassanini, il parlamentare italiano che più duramente si è battuto per ottenere leggi anti-trust intese a regolamentare la proprietà dei media. «È questione di difendere il proprio potere. È un fenomeno italiano perché l'Italia è un paese in cui il business dipende dalla politica e la politica dal business più che in qualunque altro paese... I giornali sono armi di contrattazione da usare contro i politici.» [32]

La FIAT possiede *La Stampa* al 100 per cento, ma in Italia nessuno ha mai trovato a ridire su questo fatto, come nessuno ha mai levato la voce contro le partecipazioni FIAT in case editrici come Fabbri, Bompiani, Sonzogno, Adelphi, né ha mai protestato perché la FIAT possiede la Publikompass, una delle più grosse agenzie italiane di pubblicità. Ma il caso del *Corriere* è diverso; il *Corriere* non è soltanto un giornale, è un'istituzione.

Quando nel 1984 la FIAT e i suoi alleati salvarono dalla rovina la casa editrice Rizzoli e il venerabile ma pericolante giornale, fu un coro di lodi. Il *Corriere* usciva da undici anni turbolenti, di caos finanziario e manipolazione politica, di circolazione in calo, paralisi editoriale, perdita di credibilità.[33] « Siamo entrati nell'operazione per un dovere di disinfestazione e di purificazione », proclamava Agnelli alla fine di quell'anno.[34]

A molti la frase non piacque, ma faceva parte del modo in cui il gruppo di Torino voleva essere visto in quell'occasione: come salvatore del *Corriere*. Al momento, non era irragionevole. Il gruppo Rizzoli-Corriere della Sera, il più grosso impero editoriale italiano, aveva bisogno di denaro, di un nuovo management e d'un senso di stabilità. Ma già nel 1984 si poté vedere al lavoro la ragnatela del potere. Cervello dell'operazione fu il fedele Enrico Cuccia, che per l'occasione mise insieme uno speciale consorzio con a capo Gemina, la società finanziaria controllata indirettamente dalla FIAT e che aveva tra i suoi principali membri Mediobanca, Pirelli e la famiglia Bonomi. Gemina si assicurò un iniziale 46,2 per cento della Rizzoli-Corriere, ma le si unì nella cordata di salvataggio una società di cui aveva allora il controllo di fatto in quanto azionista di « maggioranza relativa ». Quella società era la Montedison, cui andò il 23 per cento della Rizzoli. Tutto pulitamente in famiglia.

Naturalmente, in termini ufficiali Agnelli poteva negare di avere l'effettivo controllo della Rizzoli. In fondo, la FIAT era azionista di minoranza della Gemina, a sua volta azionista di minoranza della Rizzoli. Ma il mondo finanziario e politico italiano aveva ben capito come stavano le cose; specialmente quando un alto dirigente della FIAT, Carlo Callieri, fu nominato amministratore delegato della Rizzoli.

A Natale del 1985 Agnelli e i suoi alleati accrebbero la loro partecipazione azionaria assicurandosi il controllo di maggioranza e operando quello che di fatto era un acquisto della Rizzoli. Immediato coro di proteste da parte del mondo politico, al quale la FIAT rispose negando ogni intenzione di controllare il *Corriere* e impegnandosi a garantirne l'indipendenza. Roma però rimase scettica. Che bisogno c'era di assumere il controllo di maggioranza alla Rizzoli, se si voleva soltanto garantirne l'indipendenza? Cesare Romiti avrebbe detto più tardi alla televisione che, nonostante il controllo di maggioranza da parte di Gemina nella Rizzoli, « non siamo nella Rizzoli ».[35] Ma il mondo economico italiano diede una diversa interpretazione dei fatti quando Romiti fu nominato presidente di Gemina e poco tempo dopo Giorgio Fattori, direttore della *Stampa*, fu messo a capo del gruppo Rizzoli-Corriere. Agli scettici parve di vedere all'opera una strana confluenza di interessi. FIAT e Mediobanca erano entrambe azioniste di Gemina. Gemina era la principale azionista di Rizzoli. Certe volte è difficile distinguere fra i molti veicoli finanziari usati dalla ragnatela di potere della Vecchia Guardia.

Nel gennaio 1986 la tensione che si era andata creando intorno alle partecipazioni editoriali della FIAT esplose in una polemica nazionale quando Mario Sinopoli, il garante per l'editoria, decise che la concentrazione editoriale messa insieme dalla FIAT era illegale. Con *La Stampa*, il *Corriere* e altre testate Rizzoli, dichiarò Sinopoli, la FIAT aveva superato il 20 per cento di circolazione giornalistica totale concesso per legge a un singolo gruppo. Sinopoli disse in pubblico quello che fin allora si sussurrava soltanto in privato: che la nomina di Romiti, amministratore delegato della FIAT, alla presidenza di Gemina dimostrava che quest'ultima era controllata dalla FIAT (anche se la sua partecipazione ammontava solo al 32 per cento).[36]

Sinopoli chiese alla magistratura milanese di dichiarare nullo l'acquisto della Rizzoli da parte di Gemina. Romiti giurò di battersi fino all'ultimo sangue contro la decisione del garante. Lo fece, e nel dicembre 1986 vinse. Nel frattempo Gemina aveva aumentato la sua partecipazione azionaria alla Rizzoli a più del 62 per cento, ma un tribunale milanese, dando l'interpretazione più limitativa possibile della legge sulla concentrazione editoriale, sentenziò che la FIAT non controllava Gemina.[37] Molti rimasero sbalorditi di questa decisione. La causa comunque andò avanti. Nel settembre 1987 il successore di Sinopoli, Giuseppe Santaniello, stabilì che la FIAT aveva « de facto » il controllo di Gemina, e tornò a chiedere l'intervento del procuratore della Repubblica.[38]

Intanto la Rizzoli era stata « purificata » sul piano finanziario. Sotto la guida dei dirigenti insediati dalla FIAT, il gruppo aveva avuto una tale ripresa che nel 1987 il suo valore, se fosse stato quotato in borsa, sarebbe stato valutato 800 miliardi di lire: dieci volte più di quanto aveva pagato il consorzio per comprarlo.[39] Da un punto di vista economico, sembra che la FIAT abbia il tocco di re Mida. Con un occhio alle accuse di illegalità mosse dal Parlamento, la Rizzoli scambiò un po' di azioni con l'editore francese Hachette, riducendo il pacchetto di Gemina al 55,8 per cento.[40] Romiti autorizzò anche la futura vendita d'un certo numero di azioni Rizzoli in borsa, vendita che avrebbe ulteriormente ridotto al di sotto del 50 per cento la partecipazione di Gemina. I politici borbottarono che in questo modo Torino si sarebbe messa ufficialmente e legalmente in regola, ma, con uomini di Romiti in posizioni amministrative strategiche, avrebbe continuato a esercitare il controllo effettivo.

L'establishment politico italiano ebbe un altro motivo di allarme quando nel settembre 1987 Romiti annunciò che la Rizzoli voleva allargare le sue attività alla televisione e aveva un'opzione sull'acquisto del 50 per cento di Telemontecarlo, che è una rete di lingua italiana ma con base nel principato di Monaco, quindi fuori della portata della legge italiana. Diversamente dalle reti private di Berlusconi, Telemontecarlo trasmette notiziari in diretta. E benché la Rizzoli negasse ripetutamente di voler giocare una parte in queste particolari attività di Telemontecarlo, Roma insorse in armi. Telemontecarlo è piccola cosa in confronto al sistema televisivo di Stato o a quello di Berlusconi, ma i critici della FIAT non hanno dubbi su quello che succederebbe se la porta fosse aperta anche solo d'uno spiraglio. In Italia non esiste strumento politico più prezioso dei notiziari televisivi.

Il giornale dei democristiani reagì denunciando quello che definiva una grave minaccia alla libertà della stampa,[41] mentre il socialista Gianni De Michelis, alla camera dei deputati, spiegava che nessuno dei socialisti si proponeva di smembrare la FIAT, e affermava che il fatto che un singolo gruppo controllasse tutto – dall'industria alle banche alle assicurazioni ai giornali alla televisione – sembrava tipico più della Malaysia che di un paese industriale avanzato.[42] Su *Repubblica*, Giampaolo Pansa osservava che, in conseguenza dell'eccessiva concentrazione editoriale nelle mani dei grossi gruppi industriali italiani, aree sempre più vaste della vita nazionale erano diventate « off limits » per il giornalismo.[43]

La lotta tra FIAT e mondo politico si è andata inasprendo man mano che il gruppo torinese allargava il suo impero – prima nell'industria e nella finanza, ora anche nei media. C'è un andamento ciclico nei rapporti fra Roma e Torino; ogni anno vede periodi di conflitto e periodi di tregua. Verso la fine dell'87 il conflitto diventò più violento, Romiti tempestò più di quanto avesse mai fatto e diventò sempre più duro e intransigente nei suoi attacchi verbali contro l'establishment politico. Per parte sua, Bettino Craxi, con chiaro riferimento ad Agnelli e Romiti, commentò con insolita durezza: « Il pericolo dei grandi imperi è che l'imperatore non può fare tutto direttamente, ha bisogno di consoli e di proconsoli. E se in una provincia il proconsole si comporta come un energumeno...? »[44]

Martelli si spinse oltre, definendo la FIAT « una monarchia nella Repubblica ». In un'intervista alla fine dell'87 dichiarò che « nessun gruppo industriale in nessuna grande democrazia ha lo stesso potere che ha la FIAT da noi ». Il problema era diventato « strutturale »: « quando un gruppo economico acquisisce un tale livello di potere e d'influenza diviene un caso politico». Il potere eccessivo dell'impero Agnelli, a contrasto con la debolezza di altri e la relativa impotenza dello Stato italiano, andava creando «squilibri, illusioni e velleità nocive».[45]

Sarebbe difficile immaginare democratici e repubblicani che in America protestano contro il potere eccessivo della General Motors; la General Motors, nonostante le sue proporzioni, non è mai stata vista come una minaccia al potere dei politici americani o al sistema tipicamente americano di controlli ed equilibri. Per molti a Roma, il problema fondamentale è proprio questo: il potere del gruppo Agnelli si sta allargando dalla sfera economica ed editoriale a quella politica e minaccia il sistema italiano – meno formale ma più antico di quello americano – di equilibri fra centri di potere rivali.

Anche all'estero la vera natura del potere della FIAT diventava sempre più chiara a quanti avevano rapporti d'affari con l'Italia. A Washington, un funzionario del governo americano che aveva preso parte a indagini sulla FIAT in connessione con i suoi tentativi di ottenere commesse per le Guerre Stellari dichiarò: «Sappiamo bene com'è la situazione. In Italia comanda Agnelli. È un monarca».[46] La BSN, il più grosso gruppo alimentare francese, quando decise di espandersi in Italia, ebbe cura di allearsi con Agnelli. «In paesi come l'Italia e la Spagna», spiegò il presidente del gruppo, Antoine Riboud, «bisogna avere un padrino, e noi abbiamo deciso di scegliere il miglior padrino possibile.»[47]

Romiti il Duro, come gli aggressivi romani che non ti danno strada quando cerchi di passare, non voleva concedere neanche il minimo spazio a quanti protestavano contro la sua crescente arroganza: voleva spingerli a spallate giù dal marciapiede. Invece di cercar di attenuare i timori, li rinfocolava. Agli occhi di molti dentro e fuori il governo, la FIAT stava diventando un mostro politico-economico che a volte sembrava capace di divorare gran parte dell'Italia, e

158

pronto a farlo. In un paese che forse più d'ogni altro sa riconoscere il potere quando lo vede, la FIAT appariva sempre
più minacciosa. Lo strapotere della città-stato torinese stava
per oltrepassare i limiti anche della famosa tolleranza italiana? Sembrava proprio così, e non soltanto a critici di sinistra ma anche a molti banchieri e uomini d'affari conservatori.

Se nell'autunno del 1987 molti avevano creduto di sentire
una nota minacciosa nelle dichiarazioni pubbliche della
FIAT, i loro timori ebbero presto conferma. Per mesi Cesare
Romiti aveva accumulato frustrazioni; da mesi ribolliva di
rabbia per le critiche che venivano da Roma. Ora il boss
della FIAT stava per esplodere, e l'esplosione fu così violenta che a molti parve una vera e propria dichiarazione di
guerra all'establishment politico italiano.

1 Machiavelli, *Il Principe*.
2 Stima di *Prima Comunicazione*, confermata dalla FIAT nell'ottobre 1987.
3 Intervista dell'autore, 2 settembre 1987, Milano.
4 Il caso più controverso di lottizzazione in anni recenti ebbe luogo alla fine
   del 1986, quando i partiti si azzuffarono per l'aggiudicazione di oltre cento
   cariche in banche di Stato. Particolarmente discussa fu la nomina alla presidenza della Cariplo di Roberto Mazzotta, parlamentare democristiano, il cui
   nome non figurava neppure nella breve lista di candidati della banca centrale
   (la quale in teoria dovrebbe raccomandare nomi per le varie cariche). Vedi
   The Financial Times, « Italian Banking Survey », 22 dicembre 1986, di Alan
   Friedman.
5 Con una manovra tipicamente italiana, Berlusconi ha ingaggiato squadre di
   corrieri espresso e ha fatto trasportare videocassette su e giù per la penisola
   di emittente in emittente; queste le trasmettono simultaneamente, creando
   l'illusione di una trasmissione in diretta, che invece è proibita dalla legge.
6 Delle holding editoriali di Berlusconi fa parte *Il Giornale*, il cui direttore, Indro Montanelli, è però uno dei pochi in Italia mai servile nei confronti del
   padrone.
7 *The Spectator*, « The Cult of the Agnellis », 30 gennaio 1988, di Rupert
   Scott, p. 11. Vedi anche « Industrial Dinasties », articolo contenuto in *The
   Economist's Survey of the Italian Economy*, 27 febbraio 1988.
8 Testimonianza di Agnelli, riportata da *La Stampa*, 21 gennaio 1988.
9 *La Repubblica*, 21 gennaio 1988. Scalfari si riferiva agli articoli della *Stampa* sul tentativo di De Benedetti di acquistare il controllo della Société Générale de Belgique.
10 *Milano Finanza*, 25 gennaio 1988, « Orsi e Tori », di Paolo Panerai.
11 *Le Nouvel Économiste*, « Exclusif: Agnelli parle », 4 marzo 1988, p. 24.
12 *Corriere della Sera*, « Errori e arroganze », 9 febbraio 1988. L'editoriale è
   firmato da Arturo Guatelli, corrispondente da Parigi.

13 *Prima Comunicazione*, « È stata una caduta di Stille », marzo 1988.
14 Vedi nota precedente.
15 *L'Espresso*, « La Voce del Padrone », 21 febbraio 1988.
16 Vedi nota 13.
17 Minoli, *I Re di Denari*, Mondadori, 1987, p. 119.
18 Turani, *L'Avvocato*, Sperling & Kupfer, 1985, pp. 263-264.
19 Giampaolo Pansa, *Carte false*, Rizzoli, 1986.
20 Pansa, p. 139.
21 Intervista dell'autore a Ettore Fumagalli, 9 aprile 1987, Milano.
22 Quando l'autore arrivò in Italia, i colleghi della stampa estera gli assicurarono che « uno sconto a giornalisti e diplomatici sul prezzo di una macchina non ha niente di non etico, è del tutto normale ». Gli fu offerto uno sconto del 18 per cento e l'autore, dopo aver informato Londra, lo accettò.
23 La FIAT non è l'unica compagnia che manda le sue automobili ai giornalisti.
24 Intervista dell'autore a Michael Ledeen, 18 novembre 1987, Washington, D.C.
25 Queste curiose frasi furono dette la sera di giovedì 13 novembre 1986 da un membro dell'ufficio stampa della FIAT.
26 La telefonata ebbe luogo giovedì 12 novembre 1987.
27 *The Financial Times*, « Which? car survey angers Fiat », 6 gennaio 1988, di John Griffiths; vedi anche *The Observer*, « Car wars – the heat is on », 31 gennaio 1988, di Torin Douglas.
28 *The Spectator*, « The Cult of the Agnellis », 30 gennaio 1988, di Rupert Scott, p. 11.
29 Intervista dell'autore a Susanna Agnelli, 26 ottobre 1987, Roma.
30 Gino Pallotta, *Gli Agnelli*, Newton Compton, 1987, p. 298.
31 *Panorama*, « Anche Rockefeller ubbidì », 18 ottobre 1987, di Massimo Riva.
32 Intervista dell'autore a Franco Bassanini, 28 ottobre 1987, Roma.
33 Quando nel maggio 1973 Agnelli acquistò una quota di un terzo del *Corriere della Sera*, si pensò che lo facesse per venire in aiuto della sua vecchia amica Giulia Maria Crespi, all'epoca principale proprietaria. Già allora invece era presente un elemento politico: Agnelli interveniva perché la Crespi potesse sottrarsi alle pressioni di Eugenio Cefis, a quel tempo in lotta aperta con Torino (vedi Scalfari e Turani, *Razza padrona*, pp. 424-427; vedi anche Pallotta, pp. 244-245; e *The Financial Times*, « Agnelli takes a stake in Milan's Corriere », 22 maggio 1973, di Peter Tumiati). Più tardi, quando la Crespi e Agnelli vendettero le loro quote ai Rizzoli, la guerra con Cefis era ancora in corso e si disse che i Rizzoli avessero avuto da Cefis promesse di appoggio finanziario. (Vedi *Epoca*, « Come l'impero d'oro si sfasciò in 9 anni di piombo », 4 marzo 1983, di Alberto Mazzuca.) Nei tardi anni '70, con i Rizzoli pesantemente indebitati, il *Corriere* cadde nella rete di Calvi, che ottenne il 40 per cento del giornale. Dopo la morte di Calvi nel 1982 e il collasso del Banco Ambrosiano, il gruppo Rizzoli-Corriere, sull'orlo della bancarotta, fu messo sotto amministrazione controllata. Per due anni, politici di destra e di sinistra cercarono di ottenerne il controllo; il giornale, la cui credibilità era già gravemente compromessa, venne a trovarsi in condizioni di paralisi editoriale. La situazione era matura per il secondo trionfante intervento di Gianni Agnelli in salvataggio del *Corriere*, nel novembre 1984.
34 *Prima Comunicazione*, « Arriva il D.D.T. », novembre 1984.
35 Minoli, p. 120.
36 The *Financial Times*, « Fiat group pledges independence for Corriere della Sera », 23 gennaio 1986, di Alan Friedman; *The Wall Street Journal*, « Fiat SpA Cited Over Holdings of Newspapers », 23 gennaio 1986, di Roger Cohen.
37 *La Repubblica*, « È regolare l'assetto della Rizzoli », 20 dicembre 1986.

38 *La Repubblica*, « Troppi quotidiani per la Fiat », settembre 1987, di Loreda-
   na Bartoletti.
39 Nel 1987 la Rizzoli non era quotata alla Borsa di Milano, né lo è al momento
   in cui scriviamo.
40 *The Financial Times*, « Italian and French publishers link through cross holdings », 29 giugno 1987, di John Wyles.
41 *La Repubblica*, « Pericolosa la scalata della Fiat a giornali e reti tv », 4/5 ottobre 1987.
42 Vedi nota precedente.
43 *La Repubblica*, « Antitrust tra stampa e potere », 23 settembre 1987.
44 *Panorama*, « Non date a Cesare », 3 gennaio 1988, di Claudio Rinaldi.
45 Vedi nota precedente.
46 Intervista dell'autore, 19 novembre 1987, Washington, D.C.
47 *The Financial Times*, « BSN cements shareholding link with Agnellis », 11
   settembre 1987, di George Graham.

7. *Agnelli e i politici*

A CAPRI, sabato 26 settembre 1987 era una bella giornata serena. Al porticciolo l'acqua sbatteva più forte contro la banchina quando arrivavano gli aliscafi da Napoli, uno ogni pochi minuti, per depositare sull'isola gli ultimi turisti di fine estate. Uomini col viso cotto dal sole accoglievano i visitatori con grandi sorrisi, offrendosi di portare i bagagli.

In un altro punto dell'isola, l'atmosfera era molto diversa. In un auditorium gremito, decine di giovani uomini d'affari aspettavano con impazienza di sentire il discorso che Romiti stava per tenere.

A sentire quel discorso c'erano anche rappresentanti dei media. È vero che quasi sempre, quando l'amministratore delegato della FIAT prende la parola in pubblico, i giornali dedicano ampio spazio all'evento e che così succede da anni; ma stavolta l'interesse era più vivo del solito perché ormai da parecchie settimane era in corso un'aspra polemica fra Romiti e gli ambienti politici romani, e la diatriba fra Torino e Roma aveva preso toni tali da far pensare a due stati sovrani sul punto di troncare i rapporti diplomatici. Vari partiti chiedevano con sempre maggiore insistenza leggi anti-trust, mirate, a quanto pareva, a frenare lo strapotere del gruppo FIAT.

Per parte sua Romiti aveva protestato contro l'aumento dell'IVA sulle automobili, aveva criticato la legge finanziaria proposta dal governo per il 1988, aveva posto il veto alla nomina di una persona candidata dal governo per la direzione di una società di telecomunicazioni a partecipazione mista tra la FIAT e l'industria di Stato e aveva più volte parlato di quelle che considerava interferenze politiche nell'economia. Quell'autunno Romiti sarebbe passato di conferenza in conferenza lamentandosi del tempo che gli toccava sprecare a Roma, a palazzo Chigi.[1]

Ma niente di tutto questo aveva disposto la nazione a quanto stava per accadere a Capri. Romiti buttò via il testo preparato e si lanciò in un così violento attacco al mondo politico che alcuni dei giornalisti presenti si domandarono se per caso avessero preso troppo sole o bevuto troppo o semplicemente non avessero capito bene; avevano invece capito benissimo, come costatarono stupefatti quando confrontarono i loro appunti con quelli dei colleghi. D'improvviso, davanti ai giovani industriali raccolti per ascoltarlo, Romiti levò la voce per dare sfogo alla sua ira. In toni virulenti, denunciò la ricomparsa in Italia di quello che chiamò un « rigurgito di anticapitalismo ».

Attribuì questo « rigurgito » sia alla tradizionale sinistra marxista sia a quei membri del mondo cattolico che consideravano il profitto una specie di peccato e avvertì, senza mezzi termini, che se la FIAT avesse giudicato ingiusta la proposta legislazione anti-trust avrebbe fatto contro queste mosse del Parlamento « una campagna, una grande campagna, la più dura possibile ».[2]

Al momento nessuno capì bene questa sfuriata. Nessuno si era accorto che ci fosse un'ondata anticapitalistica; anzi, sembrava vero l'opposto. Gli italiani lessero del discorso nei giornali, ma rimasero perplessi; non ultimi i piccoli investitori che negli ultimi anni avevano entusiasticamente comprato azioni e seguito sulla stampa finanziaria le notizie dei successi di compagnie come la FIAT e l'Olivetti. Fra il 1983 e l'86, le vendite del più importante giornale finanziario, *Il Sole - 24 Ore*, erano quasi raddoppiate raggiungendo le 300.000 copie, e a Milano persino i tassisti parlavano del prezzo delle azioni FIAT. La collera di Romiti sembrava stranamente fuori posto, in un momento in cui per la prima volta nel paese si delineava un fenomeno di « capitalismo di massa » e un gran numero di piccoli investitori acquistava titoli sul mercato azionario. Ma forse il messaggio di Romiti non era diretto a tutto il paese, bensì soltanto a quei politici che avevano osato mettersi al lavoro su leggi anti-trust? Si trattava forse di un avvertimento?

Il mondo politico reagì al discorso di Romiti a Capri criticandone l'« arroganza ». Quello era, in fin dei conti, l'uomo che quasi ogni settimana s'incontrava con uomini politici, ministri, a volte lo stesso presidente del Consiglio, per manovrare, chiedere una cosa o un'altra, esercitare pressioni, blandire. Romiti era stato accusato da molti politici di tentar di imporre la volontà della FIAT al Parlamento, e in molti casi era riuscito a trovare appoggi alle posizioni dell'azienda. E adesso parlava di rigurgiti di anticapitalismo come se la FIAT fosse vittima d'una campagna persecutoria.

Negli ambienti finanziari e industriali Romiti ha qualche ammiratore, ma soprattutto colleghi rassegnati al fatto di dover trattare col prepotente amministratore delegato della FIAT, lo amino o no. Quanto a Romiti, sembra più che soddisfatto di questa sua immagine di duro. Una volta ha detto a un intervistatore: «Io sono molto, molto, molto più cattivo di Agnelli».[3]

I suoi colleghi alla FIAT ne parlano come del «nuovo Valletta», e per descriverlo giornalisti italiani usano spesso termini che vanno da «un falco» ad «autoritario». Quando arriva per cena in case private milanesi, è facile vedere quanto gli piace l'effetto del suo ingresso sugli altri ospiti. Dopo cena, fumando un sigaro, si diverte a raccontare barzellette spinte, in una cerchia di amici degli Agnelli come Guido Carli, ex governatore della Banca d'Italia e fino a ieri consigliere d'amministrazione della FIAT, che negli anni '70 ha avuto con Susanna una lunga relazione, da lei oggi definita «amoureuse».[4]

Naturalmente ciò che importa non è la personalità di Romiti, il problema è l'onnipresenza di lobbisti della FIAT a Roma. Possiamo usare le parole di un membro del Parlamento, che preferisce non essere nominato: «L'ampiezza del gruppo è tale che potenzialmente ogni commissione parlamentare è sotto il tiro delle sue lobbies. La maggior parte di noi ogni giorno ha più a che fare con la FIAT che con qualsiasi altra società».[5]

Le proteste contro lo strapotere della FIAT vengono da destra come da sinistra. Un senatore, dopo l'episodio di Capri, definì il discorso di Romiti «una vera e propria sfida all'autorità dello Stato».[6]

Un giornale di Milano riassunse la situazione osservando che in qualsiasi altro paese un dibattito anti-trust, « dal quale può dipendere la corretta evoluzione del sistema, sarebbe stato salutato come un segno di democrazia. In Italia, invece, è stato immediatamente classificato come un tentativo di attacco al gruppo Agnelli ».[7]

Quel che nell'autunno 1987 cominciò a diventare chiaro a tutti, ammiratori compresi, fu che la FIAT stava tirando fuori gli artigli come mai prima d'allora. E niente può far capire quale posto l'azienda occupi nella psiche collettiva italiana meglio dei fatti avvenuti nei sette giorni che precedettero il discorso di Capri. In ogni giorno di quella settimana si parlò, in un modo o nell'altro, del gruppo di Torino. La FIAT fu ininterrottamente in scena dominando gli interessi del paese, assicurandosi più spazio sui giornali che non i rapporti fra le superpotenze o qualsiasi altro avvenimento.

Per il gruppo FIAT, erano stati sette giorni molto intensi. Una settimana prima del discorso di Capri, Romiti era stato a Milano e in qualità di presidente di Gemina aveva convocato il consiglio d'amministrazione per discutere di nuovi investimenti. A causa del caldo afoso di Milano, Romiti e gli altri direttori si erano trasferiti nei più confortevoli uffici di Mediobanca. Qui il consiglio aveva discusso della decisione di acquistare un'opzione su un network televisivo, parlato dei piani di privatizzare Mediobanca e deliberato un grande aumento di capitale.

Poi, lunedì 21 settembre, a Milano arrivò la notizia che Rupert Murdoch, il magnate della stampa australiano, aveva acquistato una partecipazione al gruppo inglese Pearson, proprietario del *Financial Times*. La stampa italiana cominciò a fare congetture su un acquisto del gruppo Pearson da parte di Murdoch. E banchieri e operatori di borsa italiani cominciarono a fare congetture sull'atteggiamento di Michel David-Weill, l'amico di Agnelli e partner della Lazard che possedeva poco meno del 10 per cento di Pearson ed era così il più grosso azionista dopo la famiglia Pearson. Si

parlava molto anche del 4,9 per cento in mano di De Benedetti (che al principio del 1988 lo avrebbe venduto a Murdoch). Alludendo alla mossa di Murdoch contro il *Financial Times*, più avanti nella settimana, a una conferenza
stampa a Torino, Agnelli accennò scherzosamente al fatto
che il *Financial Times* stava «diventando australiano».

La mattina di martedì 22, grande festa al centro Congres-
si di Milanofiori, dove seicento giornalisti erano stati portati in aereo da tutto il mondo per la presentazione della lussuosa Alfa 164, il primo modello nuovo dopo l'acquisizione
dell'Alfa Romeo da parte della FIAT. La faccia di Vittorio
Ghidella, proiettata su uno schermo gigante a circuito chiuso, illustrò i meriti della nuova auto ed eluse le domande
sulle perdite dell'Alfa nel 1987. Più o meno nelle stesse ore
Romiti era di nuovo a Milano e presiedeva una seconda riunione del consiglio d'amministrazione di Gemina, questa
volta per dare l'approvazione finale all'operazione televisiva.[8] Da Torino, l'ufficio stampa della FIAT mandava in giro
notizie dei brillanti risultati finanziari ottenuti dalla Toro,
compagnia d'assicurazioni del gruppo FIAT, e lo stesso giorno la stampa italiana dedicava spazio al rapporto di un
agente di cambio londinese che raccomandava l'acquisto di
azioni FIAT.[9] Di ritorno a Torino dalla riunione di Milano,
Romiti approvava un altro comunicato stampa, che esprimeva lo scontento della FIAT per il modo in cui stava andando l'affare della Telit.

Il giorno successivo, mercoledì, le prime pagine dei giornali portavano la notizia che la FIAT minacciava di uscire
dalla Telit perché non era d'accordo sul modo in cui Marisa
Bellisario ne era stata nominata amministratore delegato.[10]
La FIAT criticava aspramente l'IRI per quella che definiva
una nomina «unilaterale», e i giornali debitamente riferirono che «Agnelli dice no». Dati i legami della signora
Bellisario col partito di Craxi, un membro del Parlamento
arrivò a parlare di «guerra tra il partito socialista e la
FIAT».[11]

Quello stesso mercoledì mattina, alle 10.26, Leopoldo

Pirelli lasciava il suo ufficio in piazza Cadorna, saliva sulla sua Lancia Thema grigio metallizzato e filava verso una riunione a Mediobanca. Oltre che nella battaglia politica a proposito della Telit, il gruppo FIAT era impegnato in negoziati con l'industria di Stato sul futuro di Mediobanca, e il gentile Leopoldo Pirelli aveva una funzione chiave come mediatore in questa trattativa. La sera, mentre negli ambienti politici di Roma si faceva un gran parlare dell'affare Telit, Romano Prodi convocava i vertici delle tre banche IRI per una lunga discussione sulla progettata privatizzazione di Mediobanca. Il sole al tramonto trovò Cesare Romiti a Roma, più precisamente a palazzo Chigi e negli uffici dell'allora presidente del Consiglio Giovanni Goria.[12] Di che cosa parlarono i due uomini? Di Mediobanca? Del conflitto sulla Telit? Forse del tempo, a stare a Romiti. Non avevano parlato della Telit, dichiarò il boss della FIAT agli increduli giornalisti che lo aspettavano davanti al palazzo.

La mattina successiva, giovedì, il professor Prodi aveva l'aria di un uomo che ha dormito male quando salutò un gruppo di giornalisti stranieri con un sorriso stanco e li esortò: « Restate, restate! Ho bisogno di un po' di riposo nelle retrovie! » Nel pomeriggio Prodi convocò il suo comitato esecutivo per discutere delle minacce della FIAT a proposito della Bellisario. Gianni Agnelli invece fu visto davanti al Quirinale, in compagnia del presidente della Repubblica Francesco Cossiga, del presidente del Senato Giovanni Spadolini e del presidente della Camera Nilde Jotti. Agnelli era a Roma non per fare quattro chiacchiere ma per una questione di grande importanza per la FIAT: mostrare ai leader dello Stato, di persona, la nuova Alfa 164.

Anche Marella Agnelli era a Roma, ma per quella che sarebbe stata una « ragione di famiglia » se la stampa italiana non l'avesse trovata così degna d'interesse: la signora Agnelli, difatti, era venuta a visitare il figlio Edoardo, ricoverato in clinica perché era caduto dalla sua Honda e si era rotto il naso. « Mio figlio sta bene », dichiarò alla stampa, la quale riferì anche che Edoardo, 33 anni, occupava la camera 405, al quarto piano della clinica Villa Margherita, e aveva ricevuto le visite della zia, senatore Susanna Agnelli, del padre e di « molti amici ». L'incidente motociclistico e il naso rotto di Edoardo Agnelli ricevettero dalla stampa italiana lo stesso trattamento solitamente riservato dai giornali popolari inglesi a membri della Famiglia Reale.[13]

Venerdì 25, la FIAT e gli Agnelli erano ancora su tutti i giornali. La stampa italiana pubblicava infatti dispacci da Londra, dove la sera prima membri del Parlamento inglese erano stati testimoni di una scena « all'italiana » come poche. Cesare Romiti, al solito in giro per il mondo, aveva fatto da padrone di casa a un cocktail della FIAT alla House of Commons. Fra gli ospiti c'era Marisa Bellisario, e Romiti, di solito così alieno da manifestazioni d'affetto, si era avvicinato alla donna di cui aveva bocciato la nomina solo quarantotto ore prima e l'aveva baciata sulla guancia. Poco dopo, riferiva fedelmente la stampa italiana, Romiti era al ricevimento nella casa londinese di una principessa italiana e spiegava che il suo bacio non aveva nessun particolare significato.[14] Secondo un giornalista presente al cocktail, dello storico evento fu scattata una fotografia, che però non apparve su nessun quotidiano.

Gianni Agnelli nel frattempo era tornato in volo da Roma a Torino, dove la mattina di venerdì presiedette l'assemblea annuale della società di famiglia, l'IFI, poi tenne una conferenza stampa in cui pronunciò una serie di dichiarazioni su svariati argomenti, dal perché la FIAT era scontenta di come andava l'affare Telit, al perché la FIAT non approvava l'ultimo piano finanziario del governo, alle prospettive per la Juventus.

E di nuovo i giornali furono pieni di notizie su Agnelli e la FIAT. Questa volta, parlarono tra l'altro della reazione di Agnelli all'accusa di aver accumulato troppo potere. « Ma che diavolo! » replicava l'Avvocato. « Semmai siamo troppo piccoli in confronto ai nostri concorrenti. »[15] Poi, in risposta ai dati pubblicati su *Fortune* e *Forbes* a proposito del suo immenso patrimonio personale, presentava il suo operato come quello d'un filantropo: i suoi scopi nella vita, spiegava, erano sempre stati creare posti di lavoro in Italia, contribuire all'equilibrio della bilancia dei pagamenti e dare il suo apporto all'economia piemontese.

Una volta di più Gianni Agnelli aveva dato l'impressione di tenersi sopra la mischia, senza sporcarsi le mani nelle baruffe politiche. Però, non erano passate ventiquattr'ore dalla conferenza stampa di Torino che Cesare Romiti, a Capri, pronunciava il suo violento discorso a proposito del « rigurgito di anticapitalismo ».

Non tutti nel gruppo Agnelli erano convinti che la tattica del braccio di ferro messa in atto da Romiti potesse distrarre l'attenzione dei politici dall'espansione della FIAT in troppi campi, banche, stampa, televisione, fondi comuni, assicurazioni e altro ancora. « Ma pensa che era veramente intelligente dire queste cose? Voglio dire, serve veramente, con i romani, se Romiti dice queste cose? » chiedeva uno stretto collaboratore di Agnelli poche settimane dopo, giocherellando con la sua insalata e sorseggiando acqua minerale in un elegante ristorante milanese.[16] « Forse esagera. Dopo tutto Romiti nella sua vita non ha mai avuto tanto potere come ora. Non ha mai avuto una posizione così forte sul piano nazionale e forse si diverte troppo. Gli piace. »

Per il mondo politico italiano il problema, però, non erano certo Romiti e il suo gusto per il potere. Il problema era se il gigante di Torino fosse o no diventato la più grande e incontrollabile forza italiana, e non soltanto nell'industria e nella finanza, non soltanto grazie alla sua associazione con Mediobanca e le reti di potere che fanno capo a Gemina, non solo per le sue partecipazioni editoriali. Il problema era ancora più vasto, e cioè: la somma totale di tutte queste reti di potere stava diventando qualcosa di ancora più potente sulla scena politica?

L'Italia rimane un paese dove i maggiori centri di potere si devono bilanciare l'uno con l'altro. La Chiesa cattolica non si può considerare la più grande forza del paese. Il numero di persone che assiste alla messa non è mai stato così basso, molti italiani non tengono in grande considerazione il pontefice attuale e la Chiesa è stata sconfitta, già anni fa, sui temi del divorzio e dell'aborto. Tra le forze politiche non ce n'è una in grado di assumere la leadership. A Roma si sono succeduti governi deboli, fatta eccezione per i tre anni e mezzo dell'amministrazione Craxi. I partiti sono minati da dissensi interni, e quanto più aspra è la lotta politica, tanto mento i politici sono in grado di fornire il tipo di leadership che potrebbe controbilanciare la potenza dell'élite industriale che fa capo ad Agnelli. Hanno perso forza persino organizzazioni illegali come la mafia.

Con l'indebolirsi di tutti gli altri centri tradizionali di potere, la FIAT ha assunto una posizione dominante. Non solo è diventata il simbolo della nuova forza economica del paese sulla scena mondiale, ma sulla scena interna è chiaramente arbitro in tante questioni che vanno molto al di là del fabbricare automobili. I governi vanno e vengono ma Gianni Agnelli, come ha detto Henry Kissinger, « è l'establishment permanente ».[17]

« Tutti si rendono conto », proclamava nel 1987 un rapporto sulla FIAT della First Boston, « che una FIAT forte è meglio per l'Italia, tanto più in quanto l'Italia, a causa della sua instabilità politica, non può contare su una leadership politica che la guidi. » Questo può essere verissimo, e se le proteste fossero venute soltanto dai tradizionali nemici della FIAT sulla sinistra dello spettro politico, sarebbe stato più facile non tenerne conto. Ma le proteste non venivano soltanto da sinistra.

Già nel 1984 Ciriaco De Mita, che oggi è in rapporti molto più cordiali con Gianni Agnelli, aveva sollevato il problema del potere della FIAT, accusando il gruppo di Torino di voler diventare il padrone d'Italia e affermando che l'opposizione politica era l'unico modo di contenerne il potere.[18]

Paolo Cabras, cinquantasettenne direttore del *Popolo*, il giornale della Democrazia Cristiana, è un'altra persona che non si può certo considerare un estremista. Nel novembre

1987, nel suo ufficio nel centro di Roma, ha fatto questa analisi calma e razionale della situazione: « Pochi metterebbero in dubbio il fatto che la FIAT ha bisogno di raggiungere una certa massa critica per essere in grado di competere sul mercato automobilistico internazionale, ma è la loro combinazione di potere finanziario e industriale che è cresciuta troppo. La loro posizione dominante in politica, al di sopra dei partiti e del governo, le loro lobbies potenti... tutto questo inquina il processo politico. La politica della legge antitrust è in realtà una politica di riforme ».[19]

E Romiti? « La sua arroganza? Non è solo Romiti a essere arrogante, lo è l'intera FIAT. Ha troppo potere. La FIAT ha auto, difesa e spazio, telecomunicazioni, assicurazioni, giornali e riviste, televisione... No! Ora è necessario contenere questo potere. Non è solo un problema di mercato: è un problema di democrazia. » Queste cose che dice un democristiano potrebbe dirle anche un comunista.

« Romiti », continua Cabras, « ha una concezione della politica un po' strana. Pensa che i partiti siano i parenti poveri della grande industria, che il potere economico venga prima del potere politico. Ma questa non è una concezione democratica, questo è un concetto che va bene nel Cile di Pinochet ma non in un paese democratico. »[20]

Pochi passi più in là, al quartier generale del partito comunista a Roma, il principale portavoce economico, Alfredo Reichlin, riprende il discorso dove il democristiano lo ha interrotto. « La FIAT vuol comandare sempre di più », dice Reichlin. « Loro vogliono controllare non solo l'economia, si considerano i *padroni* della nazione. »

Reichlin, un barese di sessantatré anni, siede dall'altra parte di un tavolo da riunioni e ogni tanto vi batte il pugno come per dare più forza a quello che dice: « Io sono completamente d'accordo con l'avvocato Agnelli quando dice che la FIAT deve essere abbastanza forte da competere con la Ford, con la General Motors o con la Toyota. Non è questo il problema. Il problema è il ruolo della FIAT nella vita politica italiana. Nessuno potrebbe immaginarsi la General

Motors in possesso del 25 per cento della stampa americana; e lo stesso è vero per la Francia, la Germania o l'Inghilterra. Perché gli industriali italiani vogliono controllare la stampa? Certamente non perché gli interessa il giornalismo. Quello che gli interessa è la politica».[21]

La preoccupazione degli ambienti politici per il potere della FIAT è diventata un fenomeno che non ha più nulla a che fare con le ideologie di destra o di sinistra. Le critiche più aspre sono venute dai socialisti di Craxi. Al principio del 1986 la stampa italiana diede più volte notizia di prese di posizione di Craxi contro Agnelli, e i due uomini più potenti del momento si scambiarono qualche frase tagliente. Agnelli e Romiti criticarono il governo Craxi in varie occasioni, soprattutto a proposito dell'incapacità del governo di controllare la galoppante spesa pubblica. Ma lo stile è più importante della sostanza, e nell'atteggiamento di Torino i politici sentono sempre una nota di condiscendenza. Questo atteggiamento è stato così espresso una volta da Romiti: « Verso i governi la FIAT ha sempre un atteggiamento di collaborazione. Ciò non toglie che, quando riteniamo che certi atti sono inadeguati o sbagliati, lo diciamo chiaramente. Nel caso del governo Craxi, è vero che abbiamo cercato di non creargli troppi problemi nella fase iniziale. Mi sembra ragionevole ».[23]

Non c'è da stupirsi che i politici vedano rosso. Che il boss di una azienda automobilistica si congratuli con se stesso per essere stato così gentile da non creare troppi problemi al governo la dice abbastanza lunga sul modo in cui è distribuito il potere in Italia. « Non siamo alla guerra tra FIAT e PSI », ha commentato Enrico Manca, « ma al chiarimento di grandi questioni di principio, la più importante delle quali è il primato della politica. Quando ci sono incursioni di autorevolissimi imprenditori, Agnelli in testa, nei campi propri della politica (per esempio la politica estera) e quando si delinea il tentativo di delegittimare i partiti, è logico e giusto che il primato della politica venga riaffermato. »[24]

Rino Formica, altro socialista di lunga data che ha coperto varie posizioni, da ministro a capogruppo parlamentare, si esprime con meno delicatezza: « I padroni, finché non avevano soldi avevano l'abitudine di attendere nelle anticamere dei politici. Ora che li hanno, gli è venuto il vezzo di fare politica. Nessun problema: li respingeremo ».[25]

Al quartiere generale della FIAT dichiarazioni di questo genere sono accolte con una spallucciata, come prive di senso. Agnelli si accontenta di dire che « la linea della FIAT è sempre stata quella di collaborare lealmente e costruttivamente con i governi in carica. La politica della FIAT è tutta qui ».[26] Tutta qui, la politica della FIAT? Sembra un po' semplice. La verità è che i legami fra il gruppo Agnelli e i politici durano da molti decenni, e se il gruppo ha sempre potuto esercitare un'influenza sui molti governi che si sono succeduti a Roma, ciò si deve in parte al fatto che i politici possono essere cacciati dal loro posto, ma la FIAT rimane una costante.

« Noi industriali siamo ministeriali per definizione », usava dire il vecchio senatore Giovanni Agnelli. Durante l'era Valletta, ben poche decisioni importanti a livello nazionale venivano prese senza che prima Roma consultasse il boss della FIAT. Oggi a Roma alcuni sono convinti che il gigante di Torino vuol tornare a esercitare un'influenza della stessa portata. Uno che studia gli Agnelli da molti anni osservava nel 1987: « La FIAT, in un momento in cui si sente particolarmente forte, ha scelto di affrontare l'avversario in campo aperto. Due anni fa non avrebbe seguito questa tattica. Oggi lo fa anche perché è convinta che strada facendo troverà altri alleati ».[27]

L'impero Agnelli e la politica romana sono due poli di potere, e l'equilibrio oscilla. A volte è più forte l'uno, a volte l'altro. La FIAT è stata debole, quasi in lotta per la sopravvivenza, per buona parte degli anni '70. Solo a partire dalla sua nuova fase di espansione nel decennio successivo, il gruppo di Torino è diventato una spina nel fianco per tanti politici d'ogni partito.

Tra la FIAT e Roma non c'è però solo rivalità, c'è anche un rapporto simbiotico. Torino e Roma sono condannate ad aver bisogno l'una dell'altra, come si può vedere se si considerano i loro rapporti in un contesto storico. Per molti osservatori, la chiave per capire Gianni Agnelli e la rete del potere italiano si trova non soltanto nella ragnatela finanziaria e nella posizione preminente sul mercato dei media, ma anche negli intricati rapporti che nel corso dei decenni si sono formati fra industria privata e ambienti politici.

Questi rapporti meglio si possono chiamare *intrecci*: una parola che ha qualcosa di cospiratorio e fa pensare a una molteplicità di relazioni, scambi di favori, motivi nascosti. Tutte le aziende private italiane finiscono col trovarsi, per caso o per disegno, coinvolte negli *intrecci* di Roma. Più grande l'azienda, di più vasta portata possono essere gli intrecci.

« Ci sono stati sempre degli intrecci », spiega il senatore Guido Rossi, descrivendo quello che definisce l'« ambiguo » rapporto fra industriali e politici italiani.[28] Buona parte dello sviluppo industriale d'Italia, spiega, ebbe inizio sotto il fascismo, e questa esperienza ancora condiziona parte del paesaggio economico nazionale. Nell'era fascista è nato il gruppo IRI, e nell'era fascista industriali come il defunto Senatore Agnelli e Alberto Pirelli, padre di Leopoldo, ritennero che fosse nel loro interesse mantenere buoni rapporti col regime. I rapporti sono sempre stati simbiotici. Agnelli aveva bisogno di Mussolini e viceversa.

Già prima dell'avvento di Mussolini al potere, nei primi anni del secolo, gli industriali avevano lavorato di stretta conserva col governo fornendo armi per la guerra di Libia e la prima guerra mondiale. Ma negli anni immediatamente successivi al secondo conflitto, quando la Repubblica italiana muoveva i primi passi, la FIAT di Valletta si trovò in una tale posizione di comando che gli *intrecci* servirono gli interessi di Torino ben più che quelli di Roma.

Molti studiosi e politici concordano con l'affermazione del senatore Rossi che per tutti gli anni '50 furono in prati-

174

ca gli industriali a *fare* i governi. « Era ovvio », dice Rossi. « Prima che fosse nominato un presidente del Consiglio telefonavano a Valletta per controllare che lui approvasse. » Questa situazione fu ben riassunta da un corrispondente straniero, Peter Tumiati, che nel 1967 scriveva: « Sarebbe difficile trovare un'importante decisione politica o economica presa dall'Italia fra il 1946 e il '66 sulla quale il 'professore' non sia stato consultato e cui non abbia dato il suo benestare ».[29]

Paolo Ragazzi, la cui carriera alla FIAT abbracciò gli anni dal 1927 al 1973 e che fu uno dei più stretti collaboratori di Valletta, ricorda bene gli *intrecci*, anche se ne parla come di cose perfettamente normali, che addirittura andarono a vantaggio della nazione.

« Ricordo di aver preso tante volte il treno di Roma con Valletta per fare il giro dei politici. Lui andava giù tutte le settimane da Torino col wagon-lit, e a Roma conosceva tutti. Non può immaginare come ci ricevevano. Quando Valletta arrivava al ministero ci salutavano fin dal portone. Poi, quando entravamo, i fattorini correvano davanti a noi, lungo i corridoi, fino all'ufficio del ministro, annunciando che arrivava Valletta. Non importava chi il ministro aveva dentro, lo cacciava immediatamente in modo che, quando arrivavamo Valletta e io, il ministro era già sulla porta del suo ufficio a darci il benvenuto. »[30]

Non ci fu mai nessun tentativo di corruzione politica da parte della FIAT, ricorda Ragazzi: « Non era necessario perché tutti i politici erano aperti ai suggerimenti di Valletta. Per dire la verità credo che avessero un po' paura di lui, della sua influenza. Quando andavamo a vedere i ministri a proposito dei livelli d'impiego o altre questioni, non avevamo mai problemi. Valletta otteneva sempre quello che chiedeva. Ricordo come il Senatore diceva che la FIAT e il governo dovevano lavorare in armonia. Aveva ragione. Dovevamo assicurarci che il governo la pensasse come la più grossa azienda del paese ». E con un sorriso un po' imbarazzato aggiunge che a volte trattare coi politici era stres-

sante e dava persino una certa sensazione di pericolo. Anche perché non si poteva dir tutto. «Quando dite una bugia», ci diceva il Senatore, «state attenti che sia credibile.»[31]
Gli anni '50 furono dunque un'età dell'oro per gli *intrecci* tra FIAT e mondo politico. Le leggi riguardanti la costruzione di autostrade, le tariffe, le tasse automobilistiche contribuirono tutte allo sviluppo dell'azienda torinese e Valletta mantenne rapporti eccellenti con Amintore Fanfani. Ma, commenta Ragazzi, «non avrei voluto essere nei panni di Valletta. Non a tutti piacevano il predominio della FIAT e il suo potere a Roma».

Le cose cambiarono negli anni '60, quando l'industria di Stato diventò molto più potente e i politici cominciarono a sfruttare il sistema bancario di proprietà statale. Il settore privato prosperò negli anni del miracolo economico, ma questa prosperità era in buona parte affidata a prestiti bancari che a loro volta venivano da istituti finanziari soggetti a influenze politiche. E in questo periodo Mediobanca si stava trasformando da banca ufficialmente di proprietà statale in bastione dell'élite privata con a capo Agnelli.

Amintore Fanfani diventò un acceso sostenitore dell'industria di Stato, e dopo il ritiro di Valletta nel 1966 si dimostrò molto meno bendisposto nei confronti della FIAT. Di fatti appoggiò Eugenio Cefis quando dichiarò guerra ad Agnelli sulla fine degli anni '60 e il principio dei '70. Fanfani voleva soprattutto «liberare» i democristiani dalla dipendenza finanziaria da aziende private. «Sono stanco di tutti questi rumori che vengono da Torino. Basta con Torino! Basta!» esclamò una volta.[32] Si racconta che il vecchio e scaltro democristiano si incontrò nel 1971 con Agnelli per protestare contro articoli ostili che apparivano sulla *Stampa*;[33] e a quanto si dice Agnelli, che non aveva particolare simpatia per Fanfani, uscì però «affascinato» dalla discussione, che altri, giudicando dal volume delle voci nell'ufficio di Fanfani, definirono «animata». Certo, nessuno può dire che trattare coi politici per tutti questi anni sia stato facile per Agnelli, ma in un modo o nell'altro ha sempre ottenuto quello che voleva.

Ma non solo al livello di Agnelli e di Fanfani si strumentalizzano affiliazioni, amicizie, simpatie politiche: su un livello più personale, in Italia la politica influenza anche il mondo delle professioni. Quando si tratta di nominare qualcuno a una carica di primo piano, negli affari, nelle banche, persino nelle arti, per prima cosa un italiano domanda: « Di che partito è? » Cioè, ha una tessera, e in questo caso, quale? O, se non ha una tessera, a che area politica appartiene, in che direzione vanno le sue simpatie? Anche qui, il paese di Machiavelli cerca un motivo, una tessera, un'affiliazione. Per un italiano è difficile credere che qualcuno vada avanti soltanto grazie al merito: ci dev'essere qualcosa dietro il successo. Anche qui impera la mentalità dell'*appartenenza*.

I politici italiani hanno sempre cercato di assicurarsi « una fetta di torta » quando in un modo o nell'altro favoriscono un grosso affare. Benché sia una nazione europea, l'Italia è per alcuni versi più vicina al mondo levantino, dove è tradizionale il *bakscisc*: la tangente, la bustarella. Gli scandali di questo genere sono legione, e Roma abbonda di uomini politici che non si fanno scrupolo di chiedere, come si dice educatamente, « commissioni ». Succede tutti i giorni, anche nella « nuova » Italia, economicamente più evoluta, dei tardi anni '80. Nessuno ha mai accusato Agnelli di corrompere i politici, ma la FIAT, come altre aziende, contribuisce a finanziare le campagne dei partiti.

« La cosiddetta Italia moderna è in realtà una società premoderna », dice Piero Ostellino, ex direttore del *Corriere della Sera* e noto giornalista. I rapporti sono « tutti tra persone e non tra istituzioni », e di conseguenza gli *intrecci* fra l'industria e Roma assumono un aspetto non sempre limpido e vanno talvolta contro l'interesse pubblico. « La complicità fra i gruppi politici e finanziari in Italia è totale », afferma Ostellino, aggiungendo che non vede nulla di scandaloso nel fatto che un'azienda dia denaro a un partito. « Lo

scandalo sta nel fatto che il denaro è dato segretamente »,
osserva. « Oggi l'influenza delle lobbies sul legislativo non
è visibile e la gente non sa che cosa succede. Il lavoro delle
commissioni parlamentari, nelle quali viene scritto dall'80
al 90 per cento delle leggi, è segreto, non pubblico. » [34]
Questa forse è almeno una delle ragioni per cui l'Italia, pur
essendo membro della NATO e vantando una delle più avanzate economie industriali del mondo, è ancora un paese in
cui alcuni politici prendono *bustarelle* imbottite di *tangenti*.

Naturalmente, nessuno vuole insinuare che la FIAT, né
ora né in epoca Valletta, abbia mai fatto proprio il sistema
di pagare i favori con denaro sonante. È talmente più potente di qualsiasi altra azienda o gruppo che, quando vuole
qualcosa, può quasi sempre presentarla come vantaggiosa
per l'economia nazionale. Dopo tutto, il suo fatturato am-
monta quasi a un ventesimo del prodotto nazionale lordo,
ha una gamma di attività che abbraccia quasi tutti i settori
dell'industria e della finanza e, con 270.000 dipendenti e
migliaia di fornitori, assicura direttamente o indirettamente
la sopravvivenza di circa due milioni di persone. « La FIAT
non ha bisogno di corrompere i politici », dice un esperto
finanziario milanese che preferisce non essere nominato.
« Sarebbe semplicemente troppo pericoloso per un politico
scontrarsi apertamente con la FIAT. Il suo potere è troppo
grande. » [35]

Ottaviano Del Turco, il corpulento e barbuto leader della
CGIL, affronta da principio con sorprendente moderazione il
tema del potere politico della FIAT. Come tanti altri uomini
politici e sindacalisti, lamenta che « la FIAT ha sempre avuto dallo Stato tutto quello che ha voluto ». La storia dei rapporti tra FIAT e industria di Stato, dice, « è sempre stata
troppo favorevole alla FIAT ». [36]

Ma nel parlare del potere della FIAT, Del Turco distingue
tra una « minaccia alla democrazia » e quella che definisce
una « minaccia all'equilibrio ». La FIAT sta minacciando
l'equilibrio del paese con il suo potere fuor di misura. In
una nazione dove non c'è un'autorità centrale assoluta, « i

poteri dovrebbero essere distribuiti in modo che nessun gruppo possa sopraffare gli altri. Perciò chiediamo leggi anti-trust, ma la FIAT non acconsentirà facilmente a una seria legislazione anti-trust ».[37]

Rigurgito di anticapitalismo. Legislazione anti-trust. Monopolio. Strapotere. Agli italiani non piacciono le mezze parole. Per parte sua la FIAT sostiene che sì, è vero, è l'unica a fabbricare macchine in Italia, e sì, è vero, domina il paese con la sua quota del 60 per cento del mercato italiano, e tuttavia ha bisogno di diventare ancora più forte per affrontare la concorrenza internazionale. Però il problema, per quanto riguarda i rapporti fra il gruppo Agnelli e i politici, ha ormai una portata più vasta, ed è questo: i vassalli politici servono l'impero Agnelli come gli alleati subalterni nel sancta sanctorum della finanza? In politica è più difficile identificare i vassalli. Le sabbie si spostano più in fretta, più in fretta si stringono e si sciolgono le alleanze.

Agnelli non ha mai militato in un partito, mentre suo fratello Umberto è stato senatore democristiano, sua sorella Susanna è senatore repubblicano. Verso la metà degli anni '70 i piccoli partiti del centro chiesero a Gianni Agnelli di capeggiare una nuova coalizione. Quasi tutti gli amici di Gianni Agnelli dicono che le sue simpatie vanno ai repubblicani. Suo fratello, dice Susanna, considera con scetticismo tutti gli uomini politici ma « è intellettualmente più vicino ai repubblicani ».[38] Gianni però ammirava Craxi, o almeno lo ammirò per qualche tempo, benché, secondo la spiegazione di Susanna, più per ragioni di stile che di politica. « Oh, Craxi gli piaceva molto. Craxi è forte, alto, e sapeva decidere. »

Questo può darsi, ma Claudio Martelli si dice del parere che il partito repubblicano appare quello più sensibile alle ragioni di Agnelli.[39] Questo non perché Susanna è sottosegretario repubblicano agli Esteri, né per la simpatia che legava Agnelli al defunto Ugo La Malfa, ma perché la linea politica dei repubblicani è raramente in conflitto con gli interessi della FIAT. Per esempio, i repubblicani non hanno insistito per l'adozione di misure anti-trust, come hanno fatto invece i socialisti, i comunisti e parte dei democristiani. Quanto ai rapporti fra Gianni e Susanna, non c'è legge che vieti a un fratello e a una sorella di parlarsi. E difatti si parlano ogni giorno al telefono, dice Suni.[40]

Nonostante le simpatie di Agnelli per i repubblicani, oggi non c'è nessun partito che si possa dire, a rigor di termini alleato con la FIAT. La FIAT è al di sopra dei partiti. Dice il liberale Giuseppe Facchetti: «Da parte industriale, sono passati i tempi delle alleanze organiche o preferenziali. Sono state superate le forme di vassallaggio».[41] Pierluigi Romita, socialdemocratico, conferma che «Agnelli non ha scelto nessuno. Agnelli continua a fare una politica che ha bisogno dell'intervento dello Stato, per cui ha come punto di riferimento tutti i partiti della maggioranza».[42] Vincenzo Scotti, vicesegretario della Democrazia Cristiana, concludeva nel 1986: «Agnelli continua ad avere con i politici rapporti variabili. Due mesi fa spiegava agli industriali che il punto di riferimento era Craxi, oggi sembra spostato su un altro versante. Le sue alleanze rispondono a esigenze del momento».[43]

Quali che siano le sue simpatie del momento, nel corso degli anni Agnelli è riuscito a convincere molti uomini politici che «quello che va bene per la FIAT va bene per l'Italia». Fino a poco tempo fa, questa affermazione non è stata messa in dubbio. Se ne possono vedere gli effetti osservando due fenomeni: il modo in cui le opinioni di Agnelli sono accolte come importantissimi pronunciamenti, e il modo in cui la FIAT ha beneficiato (almeno secondo i suoi critici) dei soldi dello Stato.

Gianni Agnelli dev'essere l'unico tycoon del mondo che nelle sue conferenze stampa tocca una così svariata gamma di argomenti, passando dalla finanza e dall'industria alle sue opinioni sulla Casa Bianca, il Cremlino, le ultime tendenze della moda, la sua ultima gamba rotta, e naturalmente la politica italiana. In Italia, dice Maxwell Rabb, ambasciatore degli Stati Uniti a Roma dal 1981, «la FIAT è un'azienda privata, ma è anche un bene pubblico. La FIAT è un tesoro nazionale ».[44]

Nel 1985 Gianni Agnelli irritò il governo Craxi criticando implicitamente la politica di Roma in Medio Oriente con la sua dichiarazione che era necessario « scalare » le Alpi invece di guardare sempre verso il Mediterraneo. La frase che sembrava buttata lì per caso, aveva invece un significato ben preciso, venendo dopo il controverso affare dell'*Achille Lauro*, in cui il governo Craxi aveva permesso al sospetto terrorista Abu Abbas di rifugiarsi a Belgrado nonostante la richiesta della Casa Bianca che fosse arrestato. Forse rifletteva anche il crescente disagio di Agnelli per la presenza di Gheddafi tra gli azionisti della FIAT. La frase diede il via a una polemica di proporzioni nazionali. Una rivista riferiva: « Agnelli è rimasto sconcertato per i risvolti del sequestro dell'*Achille Lauro*. E ai suoi collaboratori non avrebbe nascosto di considerare Craxi ormai 'inaffidabile', in una fase in cui le strategie della FIAT puntano a un'integrazione economica sempre più stretta con l'economia di oltre Atlantico e alla partecipazione ai programmi di ricerca per lo 'Scudo Spaziale' ».[45]

Altre e ben più numerose critiche furono mosse al governo Craxi verso la fine del 1985, a una riunione della Confindustria al Lingotto. L'episodio colpì in modo particolare Joseph La Palombara, dell'Università di Yale, che negli Stati Uniti è probabilmente il più acuto osservatore della politica italiana. « Quando un governo favorisce gli interessi finanziari e industriali del settore privato », scriveva La Palombara, « questi a volte contraccambiano con lodi e supporto. Ma quando il governo cambia atteggiamento e la sua politica non sembra più favorevole ai loro interessi materiali, i grandi industriali non tardano a diventare ostili. I loro attacchi possono anzi essere pesanti e addirittura velenosi. Una cosa del genere è avvenuta a Torino sulla fine del novembre 1985, a una riunione della Confindustria convocata per celebrare i successi dell'industria italiana e fare il punto della situazione. Presenti membri del governo, fra cui il presidente del Consiglio, che erano stati invitati come ospiti, gli oratori ufficiali li fecero segno a un fuoco di fila di critiche, accusandoli di inefficienza, di cattiva gestione economica del paese, di incapacità a incoraggiare investimenti e innovazioni in campo industriale, persino di errori in politica estera... Messi sulla difensiva, il presidente del Consiglio e altri membri del governo cercarono di rispondere per le rime. » [46]

Agnelli in quell'occasione trattò i leader politici della nazione come un maestro di scuola può trattare dei bambini; pare che li abbia addirittura sgridati: « Io li ho esortati a non litigare, ma il problema ormai è che nemmeno si parlano ».[47] Strane cose a dirsi; ma la posizione di Agnelli nei confronti dei politici è in se stessa curiosa. Il capo della FIAT concluse poi la riunione in un modo adatto più a un monarca che a un tycoon dell'industria automobilistica, invitando a colazione Craxi, De Mita, Spadolini, Natta e i direttori dei più importanti giornali italiani.

Abbiamo già visto esempi dell'atteggiamento di Agnelli nei confronti di partiti e governi; vediamone un altro. Intervistato nel 1975, quand'era presidente della Confindustria, Agnelli criticò aspramente la gestione del settore pubblico e auspicò un cambiamento nel modo in cui il paese era governato. Alla domanda se questo significava che avrebbe voluto veder sconfitti i democristiani nelle ormai prossime elezioni regionali del giugno 1975, Agnelli rispose che non desiderava veder calare « troppo » i voti democristiani. Quel che aveva in mente era però notevolmente preciso: « Sarebbe molto opportuno che la DC venisse castigata dagli elettori. Il castigo non dovrebbe essere troppo duro per non aprire un vuoto nella guida politica nazionale, ma abbastanza severo per favorire una diversa dislocazione di forze. L'ideale sarebbe che la DC perdesse dal 3 al 3 e mezzo per cento dei voti ».[48]

Uno straniero trasecola; neanche nelle sue più pazze fantasie potrebbe immaginare un leader industriale inglese o americano che prescrive quale percentuale di voti debba perdere un partito politico. Ma in Italia il fatto che Agnelli dica cose di questo genere non stupisce nessuno.

Al principio del 1987 Agnelli dichiarò che sarebbe stato meglio per il paese non prolungare lo stato di confusione e incertezza politica e indire elezioni anticipate. « Il penta-partito è l'unica soluzione possibile in Italia per la gestione del governo », dichiarò anche. La crisi era comunque nell'aria, ma la presa di posizione di Agnelli a favore di elezioni anticipate ebbe un peso. Non fu certo la causa delle elezioni ma, come in altri casi, parve che avesse parlato il capo dello Stato, non il capo di un'azienda automobilistica.[49]

Al 1975 risale un'altra straordinaria intervista, questa concessa a Scalfari. Agnelli, che allora si trovava a combattere sul duplice fronte dell'anarchia operaia e dei tentativi manageriali di Umberto, disse in quest'intervista che i politici si aspettavano troppo da lui. Con gli accenti di un monarca gravato da troppi doveri, lamentò: « Qui, da trent'anni i lavoratori sono stati abituati a pensare che l'industria può far tutto, sopportare tutto, anche le cose più insensate. E non lo pensano soltanto i lavoratori e le loro organizzazioni: lo pensano i partiti, il comune, lo Stato. Quante volte mi sono sentito chiamare da un sindaco, da un ministro, da un presidente del Consiglio e mi sono sentito proporre cose pazzesche ».[50]

Leggendo le molte dichiarazioni pronunciate da Agnelli nel corso degli anni sui temi della politica e dei politici, si ha l'impressione d'un uomo che ha dovuto sopportare molte « cose pazzesche » e nei suoi momenti di generosità trova il tempo di suggerire rimedi per il paese, dare consigli al governo, indirizzarlo, ammonirlo. Questo è il motivo per cui i partiti italiani si sentono minacciati dal padrone della FIAT.

La crescente ostilità contro la FIAT che trovò espressione nel 1987 era dunque ispirata dalla paura: paura che l'equilibrio del potere si fosse decisamente modificato in favore di Torino. E l'argomento più spesso invocato era che la FIAT, pur trattando con disprezzo un governo dopo l'altro, in realtà aveva prosperato grazie a un massiccio afflusso di fondi statali. Gli *intrecci* fra Torino e Roma erano cresciuti come liane in una giungla. E la FIAT, dichiaravano i politici, era stata messa in una posizione privilegiata e aveva raccolto non pochi importanti benefici.

1 *La Repubblica*, 1° novembre 1987.
2 A proposito del discorso di Romiti sul rigurgito di anticapitalismo, vedi tutti i giornali italiani del 27 settembre 1987.
3 *La Repubblica*, « Io e l'Avvocato », 20 gennaio 1985, di Giampaolo Pansa.
4 Intervista dell'autore a Susanna Agnelli, 26 ottobre 1987, Roma.
5 Cit. in *The Financial Times*, « Challenging the empire », 20 ottobre 1987, di Alan Friedman e John Wyles.
6 Conversazione privata, 23 ottobre 1987, Milano.
7 *Milano Finanza*, « Orsi e Tori », 17 ottobre 1987.
8 *La Repubblica*, « Gemina compra il 50 per cento di Telemontecarlo », 23 settembre 1987, di Marino Varengo.
9 *La Repubblica*, « Anche la City scopre l'Avvocato », 23 settembre 1987, di Paolo Filo della Torre.
10 *La Repubblica*, « Agnelli non vuole Bellisario alla Telit », 23 settembre 1987; *Corriere della Sera*, « La Telit in pericolo », 23 settembre 1987.
11 *The Financial Times*, « Political Clash puts Italy's telecoms strategy at risk », 24 settembre 1987, di Alan Friedman.
12 *Corriere della Sera*, « Guerra di trincea per la Telit », 24 settembre 1987.
13 *La Repubblica*, « Buone le condizioni di Edoardo Agnelli », 25 settembre 1987.
14 *La Repubblica*, « Caloroso abbraccio tra Cesare Romiti e la donna-manager », 24 settembre 1987.
15 *La Repubblica*, « Voglio una Fiat sempre più grande », 26 settembre 1987; e appunti presi personalmente dall'autore alla conferenza stampa di Agnelli.
16 Conversazione durante una colazione al ristorante Don Lisander di Milano, 13 ottobre 1987.
17 Intervista dell'autore a Henry Kissinger, 27 gennaio 1988, New York.
18 Vedi nota 3.
19 Intervista (condotta dall'assistente dell'autore) a Paolo Cabras, 4 novembre 1987, Roma.
20 Vedi nota precedente.
21 Intervista (condotta dall'assistente dell'autore) con Alfredo Reichlin, 3 novembre 1987, Roma.
22 Vedi nota precedente.
23 *Europeo*, « A tutti i produttori: è ora di fare un patto », 24 febbraio 1984, p. 16.
24 *Panorama*, « La sorpresa di fine anno/Craxi contro Agnelli », 5 gennaio 1986, di Pino Buongiorno e Claudio Rinaldi.
25 *Panorama*, « Governo Craxi/Una crisi targata Fiat? », 2 febbraio 1986, di Claudio Rinaldi.
26 Vedi nota precedente.
27 *La Repubblica*, « Lungo colloquio Romiti-Goria a Palazzo Chigi », 24 settembre 1987, di Salvatore Tropea.
28 Intervista dell'autore a Guido Rossi, 23 ottobre 1987, Milano.
29 *The Financial Times*, « Death of a progressive dictator », 11 agosto 1967, di Peter Tumiati.

184

30 Intervista dell'autore a Paolo Ragazzi, 14 novembre 1987, Torino.
31 Vedi nota precedente.
32 Eugenio Scalfari e Giuseppe Turani, *Razza padrona*, Feltrinelli, 1974, p. 460.
33 Gino Pallotta, *Gli Agnelli*, Newton Compton, 1987, pp. 194-95.
34 Intervista dell'autore a Piero Ostellino, 24 ottobre 1987, Milano.
35 Intervista dell'autore, 3 settembre 1987, Milano.
36 Intervista (condotta dall'assistente dell'autore) a Ottaviano Del Turco, 17 novembre 1987, Roma.
37 Vedi nota precedente.
38 Intervista dell'autore a Susanna Agnelli, 26 ottobre 1987, Roma.
39 *Panorama*, intervista a Claudio Martelli, 3 gennaio 1988.
40 Intervista dell'autore a Susanna Agnelli, 26 ottobre 1987, Roma.
41 Vedi nota 25.
42 Vedi nota 25.
43 Vedi nota 25.
44 Intervista dell'autore a Maxwell Rabb, 29 ottobre 1987, Roma.
45 *Epoca*, « Insieme per dirsi addio », 13 dicembre 1985, di Maurizio Marchesi.
46 Joseph La Palombara, *Democracy Italian Style*, Yale University Press, 1987, p. 205.
47 Vedi nota 45.
48 Intervista rilasciata da Agnelli all'*Espresso*, 4 maggio 1975, « Perché Agnelli vota contro la DC », di Eugenio Scalfari, cit. alle pp. 100-101 di Aniello Coppola, *Moro*, Feltrinelli, 1976.
49 *Corriere della Sera*, « Agnelli: ciò che temo, ciò che spero », 28 gennaio 1987, di Alberto Ronchey.
50 Giuseppe Turani, *L'Avvocato*, Sperling & Kupfer, 1985, p. 211.

8. *Io ti do una cosa a te, tu mi dai una cosa a me*

« LA struttura di questo paese è come una grande piramide, con la FIAT al vertice. Il gruppo Agnelli è una specie di Fujiyama del capitalismo italiano. Ma mi lasci dire un'altra cosa: la FIAT è diventata potente in gran parte grazie all'aiuto dei politici. » Chi pronuncia queste parole è un quarantasettenne corpulento, capelli scuri, occhiali dalle lenti affumicate: Gianni De Michelis, ex ministro e ora vicepresidente del Consiglio, che incontro a Milano, in una mattina di novembre più fredda di quanto vorrebbe la stagione.[1]

Come ex ministro delle Partecipazioni statali e come uno degli uomini più colti nel mondo politico italiano, De Michelis conosce molto bene la rete di potere della FIAT. Non è un critico particolarmente aspro del gruppo di Torino; anzi, alcuni membri dello staff di Craxi lo accusano di troppa benevolenza nei confronti degli Agnelli. Ma De Michelis è un personaggio insolito nel mondo politico italiano; fa un'intensa vita mondana e frequenta lo stesso tipo di grandi ricevimenti e balli – da Roma a Firenze a Milano a Venezia – che frequentano molti membri della famiglia Agnelli. Seduto nel bar del lussuoso albergo milanese Principe e Savoia, col sole del tardo mattino che illumina la sua camicia celeste con monogramma ricamato, un vestito grigio di buon taglio, è difficile dire se De Michelis sembri più un uomo politico o un banchiere o un playboy un po' stanco.

Aspetto a parte, la sua analisi è molto acuta. « Il vero problema che Agnelli e Romiti devono capire », spiega, « è la straordinaria anomalia dell'Italia, un paese dove tutti i grandi gruppi sono posseduti da un pugno di famiglie. Ai nostri tempi, bisogna andare in Corea per trovare una simile concentrazione di potere. E le più grandi famiglie, come Agnelli, sono sempre state protette da Cuccia, da Mediobanca. In questo modo gli Agnelli e i Pirelli sono stati protetti senza dover sborsare un soldo. »

La Palombara esprime in modo diverso la stessa idea: «Un piccolo gruppo di operatori, sulla base di un patto segreto con funzionari pubblici, aveva per qualche tempo controllato la politica di Mediobanca, la più grossa banca d'affari italiana, i cui azionisti di maggioranza erano tre altre banche di proprietà dello Stato, operanti nel quadro dell'IRI. In pratica, questo controllo di minoranza su Mediobanca significava che la banca faceva da stanza di compensazione per le più potenti famiglie italiane. Attraverso Mediobanca, esse realizzavano regolarmente quello che è il sogno di tutti: acquisire il controllo di grandi imprese rischiando pochissimo denaro proprio».[2]

Per di più, dice De Michelis, non c'è paese occidentale in cui i politici abbiano aiutato il settore privato come in Italia. «L'aiuto più importante», conclude, «è stato la legge approvata nel 1977, di cui la FIAT si è servita dal 1981 per lasciare a casa 100.000 operai e in base alla quale gran parte dei loro salari è stata pagata dal governo.»

De Michelis allude alla cassa integrazione. Altre aziende ne hanno approfittato, ma nessuna, dicono i politici, ne ha beneficiato in così larga misura come la FIAT. Quando la FIAT licenziò 23.000 operai del settore auto nei famosi tagli del 1980, e nel 1981 sospese dal lavoro 60.000 operai per una settimana al mese, e poi ancora nel 1982 ridusse gli orari di lavoro per decine di migliaia di dipendenti, fu lo Stato italiano, non la FIAT, ad assumersi il peso. I costi furono enormi. Oltre che direttamente per l'esborso di denaro, lo Stato subì perdite per il mancato incasso dei contributi previdenziali e di tasse.

Romiti può sentirsi giustificato nell'attaccare oggi Roma, ma al principio degli anni '80 la FIAT uscì da una situazione di grave pericolo grazie al soccorso dello Stato, che profuse a suo beneficio somme enormi.

«In questo paese il potere della FIAT è tale che nessuno ha mai avuto il coraggio di fare quattro conti e rendere pubblico nei particolari quanto la FIAT ha ricevuto dallo Stato sotto varie forme, cassa integrazione e fondi per la ricerca », ha osservato l'amministratore delegato di una delle più grosse aziende italiane, già alto dirigente della Banca d'Italia.[3] Non si conosce l'esatto ammontare delle somme che la FIAT risparmiò in costi lavoro fra il 1980 e il 1982, ma non è difficile darne una valutazione approssimativa basandosi sulle medie salariali. Come si espresse un analista nel 1982, « i giganti azzoppati hanno bisogno di stampelle giganti, e in questo caso il costo si aggirò probabilmente sui 2.000 miliardi di lire ».[4]

Anche secondo il socialista Martelli i governi hanno avuto molta parte – e senza ottenere in cambio molta gratitudine – nella ripresa della FIAT, « attraverso un flusso costante di finanziamenti e di commesse e attraverso gli ammortizzatori sociali, cassa integrazione, prepensionamenti ».[5]

Quanto denaro, insomma, la FIAT ha avuto da Roma? Non è certo nell'interesse di Agnelli mettersi a fare calcoli e renderne pubblico il risultato nelle sue conferenze stampa, specialmente quando è già tanto impegnato a criticare il governo perché spende troppo. Ma in Gran Bretagna, la Motor Industry Research Unit (MIRU) dell'University of East Anglia ha compilato studi particolareggiati e documentati sull'argomento. Secondo la MIRU, la FIAT ha beneficiato dell'assistenza della Commissione Europea e di tre tipi di aiuto da parte del governo italiano: diretto, indiretto e non finanziario.

Fra il 1981 e il 1985, per esempio, il settore automobilistico italiano è stato uno dei maggiori beneficiari di sussidi e prestiti da parte di Bruxelles, ricevendo il 28 per cento dei sussidi e il 77,5 per cento di tutti i prestiti. I sussidi concessi all'Italia ammontarono a quasi tre volte la cifra totale ricevuta dall'industria automobilistica inglese.[6]

Nello stesso periodo '81-85 la FIAT, allora in via di ristrutturazione, ricevette importanti sussidi governativi per ricerca e sviluppo, risparmio di energia, ecologia e investimenti nel Mezzogiorno. Secondo la MIRU, la somma totale di questi aiuti ammontò a quasi 250 miliardi di lire, ed è probabile che la FIAT riceva altri 600 miliardi nel quadro del piano triennale, annunciato nel 1986, per modernizzare gli impianti industriali nel Mezzogiorno.[7]

Oltre a quelle dirette, ci sono per la FIAT forme indirette di aiuto finanziario. Un esempio è la cassa integrazione.[8] Un altro è offerto dalle tasse automobilistiche. La FIAT si lamenta che queste sono troppo alte, ma esperti europei hanno fatto notare che « il governo di Roma aiuta anche indirettamente l'industria automobilistica italiana tassando la proprietà di automobili in modo tale da favorire in modo sproporzionato l'acquirente di vetture piccole, tradizionale punto di forza della FIAT ».[9]

Ci sono infine i benefici che la FIAT ha tratto dalla quasi esclusione di automobili giapponesi dal mercato italiano. Un accordo governativo bilaterale, che risale agli anni '50, limita il numero di automobili giapponesi che è permesso importare in Italia a una cifra bassissima, meno di 3000 l'anno. Altre 30 o 40.000 vetture giapponesi possono essere importate da altri paesi europei, ma questo è niente in una nazione dove si comprano quasi 2 milioni di automobili l'anno. Mentre sul resto del mercato europeo l'industria automobilistica giapponese si assicura una quota del 12 per cento circa (pari a oltre un milione di macchine vendute l'anno), in Italia la quota di mercato dei giapponesi è inferiore al 2 per cento. La quota di mercato della FIAT è del 60 per cento.

Joseph La Palombara osserva che è perfettamente normale, in Italia, che le fortune di poche grandi dinastie siano « protette e aumentate, se necessario a spese del pubblico ».[10] « In generale », aggiunge lo studioso, « in Italia si parla poco dell'argomento, tranne polemicamente da parte di alcuni e, superfluo dirlo, cautamente da parte di altri. » È tipico, continua, che « imprenditori privati rifilino al governo, a prezzi gonfiati, imprese industriali non in grado di reggersi da sole ». Questo dà molta sicurezza all'élite industriale italiana. Dev'essere davvero molto rassicurante per un industriale italiano « sapere che quando non ha più voglia di correre rischi, quando la sua abilità manageriale o la sua fortuna vengono meno, o quando la sua impresa è sull'orlo della bancarotta, può passarla allo Stato e ricavarne un bel profitto».

L'abilità della FIAT nell'ottenere soldi dallo Stato non si è manifestata solo nel fargli pagare i salari dei suoi operai. C'è stata anche una serie di accordi di «ristrutturazione» tra la FIAT e aziende di proprietà dello Stato; ma bisognerebbe essere uno Sherlock Holmes per arrivare a scoprire i particolari di queste transazioni.

Per esempio, uno dei più grossi affari conclusi fra Torino e Roma fu, nel 1982, il trasferimento alla Finsider, società statale, di attività siderurgiche della FIAT, pesantemente in perdita. Fatto significativo, è difficilissimo appurare le cifre relative a queste transazioni, in cui la FIAT ottenne un prezzo generoso per una serie di impianti e aziende in difficoltà, proprietà della Teksid, una società del gruppo FIAT.[11]

Interrogato, un funzionario della Finsider a Roma mostra sulle prime molta riluttanza a parlare dell'«affare Teksid». Un'aria di mistero circonda questa faccenda. Anche Gianni De Michelis, che se ne occupò come ministro delle Partecipazioni statali nel 1982, si schermisce. Di fronte all'insistenza delle domande, il funzionario della Finsider finisce col chiedere che non si faccia il suo nome e confida: «Non credo che il prezzo [pagato alla FIAT] sia mai stato reso pubblico ufficialmente. Era un'operazione estremamente delicata, in cui il governo era pesantemente coinvolto».[12]

Nel 1981 l'economia mondiale stava attraversando un periodo di grave recessione e l'industria siderurgica era in crisi. La Finsider dichiarava che era necessario affrontare la gravissima situazione finanziaria ed economica dell'intero gruppo.[13] La società siderurgica statale aveva subìto nel 1981 perdite per ben 2131 miliardi di lire e ammetteva che la misura del suo deficit era un'indicazione della gravità della crisi di tutto il gruppo. La crisi era così seria che in varie occasioni aveva messo in forse la «sopravvivenza» stessa del gruppo.[14] Dunque la società, chiaramente in difficoltà gravissime, non era in condizione di spendere cifre enormi per comprare altre aziende in perdita; eppure lo fece. E da chi comprò? Dalla FIAT.

Il settore siderurgico era da tempo una specie di buco nero nei bilanci della FIAT. Nel novembre 1980 Ferdinando Palazzo, amministratore delegato della Teksid, chiese che l'Italia vietasse l'importazione di determinati acciai stranieri e domandò al governo di « fare qualcosa » per soccorrere il suo settore in crisi.[15] Nel 1981 la Teksid – che fabbricava acciai speciali – subì una perdita di 78 miliardi, quasi il doppio del suo deficit nel 1980.[16] E non c'erano miglioramenti in vista. A che cosa si sarebbe arrivati? Si sarebbe arrivati a una transazione grazie alla quale, il 1º ottobre 1982, la FIAT cedeva allo Stato varie attività fortemente in rosso della Teksid, fonte di tanti guai. Liberarsene sarebbe stato già un sollievo, ma la FIAT ottenne qualcosa di più: denaro sonante.

Nel 1982 Adamo Adani, ora presidente dell'Assider, l'associazione italiana dei produttori di acciai, era direttore generale del gruppo Finsider, al tempo in cui questo comprò le già menzionate attività Teksid. Secondo Adani, alla FIAT fu pagato un totale di circa 350 miliardi di lire: [17] una bella somma, secondo molti esperti italiani del mondo degli affari, per fabbriche in deficit. Inoltre, spiega Adani, « quando si compra un'azienda siderurgica è in base ai profitti. Quel che importa è quel che l'azienda guadagna, non il valore dei suoi cespiti fissi, degli immobili e degli impianti ». Ma quel che la Teksid vendeva non guadagnava niente, aveva solo conti in rosso. Esperti finanziari che seguono la Teksid da anni ricordano che al tempo del trasferimento ci furono fra Torino e Roma accese discussioni sui valori da attribuire alle attività in vendita, e alla fine queste furono valutate in base ai cespiti, e non ai suoi (inesistenti) profitti.

Il prezzo esatto pagato per l'affare Teksid dovrebbe essere un dato ufficiale, accessibile a chiunque. Invece è un mistero. Mentre Adani ricorda un prezzo di 350 miliardi, funzionari della Finsider dicono che non riescono a ricordare, che sarebbe difficile ritrovare « le carte ». Ma un documento confidenziale del 1985, preparato all'interno della Finsider e contenente un'analisi dell'affare Teksid, elenca i prezzi pagati alla FIAT: 24 miliardi per l'80 per cento di una divisione, 210 miliardi per il 100 per cento di un'altra divisione, 47 miliardi e 864 milioni per il 51 per cento di una terza. Totale, 281 miliardi e 864 milioni.[18] Non sono i 350 miliardi ricordati da Adani, ma non si va neanche tanto lontani. Indipendentemente poi dalla cifra, tutti pensano che la FIAT abbia fatto un buonissimo affare. Il documento confidenziale registra anche le perdite delle società ex FIAT, perdite che fra il 1982 e l'85 ammontarono a oltre 300 miliardi. La transazione rimane comunque tutt'oggi un problema delicato e controverso.

« La Teksid? » Chi parla è un ex dirigente della FIAT ai massimi livelli, oggi a capo di un grosso gruppo industriale e finanziario; un altro che non vuole essere nominato. Con un sorriso sardonico si appoggia allo schienale della seggiola; poi fa un gran sospiro, chiude gli occhi, si stringe fra pollice e indice la radice del naso. « La Teksid faceva parte di una complessa serie di accordi tra la FIAT e il governo nel quadro dei quali la FIAT e l'Alfa Romeo avrebbero dovuto cominciare a cooperare nella produzione di componenti per auto; in cambio il governo avrebbe comprato le aziende siderurgiche in perdita della FIAT. L'affare Teksid è stato un incredibile regalo dei politici. » L'ex top manager FIAT scrolla la testa con aria disgustata.[19]

In un'altra conversazione privata sempre sull'argomento Finsider, un ex alto dirigente dell'industria di Stato italiana prende un'aria egualmente disgustata. « Non capisco questa gente », osserva, alludendo agli Agnelli. « Vendono alla Finsider i loro cespiti siderurgici in perdita e poi criticano la Finsider perché ha troppi passivi! »[20]

Quasi tutti coloro che accettano di parlare dell'affare Teksid chiedono che non si faccia il loro nome. Eppure la FIAT l'ha sempre presentato come una transazione perfettamente normale, un semplice e pulito trasferimento di proprietà da un gruppo industriale privato a uno statale. Cesare Romiti, quando alla televisione gli fu chiesto se la FIAT era « abituata più ad averli i soldi dallo Stato che non a darli », prese uno dei suoi atteggiamenti più bellicosi e rispose con una battuta: « Mi permetta di arrabbiarmi un pochetto ». Si arrabbiasse pure, replicò l'intervistatore. Al che, dilatando le narici, Romiti attaccò: « È una cattiveria, ed è sommamente ingiusta, perché sfido chiunque a provare che questo sia vero. È facile lanciare questi slogan; se, per esempio, per soldi dallo Stato si intendono i finanziamenti che abbiamo avuto per creare gli stabilimenti nel Sud, io ricordo che oggi diamo lavoro a 35.000 persone, abbiamo creato più di 30 stabilimenti, tutti in efficienza da quando li abbiamo creati fino a oggi. Uno di questi, Termoli, è forse lo stabilimento tecnologicamente più avanzato nel mondo. Se questo è prendere soldi dallo Stato! » Ma che cosa dice della Teksid, fu la successiva domanda. « La Teksid l'abbiamo venduta », rispose l'impenitente Romiti; « la Teksid fu un'opera di razionalizzazione del settore siderurgico in Italia. »[21] Spiegando poi che, in cambio del denaro ricevuto, la FIAT si era impegnata ad acquistare per dieci anni dall'azienda di Stato l'80 per cento del suo fabbisogno d'acciaio.

È vero che come parte dell'accordo la FIAT si impegnò ad acquistare acciaio dalla Finsider, e che quando cita dati come questi Romiti riesce sempre a essere convincente. Quel che tuttavia trascurò di dire, è che la FIAT tenne per sé alcune delle divisioni più remunerative della Teksid. E se è perfettamente vero che la FIAT si impegnò a ordinare alla Finsider l'80 per cento dell'acciaio che le occorreva, ha però anche ragione un funzionario dell'industria di Stato quando osserva che la FIAT aveva accettato di comprare solo gli acciai speciali prodotti dalle aziende che aveva trasferito allo Stato. Romiti si guardò anche dal sottolineare in che misura l'affare Teksid aveva aiutato la FIAT a ridurre la sua manodopera nel settore siderurgico. Alla fine del 1981 la Teksid aveva 23.518 dipendenti; un anno dopo questo numero si era ridotto a 14.285.[22]

La FIAT giustifica a modo suo l'affare Teksid, ma come l'hanno visto altri?

La stampa straniera lo descrisse in termini molto diversi da quelli di Romiti. «Un matrimonio tra produttori d'acciaio pubblici e privati e un generosissimo regalo di nozze in denaro da parte del governo sono state le due principali innovazioni che hanno caratterizzato gli sforzi dell'industria siderurgica italiana per uscire dalle secche della recessione», commentava un osservatore straniero.[23]

Al principio del 1982 il *New York Times* vedeva così la situazione: «In sostanza la compagnia chiede l'aiuto dello Stato per liberarsi della Teksid, la sua unità siderurgica, che è in disavanzo». Il giornale citava un leader sindacale ai cui occhi l'affare Teksid era per la FIAT un modo di eliminare un proprio punto debole.[24] Il londinese *Financial Times* osservava che «le perdite nel settore siderurgico sono state un problema grave per la FIAT... impegnata in questi ultimi due anni in uno sforzo di ripresa», mentre il *Guardian* di Londra diceva chiaro e tondo che l'affare «sembra molto più vantaggioso per la FIAT che per il contribuente».[25] Più tardi un analista della City, in un rapporto sul gruppo di Torino, riassumeva la situazione nei termini più semplici: «Nel 1982 la FIAT si è liberata delle sue attività siderurgiche».[26]

La Finsider continuò a trascinarsi di crisi in crisi. All'inizio del 1988 era passata attraverso altro caos, altre perdite, altre riorganizzazioni dei quadri direttivi, e aveva subìto altre critiche da parte dell'establishment industriale privato. La Teksid, snellita, era invece andata rifiorendo.

Romiti reagisce ancor oggi con particolare calore a chi critica l'affare Teksid. Nel libro-intervista *Questi anni alla Fiat*, si è persino preso la briga di assicurare al mondo che l'azienda non diede nulla in cambio a Gianni De Michelis, allora ministro delle Partecipazioni statali. «Fu», ha spiegato Romiti, «una trattativa complessa, durata parecchi mesi. De Michelis riteneva giusto il trasferimento... e lo sostenne... Bene, anni dopo, ogni volta che parlavo con qualche politico della Teksid ex-FIAT, gli leggevo negli occhi una domanda: quanto avete dato a De Michelis? Non gli abbiamo dato, ovviamente, un bel nulla, né lui ci ha mai chiesto niente, neppure l'assunzione di una persona o lo sconto su un'auto. » [27]

Al principio degli anni '80 Agnelli e Romiti erano ben lieti di collaborare con lo Stato, facendosi dare fondi per il settore automobilistico, vendendo a prezzo salato le loro attività siderurgiche in disavanzo, accettando di cooperare con l'industria di Stato in settori come telecomunicazioni e componenti d'auto. C'era infatti un piano di compartecipazione FIAT-Alfa Romeo nella produzione di componenti d'auto. [28] La FIAT avrebbe instaurato stretti rapporti con l'azienda automobilistica statale anni dopo e in modo ben diverso, conglobandola grazie a un controverso takeover che avrebbe stroncato ogni seria competizione interna.

All'inizio degli anni '80 si ebbero anche i primi contatti tra la FIAT e il governo su un altro progetto, riguardante il promettente settore delle telecomunicazioni. Anche qui la competizione stava diventando forte, e l'Italia aveva bisogno di una più grossa « massa critica » per sopravvivere sul mercato mondiale. L'idea era di unire le risorse della Telettra, una società del gruppo torinese forte nella trasmissione dati, e dell'Italtel, che era un'azienda molto più grossa di apparecchiature telefoniche e sistemi di telecomunicazioni in genere, proprietà dell'IRI-STET il gruppo elettronico statale.

Nella famosa economia mista italiana il problema è sempre mantenere quel delicato equilibrio di forze che consente all'impero FIAT e allo Stato una convivenza abbastanza civile. È un continuo tiro alla fune, una ininterrotta serie di accordi in cui l'uno dà se l'altro concede qualcosa. Ma se la conclusione dell'affare Teksid fu di tutta soddisfazione per Agnelli e Romiti, lo stesso non si può dire per l'affare Telit, che andò avanti tra battaglie furiose e si concluse in un fallimento alla fine del 1987, dopo lo spettacolo poco edificante di un aperto contrasto fra Romiti e l'industria di Stato.

Tutto cominciò nel 1979, quando la STET, il gruppo elettronico di Stato, cercò di ottenere la collaborazione della FIAT a un programma di ricerca e sviluppo nel settore delle telecomunicazioni. Nel maggio 1981 le due società siglarono anzi una lettera d'intenti mirata a creare una società nazionale unificata di prodotti per le telecomunicazioni.[29] Era già chiaro che, anche unendo le due società, l'Italia sarebbe rimasta un competitore insignificante sul mercato mondiale. L'idea era però di unire le forze in Italia e cercare poi un partner straniero, così da raggiungere proporzioni sufficienti per competere su un mercato globale, dove la lotta sarebbe stata fra colossi.

Il primo passo fu un complesso accordo a tre, siglato nel 1982 fra la Telettra (della FIAT), l'Italtel (della STET) e l'americana GTE. L'accordo – per la produzione di un sofisticato sistema digitale di commutazione – andò abbastanza bene. Ma a quel tempo l'Italtel era in una situazione di grave difficoltà. Per rimediarvi trovò – caso raro per un'azienda a partecipazione statale – un dirigente di prim'ordine: si chiamava Marisa Bellisario, fino alla sua morte nell'agosto 1988 la manager donna di maggior successo in Italia. Marisa Bellisario sembrava spesso più una signora del bel mondo che un capo d'azienda; ma rimise in piedi l'Italtel, riducendo la manodopera del 40 per cento, facendo grossi investimenti in nuove tecnologie e operando uno spettacolare risanamento dell'azienda, che da perdite per 268,8 miliardi di lire nel 1981 passò a un profitto di 121 miliardi di lire nel 1987.

L'immagine pubblica della Bellisario era un po' quella di una signora del jet-set, con taglio di capelli alla punk, abiti firmati e un'autobiografia – *Donna e top manager* – nella lista dei best-seller: nel complesso, qualcosa di molto diverso dall'approccio tradizionalista, in doppiopetto grigio, noto in Italia come « lo stile FIAT ».

Nel 1985 era chiarissimo così alla FIAT come al governo che, se l'Italia voleva sperare di entrare nel mercato mondiale delle telecomunicazioni, doveva darsi da fare per mettersi in pari con la concorrenza straniera. L'Italtel poteva essere il più grosso produttore italiano del settore con oltre un miliardo di dollari di fatturato annuo, ma questo non bastava su un mercato dominato da colossi come le statunitensi AT&T (American Telephone and Telegraph) e ITT e la Siemens tedesca. E la Telettra, benché con un orientamento più internazionale e un 50 per cento di fatturato estero, era grossa la metà dell'Italtel. Un matrimonio fra le due sembrava l'unica soluzione logica.

Nel novembre 1985 furono resi noti i piani di una fusione. La nuova azienda si sarebbe chiamata Telit. Tutto sembrava perfetto. Le due società avevano linee di produzione complementari e potevano vantare il supporto finanziario dei due più potenti gruppi del paese, la FIAT e l'IRI. E con un fatturato complessivo di oltre un miliardo e mezzo di dollari, la Telit sarebbe stata un'esca appetitosa per i grandi gruppi internazionali in cerca di partner europei. Pareva che finalmente gli italiani si fossero lasciati alle spalle le vecchie rivalità, che la cronica diffidenza fra Torino e Roma fosse stata messa in secondo piano per lasciare posto alla pura logica degli affari. Finalmente un accordo fra settori privato e pubblico sarebbe stato basato sul senso comune anziché sugli oscuri mercanteggiamenti degli *intrecci*.

Purtroppo non doveva essere così. I negoziati su particolari d'importanza cruciale si trascinarono per due anni; venne meno lo slancio iniziale e riaffiorarono rivalità irriducibili. Alla fine del 1987 il brillante progetto Telit era diventato uno spettacolo politico, con Romiti prim'attore, e l'affare Telit era l'oggetto di una controversia di proporzioni nazionali, che invadeva le prime pagine dei giornali. Quel che sarebbe potuto essere un matrimonio ideale tra FIAT e industria di Stato era stato avvelenato da animosità personali e politiche. Mai, nella lunga storia dei rapporti tra Torino e Roma, si era visto un alterco così violento, con un tale scambio di colpi bassi. E tutti parevano dimenticare che quello che ci perdeva era il paese.

La colpa per il fallimento del progetto non fu tutta da una

parte sola; né i politici né la FIAT furono spettatori innocenti di questo dramma tipicamente italiano. Ma la cosa interessante è che ognuno dei conflitti insorti nei ventiquattro mesi di complessi negoziati fu un esempio perfetto, « da manuale », di come le moderne reti di potere funzionano in Italia.

Prima ci fu la questione di chi avrebbe controllato la nuova compagnia. La FIAT non aveva certo intenzione di diventare un socio di minoranza, benché il business che portava nella fusione fosse inferiore alla metà dell'Italtel. I manager della STET fecero notare che l'Italtel avrebbe fornito alla Telettra maggiori sbocchi sul mercato italiano di quanti ne aveva goduti in passato. Quindi decidere spettava al ministero delle Partecipazioni statali: almeno il 51 per cento della Telit doveva rimanere nelle mani dello Stato.

Il risultato finale fu un compromesso salomonico che a prima vista sembrava nell'interesse di tutti: FIAT e STET avrebbero posseduto ciascuna il 48 per cento della nuova compagnia. Il rimanente 4 per cento sarebbe stato messo nelle mani di un istituto finanziario di cui, almeno sulla carta, lo Stato italiano deteneva la maggioranza. Quell'istituto era Mediobanca. Per di più, le decisioni strategiche alla Telit avrebbero dovuto essere prese da una maggioranza del 60 per cento del consiglio d'amministrazione, il che conferiva automaticamente diritto di veto sia alla FIAT sia alla STET. Questo rendeva priva di senso l'affermazione che il 52 per cento della Telit era in mano dello Stato: pochi in Italia ignoravano chi faceva il bello e il brutto tempo a Mediobanca.

Membri del Parlamento chiesero una spiegazione. I socialisti erano furiosi; De Michelis protestò che a quelle condizioni l'affare era impossibile, il presidente del Consiglio Craxi domandò che fosse fatta chiarezza. E in Parlamento si cominciò a dire che la Telit era un altro regalo alla FIAT.[30]

Si era appena spenta la prima polemica che ne scoppiò un'altra. Come era accaduto per la Teksid, fra Torino e Roma emersero violenti disaccordi sulla valutazione della Telettra e dell'Italtel. La FIAT non contestava il fatto di dover pagare qualcosa all'azienda di Stato per ottenere una partecipazione eguale alla Telettra. Il problema era: quanto?

Per mesi e mesi i contabili della Arthur Andersen e della Price Waterhouse affondarono il naso nei libri contabili. Il risultato a cui arrivarono fu questo: l'Italtel valeva 810 miliardi di lire, la Telettra 420 miliardi, quindi 390 miliardi di meno. Alcuni a Roma sostenevano che quindi, per avere una partecipazione eguale, la FIAT doveva contribuire alla fusione dando la Telettra più i 390 miliardi di differenza. Sembra logico? Non per la FIAT. Dopo lunghe trattative emerse un altro accordo: la Telit sarebbe stata valutata quanto l'Italtel e la Telettra insieme, cioè 1230 miliardi. Quindi il 48 per cento della Telit sarebbe costato 590 miliardi. Corollario, la FIAT avrebbe pagato la differenza fra il valore della Telettra e il valore del 48 per cento della Telit, cioè 170 miliardi. Un commentatore osservò: «Una soluzione che i socialisti ingoiano con la stessa gioia con cui si prende l'olio di ricino. Qui, dicono, stiamo svendendo alla FIAT».[31]

Nel 1987, quando esplose il terzo e ultimo conflitto, l'«affare Telit» era diventato uno dei tanti fronti su cui si combatteva la cosiddetta «guerra» tra la FIAT e i socialisti. Certo non stava per niente bene a Bettino Craxi, la base del cui potere politico è Milano, che il gruppo Agnelli si stesse assicurando il controllo di quasi tutte le grandi istituzioni milanesi. La lista delle sue partecipazioni milanesi era cresciuta vertiginosamente. Oltre alla Telettra, con base a Milano, gli Agnelli avevano il controllo di fatto della SNIA-BPD nel settore armi e chimica, delle case editrici Fabbri, Bompiani, Adelphi e Sonzogno, del gruppo Rizzoli-Corriere, del gruppo Rinascente, con annessi UPIM, Croff e catena Quick (hamburger), più le partecipazioni in varie banche, come Nuovo Banco Ambrosiano, Banca Rosenberg e Banca Brignone. Poi c'era la Gemina, anche questa con base a Milano; la scomparsa di Cuccia dalla scena essendo ormai solo questione di tempo, la Gemina appariva sempre più come la Mediobanca bis di Romiti. A coronare il tutto, Agnelli controllava adesso anche uno dei più vecchi simboli di Milano, l'Alfa Romeo. Craxi non era per niente contento di questa espansione nella *sua* città, né del fatto che la FIAT avesse 40.000 dipendenti in Lombardia e cominciasse ad allargare la sua influenza all'Assolombarda. Cosa aveva a che fare tutto questo con la Telit? Tantissimo. In Italia le battaglie si combattono sempre su parecchi fronti. La Telit, per esempio, sembrava non aver nulla a che fare coi piani di privatizzazione di Mediobanca, ma molti partecipanti ai negoziati sussurravano di baratti sotto banco. Intanto, i mercanteggiamenti relativi all'affare Telit raggiungevano un culmine febbrile in un finale conflitto a proposito non di partecipazioni, non di problemi finanziari, ma di chi sarebbe stato messo a capo della nuova compagnia.

Al principio del 1987, sistemati il problema della struttura azionaria e i particolari finanziari, Romiti ebbe un incontro con Giuliano Graziosi, amministratore delegato della STET. Graziosi è considerato in Italia uomo « vicino alla democrazia cristiana ». Questo era importante perché la STET, come l'IRI di cui fa parte, è dominio democristiano. Invece al timone dell'Italtel, benché sia della STET, c'era Marisa Bellisario, di inclinazioni socialiste.

In ogni caso Romiti e Graziosi si accordarono per la Telit su un consiglio d'amministrazione composto di tre rappresentanti della FIAT, tre della STET, uno di Mediobanca. Il presidente e l'amministratore delegato della Telit sarebbero stati scelti di comune accordo. La FIAT suggerì per la carica di presidente il nome di Raffaele Palieri, amministratore delegato della Telettra. Quanto alla carica di amministratore delegato della Telit, Romiti e Graziosi sembravano d'accordo sul candidato della STET, Salvatore Randi, che aveva già lavorato all'Italtel e, prima ancora, alla Telettra. Tutto sembrava pronto per la messa a punto finale quando intervennero una crisi di governo e le elezioni generali del giugno 1987 e la Telit fu messa in attesa sull'angolo del fornello.

Romiti dichiarò più tardi davanti a una commissione del Senato che, a un incontro in data 3 luglio 1987, aveva dato il suo accordo formale, insieme con Graziosi e Michele Principe, presidente della STET, alla nomina del team Palieri-Randi.[32] La dichiarazione di Romiti fu però contestata da un altro partecipante all'incontro, lo stesso Principe, il quale affermò che la versione di Romiti era una distorsione dei fatti. Ricordava perfettamente che, in risposta a una precisa domanda di Romiti se la STET avesse deciso chi mettere ai posti di controllo, gli fu spiegato che la STET intendeva suggerire all'IRI il nome di Randi, ma niente era ancora definito.[33] Secondo fonti dell'ufficio di Prodi, presidente dell'IRI, lo stesso Prodi telefonò in luglio a Romiti e lo informò che desiderava nominare Marisa Bellisario, non Randi, alla carica di amministratore delegato della Telit.

Il gioco delle ipotesi ebbe fine in settembre, quando l'IRI rese pubblica la sua preferenza per la Bellisario. Romiti, che nella sua testimonianza davanti al Parlamento affermò di aver sentito quel nome per la prima volta in settembre, era furibondo.[34] La FIAT si era affezionata all'idea di avere alla Telit un presidente uscito direttamente dalla Telettra e un amministratore delegato che vi aveva lavorato anni prima. I socialisti accusarono la FIAT di volere il controllo di fatto della Telit, indipendentemente dalla struttura azionaria.

Romiti era sempre più arrabbiato. Il 22 settembre 1987, quattro giorni dopo che l'IRI aveva nominato la Bellisario, la FIAT rilasciò un duro comunicato in cui minacciava di uscire dalla Telit a causa di quella nomina, che definiva un « atto unilaterale ». Il comunicato lasciava capire che la scelta era politica più che manageriale, nel senso che l'IRI, di area democristiana, aveva scelto la Bellisario per fare un favore ai socialisti. L'IRI replicò che la Bellisario era stata scelta per le sue capacità manageriali, mentre Rino Formica, socialista dalla lingua acida, avvertiva che la FIAT stesse attenta a non mettere tanti veti, altrimenti un giorno qualcuno avrebbe messo « un bel veto » alla FIAT.[35]

Tutto l'establishment politico italiano si buttò nella bagarre. Il problema riguardava solo la Telit e la Bellisario? In realtà sembrava che il conflitto fra Torino e Roma fosse di portata più vasta. Fu pronunciata ripetutamente la parola strapotere, mentre la FIAT protestava contro le interferenze politiche, e la tensione andava crescendo da ogni parte.

Per esempio, quando più tardi un articolo del *Financial Times* di Londra citò una fonte (all'interno di un'azienda controllata di fatto dalla FIAT) secondo la quale Agnelli e De Mita avevano parlato dell'affare Telit e nella stessa conversazione avevano toccato anche il problema della direzione del *Corriere della Sera*, la FIAT reagì prima negando che ci fosse stato quel colloquio, poi querelando per diffamazione il giornale inglese. Quella fonte non affermava, ma lasciava capire che i democristiani erano interessati a un cambiamento della direzione del giornale, indirettamente controllato dalla FIAT. Dal canto loro avrebbero cercato di dare una mano per la rapida conclusione dei negoziati sulla Telit. Ma l'articolo del *Financial Times* non affermava che tale baratto ci fosse veramente stato.[36]

L'affare Telit era comunque naufragato. Con un secco comunicato stampa che si dice sia stato redatto da Romiti in persona, la FIAT annunciava di abbandonare il progetto a causa di quello che definiva un «comportamento in contraddizione con fondamentali accordi raggiunti fra i partiti sulle linee essenziali dell'operazione Telit».[37]

Un grande finanziere commentò che l'affare Telit gli faceva venire in mente un uomo che si era visto andare in giro per le vie di Milano nel 1943, solo, inalberando un cartello su cui stava scritto: «Mentre il paese va in rovina litigano su chi deve avere l'appalto per strappare le rotaie del tram».[38]

E dunque, addio Telit. Ma nell'atmosfera surriscaldata della diatriba fra Torino e Roma pareva che la cosa non avesse nessuna importanza. Gianni Agnelli dichiarò che la Telettra poteva andare tranquillamente avanti da sola.[39] Mesi dopo deplorò che il progetto fosse fallito, ma ammonì che « quando facciamo qualcosa con lo Stato, è nel contesto di un'associazione che funziona secondo i princìpi del settore privato. Non viceversa ».[40] Romiti fu più esplicito. Ripetendo che il fallimento era stato provocato da « interferenze politiche », dichiarò che « la FIAT ha bisogno di alleanze, ma non deve fare compromessi ».[41] Così, per non scendere a compromessi, Romiti aveva rinunciato ai frutti di due anni di trattative e alla migliore occasione che l'Italia avesse mai avuto di competere sul mercato mondiale delle telecomunicazioni. A dispetto di ogni logica commerciale, la FIAT aveva abbandonato l'affare, mandando a vuoto i progetti di razionalizzare un'industria d'importanza strategica. Era vero quel che proclamava, cioè che non aveva obiezioni contro la persona della Bellisario e che si trattava soltanto di una questione di principio? Quando, all'inizio del 1988, gli fu chiesto di spiegare perché il progetto Telit fosse andato a monte, Gianni De Michelis espresse quello che era il pensiero di molti rispondendo: « L'unica persona che potrebbe spiegarlo è l'amministratore delegato della FIAT, Cesare Romiti. Io ancora oggi non ho capito perché ha fatto saltare un'alleanza così importante ».[42]

Sia il Duro sia l'Avvocato avevano già detto quel che avevano da dire. La Telit era morta, e la FIAT poteva farne a meno. Cosa contava un affare mancato, nei tanto più vasti piani dell'impero? Senza contare che alla FIAT era già riuscito il colpo più grosso giocato contro lo Stato italiano: l'acquisto dell'Alfa Romeo.

Nell'« affare Alfa », in realtà, la FIAT non aveva giocato solo contro lo Stato italiano, aveva sfidato anche il non trascurabile potere della Ford, il secondo fra i più grandi gruppi automobilistici del mondo; e ne era uscita vincente. Tutti erano d'accordo nel giudicarlo un successo clamoroso, ma non tutti erano sicuri che le manovre si fossero svolte interamente alla luce del sole. Alcuni sussurravano che la FIAT aveva imposto la sua volontà al governo per impedire che la Ford stabilisse una testa di ponte sul mercato italiano; altri dicevano che Romiti non aveva mai fatto un tale sfoggio di forza, altri ancora accusavano l'Avvocato di non essere stato sincero nelle sue prime dichiarazioni a proposito della Ford. E alla fine la Commissione della CEE aprì un'inchiesta per accertare sospette scorrettezze nel modo in cui Torino e Roma avevano condotto l'affare. La Teksid era storia passata, la questione Telit si era trasformata in un vergognoso carnevale politico, ma nell'affare Alfa l'affascinante Gianni Agnelli e l'imbronciato Romiti avevano superato se stessi.

1 Intervista dell'autore a Gianni De Michelis, 3 novembre 1987, Milano.
2 La Palombara, *Democracy Italian Style*, Yale University Press, 1987, p. 203.
3 Intervista dell'autore, 18 gennaio 1988, Londra.
4 *The Guardian*, « Fiat wobbles on £800m state crutches », 23 novembre 1982, di David Lane.
5 *Panorama*, «La sorpresa di fine anno/Craxi contro Agnelli», 5 gennaio 1986.
6 Dati attinenti al rapporto della Motor Industry Research Unit, 1987, « State Aid to the European Motor Industry », pp. 36-37.
7 Rapporto della MIRU, pp. 57-58.
8 Rapporto della MIRU, p. 13.
9 Rapporto della MIRU, p. 53.
10 La Palombara, p. 202.
11 Così la FIAT descriveva le sue attività siderurgiche nel bilancio consolidato per il 1981. « La presenza della FIAT nella siderurgia risale ai primi anni del secolo e comprende, oltre ai prodotti in acciaio lunghi, piani e laminati, anche getti in ghisa e alluminio, fucinati, bulloneria ed estrusi. Nel 1978 è stata costituita la Teksid S.p.A., società caposettore, che raccoglie l'esperienza della lunga attività FIAT nelle tecnologie siderurgiche, destinate in prevalenza all'industria automotoristica; con l'obiettivo di orientarne lo sviluppo verso una più autonoma presenza sul mercato. La crisi del settore, che nel 1980 era stata causa di serie preoccupazioni per le economie dei paesi industrializzati, nel 1981 si è fatta sentire ancor più pesantemente a tutti i livelli... Nel corso del 1981 la Teksid ha avviato con la Finsider progetti di intesa che prevedono la razionalizzazione delle produzioni siderurgiche da attuarsi mediante il trasferimento del comparto acciai in società a controllo pubblico. »
12 Intervista dell'autore, 8 gennaio 1988, Roma.
13 Rapporto annuo della Finsider per il 1981.
14 Vedi rapporto della Finsider per il 1981.
15 *La Repubblica*, « La Teksid sarebbe un vero gioiello con seri controlli alle importazioni », 2 novembre 1980, di Giulio Mazzocchi.
16 Bilanci Teksid per il 1981.
17 Intervista (condotta dall'assistente dell'autore) ad Adamo Adani, 16 dicembre 1987, Milano.
18 Particolari contenuti in un documento confidenziale intitolato « Aziende ex-Teksid », che è in possesso dell'autore.
19 Intervista dell'autore, 4 novembre 1987, Milano.
20 Intervista dell'autore, 5 novembre 1987, Milano.

204

21 Minoli, p. 112.
22 Pubblicazione dell'ufficio stampa della FIAT, « FIAT », p. 51.
23 *The Financial Times*, « Steel sector pins hopes on merger », 29 marzo 1982, di Al Troner.
24 *The New York Times*, « Asharp turnaround at Fiat », 8 gennaio 1982, di John Tagliabue.
25 *The Financial Times*, « Private-public link for Italian steel », 10 marzo 1982, di Rupert Cornwell; *The Guardian*, « Fiat wobbles on £800m state crutches », 23 novembre 1982, di David Lane.
26 Rapporto della First Boston sulla FIAT, settembre 1987, p. 13.
27 Cesare Romiti, intervistato da Giampaolo Pansa, *Questi anni alla Fiat*, Rizzoli, 1988, p. 187
28 Vedi commenti di Romiti sul *Corriere della Sera*, « Romiti: cosa direi a Spadolini, Lama e Massacesi », 15 dicembre 1981, di Paolo Glisenti; vedi anche *The Financial Times*, « Fiat joins IRI in car and steel talks », 1º luglio 1981, di Rupert Cornwell; *The Financial Times*, « Fiat and Alfa in car parts deal », 21 ottobre 1982, di Rupert Cornwell.
29 La storia di questi contatti fu illustrata da Romiti in un'apparizione davanti alla commissione bilancio della Camera dei Deputati, il 9 dicembre 1987. Vedi gli atti relativi, p. 36.
30 *L'Espresso*, « Il cavo spezzato », 22 novembre 1987, di Alberto Mazzuca.
31 Vedi nota precedente.
32 Vedi minute parlamentari del 9 dicembre 1987, p. 39.
33 *Italia Oggi*, « Affare Telit: l'IRI attacca la FIAT », e « Non c'è stata alcuna indicazione formale », 11 dicembre 1987, di Roberto Ippolito.
34 Vedi minute della testimonianza Romiti, p. 40.
35 *Corriere della Sera*, « La Telit in pericolo », 23 settembre 1987.
36 L'articolo in questione, « Telit saga offers a glimpse of Byzantine world of politics » (11 novembre 1987), non diceva che ci fosse stato un accordo tra Agnelli e De Mita, né che l'allontanamento di Piero Ostellino, direttore del *Corriere*, nel febbraio 1987, fosse stato parte di quell'accordo. Anzi, per dare un resoconto imparziale dei fatti l'articolo citava l'esplicita dichiarazione di Agnelli di non avere mai parlato della questione con De Mita. Ma i socialisti italiani videro nell'articolo uno strumento politico da usare contro la FIAT; l'*Avanti!* ne svisò il senso, dichiarando che Agnelli e De Mita avevano stretto un accordo in forza del quale le cariche direttive della Telit erano state assegnate ai candidati della FIAT (*Avanti!*, 12 novembre 1987). L'articolo del *Financial Times* non diceva niente del genere, ma in Italia le opinioni della stampa straniera sono spesso utilizzate a fini politici interni.
37 *The Financial Times*, « Fiat calls off telecom merger talks with Italtel », 6 novembre 1987, di Alan Friedman.
38 Vedi nota 30.
39 Conferenza stampa del 25 settembre 1987 a Torino.
40 *Le Nouvel Économiste*, « Exclusif: Agnelli parle », 4 marzo 1988, p. 24.
41 Citato in *Panorama*, « Non date a Cesare », 3 gennaio 1988, di Claudio Rinaldi.
42 *La Repubblica*, « La grande alleanza dopo Telit », 15 gennaio 1988, di Alessandra Carini e Giuseppe Turani.

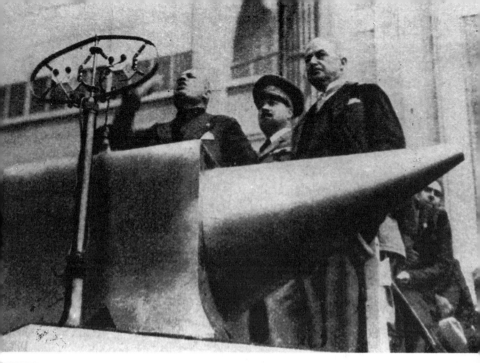

In alto: Giovanni Agnelli con Mussolini in visita alla FIAT, nel 1932
In basso: Vittorio Valletta (al centro) con Kossighin a Mosca, nel 1962

In alto: Agnelli al Moulin Rouge di Cannes, nel 1957
In basso: Agnelli con la moglie a St. Moritz, nel 1965
A fronte: Le nozze tra Gianni Agnelli e la principessa Marella Caracciolo, nel 1953

In alto: Agnelli e il generale De Gaulle a Parigi, nel 1968
In basso: Agnelli, Edward Heath, Giorgio Amendola e Guido Carli a Roma, nel 1975

In alto: Agnelli e Ted Kennedy, nel 1977
In basso: Agnelli e il generale Jaruzelski, nel 1987

Agnelli e Bettino Craxi
A fronte: Susanna Agnelli

Umberto Agnelli
A fronte: Enrico Cuccia

A sinistra: Romano Prodi
A destra: Raul Gardini

Leopoldo Pirelli
A sinistra: Mario Schimberni

Carlo De Benedetti
A fronte: Cesare Romiti

Gianluigi Gabetti
A fronte: Vittorio Ghidella

D1043146

In alto: Agnelli con il figlio Edoardo
In basso: Agnelli, con Nancy e Ronald Reagan, al summit economico di
Venezia, nel 1987 (foto Olympia, Milano)

9. *L'affare Alfa*

IL primo tentativo della Ford di stabilire una testa di ponte in Italia risale agli anni '20. Ma quando il senatore Giovanni Agnelli seppe che la Ford si proponeva di montare macchine nell'Italia del Nord, andò su tutte le furie. Il fondatore della FIAT non avrebbe tollerato concorrenti. Sollevò un gran baccano, suonò le campane del nazionalismo e nel 1930 perorò la sua causa, nei termini più forti, presso Benito Mussolini; il quale aderì alla richiesta di Agnelli varando le leggi necessarie per cacciare la Ford dal territorio italiano. La posizione della FIAT come unico grosso produttore di macchine in Italia era per il momento al sicuro.[1]

Per la FIAT non fu altrettanto facile liberarsi della Ford nel 1986, quando i vertici dell'industria di Stato italiana resero pubblico il progetto di vendere alla compagnia americana la leggendaria ma deficitaria Alfa Romeo. Per cominciare, i sindacati comunisti e i manager democristiani delle imprese a partecipazione statale erano egualmente favorevoli all'affare. In secondo luogo, era chiaro a tutti che la FIAT aveva il dente avvelenato: a Torino bruciava ancora il fallimento, pochi mesi prima, di un tentativo di fusione a livello europeo con la Ford. E se la FIAT aveva ancora una potente lobby a Roma, non aveva però un Mussolini così pronto a compiacere i suoi desideri.

I metodi di Gianni Agnelli sono più sottili di quelli del suo nonno fondatore. L'Avvocato infatti, come prima mossa, diede il benvenuto alla Ford in una dichiarazione pubblica che parve la conferma del suo non interesse ad acquistare l'Alfa.[2] Nello stesso tempo però mise mano all'arma segreta, mandando all'attacco Romiti, ormai conosciuto come il «Rambo» dell'industria italiana.

I metodi adottati da Romiti per bloccare la strada alla Ford non furono tanto diversi da quelli che la FIAT aveva usato in era fascista; anche lui sollevò un gran baccano, suonò le campane del nazionalismo e perorò la sua causa, nei termini più forti, presso il governo di Roma. In più, per tutta la calda estate dell'86 giocò come il gatto col topo, ora dicendo ora negando che la FIAT avrebbe fatto una sua offerta per l'acquisto dell'Alfa. Quando alla fine dichiarò l'offerta, ebbe subito partita vinta. La Ford era stata sconfitta un'altra volta, e un'altra volta la FIAT aveva messo al sicuro la sua posizione di unico grosso produttore di auto in Italia.

Era cambiato qualcosa negli oltre cinquant'anni trascorsi fra l'espulsione della Ford per opera del senatore Giovanni Agnelli e la sua sconfitta per opera dell'avvocato Gianni Agnelli e di Cesare Romiti?

Sulla carta molte cose erano cambiate. L'Italia affermava di essere diventata la quinta potenza economica del mondo e (con grande irritazione della signora Thatcher) di aver superato la Gran Bretagna; si proclamava un paese industriale avanzato, con un mercato finanziario più moderno e più democratico di quanto fosse mai stato prima. Ma l'affare Alfa dimostrò che, Italia vecchia o « nuova », la FIAT e la sua ragnatela di potere non avevano perso nulla della loro forza.

« Ci avevano avvertito », ricorda il cinquantaquattrenne Kenneth Whipple, il dirigente Ford che, come presidente delle operazioni europee del gruppo, nel 1986 sovrintese alle trattative per l'Alfa Romeo. « Ci avevano avvertito, se volevamo andare in Italia, di stare attenti o ci avrebbero scuoiati. » [3] Whipple, ora tornato a Detroit, non pensa che la Ford sia stata « scuoiata », ma molti non sono del suo parere.

Nel luglio 1987, meno di un anno dopo che la FIAT aveva assunto il controllo dell'Alfa Romeo, la Commissione CEE ordinò un'indagine sulla controversa trattativa. I funzionari della CEE furono incaricati di esaminare le accuse secondo le quali la FIAT aveva pagato un prezzo effettivo di soli 400 miliardi di lire – molto inferiore al vero valore di mercato dell'Alfa – per acquistare il 100 per cento dell'azienda rivale e aveva beneficiato di un trattamento preferenziale da parte del governo italiano.[4]

Poi, al principio del 1988, la MIRU (Motor Industry Research Unit) inglese pubblicò un rapporto in cui affermava che, dopo un'attenta analisi economica, era arrivata alla conclusione che la Ford avesse fatto un'offerta più vantaggiosa di quella della FIAT.[5]

Infine, nel primo commento di uno studioso sull'argomento, Joseph La Palombara osservava che, proprio mentre sembrava che la Ford stesse per assicurarsi il controllo dell'Alfa, con la maggior parte dei manager di Stato italiani favorevoli alla compagnia americana, la FIAT era riuscita in un batter d'occhio a togliere di mezzo l'avversaria, a un prezzo « che molti credono sia stato molto meno favorevole per il governo italiano di quello che la Ford aveva offerto ».[6]

Alla fine dell'affare Alfa, non solo Agnelli era riuscito a spegnere l'ultimo focherello di concorrenza interna nel settore automobilistico, ma la quota di mercato interno controllata dalla FIAT era balzata al 60 per cento. Non esiste altro paese occidentale industrializzato dove un'unica azienda automobilistica si assicuri una così grossa fetta di mercato; persino la quota della General Motors, la più grossa azienda automobilistica mondiale, sul mercato statunitense è stata solo del 35 per cento nel 1987,[7] mentre in paesi europei come l'Inghilterra, la Francia o la Germania le quote di mercato dei più grossi produttori di automobili oscillano tra il 25 e il 30 per cento.

L'acquisto dell'Alfa Romeo da parte della FIAT fu dunque un affare controverso. Fu anche la mossa decisiva con cui Torino si assicurò una posizione di unico grosso produttore d'auto in Italia, e diede luogo a indagini e a un'azione legale.[8] Ma, come tante faccende dello stesso genere in Italia, l'affare Alfa rimane avvolto in un velo di mistero. Per la FIAT non ci sono veli, ma solo un mantello di gloria; e, come spesso accade e forse in Italia più che altrove, la storia è scritta dai vincitori. Che cosa accadde realmente?

« Ci siamo annessi una provincia debole », proclamò Gianni Agnelli nel novembre 1986, appena saputo che era riuscito a soffiare l'Alfa sotto il naso della Ford con un'offerta fatta all'ultimo momento.[9] La terminologia imperiale non era fuori luogo. Gli uomini della Ford avevano dedicato quattro mesi e mezzo a intensi negoziati tecnici e finanziari con la IRI-Finmeccanica, il gruppo di Stato proprietario dell'Alfa Romeo. La FIAT invece non negoziò: dopo aver condotto una delle più sofisticate campagne di lobby e di relazioni pubbliche nella storia dell'industria, semplicemente avanzò un'offerta, e quell'offerta fu accettata. E Agnelli, una volta ottenuta la vittoria, cercò di minimizzarla.

Il fatto è che la FIAT non aveva mai manifestato il minimo interesse all'acquisizione di un controllo di maggioranza nell'Alfa Romeo. La maggior parte degli esperti industriali italiani dava da tempo per scontato che Torino trovasse molto comodo avere come unico competitore interno un'azienda dissestata come l'Alfa. L'Alfa era veramente un disastro. Fra il 1973 e l'86 aveva accumulato perdite per 1244 miliardi di lire.[10] All'inizio del 1986 era finanziariamente azzoppata: aveva un patrimonio netto negativo, esplicava poco più di un terzo della sua capacità produttiva di 430.000 vetture l'anno e vacillava sotto il peso di un debito lordo di ben oltre 1000 miliardi di lire. Peggio di così non si poteva.

Ma Gianni Agnelli non aveva dato segno di voler comprare l'Alfa. Lui e suo fratello Umberto avevano solo disprezzo per l'industria di Stato; avevano manifestato disprezzo nel 1980 per la decisione governativa di approvare il progetto Nissan-Alfa Romeo di costruire una fabbrica d'automobili nel Mezzogiorno, come avevano manifestato disprezzo nel 1967 per il progetto di costruire una fabbrica Alfa Romeo a Pomigliano. Per usare le parole di Romiti, « i due fondamentali punti di tensione nella storia dei rapporti tra FIAT e Alfa sono stati il lancio della fabbrica di Pomigliano e proprio l'iniziativa Alfa-Nissan, che noi ritenevamo non dignitosa, perché l'Alfa doveva fare un semplice lavoro di montaggio da paese del Terzo mondo ».[11]

Quello che nel 1986 l'*Economist* definiva «l'atteggiamento solitamente languido» della FIAT nei confronti dell'Alfa Romeo cambiò di colpo non appena la Ford manifestò il suo interesse. La rivista inglese predisse, vedendo giusto, che la FIAT si sarebbe associata con l'Alfa, non foss'altro per impedire alla Ford di mettere piede sul mercato italiano. «I manager della FIAT, prima scettici circa i vantaggi di un'associazione con l'Alfa, ne vedono ora i benefici.» [12]

Al momento della vittoria della FIAT nell'affare Alfa, la macchina pubblicitaria dell'azienda stava già convincendo gli italiani che quest'ultima aveva agito per il bene della nazione. Agnelli, per la verità, in una dichiarazione di «annessione» si lasciò sfuggire che «la FIAT era più forte senza l'Alfa, ma sarebbe stata infinitamente più debole nel caso che l'Alfa fosse stata comprata da un concorrente come la Ford», [13] ma in generale i suoi uomini avevano fatto apparire l'acquisto come un atto di generosità: una linea propagandistica simile a quella seguita dalla FIAT già nel 1969, quando aveva assorbito la dissestata Lancia. A quel tempo Agnelli aveva dichiarato di voler acquistare la Lancia non perché questo avrebbe rafforzato il gruppo di Torino, ma per senso del «dovere»» nei confronti della città. [14] In quel caso la FIAT ebbe la Lancia per la somma simbolica di una lira per azione e l'assunzione dei debiti. Una proposta dello stesso tipo, secondo un uomo politico ben informato, fu avanzata inizialmente dalla FIAT nel maggio 1986, quando venne a sapere che era stata siglata una lettera d'intenti tra l'Alfa e la Ford. [15]

La prima pubblica notizia delle trattative tra Ford e Alfa fu data da un comunicato congiunto del 21 maggio 1986 in sui si annunciava che la Ford era interessata all'acquisto di una consistente partecipazione azionaria nell'azienda italiana, forse anche di un controllo di maggioranza. Roma e Detroit comunicavano anche di stare intraprendendo uno studio di fattibilità di due mesi per esaminare il progetto.

La prospettata vendita di un simbolo di prestigio italia-

no come l'Alfa Romeo avrebbe potuto urtare sensibilità politiche; i manager dell'IRI-Finmeccanica decisero quindi di
preparare i ministeri all'annuncio prima che questo venisse
rilasciato. A mezzogiorno di martedì 20 maggio la lettera
d'intenti siglata dalla Ford arrivò al quartier generale romano dell'IRI. Entro cinque ore una delegazione capeggiata dal professor Romano Prodi, presidente dell'IRI, e da
Fabiano Fabiani, capo della Finmeccanica, andava a informare il ministro delle Partecipazioni statali, Clelio Dari-
da.[16] Prodi e Fabiani si recarono poi da Giuliano Amato, il
principale consigliere del presidente del Consiglio Bettino
Craxi.

Quella sera, Prodi prese un'altra precauzione: chiamò al
telefono Torino e informò Cesare Romiti.[17] Avevano un appuntamento per l'indomani, ma il capo dell'IRI sapeva quello che stava facendo: sapeva che a Romiti non piacevano le
sorprese. Secondo testimonianze raccolte al vertice dell'IRI,
nell'incontro con Prodi il giorno successivo Romiti era
piuttosto « freddo ». « Romiti non ci credeva », ricorda un
alto dirigente dell'IRI. « Si rifiutava di credere che saremmo
riusciti a vendere l'Alfa agli americani. Gli dicemmo che
stavamo trattando con la Ford già da qualche tempo, ma
semplicemente non credeva che sarebbe mai accaduto. »

Questo scetticismo fu espresso dalla FIAT molte altre volte nei mesi che seguirono, mesi nei quali Romiti fu la punta
di lancia di una campagna lobbistica di una violenza senza
precedenti. « Vendano, vendano l'Alfa, se ci riescono »,
schernì un funzionario della FIAT pochi giorni più tardi,
quando diventò evidente l'irritazione di Torino;[18] ma lasciare che Roma vendesse l'Alfa alla Ford era l'opposto di
quello che la FIAT aveva in mente.

La notizia delle trattative tra la Ford e l'Alfa irritò gli uomini di Agnelli soprattutto per due ragioni: 1. La FIAT dichiarò che aveva in corso trattative per una joint-venture
con l'Alfa e che l'annuncio del progetto Ford le aveva tron-
cate; 2. erano passati solo sette mesi dal fallimento di un
progetto di fusione in Europa tra la stessa FIAT Auto e la
Ford.

Torino trovava molto irritante che la Ford avesse osato tornare in Italia per un altro giro di negoziati così poco tempo dopo il fallimento delle tanto vantate trattative FIAT-Ford; e, secondo osservatori bene informati, questa irritazione era accresciuta dal fatto che i negoziati con la Ford avevano provocato conflitti ai vertici della FIAT stessa. Banchieri e operatori di borsa vicini alla FIAT riferivano che Gianni Agnelli aveva guardato con entusiasmo alla possibilità di una combinazione con la Ford, e come lui Vittorio Ghidella, il capo della divisione auto. Ma Romiti, secondo loro, aveva fatto opposizione. Benché i negoziatori di Torino e di Detroit avessero proposto dozzine di formule diverse in base alle quali dividere il potere tra FIAT e Ford, il testardo Romiti si era rifiutato di cedere il controllo sia azionario sia manageriale, e aveva convinto Agnelli che la FIAT poteva continuare da sola. La combinazione delle due aziende avrebbe creato il più grosso gruppo automobilistico in Europa, con una quota di penetrazione del mercato europeo pari al 25 per cento. Ma Romiti non si era convinto. Si dice che Ghidella, che credeva appassionatamente in quella operazione, abbia pensato seriamente di lasciare la FIAT e accettare l'offerta di un altro produttore d'auto americano che gli avrebbe dato la direzione per l'Europa occidentale.

Romiti dichiarò più tardi che non era stato lui a far fallire l'accordo Ford-FIAT, e chi lo insinuava diceva sciocchezze. Il problema, sostenne, era che « la Ford voleva venire a comandare in casa nostra ».[19] Chiaro che il ritorno della Ford, questa volta per tentare di assicurarsi l'Alfa Romeo, diretta concorrente della divisione Lancia della FIAT, parve a Romiti un'altra invasione di « casa nostra ». Ma questa volta la « casa » era l'Italia stessa.

Così Romiti iniziò la sua campagna per mandare a monte i progetti avversari. Cominciò con una serie di visite, la prima delle quali ebbe luogo verso la fine del maggio 1986, al presidente del Consiglio Craxi.[20] In ognuno di questi incontri, si dice, ribadì la sua opposizione all'idea che la Ford acquistasse l'Alfa, alzando la bandiera del nazionalismo italiano e affermando che la FIAT poteva trovare una sua soluzione per l'Alfa.

Craxi era in un grave imbarazzo. E non era privo d'ironia il fatto che Romiti, l'uomo che aveva tante volte accusato i politici di interferire nel settore privato, stesse ora cercando il loro appoggio. L'indomani del primo incontro con Romiti, il presidente del Consiglio invitò a colazione all'Hôtel Raphaël di Roma, dove aveva una suite, un piccolo gruppo di consiglieri. Secondo uno di questi intimi, Craxi non sapeva veramente che pesci pigliare. « Ci disse della visita di Romiti la sera prima », riferì poi un alto esponente del partito socialista che partecipò alla colazione. « Sembrava come se la FIAT volesse l'Alfa in regalo. A Craxi non piaceva l'idea di vedere rafforzato il potere monopolistico della FIAT, ma gli era anche chiaro che, come presidente del Consiglio, doveva vedere le cose in un contesto più ampio, nazionale. Si domandava che cosa sarebbe successo se l'Alfa fosse stata venduta agli americani, e gli dicemmo tutti: 'No, non si può!' Chiaro che aveva davanti una decisione molto difficile. » [21]

Saggiamente Craxi decise per il momento di non prendere posizione sull'Alfa, ma poco dopo il primo incontro con Romiti si concesse una bordata contro Prodi, che essendo democristiano non era suo amico più di quanto lo fosse Romiti. « Dall'IRI », tuonò Craxi, « ricevo soltanto notizie di vendita di industrie. » [22] Prodi, ex professore di economia all'università di Bologna, appartiene alla nuova razza dei manager di Stato. È un uomo che crede nella privatizzazione delle industrie non strategiche, nel farsele pagare fior di quattrini, e anche nel mantenere l'occupazione. A suo modo di vedere, la vendita dell'Alfa Romeo alla Ford offriva le migliori prospettive per l'azienda e per i suoi 32.000 dipendenti. La Ford avrebbe potuto espandere la produzione dell'Alfa e promuovere aggressivamente la vendita delle sue vetture a giovani e ricchi clienti nordamericani. Per di più, non c'erano altre offerte di acquisto: la Fiat aveva parlato solo di joint-venture.

Romiti intanto intensificava la sua guerriglia. Il 4 giugno, accompagnato da Ghidella, era nell'ufficio di Prodi in via Veneto per un « vertice » con i capi dell'IRI, della Finmeccanica e dell'Alfa Romeo. Secondo quanti furono presenti all'incontro, gli uomini della FIAT cercavano battaglia, ed erano già politicamente « armati ».

Pochi giorni prima Fabiani, l'amministratore delegato della Finmeccanica, cenando in una piccola trattoria vicino al Pantheon aveva incontrato un membro del Parlamento dal quale aveva saputo che Paolo Cirino Pomicino, allora presidente democristiano della commissione bilancio del Senato, avrebbe tenuto una serie di udienze a proposito delle trattative Ford-Alfa, e che a queste udienze sarebbe stato presente Romiti. Romiti dunque progettava di portare la controversia a conoscenza del pubblico. Perciò, quando arrivò all'incontro del 4 giugno, si presentò, secondo uno dei partecipanti, armato di una « bomba preparata ». Domandò che gli uomini dell'industria di Stato riconoscessero l'esistenza di una proposta FIAT per l'Alfa, proposta avanzata prima che la FIAT sapesse dell'offerta Ford. Gli uomini dell'IRI domandarono che cosa questo aveva a che fare con il progettato accordo con la Ford. Certo che c'erano state trattative a proposito di una joint-venture tra FIAT e Alfa. C'erano anche state conversazioni esplorative tra l'Alfa e la General Motors, la Chrysler, la Nissan, la Subaru, la BMW. Da due anni i proprietari dell'Alfa cercavano un partner, e la FIAT era stata una delle tante aziende consultate. E allora? replicarono i funzionari dello Stato.

Ma i proprietari dell'Alfa capivano bene a che gioco Romiti stesse giocando. Sapevano che Romiti voleva andare davanti al Parlamento, fare appello al sentimento patriottico e presentare le cose in modo da far sembrare che la FIAT fosse stata tradita; e sapevano quanto sarebbe stata efficace quella tecnica. « Che cosa succede? » chiese Fabiani a Romiti, all'incontro del 4 giugno. « Ha già deciso di andare a testimoniare davanti a Pomicino? »[23] In risposta il boss della FIAT si produsse in quella che fu descritta come una vera e propria esibizione istrionica lamentandosi di essere stato tradito, dopo tutto quello che aveva cercato di fare per l'Alfa. « A un certo punto », riferì un partecipante, « gli abbiamo persino detto: 'Romiti, stai facendo le prove generali di quello che dirai in Parlamento!' » [24] A quanto è stato riferito, Tramontana, l'amministratore delegato dell'Alfa, ricordò a Romiti che invece l'Alfa aveva già avvertito la FIAT di essere in contatto con altre società e di avere in corso negoziati. Secondo un testimone, Ghidella rispose allora: « Sì, ce l'avete detto, ma non ci avete detto che si trattava della Ford ».[25] Evidentemente la FIAT non era contenta della piega che le cose stavano prendendo.

Dopo l'incontro del 4 giugno, i funzionari dell'industria di Stato sapevano a che cosa andavano incontro. « Romiti era sicuro che le trattative con la Ford non sarebbero approdate a nulla », ricorda un alto funzionario, « e nel suo tono c'era un'arroganza che riusciva difficile mandar giù. » [26] Così, benché la vicenda Ford-Alfa-FIAT dovesse durare per cinque mesi, a chi sapeva come stavano le cose sembrava che la società americana fosse già stata sconfitta. La FIAT aveva deciso di mandare a monte l'affare, e se la FIAT voleva l'Alfa, a qualsiasi governo italiano sarebbe stato difficile giustificare il trasferimento all'estero della proprietà di un così prestigioso simbolo nazionale. Per chi aveva esperienza degli *intrecci* fra aziende private italiane e ambienti politici, gli uomini della Ford avevano già perso la battaglia. Era solo questione di tempo e di tattiche.

La bomba preparata da Romiti scoppiò nel momento stabilito: il 10 giugno Tramontana apparve davanti alla commissione Cirino Pomicino e disse chiaro e netto che i proprietari dell'Alfa preferivano la proposta della Ford a qualunque altra, inclusa quella della FIAT, perché solo la Ford avrebbe mantenuto l'Alfa come unità aziendale a sé e ne avrebbe conservato la tecnologia.[27] Ma Romiti, nella grande esibizione pubblica di cui aveva fatto le prove generali in privato una settimana prima, recitò da maestro la scena dell'italiano patriota che, bandiera in pugno, si batte eroicamente contro l'invasione straniera. Furioso e offeso, disse al Parlamento che la FIAT aveva fatto proposte all'Alfa Romeo su richiesta dell'azienda di Stato; le trattative erano iniziate nel novembre 1985 e continuate fino a maggio. Romiti continuò dicendo di non essere stato informato delle trattative in corso tra Alfa e Ford fino alla sera del 20 maggio, quando aveva ricevuto una telefonata dal professor Prodi. L'implicazione era che la FIAT, la generosa benefattrice, era stata tenuta all'oscuro mentre i disonesti dell'industria di Stato conducevano con la Ford negoziati paralleli di cui la FIAT non aveva la più pallida idea. Secondo l'IRI, questa era una completa distorsione dei fatti. La battaglia per l'Alfa Romeo era cominciata in pieno.

La stampa italiana riportava le parole di Romiti. Però gli uomini dell'industria di Stato, che avevano siglato una lettera d'intenti con una multinazionale americana e sin da marzo avevano tenuto incontri settimanali con gli emissari della Ford, non erano disposti a lasciare che la FIAT mandasse tutto a monte con tanta facilità. In risposta all'offensiva di Romiti, cominciarono a lasciar trapelare alla stampa italiana e straniera quelle che consideravano prove del fatto che la FIAT era stata perfettamente al corrente degli sviluppi in corso.

La strategia di Romiti dipendeva dal convincere l'opinione pubblica italiana che la FIAT era stata tradita, che Torino non era stata informata dell'esistenza di altri negoziati, e che in ogni caso la FIAT aveva per l'Alfa un piano migliore della Ford. Entro ventiquattro ore dall'apparizione di Romiti davanti al Parlamento, un dirigente dell'IRI accusava però la FIAT di tentar di sabotare la trattativa; non negava che ci fossero stati incontri tecnici tra la FIAT e l'Alfa prima che fosse annunciata la proposta della Ford, ma affermava che Romiti rendeva ora pubbliche le conversazioni tra FIAT e Alfa allo scopo di far naufragare i negoziati con la società americana. «Perché mai abbiamo bisogno del permesso della FIAT per negoziare con la Ford?» si chiedeva.[28] «Non abbiamo nominato la Ford, ma fin dall'inizio, nel novembre scorso, abbiamo avvertito la FIAT che stavamo trattando anche con altri », disse il dirigente dell'IRI.[29] Per parte sua, la FIAT dichiarò che le rivelazioni di Romiti erano state fatte solo « per rispondere a domande del Parlamento » e, a una domanda precisa, rispose con altrettanta precisione che « nel periodo fra il novembre 1985 e il maggio 1986 la FIAT non fu informata del fatto che l'IRI stava trattando con altre società. La possibilità che l'IRI vendesse il controllo di maggioranza dell'Alfa non fu mai prospettata, in sette mesi di trattative, fra l'IRI e la FIAT, e non fu mai inclusa in nessun documento ».[30]

Secondo una copia confidenziale del documento di lavoro FIAT-Alfa riguardante una possibile joint-venture, copia che fu fatta avere al *Financial Times* di Londra e a *Panorama*, le cose non andarono affatto così. In realtà, era stata prospettata la possibilità che l'IRI vendesse il controllo di maggioranza dell'Alfa. Il documento, datato 5 maggio 1986, conteneva infatti la seguente clausola: « Se il risanamento dell'Alfa Romeo viene cedendo la maggioranza o l'autonomia gestionale, FIAT chiede di esserne informata prima dell'assunzione di impegni ». Questa, secondo l'IRI, era la prova che la FIAT era al corrente almeno della possibilità che il controllo di maggioranza dell'Alfa fosse ceduto ad altri. In ogni caso, Tramontana e Ghidella erano stati in stretto contatto; avevano avuto più di una dozzina di incontri e al principio del 1986 si erano persino recati insieme a Tokyo per cercare di combinare un'operazione a tre con la Nissan. « La FIAT », affermava il dirigente dell'IRI, « sta cercando di smembrare l'Alfa e di proteggere la propria posizione nel mercato italiano, tenendo fuori la Ford, con la quale è poi molto irritata perché l'anno scorso sono fallite le trattative per una fusione FIAT-Ford. »[31] Dopo la pubblicazione in Italia e in Gran Bretagna di particolari del documento del 5 maggio, la FIAT non pubblicò mai una smentita.

Ma poco importava il documento. Romiti nell'estate dell'86 passò a un altro tipo di gioco, dicendo che non vo-

leva « disturbare » i negoziati Alfa-Ford e avrebbe aspettato
una precisa offerta della Ford prima di fare altri commenti.
E poco importava che attivisti sindacali di solito antiameri-
cani e una maggioranza dei membri del Parlamento interessati all'affare Alfa si dichiarassero, quella stessa estate, in
favore della Ford.

Un'indagine tra gli operai dell'Alfa rivelò che il 66 per
cento preferiva la Ford e solo il 34 per cento era per la
FIAT. Nella fabbrica di Arese, persino membri comunisti
della sezione « Ho Chi Min » del sindacato metalmeccanici
si espressero a favore di un assorbimento da parte della
Ford.[32] La ragione andava forse cercata non tanto in un improvviso amore per il capitalismo americano quanto nella
paura della longa manus della FIAT. « Qui », si espresse un
veterano delle catene di montaggio, « la FIAT è impopolare
da sempre... abbiamo conosciuto direttamente l'arroganza
dei tecnici di Torino... siamo convinti che la proposta FIAT
avrebbe comportato lo smembramento dei nostri stabilimenti e la riduzione dell'Alfa Romeo a una succursale sul
tipo della Lancia. »[33] In Parlamento, 50 degli 86 legislatori
impegnati nella supervisione dell'affare Alfa si dichiararono a favore della Ford; solo 10 pensavano che sarebbe stata
preferibile una soluzione « nazionale ».[34]

Intanto le trattative Ford-Alfa progredivano. Alla fine di
luglio erano stati messi a punto gli aspetti tecnici e in settembre stavano per essere risolte anche le questioni finanziarie. Il 16 settembre Roma e Detroit annunciavano che
erano stati fatti progressi soddisfacenti e che entrambe le
parti confidavano di raggiungere presto una soluzione positiva.[35]

Cominciarono a trapelare particolari. La Ford avrebbe
pagato 96 milioni di dollari per un'iniziale quota azionaria
del 19,9 per cento, che avrebbe aumentato al 51 per cento
nel giro di tre anni. Ford e Finmeccanica avrebbero finanziato un piano d'investimenti per vari miliardi di dollari, e
la Ford si sarebbe impegnata a espandere la produzione annua dalle 170.000 unità del 1985 alle più di 400.000 che

rappresentavano la piena capacità produttiva dell'Alfa Romeo. Ma mentre i negoziati entravano nella fase decisiva, Torino era già sulle mosse. Verso la metà di settembre, rappresentanti della Ford e della Finmeccanica si incontrarono all'Hôtel Hassler di Roma per pranzare insieme e discutere le fasi finali della trattativa. Quando uno degli americani chiese fra quanto tempo si prevedeva che la FIAT si sarebbe fatta viva con una sua offerta, si dice che Franco Viezzoli (allora presidente della Finmeccanica) rispondesse « fra qualche giorno »; al che Fabiano Fabiani avrebbe detto, con un risata, che si sarebbe trattato piuttosto di qualche ora.[36] Come si vide poi, Fabiani era andato più vicino al segno.

Il 16 settembre, quando la Ford e la Finmeccanica annunciarono di stare per concludere le trattative, un portavoce della FIAT a Torino si attenne a un rigido « no comment ».[37] Per un momento parve che il gruppo Agnelli avesse deciso di lasciar perdere. Ma solo per un momento.

Il pomeriggio dell'indomani, Valerio Zanone, allora ministro dell'Industria, espresse la sua soddisfazione per i progressi Alfa-Ford, poi inaspettatamente dichiarò che desiderava invitare tutte le aziende automobilistiche « domestiche » a fare una loro proposta per l'Alfa Romeo. Non erano passate *due ore* che Cesare Romiti rispose all'invito dichiarando che la FIAT sarebbe stata « felice di illustrare il contenuto delle sue proposte ».[38] La stessa sera, Romiti e Agnelli incontrarono Craxi a palazzo Chigi. Secondo persone bene informate Agnelli disse al presidente del Consiglio che era pronto a fare un'offerta per l'Alfa, e nello stesso incontro lo mise al corrente del fatto che la Libia stava per vendere la sua quota FIAT: una notizia che non poteva non giocare a favore di Torino.

Quando Agnelli e Romiti uscirono, dopo un'ora di conversazione con Craxi, Romiti evase le domande dei giornalisti, rispondendo laconicamente: « Ogni tanto veniamo a palazzo Chigi ».[39] Intanto l'ufficio stampa di Torino emanava il suo nuovo messaggio, annunciando che presto Torino avrebbe reso nota una nuova proposta per l'Alfa « che interesserà il mondo intero ».[40]

Ora che la FIAT era finalmente uscita allo scoperto, il sentimento nazionale cominciò a cambiare in suo favore. Agnelli non ebbe bisogno neppure della sua rete di potere. Quale uomo politico avrebbe potuto mettere in discussione una controfferta della FIAT? « L'accordo Alfa-Ford sembrava cosa fatta », scrisse una rivista italiana, « non solo perché il contratto era definito in tutti i suoi termini, ma soprattutto perché un larghissimo schieramento politico sembrava deciso a sostenere fino in fondo questa soluzione. Poi Gianni Agnelli è venuto a Roma, si è recato a palazzo Chigi da Craxi, ha mandato autorevoli ambasciatori ... a Botteghe Oscure e a Piazza del Gesù, e tutto d'un tratto, il vento è cambiato. » [41]

I partiti politici tradizionalmente più vicini alla FIAT fecero quanto ci si aspettava da loro. Renato Altissimo, leader del partito liberale, disse immediatamente che, se le offerte della Ford e della FIAT erano simili, bisognava accettare quella di quest'ultima. Una piccola voce di dissenso venne da un altro liberale, Antonio Baslini, che osservò: « Altissimo è torinese. La FIAT ha già troppo potere, noi liberali dobbiamo contrastare i monopoli ».[42] I repubblicani, raramente in disaccordo con Torino, saltarono subito sul carrozzone. « È preferibile la soluzione FIAT », dichiarò Gerolamo Pellicanò, repubblicano ed estimatore degli Agnelli, aggiungendo un po' debolmente: « a condizione che ci siano garanzie per la competitività... »[43] Ormai anche Craxi era per la FIAT. Vedeva bene da che parte stesse soffiando il vento, e se da una parte poteva spiacergli di favorire l'espansione del potere di Agnelli, dall'altra così facendo guadagnava punti contro i democristiani dell'industria di Stato, partigiani della Ford. Come previsto, gli ambienti politici di Roma facevano, anche non volendolo, il gioco della FIAT.

Non importava che Torino non avesse neppure indicato i termini della sua proposta: bastava la sua promessa di un'« offerta migliore ». Agnelli disse che avrebbe fatto la sua offerta non appena fosse stata resa pubblica la proposta della Ford. Ma quando – il 1° ottobre – la proposta Ford fu consegnata a Roma, i funzionari dello Stato rifiutarono di rivelarne il contenuto. Alla FIAT si chiedeva di giocare secondo le regole.

A quel tempo, ricorda un alto dirigente dell'industria di Stato, « Roma era più del solito affollata di gente che cercava di conoscere il contenuto dell'offerta Ford. Giornalisti, politici, factotum di ogni genere, persino le puttane facevano del loro meglio per venire a sapere i particolari ».[44]

Dopo avere annunciato l'intenzione di fare una controfferta per l'Alfa, la FIAT continuò nel suo gioco d'attesa. Roma aveva promesso di rispondere all'offerta ufficiale della Ford entro il 7 novembre, ma la FIAT continuò a tacere. Non parve preoccuparsi per il blitz del presidente della Ford, Donald Petersen, che a metà ottobre volò in Italia. Ma cosa poteva essere una visita di ventiquattro ore del presidente della Ford in confronto alla presenza continua di un esercito di lobbisti nei saloni di Roma? Secondo il suo vice Kenneth Whipple, Petersen, che aveva partecipato a un giro di consultazioni in Inghilterra, decise che « giacché era lì in Europa voleva dare uno sguardo da vicino ».[45] Per essere il capo di una multinazionale di quelle proporzioni, Petersen si dimostrò stranamente ingenuo. Quando arrivò a Roma e, accompagnato dall'ambasciatore americano Maxwell Rabb, fece visita al presidente del Consiglio Craxi e a tre ministri, parlamentari di tutti i cinque partiti di coalizione governativa stavano già esprimendo una chiara preferenza per l'offerta FIAT, benché ancora non se ne conoscessero i termini.

Invece il povero Petersen, americano del Mid-West piombato nella terra di Machiavelli, lasciò Roma sperando di aver conquistato il governo italiano alle proposte della sua società. Aveva sottolineato la portata mondiale della rete di vendita della Ford, che avrebbe incrementato le vendite dell'Alfa; aveva insistito sul fatto che la Ford avrebbe assicurato all'Alfa l'accesso al mercato americano e sulla serietà con cui la sua società si proponeva di studiare strategie per un rilancio dell'azienda italiana. Ma gli uomini d'affari italiani non si lasciarono ingannare dalla cortesia con cui Craxi e gli altri politici avevano ricevuto Petersen. Come doveva dire più tardi un commentatore straniero, per pensare che a questo punto il governo italiano potesse decidere a favore della Ford sarebbe stata necessaria « una commovente fede nei miracoli... tenuto conto dell'orgoglio nazionale per i successi della FIAT e di quanto sia vasta e potente l'influenza industriale e politica dell'avvocato Gianni Agnelli ».[46]

Poco dopo la visita di Petersen a Roma, Torino mobilitò tutte le sue forze. Venerdì 24 ottobre, a cinque mesi quasi esatti da quando Romiti aveva iniziato la sua campagna, l'amministratore delegato della FIAT volò nuovamente a Roma, e alle 7.45 di quella sera consegnò a mano l'offerta FIAT ai funzionari della Finmeccanica. I termini furono tenuti segreti per ventiquattro ore, alla fine delle quali la stampa italiana era alla frenesia. « Torino pagherebbe il doppio », proclamava – sbagliando – uno dei tanti titoli.[47] E Luigi Lucchini, presidente della Confindustria e sempre fedele alleato di Agnelli, esortava il governo a vendere l'Alfa alla FIAT e a evitare una decisione che dipendesse « soltanto dai soldi ».[48]

Sabato 25 ottobre un Cesare Romiti sicuro di sé come non mai si presentò a un'affollatissima conferenza stampa a Torino e rese noti i termini dell'offerta FIAT. Cominciò con una cifra da brivido: 8000 miliardi, la somma che la FIAT offriva per l'Alfa. Disse che la Fiat avrebbe volentieri comprato immediatamente fra il 51 e il 100 per cento dell'Alfa, non il 20 per cento proposto come quota iniziale della Ford. Fece promesse per quanto riguardava l'occupazione e a proposito di una fusione dell'Alfa con la Lancia per creare una nuova forza sul mercato europeo delle auto di lusso. Garantì la vendita di 60.000 vetture Lancia e Alfa negli Stati Uniti e annunciò che la FIAT aveva già creato una rete di vendita oltre oceano.[49]

Tutto questo suonava meraviglioso; ma nell'entusiasmo

per il grandioso programma d'investimenti della FIAT, nessuno pensò a chiedere a Torino quanto precisamente offrisse di pagare per l'acquisto dell'Alfa Romeo. La First Boston, la banca d'affari incaricata di valutare le offerte Ford e FIAT, aveva bisogno di sapere la cifra esatta, e il lunedì successivo alla conferenza stampa di Romiti la Finmeccanica chiese precisazioni. L'offerta della Ford – dissero i suoi uomini – era molto chiara per quanto riguardava il prezzo d'acquisto, e al momento non era possibile un chiaro confronto; speravano che la FIAT precisasse la sua offerta nel giro di pochi giorni.[50]

La FIAT scrollò le spalle. Dettagli! Noiosi dettagli. Naturalmente avrebbe fornito a Roma tutte le cifre che voleva. Romiti non aveva forse detto che la FIAT avrebbe investito 8000 miliardi di lire, dei quali 5000 sarebbero andati alla nuova società Alfa-Lancia? Non aveva detto che i 3000 miliardi rimanenti avrebbero coperto l'acquisto dell'Alfa e le perdite future? Quanto al valore contabile dell'Alfa, la FIAT aveva detto di stimarlo 1500 miliardi, ma aveva detto anche di aspettarsi uno sconto.[51] La cosa importante era che la FIAT avesse parlato. Ma adesso mancavano meno di quattordici giorni al termine ultimo del 7 novembre, e la cifra esatta dell'offerta FIAT non era ancora stata detta. Intanto, fuori del mondo degli affari, tutta l'Italia faceva il tifo per Agnelli.

Alla fine la FIAT fornì i particolari, ma soltanto il 1° novembre, meno d'una settimana prima del termine ultimo. Nel giro di cinque giorni la bocciatura dell'offerta Ford era un fatto compiuto: l'IRI annunciava che, dopo un attento esame da parte della First Boston e di esperti della Arthur D. Little, l'offerta della FIAT era stata giudicata « economicamente più vantaggiosa ».[52]

Il governo italiano, in queste cose di solito lento come una tartaruga, stavolta diede il suo benestare ufficiale in meno di ventiquattr'ore. E infine cominciarono a venire in luce alcuni particolari dell'offerta FIAT. L'Alfa era stata pagata 1050 miliardi di lire, cioè il 30 per cento meno di quello che era il valore contabile secondo le stime della stessa FIAT. La FIAT avrebbe assunto il controllo al 100 per cento dell'Alfa il 1° gennaio 1987, ma non avrebbe versato neanche una minima parte del prezzo d'acquisto fino al 2 gennaio 1993.[53] Solo a partire dal 1993 avrebbe cominciato a sborsare denaro, e anche allora in ratei distribuiti su un periodo di cinque anni.

Alcuni altri aspetti dell'affare rimasero avvolti dal mistero. La FIAT avrebbe assunto oltre 750 miliardi di lire del carico debitorio dell'Alfa, ma qual era la misura esatta del debito? Negli ambienti finanziari italiani si diceva che fosse più del doppio. La Finmeccanica disse più tardi che il debito totale netto al tempo dell'operazione era di 991 miliardi, cioè circa 241 miliardi più del carico debitorio assunto dalla FIAT. Allo Stato sarebbero rimaste due cose: una scatola vuota con dentro quella parte dei debiti che la FIAT si era rifiutata di assorbire, e l'Alfa Avio. E nonostante le ripetute richieste che i particolari di entrambe le offerte fossero resi pubblici, il governo italiano si rifiutò di fornirli dicendo che la Ford aveva chiesto che fossero tenuti segreti.

La vittoria della FIAT sulla società statunitense era stata ottenuta con metodi corretti? La First Boston diede una risposta affermativa rilasciando un « fairness statement », e la Ford disse a Roma che, sebbene delusa per la conclusione della vicenda, riteneva che tutto fosse stato fatto in modo professionale. Ma qualcuno a Bruxelles aveva invece i suoi dubbi, e verso la fine del 1986 funzionari della Commissione CEE cercarono di farsi dare risposte precise dalla FIAT e da Roma; ma andarono a sbattere contro un muro di silenzio. In privato definirono l'atteggiamento italiano di « non cooperazione ». Che cosa esattamente aveva reso l'offerta FIAT tanto più vantaggiosa di quella della Ford? L'offerta della Ford non è mai stata resa pubblica almeno in modo ufficiale. Il mistero che circonda l'affare Alfa non è ancor oggi dissipato.

Il debito dell'Alfa, per esempio, non sembra sia stato considerato un dato importante nella valutazione delle due offerte. « Non era una questione chiave », dichiarò un alto dirigente dell'industria di Stato, senza spiegare il perché.[54] Più tardi, quando investigatori della CEE insistettero per sapere da Roma come era stato considerato il debito, un alto dirigente italiano li definì degli « incompetenti ». Ma l'ammontare del debito Alfa lasciato dalla FIAT sulle spalle del governo era chiaramente un problema da non passare sotto silenzio; e un problema che interessava Bruxelles. All'inizio del 1988, e cioè a più di un anno da quando gli investigatori avevano cominciato a chiedere informazioni al governo italiano, né Roma né Torino avevano fornito le cifre relative al debito Alfa.

Debiti a parte, la cosa chiara era che la Ford si offriva di acquistare azioni dell'Alfa Romeo, mentre la FIAT si offriva di acquistare tutte le attività dell'Alfa, incluso un assortimento di società di componenti e di leasing. Comunque, sia la Ford sia la FIAT, pare, attraverso formule finanziarie diverse, arrivarono a un prezzo d'acquisto all'incirca eguale che si aggirava sui 1050 miliardi di lire. Nel caso della Ford la cifra sarebbe stata raggiunta immettendo una somma iniziale di 140 miliardi di lire per una quota azionaria del 19,9 per cento e poi sottoscrivendo un prestito a 3 anni emesso da Finmeccanica e convertibile entro 3 anni nel 31,1 per cento di azioni Alfa di nuova emissione. Così la Ford sarebbe arrivata a una partecipazione del 51 per cento. La Finmeccanica avrebbe immesso questi capitali nell'Alfa. La Ford avrebbe poi portato la sua partecipazione al 90 per cento entro 5 anni e avrebbe infine potuto acquistare l'ultimo 10 per cento dell'Alfa, se Roma desiderava vendere. Dopo aver raggiunto il livello del 51 per cento, la Ford era disposta, nel suo piano, a pagare un prezzo più che doppio rispetto a quello calcolato per il primo 51 per cento fino a raggiungere il 90 per cento. Per l'ultimo 10 per cento, i prezzi sarebbero stati calcolati sulla base di quattro-cinque volte gli utili Alfa.[55]

La Ford stava proponendo che il denaro per la parte iniziale della sua acquisizione fosse immesso direttamente nell'Alfa, ma non stava proponendo un pagamento dilazionato fino agli anni '90: stava proponendo un'acquisizione scaglionata. Se si facessero i conti, alla fine la sostanza delle offerte FIAT e Ford non sembrerebbe così diversa come appare. La questione può essere discussa sulla base di diversi sistemi di calcolo.

Se qualcuno compra una macchina nel 1987 e non deve cominciare a pagarla fino al 1993, e anche allora in cinque rate annue, l'offerta è molto allettante per il compratore. Meglio ancora se uno può comprare alle stesse condizioni un'azienda automobilistica. Il fatto che la FIAT non avrebbe cominciato a pagare fino al 1993 era tanto vistoso da attirare l'attenzione della CEE. Attualizzando l'offerta, la CEE calcolò che la dilazione del pagamento avrebbe ridotto il prezzo effettivamente pagato dalla FIAT per l'Alfa a 400 miliardi: molto meno dei 1050 miliardi nominali. Entro il '93 la Ford avrebbe pagato più di 400 miliardi a Finmeccanica per raggiungere il 90 per cento del capitale. L'implicazione era che la FIAT fosse stata favorita nascostamente da Roma, e Bruxelles voleva anche alcune spiegazioni sulle generose immissioni di capitali nell'Alfa da parte della Finmeccanica prima dell'acquisizione da parte della Fiat.

Il 14 maggio 1987, rappresentanti della Commissione CEE e funzionari italiani si incontrarono a Bruxelles per discutere la faccenda Alfa. La commissione disse molto chiaramente alla delegazione italiana che le informazioni fornite fino a quel momento non bastavano a consentire una valutazione del caso alla luce delle norme CEE riguardanti l'assistenza statale alle aziende. Agli italiani fu fatto capire che gli investigatori erano molto insospettiti. Il problema, dissero gli uomini della commissione, era se il prezzo che la FIAT avrebbe pagato per l'Alfa riflettesse l'effettivo valore di questa sul mercato o se invece il governo italiano, dilazionando il pagamento, avesse di fatto ridotto il prezzo, violando così le norme della CEE. Gli italiani promisero una rapida risposta, ma quando questa arrivò, sotto forma di una lettera datata 2 luglio 1987, non conteneva nessuna informazione nuova. Bruxelles cominciò a dare segni d'irritazione. Alla fine di luglio, benché diplomatici italiani cercassero di bloccare le indagini, la commissione decise di aprire un'inchiesta. In una lettera a Roma, la commissione dichiarava che «il valore attuale del prezzo d'acquisto pagato dalla FIAT appare sostanzialmente più basso del valore attuale del prezzo offerto dalla Ford». Il governo italiano era sospettato di avere «dato alla FIAT un vantaggio competitivo nei confronti dei suoi concorrenti». La FIAT s'infuriò. La Stampa dichiarò che la società non aveva niente da nascondere. L'ufficio stampa della FIAT minimizzò l'inchiesta come «routine».[56] Ma l'affare Alfa era diventato la chiacchiera di tutta l'industria automobilistica europea.

Ma il prezzo non era l'unica considerazione. Per quanto riguardava l'occupazione, sia la Ford sia la FIAT fecero delle promesse, ma entrambe ammisero in privato che la manodopera Alfa avrebbe dovuto essere sfoltita. La MIRU, in uno studio, concludeva che l'impegno preso pubblicamente di mantenere i livelli d'impiego non significava molto, dato che la legge italiana consente alle aziende di lasciare a casa i dipendenti in eccedenza addossando la spesa allo Stato.

La MIRU ha detto molto chiaramente che calcolare i meriti relativi delle offerte Ford e Fiat «è un procedimento estremamente complesso in cui sono in gioco molti fattori ai quali si può attribuire al momento solo un valore ipotetico». Quindi, quanto più l'affare Alfa si allontanerà nel passato, tanto più contenta sarà Torino. Nel gennaio 1988, però, il ricordo era ancora fresco, e a Londra si seppe che la FIAT montò su tutte le furie quando la MIRU annunciò che, attraverso una sofisticata analisi di attualizzazione dei pagamenti, poteva dimostrare che di fatto la Ford aveva offerto il 20 per cento più della FIAT.

Ancora nel luglio 1988, ben dodici mesi dopo che la commissione della CEE aveva aperto l'inchiesta sull'affare Alfa, Bruxelles si lagnava delle reticenze di Roma. «L'atteggiamento delle autorità italiane è assolutamente incomprensibile», pare che dicesse un alto funzionario. La CEE cita come esempio il caso analogo dell'acquisizione del gruppo inglese Rover da parte della British Aerospace: in questa occasione non solo i ministri inglesi hanno collaborato all'inchiesta ma il governo inglese ha accolto prontamente la richiesta CEE di non accollarsi 250 milioni di sterline di debiti della Rover per facilitare l'acquisto.

A Roma, Fabiano Fabiani, il rispettato amministratore delegato della Finmeccanica, ha sempre sostenuto che il suo comportamento fu corretto; ma, nonostante l'indiscussa rettitudine personale, nel luglio 1988 Fabiani non è ancora riuscito ad accontentare la CEE. Fabiani non ha fatto mistero di come giudichi i funzionari di Bruxelles, che ha definito «né professionali né tecnicamente adeguati». Chi ha ragione? Bruxelles o Roma?

Comunque siano andate le cose, un fatto è certo a proposito dell'affare Alfa: ha dato alla FIAT una posizione di assoluto dominio sul mercato automobilistico italiano e nel 1980 l'ha aiutata a superare la Volkswagen nella lotta per la leadership del mercato europeo. Un giorno, ha osservato Kenneth Whipple della Ford, «la FIAT dovrà affrontare la sfida internazionale perché, entro i confini del mercato italiano, la sua posizione non può durare per sempre».[57]

Di fatti già al principio del 1988 la Nissan giapponese ha tentato una prima mossa, benché indiretta e cauta, per assicurarsi uno sbocco in Italia. «Dobbiamo essere l'unico paese al mondo che non importa auto giapponesi», ha dichiarato Gianni De Michelis quando gli è stato chiesto come mai in Italia si possa importare un così limitato numero di vetture nipponiche l'anno.[58] Una ragione c'è, ed è paradossale: le importazioni giapponesi sono mantenute a un livello così incredibilmente basso in base a un patto stipulato nel 1955 su richiesta degli stessi produttori giapponesi, i quali temevano gli effetti delle importazioni di vetture italiane sulla loro industria automobilistica allora ai primi passi. Ma nel 1988 la Nissan ha creato una filiale di vendita in Italia, sapendo che le auto prodotte dalla sua fabbrica in Gran Bretagna saranno presto classificate come di produzione europea e grazie a questo escluse dall'accordo degli anni '50.[59]

Questa iniziativa della Nissan è però cosa da poco, una goccia nell'oceano. Dopo l'assorbimento dell'Alfa Romeo la FIAT diventò forte come non mai e, secondo gente dell'Alfa di Milano, cominciò presto a cercare di approfittarne. Per esempio, i sindacalisti dell'Alfa hanno lamentato prepotenze e intimidazioni e hanno portato l'Alfa-Lancia davanti al pretore con l'accusa di comportamento antisindacale.

Meno si parlò del fatto che la FIAT, immediatamente dopo avere assunto il controllo dell'Alfa nel gennaio 1987, informò le sue migliaia di fornitori di componenti che avrebbe ridotto del 3 per cento i prezzi pagati fin allora dall'Alfa.

Si può non attribuire un gran peso alle lamentele di sindacalisti e fornitori scontenti, e non c'è dubbio che gli uomini della FIAT stanno operando all'Alfa una ristrutturazione di cui c'era gran bisogno. Ma queste proteste sollevano un problema più vasto: che cosa accade a un'industria, ai suoi operai, fornitori, clienti, e cosa accade a un mercato nazionale, quando esiste un unico produttore interno di una data merce? È una questione di cui si parla poco in Italia, dove si dà molto più rilievo alla necessità per la FIAT di essere abbastanza forte da poter competere su un mercato mondiale sempre più difficile. Ma nel frattempo cosa succede « in casa »? I critici della FIAT dicono che per qualunque azienda con una quota del 60 per cento del mercato nazionale sarebbe difficile non cedere alla tentazione di imporre la sua volontà. La FIAT risponde che gli italiani sono liberi di comprare le macchine che vogliono, prova ne sia che il 40 per cento delle macchine comprate in Italia non sono italiane. Ma come sempre non è una questione di legalità bensì di correttezza. A conti fatti, l'inchiesta della CEE non riuscirà forse a provare nulla contro la FIAT e il governo italiano – specialmente se la commissione continuerà a non ottenere da Roma le informazioni che chiede – ma certo ha sollevato un bel po' di domande.

L'opinione pubblica italiana ha salutato l'acquisto dell'Alfa come un trionfo. Alla fine del 1987 la nuova società nata dall'unione con la Lancia era già vicina al pareggio; sembrava che la FIAT fosse riuscita a operare il completo rilancio dell'Alfa in meno di un anno. Quel che ha fatto, in realtà, è compensare le perdite dell'Alfa con i profitti della Lancia e soprattutto immettere sul mercato un nuovo modello, la 164, del resto quasi pronto prima dell'arrivo FIAT, con una massiccia ed efficace campagna promozionale. « L'affare è stato un grande successo », ha commentato a Londra un consulente finanziario della Finmeccanica, « ma credo che, soldi a parte, l'offerta Ford sarebbe stata più vantaggiosa per l'Italia e per l'Alfa. La rete vendite della Ford, estesa a tutto il mondo, vale molto, e un tale impegno nei confronti dell'Italia da parte di una multinazionale così cauta come la Ford sarebbe stato un bene per il paese. » [60]

« Forse abbiamo sottovalutato la misura in cui la FIAT ci vedeva come una minaccia », ha ammesso Kenneth Whipple in un commento in cui il « forse » è certamente di troppo.[61]

In definitiva, la vicenda Alfa può avere sollevato molti interrogativi ma, a parte l'inchiesta CEE, alla FIAT non è stata mossa alcuna accusa di illegalità. Lo stesso non si può dire per l'altro grosso colpo del 1986, l'ancor più controverso riscatto, per 3,1 miliardi di dollari, della quota azionaria FIAT in mano della Libia.

La vicenda Alfa dimostrò come l'impero Agnelli, sul suo territorio, poteva far mangiare la polvere anche a una multinazionale potente come la Ford. L'affare Libia fu un cocktail ben più esplosivo, con la sua misura di rapporti e trattative fra Torino e Gheddafi da una parte, dall'altra Torino e il Pentagono, la Casa Bianca, il Congresso americano. Per Agnelli, la cui famiglia ne uscì con una quota FIAT notevolmente aumentata, e per Gheddafi, che ne trasse un utile di 2,7 miliardi di dollari sull'investimento originale, fu un grande successo; per tutti gli altri che vi furono coinvolti, un disastro. E se la vicenda Alfa può avere suscitato perplessità, l'affare di Libia fu dinamite pura, dall'inizio dell'alleanza con Gheddafi nel 1976 alla controversa conclusione dieci anni dopo.

1 Vedi Valerio Castronovo, *Agnelli*, UTET, 1971, pp. 451-463; vedi anche *The Financial Times*, « The invention that changed society », 15 febbraio 1988, di John Griffiths. Griffiths scrive: « A riprova del fatto che c'è poco di nuovo sotto il sole, nel 1930 la nascente industria automobilistica italiana andò vicina a includere la Ford. Ma in un clima esasperato di nazionalismo e di barriere doganali, il dittatore Mussolini pose il veto alla presenza dell'azienda americana su suolo italiano ».

2 *Panorama*, « Mercoledì, san Cesare », 8 giugno 1986, di Pino Buongiorno e Bruno Manfellotto; vedi anche *Il Giornale*, « Agnelli: meglio Detroit che l'assistenza pubblica »; e *The Wall Street Journal* del 4 giugno 1986, in cui è citata la dichiarazione di Agnelli che le trattative Ford-Alfa non lo preoccupavano perché considerava benvenuta una « competizione onesta, non sussidiata ».

3 Intervista dell'autore a Kenneth Whipple, Brentwood, Essex, 1° dicembre 1987.

4 *The Financial Times*, « Brussels poised to order probe into Fiat-Alfa takeover », 27 luglio 1987, di Tim Dickson e Alan Friedman.

5 *The Financial Times*, « Ford 'outbid' Fiat in Alfa wrangle ». 26 gennaio 1988, di John Griffiths.

6 Joseph La Palombara, *Democracy Italian Style*, Yale University Press, 1987, p. 205.

7 *The Financial Times*, « GM profits climb in Europe », 10 febbraio 1988, di Anatole Kaletsky.

8 Vedi la causa intentata dalla signora Ersilia Tonini di Terni, una piccola azionista dell'Alfa Romeo, secondo la quale nella vendita dell'Alfa alla FIAT erano state violate norme del codice civile italiano. Cfr. *La Repubblica*, « La vendita dell'Alfa va annullata », 27 settembre 1987, di Giorgio Lonardi. Documenti legali in possesso dell'autore.

9 *La Repubblica*, intervista ad Agnelli, 7 novembre 1986.

10 Cifre fornite nel 1986 dall'ufficio stampa dell'Alfa Romeo. Vedi anche *Financial Times*, « Alfa Romeo takes the Tramontana cure », 17 marzo 1986, di Alan Friedman.

11 *L'Espresso*, « Intervista a Romiti: L'auto scontro », 22 giugno 1986, di Salvatore Gatti.

12 *The Economist*, « Agnelli and Fiat: Dove va il Numero Uno? », 30 agosto 1986.

13 Vedi nota 9.

14 *The Financial Times*, « Fiat take-over of Lancia now certain », 22 ottobre 1969, di Peter Tumiati.

15 Intervista dell'autore, 18 settembre 1987, Milano.

16 Vedi *Panorama*, « Detroit, operazione Prodi », 30 maggio 1986, di Pino Buongiorno.

17 Vedi nota 2.

18 *The Financial Times*, « Fiat trying to sabotage Ford-Alfa deal », 13 giugno 1986, di Alan Friedman.

19 Giovanni Minoli, *I Re di Denari*, Mondadori, 1987, p. 113.

20 *Panorama*, « Fiat voluntas mea », 22 giugno 1986, di Chiara Beria e Antonio Mereu.

21 Intervista dell'autore, 18 settembre 1987, Milano.
22 Vedi nota 20.
23 Intervista dell'autore, 26 ottobre 1987, Roma.
24 Vedi nota 20.
25 Intervista dell'autore, 26 ottobre 1987, Roma.
26 Vedi nota 25.
27 *The Financial Times*, « Alfa Romeo spurned Fiat proposals for Italian joint venture », 12 giugno 1986, di James Buxton.
28 Intervista dell'autore, 12 giugno 1986, Roma.
29 Vedi nota 18.
30 Vedi nota 18.
31 Vedi nota 18.
32 *L'Espresso*, « Benvenuti Yankees », 28 luglio 1986, di Gad Lerner; vedi anche *The Wall Street Journal*, « Bidding by Ford, Fiat For Alfa Romeo Turns Into Political Tussle », 15 ottobre 1986, di Laura Colby; vedi inoltre *The Independent*, « Alfa Romeo bid puts Fiat empire's power to the test », 20 ottobre 1986, di Michael Sheridan.
33 Vedi nota 32.
34 *L'Espresso*, « Alfa versione USA », 23 giugno 1986, di Tullio Fazzolari.
35 Comunicato stampa della Finmeccanica, 16 settembre 1986.
36 Vedi nota 25.
37 *La Repubblica*, « Per ora la Fiat non ha 'nulla da dire'. Anche i politici si mostrano prudenti », 17 settembre 1986, di Felice Saulino e Salvatore Tropea.
38 *The Financial Times*, « Ford close to deal with Alfa Romeo », 18 settembre 1986, di Alan Friedman e John Griffiths.
39 *La Repubblica*, « La Fiat rilancia per l'Alfa Romeo », 18 settembre 1986, di Giampiero Martinotti.
40 Vedi nota 38.
41 *L'Espresso*, « Fiat Appeal », 13 ottobre 1986, di Paolo Forcellini e Maurizio Valentini.
42 Vedi nota 41.
43 Vedi nota 41.
44 Intervista dell'autore, 29 ottobre 1987, Roma.
45 Intervista dell'autore a Kenneth Whipple, 1° dicembre 1987, Brentwood, Essex.
46 *The Financial Times*, « Fiat bids high in the luxury car stakes », 27 ottobre 1986, di John Wyles.
47 *La Repubblica*, 25 ottobre 1986.
48 *La Repubblica*, « La Fiat rivela il piano per l'Alfa », 25 ottobre 1986.
49 *The Financial Times*, « Fiat bids for Alfa Romeo in $ 5.8 bn move upmarket », 27 ottobre 1986, di John Wyles.
50 *The Financial Times*, « Fiat pressed for more details of bid for Alfa », 28 ottobre 1986, di John Wyles.
51 Vedi nota 50.
52 *The Financial Times*, « Fiat declared victor in battle for Alfa Romeo », 7 novembre 1986, di John Wyles.
53 Questa data, che significa per la FIAT sei anni di grazia prima di iniziare il pagamento dell'Alfa Romeo, è stata confermata dall'ufficio stampa della Finmeccanica a Roma.
54 Intervista dell'autore, 29 ottobre 1987, Roma.
55 I particolari dell'offerta Ford qui riportati si basano su due fonti: informazioni private fornite all'autore da uno dei negoziatori che parteciparono alle trattative tra la Ford e la Finmeccanica, e documenti confidenziali forniti all'autore.
56 *The Financial Times*, « Brussels poised to order probe into Fiat-Alfa takeover », 27 luglio 1987, di Tim Dickson e Alan Friedman.

57 Intervista dell'autore a Kenneth Whipple, 1° dicembre 1987, Brentwood, Essex.

58 Intervista dell'autore a Gianni De Michelis, 3 novembre 1987, Milano.

59 *The Financial Times*, « Nissan sets up sales subsidiary in Italy », 27 gennaio 1988, di John Griffiths.

60 Intervista dell'autore, 10 novembre 1987, Londra.

61 Intervista dell'autore a Kenneth Whipple, 1° dicembre 1987, Brentwood, Essex.

10. *L'affare di Libia*

I. Alleanza con Gheddafi

IL pomeriggio di mercoledì 1° dicembre 1976 un Gianni Agnelli sorridente entrò in una sala gremita di giornalisti. L'eccitazione fra i rappresentanti della stampa, che erano stati convocati al quartiere generale della FIAT con solo poche ore di preavviso, era quasi palpabile. Alcuni di loro erano stati espressamente portati in aereo da Roma, altri in auto da Milano. Nessuno sapeva cosa aspettarsi, si sapeva solo che l'ufficio stampa della FIAT aveva promesso un'importante comunicazione.

Fiancheggiato dal fratello Umberto, accompagnato da Cesare Romiti e da Gianluigi Gabetti, l'Avvocato sembrava di umore insolitamente allegro; pareva che si divertisse dell'aria di suspense che lui stesso aveva creato. Da settimane, sul mercato azionario italiano e in Svizzera circolavano voci che la famiglia Agnelli stesse trattando la vendita di un pacchetto FIAT a un'azienda di Stato italiana o a un produttore di automobili americano oppure forse a interessi arabi, e la quotazione della FIAT in borsa era salita del 24 per cento nel solo mese di novembre. Ma il 30 novembre, alla vigilia della conferenza stampa a sorpresa, un portavoce della FIAT aveva dichiarato assolutamente infondate le voci di una imminente vendita di azioni.[1]

I giornalisti non stavano più nei panni. C'era in aria qualcosa di veramente grosso. Ma l'Avvocato aveva voglia di giocare. « Qualcuno di voi vuol provare a indovinare quello che ho da dire? » scherzò entrando nella sala. Come scolaretti obbedienti, i giornalisti ci provarono. « Siete stati comprati dalla General Motors? » disse uno. « Vi siete fusi con la Ford? » chiese un altro. « No », rispose Agnelli con un lampo malizioso nell'occhio, « né una cosa né l'altra. »[2] Poi, tolto di tasca un pezzo di carta, cominciò a leggere un comunicato che avrebbe lasciato di stucco il mondo intero. Il governo del colonnello Muhammar Gheddafi aveva concordato con la FIAT l'acquisto di una quota azionaria di poco inferiore al 10 per cento, che avrebbe impegnato una somma di 415 milioni di dollari. La Libia sarebbe così diventata il secondo più grosso azionista FIAT dopo la famiglia Agnelli. Attimo di stupore fra i giornalisti, poi parecchi di loro schizzarono in piedi e si precipitarono verso i telefoni, « proprio come nei film », avrebbe rievocato uno di loro.

La notizia dell'accordo con la Libia gettò la costernazione nelle capitali finanziarie e politiche del mondo intero. La faccenda era strana per più di una ragione. Prima di tutto c'era la scelta inesplicabile del colonnello Gheddafi, il dittatore disprezzato, l'uomo che Sadat aveva definito « il pazzo del Medio Oriente » e che molti governi occidentali consideravano un pericoloso squilibrato. Poi c'era il fatto che la Libia offriva più di tre volte il prezzo che avrebbe pagato se avesse semplicemente comprato le azioni FIAT alla Borsa di Milano. E sebbene Agnelli garantisse che il controllo sarebbe rimasto saldamente nelle mani della famiglia, la Libia avrebbe avuto due suoi rappresentanti nel consiglio d'amministrazione della FIAT più uno nell'influente comitato esecutivo composto di cinque membri. Si sapeva che, come altre aziende produttrici di automobili, la FIAT era in difficoltà a causa dell'aumento del prezzo mondiale del petrolio e che il suo margine di profitto si era ridotto a proporzioni esigue. Ma perché rivolgersi a Gheddafi? A New York, Washington, Londra, Parigi, banchieri, diplomatici, funzionari governativi facevano tutti la stessa domanda. Perché Gheddafi? Che cosa stava in realtà succedendo?

Nel 1976 Gheddafi non aveva la notorietà che avrebbe raggiunto negli anni '80, ma era già nemico dichiarato dei « capitalisti » e degli « imperialisti » e già faceva del suo meglio per favorire la sovversione internazionale e il terrorismo mediorientale. I suoi rapporti con il governo italiano non erano certo cordiali; appena salito al potere nel 1969 aveva cacciato migliaia di italiani da Tripoli, riservato il trattamento più duro agli imprenditori italiani in Libia in quanto simboli del passato coloniale dell'Italia in quel paese. Nel 1971 aveva addirittura mandato i suoi uomini nei cimiteri e fatto dissotterrare le bare di morti italiani, rispedendo poi i resti in Italia. Era *questo* il nuovo partner di Gianni Agnelli?

A Torino Agnelli cercò di giustificarsi snocciolando cifre e garantendo che la sua famiglia avrebbe mantenuto il controllo della FIAT, ma non riuscì a placare i timori politici suscitati dal suo annuncio bomba. I dubbi sulla saggezza politica di quell'alleanza non vennero mai meno, e il problema dei rapporti con la Libia pesava ancora sulla FIAT dieci anni più tardi, al tempo in cui l'azienda cercava di assicurarsi commesse del Pentagono, inclusi contratti nel quadro dello Scudo Spaziale del presidente Reagan.

In questo contesto Gheddafi, di cui erano ormai accertate le attività a sostegno del terrorismo mondiale e che nel frattempo aveva persino lanciato un missile contro il territorio italiano, nel 1986 fu finalmente persuaso a rivendere il suo pacchetto di azioni FIAT. Agnelli, che da mesi andava ripetendo di sperare che la Libia avrebbe venduto, più tardi definì invece « inattesa » questa decisione. Agnelli ammise però che gli uomini di Gheddafi avevano fatto « un ottimo affare », e poteva ben dirlo: Gheddafi ci aveva guadagnato miliardi di dollari.[3]

Diversamente che nel 1976, questa volta le critiche furono di ordine finanziario più che politico. Ansiosi di guadagnarsi il favore di Washington, gli uomini di Agnelli avevano combinato l'affare con l'assistenza di Cuccia, e, in cambio di 3,1 miliardi di dollari, erano riusciti nel 1986 a sgombrare la scena della presenza di Gheddafi. C'era però un altro paio di problemi. Per esempio, la transazione causò gravi perdite a dozzine di banche internazionali e fu un disastro per il mercato azionario milanese. Nonostante i giudizi di condanna espressi da molti grandi banchieri di Londra, Romiti si presentò alla televisione italiana ed ebbe il coraggio di dire che le cose erano andate « esattamente come noi volevamo, come voleva il consorzio di banche ».[4]

L'operazione Lafico era stata «una delle più grandi operazioni finanziarie che siano mai avvenute». «Quindi tutto bene, tutto perfetto», commentò l'intervistatore. «Direi di sì», rispose Romiti, senza fare una piega.

Molti non erano d'accordo. Come vedremo più avanti, la Consob domandò chiarimenti sulle complesse operazioni finanziarie mediante le quali gli Agnelli avevano finanziato l'acquisto di 1 miliardo di dollari di azioni libiche, con l'aiuto di una banca «statale» milanese nota col nome di Mediobanca. La vecchia rete di potere funzionava sempre bene. Un anno dopo, un partito politico presentò alla stampa milanese un dossier che accusava Torino di scorrettezze e illegalità. Il partito era Democrazia Proletaria: troppo piccolo, troppo ai margini per trovare credibilità sia negli ambienti politici italiani sia presso la stampa. Tuttavia nel 1987 un magistrato torinese avviò un'inchiesta sulle società di Agnelli coinvolte nell'operazione Lafico per sospette violazioni delle norme che disciplinano le società per azioni.[5] In un paese dove sono all'ordine del giorno le fughe di notizie che dovrebbero essere protette dal segreto giudiziario, e dove la stampa non se ne lascia scappare una, di questa invece non apparve parola su nessun giornale.

Fin dall'inizio dell'affare di Libia nel 1976, Agnelli parve avere di Gheddafi un'opinione diversa da quella di tutti gli altri. A cominciare dalla smentita ufficiale, del 30 novembre, che gli Agnelli stessero trattando la vendita di azioni a interessi arabi, molte dichiarazioni della FIAT riguardanti direttamente o indirettamente la Libia furono equivoche. Non si può dire che Agnelli o la FIAT esattamente mentissero: dissero solo cose che potevano essere interpretate in vari modi. La smentita del 30 novembre, per esempio, si potrebbe interpretare nel senso che gli Agnelli non trattavano la vendita di loro azioni *personali*. Non c'era bisogno di mentire; gli uomini della FIAT si limitarono a presentare i fatti in un modo che i loro critici considerarono un po' troppo soggettivo.

Altro esempio. Mezz'ora dopo la clamorosa conferenza

stampa del 1° dicembre 1976, in cui aveva spiegato che la cessione di azioni alla Libia era un puro investimento finanziario, niente più che un normale riciclaggio di petrodollari, Gianni Agnelli si trasformò di colpo in analista della politica mondiale. Disse che credeva nella « evoluzione della democrazia » nella Libia del colonnello Gheddafi. Definì la Libia « un paese alla ricerca della stabilità » e proclamò che dopo avere assunto il potere Gheddafi si era « molto ammorbidito, sì, è decisamente più morbido ».[6] Ma, chiese l'intervistatore, ad Agnelli non pareva che la FIAT avesse scelto il partner più « anomalo » che si potesse immaginare? Sì, rispose Agnelli, il nuovo partner era « anomalo, ma ricco, molto ricco ».

Dando voce a preoccupazioni condivise da tutto il mondo, l'intervistatore chiese poi ad Agnelli se non pensava, accettando Gheddafi come partner, di aprirgli le porte del mondo occidentale e di conferirgli una specie di riconoscimento ufficiale. « Io non faccio politica », rispose Agnelli, « ma certamente aprendo alla Libia spero anche di aiutarla a uscire dall'isolamento. Non è né giusto né utile tenere paesi come la Libia nel ghetto, specialmente quando fanno sforzi per evolversi in senso democratico. »[7]

Queste erano forse le vere convinzioni di Agnelli, ma il governo italiano, che aveva ricevuto qualche informazione riservata ma non era stato informato ufficialmente fino all'ultimo momento, trovò che sarebbe stato giusto chiedergli un parere sull'opportunità o meno che l'Italia prendesse iniziative per far uscire Gheddafi dal « ghetto », e Roma dimostrò una viva curiosità per un affare che poteva avere implicazioni di grande portata in politica estera. Anzi, dopo l'annuncio di Torino e l'intervista in cui Agnelli aveva parlato delle aspirazioni democratiche della Libia di Gheddafi, vari giornali espressero un dubbio: chi era il ministro degli Esteri italiano? Il ministro degli Esteri o Gianni Agnelli? Così il 2 dicembre Agnelli indossò uno dei suoi gessati e volò a Roma, a informare i politici. Fece il suo giro di visite, e gli incontri andarono quasi tutti bene. Non però quello con l'ambasciatore dello Stato d'Israele a Roma. Lo Stato d'Israele non era entusiasta.

Agnelli invece era felicissimo dell'affare, e se le capitali straniere continuavano ad avere dei dubbi, in patria non si tardò a parlare di lui come d'un genio della finanza. Poco importava che le trattative fossero state condotte, per diciotto mesi, da un trio composto da Romiti, Gabetti e, s'intende, l'onnipresente Enrico Cuccia. Ad Agnelli fu attribuito il merito di una transazione finanziaria che aveva fruttato alla FIAT una cifra di poco inferiore a quella che sarebbe occorsa al governo italiano per risanare l'intera economia nazionale.

Come si fece notare, l'iniezione di 415 milioni di dollari di capitale straniero – in un momento in cui il governo italiano trovava quasi impossibile ottenere dal Fondo Monetario Internazionale un prestito di 530 milioni di dollari di cui aveva un disperato bisogno – avrebbe contribuito a raddrizzare la bilancia dei pagamenti italiana. E in realtà quell'affare da 415 milioni di dollari, che comprendeva un prestito di 104 milioni di dollari a una basso tasso d'interesse, era pari a quasi un quarto del deficit della bilancia italiana dei pagamenti per il 1976.[8]

Molti trovarono un po' eccessiva la mossa seguente. Imbaldanzito dalla sua bravura nell'attirare petrodollari mediorientali, Agnelli fece un gesto magnanimo. Si offrì di dare una mano al governo. Qualche tempo dopo l'accordo con i libici si presentò negli uffici romani della Banca d'Italia e disse che sarebbe stato felice di mettere a disposizione del governo il prestito di 104 milioni di dollari ottenuto dalla Libia. L'offerta, però, doveva rivelarsi meno generosa di quanto sembrava a prima vista. In cambio del prestito, Agnelli chiedeva infatti che la banca centrale italiana si assumesse i rischi di cambio garantendogli la restituzione di una somma di eguale valore. Data la debolezza della lira (e Agnelli era stato tra i più fervidi sostenitori di una svalutazione) l'affare avrebbe potuto rivelarsi costoso per il governo di Roma.

Paolo Baffi, governatore della Banca d'Italia, stentò a credere alle sue orecchie quando il presidente della FIAT espose le sue condizioni. L'offerta fu rifiutata e, a quanto si disse allora, il denaro fu assegnato alla FIAT International di Lugano.

Dopo avere assicurato all'opinione pubblica che l'accordo con la Libia era un semplice investimento finanziario, e avere detto la stessa cosa al suo amico David Rockefeller, presidente della Chase Manhattan Bank, Agnelli si trovò in un bell'imbarazzo quando i libici affermarono esattamente l'opposto. Rageb Missalati, vice governatore della banca centrale di Libia, dichiarò infatti: «Non abbiamo nessuna intenzione di limitarci al ruolo di semplici investitori che si accontentano di incassare i dividendi. Se era quello che volevamo, avremmo comprato azioni in borsa... Vogliamo intervenire nel management dell'azienda».[9]

Pochi giorni dopo Abdullah Saudi, presidente della Lafico (Libian Arab Foreign Investment Company), volò a Roma e in una conferenza stampa cercò di smentire quel che aveva detto il suo connazionale; ma il danno era fatto. Intanto fonti diplomatiche della Libia a Roma dichiaravano che, in un più ampio contesto politico, vedevano l'accordo FIAT come un mezzo per creare più stretti legami fra la Libia e l'Europa e per incoraggiare i paesi europei a considerare con più interesse i loro rapporti col mondo arabo. Nella sua conferenza stampa Saudi lasciò capire che la Libia era interessata alla FIAT non solo per la sua posizione finanziaria ma anche per il suo ampio ventaglio di prodotti, armi comprese.[10] Non c'è da stupirsi che questo destasse allarme negli Stati Uniti e in Israele.

L'accordo Agnelli-Gheddafi aveva già creato un bel po' di confusione e dato luogo a dichiarazioni contraddittorie, ma era solo il principio. Nessun aspetto dell'affare di Libia doveva dimostrarsi politicamente così esplosivo come il sospetto di una «connection sovietica» che nacque quando, l'8 dicembre 1976 – proprio mentre i libici tenevano a Roma la loro conferenza stampa – Gianni Agnelli salì sul suo jet personale a Torino per volare a Mosca e, il mattino seguente, incontrarvi il suo nuovo partner.

Perché Agnelli e Gheddafi si incontrarono a Mosca? I russi avevano qualcosa a che fare con l'accordo tra la Libia e la FIAT? È vero che Agnelli aveva sperato di tenere segreto il suo appuntamento col colonnello? La risposta a queste domande non si avrà forse mai, e la FIAT ha fatto del suo meglio per mantenere un velo di mistero intorno all'incontro di Mosca. Anzi, ben dieci anni dopo la FIAT si prese il disturbo di negare che Agnelli, Gheddafi e rappresentanti sovietici si fossero mai incontrati al Cremlino. Questa volta però un giornale americano, il *Wall Street Journal*, apertamente accusò la FIAT di mentire.

A parte gli interrogativi che sollevò, la storia del misterioso incontro di Agnelli con Gheddafi a Mosca è esemplare di come la FIAT si comporta nei confronti di tutto ciò che trova sgradevole, nocivo per la sua immagine o non remunerativo. Nel settembre 1986, dopo che Gheddafi ebbe ricevuto 3,1 miliardi di dollari per quello che dieci anni prima aveva pagato 415 milioni, il *Wall Street Journal* dichiarò in un editoriale che l'accordo del 1976 aveva avuto « meno a che fare col libero mercato che con l'inventiva finanziaria da parte sovietica a favore di una Libia che si andava rapidamente armando ». Rifacendosi a notizie di dieci anni prima, il *Wall Street Journal* scriveva: « Il signor Agnelli, il colonnello Gheddafi e rappresentanti sovietici si incontrarono al Cremlino. Il signor Agnelli aveva bisogno di un'iniezione di capitale per tenere in vita la FIAT in quel guazzabuglio che è l'economia italiana. Il colonnello Gheddafi doveva ripagare Mosca per un invio di 800 milioni di dollari di armi che aveva appena ricevuto. Si era parlato anche della possibilità che i sovietici gli dessero un reattore nucleare. Quanto ai sovietici, volevano che la FIAT costruisse in Russia una fabbrica di grossi trattori, ma non volevano pagare in contanti. L'accordo finale fece tutti felici. Il colonnello Gheddafi pagò il triplo del prezzo di mercato per [quella che sarebbe diventata] una quota del 15 per cento nella

FIAT. In cambio i sovietici promisero di tenerlo bene armato. I sovietici ebbero la loro fabbrica di trattori senza tirar fuori un soldo come deposito. Il signor Agnelli fece un buon guadagno e non ebbe problemi politici ».[11]

La FIAT reagì con molta irritazione all'editoriale del *Wall Street Journal*. Furio Colombo, un amico e confidente di Agnelli e presidente della FIAT USA Inc. a New York, spedì immediatamente una lettera al direttore in cui deplorava il fatto che si fossero rimesse in giro voci vecchie di dieci anni, e negava che la FIAT avesse mai costruito una fabbrica di trattori in URSS o che ci fossero stati un accordo a tre o un incontro a tre o un qualsiasi intervento sovietico. Quanto all'idea che Agnelli, Gheddafi e rappresentanti sovietici si fossero incontrati al Cremlino, il portavoce della FIAT affermava che « un tale incontro non ha mai avuto luogo ».[12] Il *Wall Street Journal* pubblicò la lettera ma con una nota in cui il direttore avvertiva: « I lettori devono sapere che l'affermazione del signor Colombo secondo la quale nel 1976 non ci sarebbe stato un incontro a Mosca fra Agnelli e Gheddafi è in contraddizione con le notizie pubblicate allora dalla stampa ».

L'incontro, dunque, ci fu o non ci fu? E fu incontro a tre, con sovietici presenti, o un incontro a due, fra Agnelli e Gheddafi, che ebbe luogo a Mosca per nessuna speciale ragione? Forse il modo più rapido di rispondere a queste domande è andare a vedere che cosa stamparono i giornali dell'epoca. Per esempio, il corrispondente da Mosca del *Times* di Londra, in un dispaccio intitolato « Connection sovietica nell'accordo FIAT-Libia », il 10 dicembre 1976 scriveva: « Giovanni Agnelli, capo della FIAT, il gruppo italiano produttore di automobili, arrivato qui ieri, si è incontrato col colonnello Gheddafi, il leader libico, e con German Gvishiani, vicepresidente del Comitato sovietico per la scienza e la tecnologia, per discussioni che potrebbero avere importanti ripercussioni economiche per i tre paesi. L'incontro è stato una conseguenza dell'acquisizione, da parte del colonnello Gheddafi, di un grosso pacchetto di azioni

242

FIAT, a un valore notevolmente superiore a quello di mercato ».[13]

Il corrispondente del *Times* riferiva poi che solo un mese prima, nel novembre 1976, Agnelli era stato a Mosca per cercare di persuadere i russi a espandere la produzione a Togliattigrad. Pareva che i russi avessero acconsentito, dicendo però che il progetto doveva aspettare perché il loro piano quinquennale non consentiva di finanziare un incremento della produzione di auto per uso privato, « a meno, naturalmente, che volesse finanziarla la FIAT ». Né la FIAT né il governo italiano avevano le fonti di credito necessarie. « Questo », riferiva il *Times*, « era prima che entrassero in gioco i libici. » Ora parte del nuovo capitale era « fuori d'Italia e quindi disponibile per essere investito nell'Unione Sovietica. » Intanto Nikolaj Komarov, viceministro del Commercio estero sovietico, lasciava Roma senza essere riuscito a ottenere un credito di 600 milioni di dollari per investimenti nell'Unione Sovietica: anche gli italiani faticavano a ottenere dal Fondo Monetario Internazionale un aiuto di cui avevano gran bisogno.

Così, concludeva il *Times*, « l'intervento del colonnello Gheddafi può avere spianato la via per un duplice accordo. I fondi necessari per espandere Togliattigrad e per altri investimenti verrebbero parte dal capitale pagato da Gheddafi alla FIAT per l'acquisizione di una quota azionaria leggermente inferiore al 10 per cento, parte direttamente dalla Libia ». E, « a parte queste prospettive economiche, i russi hanno acconsentito a vendere armi alla Libia in pronti contanti ». Volendo credere alle smentite della FIAT, bisognerebbe supporre che il corrispondente del *Times* da Mosca fosse male informato. E che fossero male informati anche il *New York Times*, *La Repubblica*, *L'Espresso*, il *Corriere della Sera* e parecchi altri grandi quotidiani e periodici.

Il corrispondente da Roma del *Financial Times* riferiva che « la visita di sorpresa compiuta ieri da Gianni Agnelli, presidente della FIAT, a Mosca – dove ha incontrato per la prima volta il colonnello Gheddafi –, ha fatto pensare a molti qui che l'iniezione di denaro libico avvenuta la settimana scorsa porterà indirettamente a un intensificarsi dei rapporti della FIAT con la Russia ».[14] Il giornale inglese osservava che l'incontro Agnelli-Gheddafi « viene meno di un mese dopo la firma a Mosca di un accordo quinquennale di collaborazione tecnica tra la FIAT e l'URSS. L'accordo comprendeva la collaborazione nei campi dei macchinari e macchine utensili, trattori, motori diesel e l'espansione del complesso automobilistico di Togliattigrad costruito dalla FIAT in base al suo primo importante contratto sovietico ».

L'articolo del *Financial Times* conteneva anche una dichiarazione di Agnelli. Evidentemente, ora che il viaggio a Mosca non era più un segreto, gli pareva meglio dare la sua versione dei fatti. Il presidente della FIAT dichiarò che si era recato a Mosca per incontrare il dittatore libico semplicemente perché « il colonnello Gheddafi si trovava a Mosca per una visita di qualche giorno » e perché « un incontro in Italia o in Libia avrebbe dato un tono ufficiale a quello che era un fatto personale ». Agnelli aggiunse che « a Mosca la FIAT gode da anni di grande prestigio » e assicurò che la conversazione fra lui e Gheddafi si era aggirata « esclusivamente » sul loro recente accordo. All'incontro non era presente nessun funzionario sovietico, e nessuna parte del prestito libico di 104 milioni di dollari sarebbe stata utilizzata nell'Unione Sovietica né in alcun altro paese dell'Est europeo.[15]

Le dichiarazioni di Agnelli furono accolte con profondo scetticismo in Italia e altrove. I suoi creatori d'immagine stentavano a convincersene, ma l'Avvocato, almeno al momento, aveva perso credibilità. Il *New York Times*, riferendo come Agnelli aveva cercato di smentire l'accusa che l'URSS stava per beneficiare dell'accordo tra la FIAT e la Libia, riportava le sue assicurazioni che i denari del prestito libico non sarebbero finiti in paesi dell'Est ma commentava che « non ha trattato a fondo l'argomento ».[16] In Italia, *L'Espresso* raccontava nei particolari come Agnelli si fosse recato la mattina del 9 dicembre al Cremlino, dove lui e

Gheddafi si erano abbracciati scambiandosi molti «complimenti» e aggiungeva che erano «presenti molti personaggi in vista» fra cui German Gvishiani, genero del primo ministro Kossighin e vicepresidente del Comitato sovietico per la scienza e la tecnologia.[17] Ma Agnelli aveva dichiarato che all'incontro non erano presenti funzionari sovietici. Evidentemente i russi si erano eclissati perché Agnelli e Gheddafi potessero parlare in privato.

L'Espresso riferì che Agnelli quella sera era tornato a Torino «seccato» perché il suo viaggio non era rimasto segreto. La spiegazione del presidente della FIAT che era andato a Mosca solo per evitar di dare un tono ufficiale all'incontro non persuadeva il periodico italiano. «Il Cremlino», scriveva *L'Espresso*, «non è un albergo di lusso che mette a disposizione di ospiti illustri l'appartamento buono perché possano discutere in santa pace. La verità è che l'Avvocato teme che il suo ruolo di gran mediatore finisca per preoccupare seriamente molte persone, per esempio alcuni ministri italiani e i rappresentanti di governi di paesi europei e arabi. E allora l'avvocato si affretta a minimizzare l'importanza dei suoi viaggi-lampo.» [18]

Repubblica fu anche più dura. Definì «fragile» la «tesi» che Agnelli avesse fatto tutta quella strada per non dare una veste ufficiale all'incontro con Gheddafi. «Una tesi», concludeva, «chiaramente non credibile, che relegherebbe il governo sovietico a una semplice funzione di ospite in un luogo e in una circostanza di tanto rilievo.» [19]

Pochi giorni dopo avere annunciato l'accordo con la Libia, Agnelli era fatto segno a critiche e accuse, non soltanto negli Stati Uniti o in Gran Bretagna ma anche da parte della stampa italiana, di solito così deferente. E questo era molto insolito. Perché tanta confusione? E perché Agnelli non volle chiarire l'altra questione misteriosa, che riguardava chi esattamente era presente al pranzo cui partecipò a Mosca, lo stesso giorno dell'incontro con Gheddafi? La FIAT ha negato che il colonnello si recasse a quella colazione, ma molti giornali riferirono che fra i presenti c'erano fun-

zionari sovietici come Gvishiani, più un partner della Lazard – la banca d'affari che lavora per Agnelli e che aveva
un rappresentante nel consiglio d'amministrazione della
FIAT – e Sargent Shriver, cognato dei Kennedy, che lavorava come legale della Lazard.

Un giorno dopo il pranzo di Mosca, Shriver fu raggiunto
per telefono all'Hôtel Rossia da un intraprendente giornalista italiano. Shriver se la cavò con una serie di luoghi comuni, dicendo che Agnelli, Gvishiani e lui avevano parlato
soltanto di progetti industriali sovietici.[20] Un giornale italiano riferì invece che Agnelli aveva parlato con i suoi anfi-
trioni russi dell'accordo con la Libia, benché il giornale non
fosse riuscito a scoprire altri particolari a parte il fatto che
Agnelli, Shriver e i russi avevano mangiato caviale nero e
rosso, salmone del Volga e pollo fritto all'ucraina, beven-
doci sopra vodka e vini armeni.[21]

La polemica a proposito del viaggio a Mosca occupò per
qualche tempo i giornali, poi finì, e nel giro di qualche mese l'affare con la Libia era quasi dimenticato.

Di lì a diciotto mesi, l'episodio di Mosca ormai lontano,
Agnelli parlava volentieri di quanto vantaggioso fosse stato
per il suo gruppo l'affare con Gheddafi. Si lasciò persino
andare a qualche commento sul prezzo incredibilmente alto
che Gheddafi aveva pagato: «Non voglio dire che sia stato
troppo fantastico, per un riguardo a loro, ma fantastico certamente. Credo che per loro fosse uno status symbol poter
acquistare una partecipazione in una grande azienda europea, e l'hanno pagato».[22]

I libici avranno anche pagato bene, ma a metà degli anni
'80 Gheddafi raccoglieva lauti dividendi. La sua quota iniziale del 9,6 per cento crebbe attraverso emissioni di azioni
e conversione di obbligazioni fino a raggiungere un totale
di oltre il 15 per cento delle azioni con diritto di voto. Intanto il suo nome veniva menzionato sempre più spesso in
connessione con una varietà di gruppi terroristici operanti
da Belfast a Beirut, e l'averlo come partner diventava più
che un peso per Agnelli, diventava un grave imbarazzo.

Agnelli non poteva più, come nel 1976, dichiarare che i sospetti contro Gheddafi erano infondati e parlare del suo desiderio di democrazia.

Con un imbarazzo, tuttavia, si può vivere. Queste cose capitano e alla FIAT, dove l'atteggiamento nei confronti degli affari è molto razionale e pochissimo sentimentale, si tende a non farne una tragedia. Nel 1983, per esempio, a qualcuno che gli chiedeva se si innervosisse quando Gheddafi faceva una delle sue sceneggiate o invadeva un altro paese, Agnelli rispose con una spallucciata: « È un investimento ».[23] Gli affari, dopo tutto, cos'altro sono?

Nel 1986, però, Gheddafi non era più solo un partner imbarazzante. Ora la « Lybian connection » della FIAT era fatta segno ad attacchi sia nel Parlamento inglese sia al Congresso degli Stati Uniti. Il problema sarebbe arrivato addirittura sulla scrivania di Reagan. Per Gianni Agnelli, che sperava di espandere le attività aerospaziali e militari della FIAT e sognava grandi contratti nel quadro dello Scudo Spaziale, Gheddafi stava diventando un ostacolo a combinare affari. E questo era tutt'un altro paio di maniche.

Il problema libico venne a galla per la prima volta a Londra verso la fine del 1985, quando la FIAT unì le forze con la Sikorsky, divisione elicotteri del colosso americano United Technologies, per il salvataggio della Westland, compagnia inglese produttrice di elicotteri, in pessime acque. Per la Westland erano in gara da una parte un consorzio europeo di società aeronautiche comprendente il gruppo italiano Agusta, di proprietà dello Stato, dall'altra l'americana Sikorsky. A un certo punto intervenne la FIAT, offrendosi come partner della Sikorsky per dare all'offerta americana un tocco europeo. Alla fine l'affare andò in porto, ma solo dopo una lunga e tempestosa controversia politica che fece vacillare il governo Thatcher e provocò le dimissioni di due ministri inglesi, Leon Brittan e Michael Heseltine.

Il vero scopo della FIAT nell'instaurare rapporti con la Sikorsky era avere accesso alla tecnologia militare americana e a commesse del Pentagono, anche nel quadro del programma Scudo Spaziale.[24] «Vogliamo entrare in rapporti con società americane di prim'ordine e col dipartimento della Difesa degli Stati Uniti», ammise un alto dirigente della FIAT al tempo del caso Westland.[25] Ma, sempre attenta alla propria immagine, la FIAT si presentò come un cavaliere europeo senza macchia e senza paura, ansioso di salvare una società inglese. La decisione della FIAT di intervenire provocò due reazioni immediate. La prima fu che la partecipazione al salvataggio della Westland, fornitrice della NATO, suscitò proteste alla Camera dei Comuni, dove vari parlamentari si dichiararono contrari a causa dei legami della FIAT con la Libia.[26] La seconda fu che il governo italiano si trovò diviso sulle due offerte italiane rivali per la Westland.

Essendo proprietà dello Stato, l'Agusta si sarebbe potuta aspettare il pieno appoggio del governo. Ma i membri di questo, dopo che la FIAT fu entrata in gara, si mostrarono stranamente riluttanti a prendere posizione. Finalmente, ai primi di gennaio 1986, il presidente del Consiglio Craxi fece sapere che il suo appoggio andava al consorzio di cui faceva parte l'Agusta. Invece Renato Altissimo, allora ministro dell'Industria, dichiarò di preferire la FIAT.[27]

A metà gennaio 1986, poche settimane dopo il sanguinoso attentato terrorista arabo all'aeroporto di Fiumicino – un attentato dietro il quale si sapeva che c'era l'appoggio della Libia – i rapporti della FIAT con la Libia erano diventati un problema caldo anche a Washington. I legali del consorzio europeo chiesero un'indagine sui legami della FIAT col colonnello Gheddafi e fecero notare che, se fosse stata accettata l'offerta FIAT-Sikorsky per la Westland, il futuro trasferimento di tecnologia delicata dagli Stati Uniti alla Westland avrebbe potuto trovarsi in conflitto con lo spirito delle sanzioni del presidente Reagan contro la Libia. Queste sanzioni economiche proibivano praticamente qualsiasi contatto d'affari fra Stati Uniti e Libia. La FIAT e la Sikorsky riuscirono poi ad acquistare la Westland, ma nel giugno 1988 la FIAT si proponeva già di vendere la sua quota, a causa di quella che definiva un'assenza di sinergie.

Non era però solo il problema Westland a far sonare campanelli d'allarme a Washington. Contemporaneamente una società di attrezzature per costruzioni, la J.I. Case, presentava una protesta ufficiale contro l'aggiudicazione alla FIAT Allis di un contratto del Pentagono per una fornitura di macchine scavatrici. La società della FIAT, si argomentava, non avrebbe dovuto beneficiare di una commessa del governo statunitense perché i profitti relativi a quel contratto sarebbero potuti finire nelle mani del governo libico. La FIAT Allis definì l'idea «ridicola», ma questo non bastò certo per risolvere il problema.[28]

La controversia a proposito della FIAT Allis è stata descritta da alleati della FIAT come un esempio di sfacciato protezionismo, un tentativo da parte di lobbisti americani di impedire che un'azienda italiana ricevesse commesse dal Pentagono e in questo c'è innegabilmente un elemento di verità. Il problema però andava molto più a fondo. Al solo sentire il nome di Gheddafi la maggior parte degli americani vede rosso, e molti membri del Congresso americano, sia al Senato sia alla Camera dei rappresentanti – più il segretario per la Difesa Caspar Weinberger – vedevano la questione come un ragionevole tentativo di chiudere nuove fonti di guadagno al regime del colonnello Gheddafi, specie in un momento in cui i suoi profitti petroliferi erano in declino.

Il senatore Alan Dixon dell'Illinois, per esempio, dichiarava che la partecipazione libica alla FIAT «chiaramente elude l'intento delle sanzioni economiche statunitensi contro il regime di Gheddafi» e presentava una proposta di legge contro l'aggiudicazione di contratti militari americani ad aziende che fossero proprietà parziale della Libia o di «qualunque altra nazione ostile che favorisca il terrorismo».[29]

Man mano che cresceva la rabbia americana contro Gheddafi, la FIAT veniva a trovarsi in una situazione sempre più difficile. Membri del Congresso come il repubblicano Jim Leach dell'Iowa rivolsero al presidente Reagan una petizione perché fossero vietati acquisti del governo americano presso la FIAT.[30] Bill Tate, capo dello staff di Leach, ha rievocato un'occasione in cui alti dirigenti della FIAT furono a Washington per tentar di difendere gli interessi dell'azienda. «Era un momento strano. Uomini della FIAT vennero a farmi visita, ma non mi parve che capissero l'aspetto politico né lo stimassero al giusto valore. Noi eravamo tutti preoccupati per quel pazzo di Gheddafi.»[31]

Alla FIAT non giovò certo un'altra serie di attentati terroristici, molti dei quali si dicevano di ispirazione libica, nei primi mesi del 1986. Dopo la decisione americana di bombardare Tripoli, l'avere Gheddafi come socio diventò uno svantaggio ancora più grave. Le cose peggiorarono ulteriormente quando, meno di una settimana dopo il bombardamento di Tripoli, la polizia italiana arrestò un funzionario della Lafico accusandolo di essere coinvolto in un piano per uccidere l'ambasciatore degli Stati Uniti a Roma. La Lafico (Libyan Arab Foreign Investment Company) era la banca che controllava il pacchetto FIAT in possesso della Libia.

Nella primavera del 1986 persino Romiti fu costretto ad ammettere che la FIAT era alle prese con «veri problemi» a causa delle preoccupazioni di Washington per la partecipazione libica. Sempre all'offensiva, Romiti criticò però come «eccessivo» l'atteggiamento americano e tornò a insistere sul fatto che il controllo del gruppo era saldamente nelle mani degli Agnelli. Gianni Agnelli assicurava che nelle sale del consiglio della FIAT i libici si comportavano come tanti «banchieri svizzeri». Ma l'alleanza d'affari con la Libia, a parte l'effetto negativo sulle aspirazioni della FIAT in America, era anche in conflitto con la convinzione espressa da Agnelli che l'Italia dovesse vedere se stessa come una nazione europea, più che mediterranea.

Più o meno in questo periodo cominciarono a trapelare voci di un tentativo da parte degli Agnelli di rilevare la quota libica. Il desiderio di Torino di liberarsi di Gheddafi diventò poi la linea politica ufficiale e pubblicamente dichiarata. L'IFI aveva la prima opzione sull'acquisto delle azioni libiche e dichiarò di essere pronta a farlo in qualsiasi momento, benché il pacchetto libico, che ammontava al 15,19 per cento di azioni ordinarie con diritto di voto, fosse ora valutato miliardi di dollari. C'era un solo problema: la Libia diceva di non aver nessuna intenzione di vendere.

Intanto a Washington la pressione cresceva. In aprile il membro del Congresso Les Aspin, il rispettato presidente dello Armed Services Committee, e il membro del Congresso Jack Brooks, presidente del Governement Operations Committee, scrissero al segretario per la Difesa Weinberger dichiarando che il contratto FIAT Allis avrebbe indirettamente fornito un « supporto finanziario alle attività libiche in sostegno del terrorismo mondiale ».[33] In maggio la Camera dei rappresentanti americana approvò una risoluzione in cui si chiedeva al Pentagono di rimandare l'aggiudicazione del contratto FIAT Allis, e infine, il 13 maggio 1986, il segretario Weinberger interveniva personalmente per bloccare la commessa del Pentagono alla FIAT. Secondo un ex funzionario del dipartimento della Difesa, Weinberger aveva discusso il problema con Reagan in persona.

La FIAT reagì a quest'ultimo colpo con una linea di irremovibile « no comment ». Ma operatori di borsa vicini all'azienda confermarono che gli uomini di Agnelli lavoravano febbrilmente dietro le quinte per trovare un modo di eliminare il socio scomodo. Dietro le quinte era in corso anche una serie di negoziati « bilaterali », e confidenziali, tra FIAT e Pentagono. Il 16 maggio 1986 legali della FIAT e del Pentagono si incontrarono a Washington per discutere il problema libico. Le discussioni non riguardavano soltanto il contratto FIAT Allis. Entrambe le parti erano al corrente del fatto che Gianni Agnelli teneva moltissimo a ottenere contratti nel quadro della SDI (Strategic Defence Initiative), detta anche Scudo Spaziale o « Guerre Stellari », e in un momento in cui l'amministrazione Reagan aveva bisogno dell'appoggio europeo per il controverso progetto antimissili. Come Agnelli stesso commentò: « Certo che sono preoccupato. Stiamo cercando di partecipare allo Scudo Spaziale. Se la FIAT è sulla lista nera potrebbe essere un grosso problema».[34]

Il grosso problema fu risolto, e la soluzione tranquillizzò gli americani e fece felice Agnelli. I legali della FIAT negoziarono per più di tre mesi con funzionari del dipartimento della Difesa. Poi, il 12 agosto 1986, la FIAT firmò col Pentagono un accordo in base al quale avrebbe costituito nel Delaware una scatola finanziaria – la FIAT Trading Company of North America – alla quale sarebbero stati intestati tutti i contratti della FIAT col governo degli Stati Uniti e che avrebbe operato secondo le leggi statunitensi. Questo accordo – ennesima prova del fatto che non c'è problema che non possa essere risolto da avvocati ben pagati – scongelò il contratto FIAT Allis garantendo a Washington che il colonnello Gheddafi non avrebbe messo le mani sui profitti. Tecnicamente, la FIAT poteva ora concorrere per le commesse dello Scudo Spaziale senza preoccuparsi del suo socio libico. Ma ormai gli uomini di Agnelli erano impegnati a fondo nelle trattative con Tripoli, e sempre più vicini a fissare un prezzo per il ritiro di Gheddafi dalla FIAT.

Il settembre del 1986 fu un mese frenetico per la FIAT. Romiti stava ancora giocando d'attesa per l'Alfa Romeo. Intanto il governo firmava – terzo fra i governi di paesi membri della NATO – un documento d'intesa con Washington sullo Scudo Spaziale, così spianando la strada alle aziende italiane che volessero concorrere per i relativi contratti. A Zurigo, Gianluigi Gabetti, vivendo in una stanza d'albergo e dormendo cinque ore per notte, negoziava coi libici i termini del loro ritiro dalla FIAT.[35] Francesco Paolo Mattioli, direttore finanziario della FIAT, si dava da fare per convincere la Deutsche Bank di Francoforte a organizzare un'operazione internazionale senza precedenti per vendere a investitori non italiani 2 miliardi di dollari di azioni libiche. Enrico Cuccia, a Milano, stava mettendo a punto un'operazione che avrebbe fatto uso delle risorse della banca di Stato per consentire ad Agnelli di prendere a prestito 1565 miliardi di lire dagli azionisti FIAT, a tassi ridicolmente bassi, e con questi comprarsi una bella tranche di azioni libiche, che a loro volta sarebbero andate a impinguare il pacchetto della famiglia.

Quando alla fine di settembre si poté finalmente annunciare che Gheddafi aveva rivenduto le sue azioni, Gianni Agnelli andò alla televisione, guardò dritto dentro la telecamera e col suo più bel sorriso dichiarò: « Sono molto soddisfatto ». Bello scaldarsi al sole del successo e godersi le congratulazioni. L'eliminazione di Gheddafi sembrava dimostrare che niente era impossibile per il gruppo Agnelli.

Ma c'era qualche ombra. Mentre in Italia cominciavano i festeggiamenti, l'operazione seminava rovina nelle banche internazionali di Londra. Dieci anni prima l'incontro a Mosca fra il presidente della FIAT e Gheddafi aveva provocato critiche e polemiche a non finire. Ora se ne stavano preparando altre. La differenza? Questa volta la tempesta sarebbe stata di ordine finanziario più che politico, e questa volta gli aspetti finanziari più discutibili dell'affare di Libia sarebbero stati minimizzati dalla stampa italiana. L'accordo con la Libia messo a punto dai tirapiedi di Agnelli poteva essere acclamato come un successo in Italia, ma avrebbe presto provocato clamorose proteste ai vertici della finanza internazionale. E in Italia la FIAT sarebbe infine stata accusata di aver violato le leggi.

1 *The Financial Times*, « Fiat share rumours denied », 1° dicembre 1976, di Anthony Robinson.
2 *Newsweek*, « Kaddafi's Big Deal With Fiat », 13 dicembre 1976, p. 80; vedi anche *La Repubblica*, « Agnelli cede a Gheddafi il 10 per cento delle azioni Fiat », 2 dicembre 1976, di Mario Pirani.
3 *Le Nouvel Économiste*, « Exclusif: Agnelli parle », 4 marzo 1988.
4 Giovanni Minoli, *I Re di Denari*, Mondadori, 1987, p. 124.
5 Vedi capitolo 11 per i particolari di questa inchiesta.
6 *Il Mondo*, « Agnelli racconta: Perché mi fido di Gheddafi » (intervista a Gianni Agnelli di Paolo Panerai), 15 dicembre 1976, p. 9.
7 Vedi nota 6.
8 Il deficit della bilancia italiana dei pagamenti nel 1976 era 1531 miliardi di lire; l'investimento libico 360 miliardi di lire (fonte: la Banca d'Italia).
9 Vedi *The Financial Times*, « Fiat role planned by new Libyan directors », 8

dicembre 1976, di Anthony Robinson; vedi anche *L'Espresso*, « Cosa farà con tutti quei soldi », 7 dicembre 1976, di Gianfranco Modolo e Leo Sisti.

10 *The Financial Times*, « Fiat deal may be first of many », 9 dicembre 1976, di Anthony Robinson.

11 *The Wall Street Journal*, « Gaddafi's High-Performance Fiat », 25 settembre 1976.

12 *The Wall Street Journal*, Lettere al direttore, « Fiat's Statement on Libyan Interest », 3 ottobre 1986.

13 *The Times*, « Soviet connexion in Fiat-Libya deal », 11 dicembre 1976, di Edmund Stevens.

14 *The Financial Times*, « Kheddaffi sees Fiat chairman in Moscow », 11 dicembre 1976, di Anthony Robinson.

15 *La Repubblica*, 11 dicembre 1976.

16 *The New York Times*, « Fiat's Libyan Deal Held Aid to Soviets; Moscow Role Seen », 11 dicembre 1976, di Alvin Shuster.

17 *L'Espresso*, « Petrodollari per colazione », 13 dicembre 1976.

18 Vedi nota 17.

19 *La Repubblica*, « Il trio di Mosca ha grandi progetti », 11 dicembre 1976.

20 *L'Espresso*, intervista a Sargent Shriver, 13 dicembre 1976.

21 Vedi nota 15.

22 *Esquire*, « On the Razor's Edge: A Portrait of Gianni Agnelli », 20 giugno 1978, di Lally Weymouth.

23 *M*, « Gianni Agnelli: Really Living », dicembre 1983, di Patrick McCarthy, p. 49.

24 Vedi *The Economist*, 30 agosto 1986, p. 52.

25 *The Financial Times*, « On land, sea and in the air », 28 luglio 1986, di James Buxton.

26 Vedi *The Financial Times*, « Libyan link raises doubts over Fiat involvement », 24 dicembre 1985, di James Buxton.

27 *The Financial Times*, « Westland puts Italy in a whirl », 14 gennaio 1986.

28 *The Financial Times*, « European groups investigate Fiat's links with Libya », 16 gennaio 1986, di Lionel Barber e Reginald Dale.

29 Lettera del senatore Dixon al *New York Times*, 2 maggio 1986.

30 Lettera di Jim Leach al presidente Reagan, 9 gennaio 1986, in possesso dell'autore.

31 Intervista dell'autore a Bill Tate, 26 gennaio 1988, Washington, D.C.

32 *The Financial Times*, « Fiat ready to buy Libyan stake », 23 aprile 1986, di James Buxton.

33 *The Wall Street Journal*, « Proposed U.S. Job for Firm With Libya Ties Draws Ire », 25 aprile 1986.

34 Rivista *Time*, « Fiat's silent partners », 2 giugno 1986, p. 59.

35 Vedi *Forbes*, « Gheddafi as capitalist », 3 novembre 1986, p. 228.

11. L'affare di Libia

II. Giochi di prestigio finanziario

La prima volta in cui la FIAT fu accusata di violazione della legge risale al 1908 – meno di un decennio dopo la sua fondazione –, quando Giovanni Agnelli, insieme a un altro dirigente della società e a un agente di borsa torinese, furono denunciati dal questore di Torino per manovre fraudolente in borsa, alterazione dei bilanci e truffa. Ma Agnelli aveva amici altolocati. Mentre l'inchiesta era in corso, il ministro della Giustizia, Vittorio Emanuele Orlando, prese l'iniziativa molto insolita di scrivere ai magistrati che conducevano le indagini per sollecitare l'inchiesta ricordando loro che, « l'importanza degli enti e la gravità delle accuse contro i loro amministratori non può che influire in modo sinistro sulle sorti d'industrie locali, che son pure elementi notevoli dell'industria nazionale ». Questa considerazione, si affrettava ad aggiungere il ministro, non doveva essere interpretata come un tentativo di influenzare la magistratura.

L'autorità giudiziaria era però assolutamente convinta di avere le prove delle frodi di Agnelli, e il 23 agosto 1909 il fondatore della FIAT fu rinviato a giudizio. Il processo diventò presto il più famoso scandalo nella storia del business italiano, ma si concluse nel 1912 con una serie di assoluzioni. Quando per l'opposizione del pubblico ministero accolta dalla procura ci fu un processo d'appello, Agnelli fu difeso dallo stesso Orlando, non più in carica come ministro della Giustizia.[1]

Quasi ottant'anni dopo, un magistrato a Torino indagava di nuovo su una transazione della FIAT, ma, quando alla stampa italiana fu presentato un dossier di accuse secondo le quali la FIAT aveva violato la legge con illecite operazioni connesse con l'uscita della Libia dalla FIAT nel 1986, non accadde quasi nulla. Del fatto non si fece quasi parola, nessuno fu incriminato, non ci fu nessun processo.[2]

Benché il dossier contenesse, a dire di chi lo presentava,

la precisa documentazione di violazioni del codice civile italiano commesse dalla FIAT, con la Mediobanca di Cuccia accusata di complicità, le accuse caddero nel nulla. Perché? Prima ragione, il dossier era stato preparato da Democrazia Proletaria, un partito troppo ai margini della vita pubblica italiana per essere preso sul serio. Democrazia Proletaria ha solo nove rappresentanti in Parlamento, ed è troppo ossessivamente ostile all'establishment per esercitare una qualche influenza. Le sue dichiarazioni e proteste non trovano molta credibilità presso i media italiani. Per di più, nell'autunno del 1987, quando furono mosse le accuse, era passato più di un anno dall'uscita di Gheddafi dalla FIAT, e la storia era ormai vecchia.

Ma non era soltanto un partito di sinistra a denunciare scorrettezze nel modo in cui la FIAT aveva condotto l'affare con la Libia. Conservatori capitalisti come gli azionisti di minoranza sia di Mediobanca sia dell'IFIL – la società della famiglia Agnelli, quotata in borsa, che aveva giocato un ruolo chiave nell'affare – diedero pubblica espressione alla loro rabbia. (Ci sono due società quotate in borsa della famiglia Agnelli, l'IFI e l'IFIL, che controllano la FIAT. Nell'affare con la Libia fu l'IFIL ad avere una parte di primo piano.) Quanto a Mediobanca, i sindaci si limitarono a inserire nella relazione del consiglio sindacale una pagina in cui annotavano e dichiaravano infondate le accuse di conflitto di interessi. Nel caso dell'IFIL, Umberto Agnelli in persona confutò le accuse di un azionista negando categoricamente che nell'affare con la Libia ci fossero state infrazioni alle leggi.[3]

L'operazione organizzata da Mediobanca per aiutare gli Agnelli a rilevare le azioni libiche aveva naturalmente destato critiche e perplessità, tanto che la Consob chiese chiarimenti, benché poi lasciasse cadere la cosa. In quasi tutti gli ambienti politici italiani, e più ancora nell'«ala nobile» del mondo degli affari, l'ultima operazione con la Libia, detta anche operazione Lafico, fu vista come niente più che un'abilissima manovra finanziaria. Per l'opinione pubblica italiana fu un altro trionfo di Agnelli, motivo di orgoglio nazionale, come sarebbe stata di lì a poco l'acquisizione dell'Alfa Romeo. Veniva ad aggiungersi alla gloria del Principe di Piemonte, come il rapido aumento degli utili alla FIAT o una vittoria della Juventus.

Quello che non si è saputo per tanti mesi, nonostante le fughe di notizie «protette dal segreto istruttorio» che in Italia sono all'ordine del giorno – e grazie alle quali la stampa è normalmente informata anche dei casi più insignificanti – è che l'operazione organizzata da Mediobanca per gli Agnelli nel 1987 divenne oggetto di un'inchiesta giudiziaria a Torino. Non ci furono rinvii a giudizio, ma la notizia che un magistrato torinese aveva aperto un'inchiesta sulle operazioni di una società di Agnelli (i particolari saranno illustrati più avanti) rimase nascosta fino al 29 marzo 1988 e anche allora i giornali non le diedero rilievo.

Invece di sollevare interrogativi, il ritiro della Libia dalla FIAT fu trasformato in una specie di gloria nazionale. Le congratulazioni, ebbe cura di far sapere la FIAT, arrivano da ogni parte, dall'ufficio del presidente del Consiglio a Roma come dagli Stati Uniti. Il 23 settembre 1986, quando fu annunciato il perfezionamento dell'accordo, la notizia fece sensazione, non meno di quanta ne avesse fatta dieci anni prima quella dell'alleanza con Gheddafi. La Libia doveva ricevere per il suo intero pacchetto 3,1 miliardi di dollari, più di sette volte il prezzo che aveva pagato nel 1976. Per Gheddafi erano soldi piovuti dal cielo. Per un militare, non male come investimento. E Gianni Agnelli aveva finalmente rimosso un ostacolo politico e psicologico all'aggiudicazione di contratti per le «Guerre Stellari». Diciotto mesi dopo l'operazione che lo aveva liberato di Gheddafi, Agnelli disse che il fastidio di avere un azionista libico era stato una semplice questione di «estetica».[4] Ma, quando fu fatta, era sembrato qualcosa di più.

A New York, a una riunione dell'Assemblea generale dell'ONU, il segretario di Stato americano George Schultz si avvicinò ad Andreotti, presente nella sua qualità di ministro degli Esteri, ed espresse la sua soddisfazione per il ritiro della Libia dalla FIAT. Il vicepresidente George Bush aveva fatto lo stesso pochi giorni prima, quando Agnelli lo aveva informato in segreto dell'operazione imminente.[5] Il compiacimento di Bush fu anzi strombazzato dalla stampa italiana come se il vicepresidente americano non avesse altro cui badare; chiunque avesse sfogliato un giornale italiano nel tardo settembre 1986 sarebbe stato giustificato nel crederlo. I creatori d'immagine della FIAT si erano rimboccati le maniche. A New York, Furio Colombo dichiarava che « sono tutti contenti, nel governo e al Congresso ».

Le « personalità più autorevoli » di Washington erano state informate dell'operazione « un attimo » prima che fosse annunciata pubblicamente, e in cambio Colombo e la FIAT avevano ricevuto « solo dichiarazioni di grande apprezzamento e di favore per la soluzione raggiunta. Il vicepresidente Bush, democratici come Ted Kennedy e repubblicani come Barry Goldwater reagiscono tutti con la medesima ammirazione per la sagacia tecnico-finanziaria del provvedimento e per la salute dimostrata dalla nostra azienda ».[6]

Gli italiani sarebbero stati giustificati nell'immaginarsi Edward Kennedy e George Bush che si rimettevano in tasca le calcolatrici e sospiravano di ammirazione per la bravura di Agnelli, ma in realtà l'operazione Lafico non fu affatto il clamoroso successo dipinto dalla stampa italiana. Per dozzine di banche internazionali che subirono milioni di dollari di perdite per la caduta quasi immediata del prezzo da loro pagato per le azioni libiche fu un clamoroso fiasco. La famiglia Agnelli, invece, riuscì a rafforzare il suo controllo della FIAT grazie a una labirintica operazione mediante la quale la società della famiglia ottenne indirettamente più di un miliardo di dollari dalla FIAT; operazione per la quale dovette ringraziare una volta di più il vecchio abilissimo tessitore della ragnatela del potere finanziario italiano, Enrico Cuccia. Per i bene informati, era un altro dei suoi giochi di prestigio.

La partita fu giocata perlopiù a porte chiuse, fino alla mattina del 23 settembre, quando agenti di cambio milanesi notarono forti acquisti di azioni FIAT. Compratori ignoti erano andati rastrellando azioni FIAT per quasi tutto il mese, e questo aveva già provocato un forte aumento del prezzo. Anzi, l'aumento del prezzo delle azioni e il volume delle azioni scambiate erano in proporzione quasi diretta (vedi *Documento 2 in Appendice*). Nel primo pomeriggio del 23 settembre la Borsa di Milano entrò in uno stato di vera e propria frenesia quando le agenzie riferirono l'annuncio del repubblicano Spadolini, ministro della Difesa, che la Libia aveva venduto le sue azioni FIAT. A Torino, la FIAT rifiutò qualunque commento per sei ore dopo l'annuncio di Spadolini; alla fine delle sei ore, il prezzo delle azioni FIAT aveva raggiunto un massimo storico di 16.600 lire.

Il momento, osservò l'ambasciatore libico a Roma Abdulrahman Shalgam, era favorevole.[7] Per i critici della FIAT, e per quanti parteciparono all'operazione, non si trattava di una coincidenza. Si era voluto che il momento fosse favorevole. E lì stava il problema.

Tutto era cominciato alla metà dell'agosto 1986, quando i libici informarono segretamente la FIAT che erano pronti a negoziare la vendita delle loro azioni. Benché la FIAT avesse concordato col Pentagono la creazione di una speciale società per le commesse militari, Agnelli era sempre deciso a rilevare la partecipazione libica, fonte di tanti problemi. Non soltanto si sarebbe liberato del socio scomodo, ma avrebbe anche potuto rafforzare la sua posizione di più grosso azionista della FIAT portando il pacchetto della famiglia dalla quota allora posseduta, un po' sotto il 33 per cento, a un livello del 40 per cento. E allora forse sarebbe finalmente riuscito a mettere le mani su un po' della tecnologia delle «Guerre Stellari».

Le trattative cominciarono quasi immediatamente, a Zurigo, fra uomini di Gheddafi e Gianluigi Gabetti dell'IFI. I libici avanzarono tre richieste fondamentali. Volevano la segretezza assoluta finché fosse stato raggiunto un accordo.

Volevano vendere in un unico blocco tutte le loro partecipazioni FIAT (che includevano il 15,19 per cento di azioni ordinarie con diritto di voto più il 13,09 per cento di preferenziali e il 13,04 per cento di azioni risparmio senza diritto di voto). E volevano dollari, non lire italiane.[8] I libici, che soffrivano per una netta caduta dei redditi petroliferi, dovuta in parte alle sanzioni economiche contro il regime di Gheddafi, volevano una cosa ancora: la bella sommetta di 3 miliardi di dollari. Ebbero tutto quello che chiedevano.

Che cosa indusse Gheddafi a vendere dopo essersi rifiutato di farlo per tanti mesi? Gianni Agnelli disse di non averne idea. Ma poteva non essere sfuggito a Tripoli che, sia in Italia sia a Washington, era stato ripetutamente suggerito che il governo di Roma avrebbe dovuto sequestrare le azioni FIAT proprietà della Libia. Agnelli, quando il giugno precedente gli era stato chiesto cosa pensasse di questa possibilità, aveva rabbrividito. Pensava che non fosse né legale, né logico, né etico, aveva risposto, col tono di chi ha chiuso la questione.[9]

Invece, l'idea di una soluzione del genere andava trovando sempre più sostenitori; il regime Gheddafi doveva centinaia di milioni di dollari a creditori italiani, e inoltre l'amministrazione Reagan era decisa a fare tutto il possibile per impedire che altro denaro finisse nelle mani di un mandante del terrorismo. Nell'agosto 1986 un tribunale milanese congelò quasi 5 milioni di dollari di fondi del governo libico depositati in banche italiane, su richiesta di due aziende italiane che cercavano di recuperare i loro crediti.[10] In settembre, pochi giorni prima che fosse annunciata l'operazione Lafico, un gruppo di creditori italiani presentò addirittura una petizione a Craxi chiedendo che cercasse di impedire alla Libia di vendere, portando così i profitti fuori d'Italia. E in una serie di contatti segreti fra i governi statunitense e italiano, l'idea di sequestrare le azioni FIAT in possesso della Libia fu proposta in varie occasioni. Anche dopo l'annuncio della vendita, Washington avrebbe voluto impedire che il denaro finisse in Libia; il 25 settembre, al Pentagono girava un memorandum riguardante la possibilità di ridurre o differire il trasferimento di valuta (vedi *Documento 3 in Appendice*).

Washington non ottenne niente dal ministro degli Esteri italiano, Giulio Andreotti, notoriamente in rapporti amichevoli con leader arabi come il colonnello Gheddafi, che si era sempre opposto all'idea di un sequestro. Anzi, quando fu informato della vendita la prima reazione di Andreotti fu di sollievo perché, disse, da anni in Italia erano in corso azioni giudiziarie per recuperare quei soldi per mezzo di sequestri.[11] L'operazione, disse, era vantaggiosa così per Roma come per Tripoli. «Per l'Italia il vantaggio è politico, per Gheddafi è finanziario.»[12] Gianni Agnelli si espresse con più semplicità. La vendita delle azioni FIAT, disse in più occasioni, era stata per la Libia «un ottimo affare».

Sia Andreotti sia Agnelli avevano ragione. Gheddafi aveva guadagnato una montagna di soldi, che in più gli arrivavano proprio nel momento giusto. I profitti petroliferi della Libia avevano subìto una brusca caduta, dai 20 miliardi di dollari annui del 1980 a 4-5 miliardi di dollari nel 1986. E Gheddafi doveva far fronte a parecchi miliardi di dollari di debiti con l'estero, ivi comprese grosse somme dovute all'Unione Sovietica. Più di un banchiere notò che, mentre nel 1976 erano girate voci che i sovietici avrebbero in qualche modo tratto beneficio dall'investimento di Gheddafi nella FIAT, era più probabile invece che Mosca vedesse parte del denaro guadagnato con la vendita di quelle azioni nel 1986, sotto forma di un rientro di crediti dalla Libia. L'enorme somma guadagnata dal colonnello veniva dunque proprio a puntino.

Ma l'inchiostro sull'accordo con la Libia non era ancora asciutto che cominciarono ad affiorare interrogativi sul puzzle finanziario, incredibilmente complesso, messo assieme dagli uomini di Agnelli. Dei 3,1 miliardi di dollari pagati a Gheddafi per le sue azioni, due terzi dovevano venire dal collocamento di azioni FIAT presso grandi investitori internazionali. Questo collocamento di azioni, il più grosso mai tentato nella storia dei mercati finanziari internazionali, fu organizzato dalla filiale londinese della Deutsche Bank e, per ragioni che presto vedremo, fu un autentico bagno di sangue. Ma Gheddafi ebbe i suoi soldi, e a Torino si esultò perché la famiglia Agnelli era riuscita a rastrellare 1 miliardo di dollari a bassissimo prezzo per comprare un blocco di azioni sufficienti a portare il suo pacchetto di controllo a qualcosa vicino al 40 per cento. Per l'appunto il modo in cui era stato raccolto questo denaro avrebbe dato origine all'accusa che la FIAT e Mediobanca avevano violato il codice.

Il problema era che né l'IFI né l'IFIL avevano sottomano 1 miliardo di dollari. L'unica società del gruppo con denaro sufficiente per un investimento di quelle proporzioni era la FIAT stessa, grazie alla grande liquidità di cui disponeva e a una gigantesca operazione di borsa che solo pochi mesi prima aveva fruttato 685 milioni di dollari. Ma sarebbe stato illegale che la FIAT acquistasse le sue stesse azioni senza prima ottenere l'approvazione degli azionisti in un'assemblea pubblica, e per questo sarebbero occorsi settimane o mesi.[13]

Gianni Agnelli non era tanto ben messo. Voleva disperatamente liberarsi della Libia e voleva per sé una bella parte di quelle azioni, ma la sua holding non aveva le risorse necessarie. Che fare? C'erano tre opzioni in regola con tutte le leggi, ma non ne fu scelta nessuna.

Una possibilità sarebbe stata che la stessa IFIL – poi usata come veicolo per l'accordo finale con la Libia – trovasse il denaro in borsa, attraverso un aumento di capitale. Ma questo avrebbe richiesto troppo tempo e avrebbe significato collocare un grosso blocco di azioni; troppe, forse, perché il mercato le potesse assorbire. Peggio, avrebbe costretto gli Agnelli a tirar fuori centinaia di miliardi per sottoscrivere loro stessi una parte di azioni IFIL ed evitare così il rischio di veder annacquata la loro partecipazione.

Una seconda possibilità sarebbe stata che l'IFIL prendesse semplicemente in prestito il denaro dalle banche. Gli interessi su un prestito di quelle proporzioni avrebbero superato i 100 miliardi l'anno. Chiaramente gli Agnelli non avevano nessuna intenzione di ricorrere a un prestito bancario a tassi correnti.

Una terza alternativa sarebbe stata che l'IFIL vendesse le sue principali partecipazioni: i settori assicurazione, grande distribuzione e società di servizi finanziari. Ma anche questo avrebbe richiesto tempo e gli Agnelli si sarebbero ritrovati con una valanga di tasse da pagare sulle plusvalenze. Per di più, assicurazioni, grande distribuzione e servizi finanziari erano considerati i pilastri dell'IFIL, e solo pochi mesi prima gli azionisti di minoranza avevano pagato miliardi di lire per un aumento di capitale mirato a espandere le ultime due attività, non certo perché la società fosse trasformata in un semplice contenitore di azioni FIAT. Che fare dunque? Alla fine Gianni Agnelli si rivolse all'unico uomo capace di trovare una soluzione che gli avrebbe fornito 1565 miliardi di lire, nello stesso tempo aggirando gli ostacoli legali e fiscali che si opponevano alle altre soluzioni. Quell'uomo era, facile indovinarlo, Enrico Cuccia.

Quando fu annunciata l'operazione Lafico, agenti di borsa e banchieri d'affari milanesi esaminarono il meccanismo finanziario grazie al quale la famiglia Agnelli aveva così notevolmente aumentato le dimensioni del suo pacchetto, e rimasero sbalorditi. Mediobanca poteva essere una banca di Stato, ma la « cassaforte » del capitalismo italiano era stata usata al servizio degli interessi di Agnelli. Questa, secondo un operatore di borsa, era un'operazione per la quale occorreva una strepitosa immaginazione finanziaria, ed era evidente che portava la firma di Enrico Cuccia.[14]

Per fornire agli Agnelli il miliardo di dollari di cui avevano bisogno, Cuccia ricorse a un piano a dir poco insolito, che poneva Mediobanca esattamente al centro dell'operazione, come intermediaria tra la FIAT e l'IFIL. All'IFIL occorrevano i soldi; la FIAT li aveva, ma per legge le era vietato acquistare le proprie azioni. La soluzione? Mediobanca concesse all'IFIL un prestito decennale di 1565 miliardi di lire (pari a 1,1 miliardo di dollari), al tasso ridicolmente basso del 2,6 per cento, cioè meno di un quarto del *prime rate* che qualsiasi altra azienda italiana avrebbe dovuto pagare per il prestito di somme molto più piccole.

Ma dove Mediobanca – un istituto statale che deriva i suoi fondi principalmente dal flusso di risparmio pubblico attraverso altre banche statali – avrebbe trovato il denaro da prestare alla società Agnelli? Enrico Cuccia aveva la risposta anche a questo. L'IFIL diede in garanzia a Mediobanca praticamente tutto il suo portafoglio di partecipazioni: la società d'assicurazioni Toro, il gruppo di fondi comuni e servizi finanziari Mito, e la SAES, una scatola finanziaria che controllava la Rinascente. Queste partecipazioni sarebbero presto tornate alla FIAT. Mediobanca parcheggiò la Toro, la Mito e la SAES nella società d'investimenti chiamata Spafid. Inoltre la banca di Cuccia emise speciali obbligazioni a dieci anni per un valore totale di 1,1 miliardo di dollari, pari alla somma prestata all'IFIL. Tali obbligazioni non furono però mai offerte al pubblico.

Queste obbligazioni avevano una caratteristica molto particolare: erano convertibili in azioni Toro, Mito e SAES, le società controllate in precedenza dall'IFIL. Rendevano inoltre interessi compresi fra l'1,5 e il 3 per cento, mentre la normale rendita di mercato di altre obbligazioni convertibili Mediobanca era del 6-7 per cento.[15] E chi era il compratore di queste obbligazioni? La FIAT. Non però direttamente ma attraverso una società del gruppo controllata al 100 per cento dalla FIAT, la società d'investimenti Sicind. La sostanza dell'operazione era però chiara.

Il flusso di 1,1 miliardo di dollari (vedi *Documento 4 in Appendice*) andò prima dalla FIAT a Mediobanca, poi da Mediobanca all'IFIL, poi dall'IFIL alla Deutsche Bank e ai libici, che in cambio consegnarono 90 milioni di azioni FIAT, pari al 6,7 per cento delle azioni con diritto di voto. Risultato finale, la FIAT avrebbe convertito le obbligazioni in azioni Toro, Mito e SAES, di modo che il controllo di queste società sarebbe passato dalla holding della famiglia

Agnelli alla FIAT, che comunque gli Agnelli controllavano e di cui possedevano una fetta più grossa di prima grazie alla stessa operazione.

Come per dare risalto a questa rimescolata di carte – o, avrebbero potuto dire i critici, per aggiungere al danno le beffe – il management della Toro, della Mito e della SAES passò immediatamente alla FIAT, mentre l'IFIL continuava a raccogliere i dividendi di queste società, parcheggiate nella Spafid, la fiduciaria di Mediobanca. Una cosa molto elegante; un gioco molto complesso, un cerchio perfetto, e tutto restava in famiglia. Era anche un'altra classica ragnatela modello Cuccia. Disgraziatamente, richiamò più attenzione di quanta ne avrebbero desiderata sia Agnelli sia il suo vecchio consigliere. Dopo tutto Agnelli non era soltanto azionista della FIAT e dell'IFIL, era anche (attraverso la FIAT) azionista di minoranza di Mediobanca, e di questa anche membro del consiglio d'amministrazione.

L'operazione, osservò un commentatore italiano, permise alla FIAT di liberarsi di un socio scomodo senza in nessun modo indebolire la sua posizione. A questo fine, « alcune società del gruppo sono state 'adoperate' come strumenti, come tasti di una tastiera dove quel che conta è la melodia complessiva che il direttore vuole sia suonata ». Queste società dunque, nonostante il fatto che erano quotate in borsa e nonostante il fatto che avevano migliaia di azionisti di minoranza, « si sono rivelate prive di autonomia ».[16] L'operazione Lafico non fu certo l'unica transazione di questo genere in Italia, ma fu la più grossa, la più complessa e, almeno finora, l'unica che portò con sé accuse di infrazione della legge.

Il primo a denunciare scorrettezze fu un azionista di Mediobanca. Citando la legge italiana sulle società per azioni secondo la quale i sindaci sono tenuti a indagare su qualsiasi accusa di scorrettezza, l'azionista di Mediobanca denunciò quello che definiva il comportamento « censurabile » dell'istituto nella delibera dell'emissione di obbligazioni speciali Toro, Mito e SAES e nell'uso della Spafid per parcheggiare le azioni di queste società. Ma i sindaci di Mediobanca dichiararono infondata questa denuncia e in particolare affermarono che, «quanto all'emissione delle obbligazioni speciali... alla deliberazione... non hanno concorso Consiglieri per i quali fosse configurabile un conflitto d'interessi».[17] Può darsi che Gianni Agnelli non fosse fisicamente presente alla riunione del consiglio che approvò l'operazione grazie alla quale poté ricomprare le azioni del colonnello. Ma erano presenti i suoi amici.

La seconda accusa, questa volta di infrazione della legge, venne nel giugno 1987 da azionisti presenti all'assemblea annuale dell'IFIL a Torino. Umberto Agnelli, presidente dell'IFIL, stava cercando di guardare al futuro quando fu bloccato da uno sgradevole momento del passato. L'IFIL era accusata di aver violato la legge che impedisce a una società di trasformare radicalmente l'oggetto sociale senza la previa approvazione degli azionisti in un'assemblea convocata allo scopo. L'IFIL era accusata di aver fatto esattamente questo, passando da un'attività a un'altra tramite nuovi investimenti. L'IFIL, si sentì dire Umberto Agnelli, sacrificando alla FIAT le sue attività assicurative, di grande distribuzione e di servizi finanziari e trasformandosi in poco più che una scatola contenente le vecchie azioni della Libia, aveva violato il codice civile. Sciocchezze, replicò Umberto, citando a sua volta una scappatoia legale che esentava l'IFIL dalla legge perché era una «finanziaria pura».[18] Fine della discussione: aveva parlato un Agnelli.

La terza accusa, di comportamento insieme illegale e contrario all'etica, venne da Democrazia Proletaria, che nel novembre 1987 presentò un dossier in cui denunciava due serie di violazioni del codice civile. L'operazione di Mediobanca che aveva finanziato l'acquisto di azioni FIAT da parte della famiglia Agnelli attraverso l'IFIL appariva come una copertura molto sottile per consentire alla FIAT di comprare le sue stesse azioni, argomentava il dossier. Democrazia Proletaria invitava dunque la magistratura a metter sotto inchiesta la FIAT per l'acquisto non autorizzato di azioni proprie e anche per avere anticipato i fondi per quest'acquisto (con la sottoscrizione da parte della FIAT, benché attraverso la controllata Sicind, delle obbligazioni Mediobanca).[19] Ma il dossier non si fermava qui: Mediobanca, dichiarava, era stata complice dei reati finanziari della FIAT e, in quanto banca dello Stato, aveva recato danno all'interesse pubblico, avendo emesso un prestito con tassi d'interesse molto inferiori a quelli di mercato.

Il dossier d'accuse preparato da Democrazia Proletaria fu completato alla fine dell'ottobre 1987, un anno dopo l'operazione Lafico. Nel novembre copie del dossier furono consegnate a perplessi operatori di borsa mentre entravano nella Borsa di Milano. Lo stesso mese Luigi Cipriani, deputato di Democrazia Proletaria, indisse una conferenza stampa al Palazzo di Giustizia a Milano. « Nostro scopo era informare la gente delle realtà della FIAT e del modo come veramente operano », disse poi Cipriani, aggiungendo che, nonostante la presenza di giornalisti di tutti i fogli di stampa più importanti, « non uno di loro ha pubblicato una parola in proposito ». L'unico articolo apparve sul *Manifesto*. Cipriani, che è chiaramente un ideologo e un militante, disse che nessuno diede notizia della sua conferenza stampa perché « era troppo scottante, i giornalisti si sono censurati da soli. Anche solo riportare le nostre accuse sarebbe stato considerato un attacco ad Agnelli da parte del giornale che le avesse pubblicate. Questo è il modo come vanno le cose in Italia ».[20] I demoproletari sono certo estremisti e le loro accuse possono essere considerate di parte. D'altro canto, in Italia sono spesso i piccoli partiti marginali – che a differenza dei partiti principali non hanno nulla da perdere – a rivelare in pubblico cose di cui gli altri non possono o non vogliono parlare.

La FIAT non reagì in nessun modo, neppure con una riga di comunicato, alla conferenza stampa di Cipriani. Evidentemente, nella « nuova Italia » del 1987, solo dei pazzi o degli estremisti di sinistra potevano osare di accusare Agnelli di scorrettezze, figuriamoci poi di infrazioni alla legge. Cipriani aveva però detto ai giornalisti qualcos'altro, e anche di questo non fu data notizia: aveva detto che « un magistrato stava già esaminando la questione » e aggiunto che secondo lui c'era il rischio che il lavoro del magistrato finisse « archiviato in un cassetto e lì dimenticato. Incontreremo molti ostacoli. La FIAT è in grado di creare molti ostacoli. Anche i migliori fra i magistrati italiani sono di fronte a questo problema ».[21] Cipriani rivelò più tardi di essere stato convocato dal magistrato torinese nel dicembre 1987 per essere interrogato sul dossier. « Il magistrato aveva aperto l'inchiesta sull'affare FIAT-Mediobanca dopo un'interrogazione in Parlamento avanzata sulla fine del 1986 non da noi ma, fatto strano, da un membro del Movimento sociale. L'inchiesta era ancora in corso al principio del 1988 e nessuno ne ha mai saputo niente. »[22]

Irritato da questo silenzio, Cipriani convocò un'altra conferenza stampa nel marzo '88, nella quale rivelò non solo l'esistenza dell'inchiesta giudiziaria, ma disse di aver incontrato il procuratore capo di Torino Francesco Scardulla il quale gli aveva confermato che si stava indagando su sospette illegalità. Questa volta qualche giornale riportò la notizia. « Rompiscatole » come Cipriani si possono ignorare, ma l'operazione Lafico aveva un carattere molto più internazionale, e ignorare le proteste furibonde dei banchieri di Londra non era così facile.

Per cedere la loro partecipazione e far fagotto, i libici avevano chiesto la bella cifra di 3 miliardi di dollari. Gli Agnelli desideravano e potevano acquistare solo un terzo del pacchetto, quindi rimanevano 2 miliardi di dollari di azioni in attesa di padrone. Gli uomini di Agnelli si misero alla ricerca di modi per sistemarle in mani amiche, ma neppure un amico fedele come Mediobanca poteva assumersi un tale impegno; né lo poteva la Lazard di Parigi, altro tradizionale alleato della FIAT nel mondo delle banche.

Al principio di settembre del 1986 Francesco Paolo Mattioli, braccio destro di Romiti per i problemi finanziari, ebbe un incontro con Werner Blessing, membro eminente del consiglio d'amministrazione della Deutsche Bank a Francoforte; così almeno racconta un collega di Blessing con base a Londra. Secondo questo banchiere, Mattioli spiegò quanto era importante liberarsi dei libici, parlò del desiderio di Agnelli di ottenere contratti da Washington e ammise che né Mediobanca né la Lazard potevano occuparsi di un'operazione così grossa. « Mattioli chiese l'aiuto della Deutsche Bank. Disse che coi libici era stato raggiunto un accordo, incluso un livello di prezzo al quale avrebbero venduto », continuò il collega di Blessing il quale aggiunse che poteva parlare di un affare così delicato solo se non si fosse fatto il suo nome.[23]

La Deutsche Bank – disse – rispose a Torino che non poteva promettere di collocare miliardi di dollari di azioni FIAT a un prezzo prefissato perché tutto dipendeva dalle condizioni del mercato; in ogni caso, sul mercato internazionale le azioni si vendono di solito con uno sconto rispetto al loro attuale prezzo di mercato in patria. Ci furono lunghi esami di coscienza nell'ufficio londinese della Deutsche Bank, dove sono trattati affari internazionali come questo. Ma la prospettiva di gestire la più grande operazione di collocamento internazionale di titoli (i cosiddetti « eurotitoli ») rappresentava una tentazione enorme specialmente in un mercato così ferocemente competitivo come il mercato di capitale internazionale. Di qui l'interesse, anzi entusiasmo, che la proposta della FIAT destò in Michael Altenberg, un giovane, biondo e raffinato banchiere tedesco nella filiale londinese della Deutsche Bank, creatura dello stesso presidente della Deutsche Bank a Francoforte, Alfred Herrhausen.

Altenberg però non fu il solo a entusiasmarsi: anche altri banchieri ne furono quasi accecati. Come ha ammesso più tardi un banchiere d'affari americano a Londra, coinvolto nell'operazione: « Era il più grande collocamento europeo fino a quel momento e noi non volevamo restarne fuori. Per questo abbiamo dimenticato le regole fondamentali del nostro mestiere ».[24]

Nello stesso giorno, il 23 settembre 1986, furono annunciati sia la vendita delle azioni libiche sia il quasi raddoppio dell'utile del gruppo FIAT nel primo semestre 1986. A molti questa sincronia parve sospetta e intesa a migliorare le prospettive di collocamento europeo delle azioni di Gheddafi. Ma una settimana dopo l'annuncio dell'accordo con la Libia un corrispondente del giornale tedesco *Die Welt* chiese a Gianni Agnelli se c'era stato un « collegamento » fra il sensazionale aumento degli utili e la notizia del ritiro della Libia. « Non vi è alcun collegamento », rispose Agnelli. « Il raddoppio dell'utile è un fatto sorprendente per il grande pubblico ma non per noi. »[25]

Il collocamento internazionale della azioni FIAT era però condannato in partenza. Il fiasco fu dovuto a quattro principali motivi. Primo, le azioni FIAT furono prezzate in dollari, non in lire, il che rendeva difficile per gli investitori rivenderle sul mercato italiano. Secondo, essendo stato fissato un prezzo così vicino a un massimo storico, gli investitori comprarono le azioni della Libia al massimo e cominciarono a perdere non appena il prezzo calò. Terzo, le azioni non furono consegnate subito; così gli investitori non poterono rivenderle e furono costretti a subire le perdite. In quarto luogo, l'operazione fu condotta dalla Deutsche Bank in modo così frettoloso che le grandi banche internazionali non riuscirono a coordinare un'operazione di quella portata. Per esempio, banche diverse offrirono azioni FIAT agli stessi investitori, e ne seguì una gran confusione.

Un grosso problema nell'operazione della Deutsche Bank fu creato dall'insistenza dei libici per essere pagati in dollari americani e non in lire. Così, invece di vendere normali azioni FIAT prezzate in lire, la Deutsche Bank creò dei « certificati globali temporanei » in dollari, che misero la banca, le altre banche membri del consorzio di garanzia e i loro clienti a un rischio immediato se il prezzo delle azioni FIAT scendeva sotto il prezzo d'offerta. Questi « certificati » non si potevano convertire facilmente in vere e proprie azioni alla Borsa di Milano, dove sono trattate le FIAT; così gli investitori non potevano recuperare i loro soldi vendendo se il prezzo cominciava a calare. E il prezzo cominciò a calare immediatamente.

« L'affare FIAT », ha ammesso Michael von Brentano, amministratore delegato dell'ufficio londinese della Deutsche Bank, « è stato per noi una faccenda disgraziata. Adesso siamo molto più umili. » [26] Che, data la situazione, era un modo di esprimersi molto moderato.

Sia la FIAT sia la Deutsche Bank avevano una gran fretta. Tutta l'operazione fu organizzata in meno di quattordici giorni, e il modo in cui la banca tedesca fece impegnare altre banche internazionali all'acquisto di pacchetti da 100 milioni di dollari ciascuno fu caotico. Non c'era un prospetto di collocamento. Le altre banche furono contattate solo il pomeriggio del 23 settembre, nel momento stesso in cui l'operazione veniva annunciata in Italia, e fu detto loro che dovevano dare una risposta quella sera stessa, mentre normalmente alle banche internazionali si lasciano alcuni giorni per decidere investimenti di quell'entità. Peggio ancora, come ricordano parecchi banchieri londinesi, la Deutsche Bank non disse ai suoi partner neppure quando e dove sarebbero state consegnate le azioni. « Dissero che le azioni non sarebbero state disponibili per due mesi », ricorda uno dei più eminenti banchieri internazionali europei. « Dichiarai che in tal caso volevo uno sconto del 25 per cento, e minacciai di lasciar cadere l'affare se non organizzavano una consegna delle azioni. Non è il modo di trattare il mercato. Erano impreparati e assolutamente irresponsabili. Se non sai quel che stai facendo, non devi ingombrare il mercato con 2 miliardi di dollari di azioni e perdite enormi. » Dopo un anno, il banchiere era ancora furioso. [27]

Quello che fu alla fine il prezzo di vendita delle azioni ordinarie FIAT, cioè 11,28 dollari ciascuna, rappresentava uno sconto del solo 4 per cento rispetto al prezzo record raggiunto il 23 settembre sul mercato azionario di Milano. Grazie alla Deutsche Bank, la Libia si portò via i suoi 3 miliardi di dollari, ma le FIAT non tornarono mai più a quel livello. Alfred Herrhausen, numero uno della Deutsche Bank a Francoforte, ne diede poi la colpa al mercato. «Quando annunciammo l'operazione, ci aspettavamo che sui vari mercati azionari, in particolare quello di Milano, si sarebbe prodotta un'evoluzione positiva. Eravamo sicuri che avrebbero reagito positivamente alla buona performance della FIAT nella prima metà dell'anno e agli attesi contratti per lo Scudo Spaziale.»[28] Ma, ammise Herrhausen, con i mercati azionari in calo «si verificarono presto delle perdite e la gente cominciò a cercar di capire che cosa era andato storto».

La Deutsche Bank e i suoi partner si trovarono presto nei guai. Tre giorni dopo l'inizio dell'operazione, almeno il 60 per cento delle azioni FIAT rimaneva invenduto e parecchie banche sottoscrittrici cercavano freneticamente di sottrarsi ai loro impegni. Alla fine della prima settimana le perdite erano stimate a un minimo di 50 milioni di dollari.[29] A Londra le banche si trovavano sulle braccia pile di azioni FIAT invendute, pagate ad alto prezzo, di cui gli investitori internazionali non volevano sapere.

In Italia invece continuavano le celebrazioni. Agnelli andava alla televisione a parlare del suo gran successo ed era festeggiato su e giù per la penisola. A due giorni dall'inizio di quell'impresa fallimentare, La Stampa di Torino riferiva da Londra che l'operazione sembrava quasi conclusa e tutte le notizie indicavano un successo totale.[30] Niente avrebbe potuto essere più lontano dalla verità.

Il 6 ottobre, quando le disgraziate banche dell'Euromarket contavano le loro perdite in molte decine di milioni di dollari, Mario D'Urso, mondano banchiere d'affari e grande amico personale di Gianni Agnelli, fu sentito commentare allegramente che «è più facile concludere un affare da 3 miliardi di dollari che uno da cento milioni».[31] Ma la faccenda non era allegra per tutti. Hans-Joerg Rudloff, vicepresidente della Crédit Suisse First Boston, una delle banche che subirono perdite nel collocamento delle azioni libiche, espresse il pensiero di molti quando dichiarò che l'operazione era stata «un disastro per il mercato».[32]

La Deutsche Bank si addossò la maggior parte del disastro, impegnandosi inizialmente per più di 300 milioni di dollari e più tardi, secondo Herrhausen, spendendone altri 300 per difendere la quotazione del titolo.[33] In Italia, l'IFIL aveva speso più di 50 milioni di dollari nell'acquisto di azioni FIAT, ma questo era avvenuto *prima*, non *dopo* l'inizio dell'operazione internazionale. Gianluigi Gabetti ammise che l'IFIL aveva comprato 5 milioni di azioni FIAT fra il 10 e il 20 settembre, con lo scopo non di rastrellare (non ce n'era alcun bisogno), ma di tenere sotto controllo il titolo nel corso della trattativa.[34]

Circa diciotto mesi dopo, questi acquisti furono interpretati in modo un po' diverso da *Espansione*, rivista finanziaria italiana, la quale scrisse che nel tempo in cui il prezzo delle azioni FIAT saliva così brillantemente « gli operatori di borsa notano soltanto che lo studio Giubergia, tradizionalmente vicino al gruppo torinese, compra a piene mani e sempre sul finale della chiamata, dando l'impressione di voler soprattutto far segnare un prezzo piuttosto che approvvigionarsi di titoli ».[35] Così, concludeva la rivista la sua analisi, « mentre gli uomini del gruppo Agnelli stavano trattando nel massimo segreto un'imponente transazione fuori mercato, una società dello stesso gruppo acquistava in borsa e contribuiva al rialzo del prezzo ».

Le azioni FIAT acquistate dalla società di famiglia degli Agnelli rappresentavano quasi un quinto di tutte le azioni FIAT trattate in quei dieci giorni cruciali di settembre, un periodo che vide il prezzo delle FIAT salire di oltre il 9 per cento sul mercato di Milano. Fu questa attività a determinare l'accusa dei demoproletari che l'IFIL aveva gonfiato artificialmente il prezzo delle azioni FIAT per portarlo a un livello che convenisse ai negoziatori di Gheddafi.[36] Ma mentre Gianluigi Gabetti aveva detto che gli acquisti erano stati fatti per « tenere sotto controllo il titolo », Umberto Agnelli più tardi disse ai suoi azionisti che le azioni erano state acquistate « proprio perché abbiamo pensato si trattasse di un buon affare ».[37] Quale delle due risposte era la giusta? E che buon affare poteva mai essere stato comprare azioni a un prezzo vicino al suo massimo storico? Nessuno cercò di dare risposta a queste domande nell'estate del 1987, quando le banche, che nell'operazione Lafico avevano già subìto perdite del 25 per cento, cercavano disperatamente una soluzione ai loro guai. Più tardi, nel 1988, rispondendo a una domanda di Giampaolo Pansa, dopo aver riferito la succitata tesi di Gabetti, Romiti ne ha fornito una singolare interpretazione: « Siccome era già stato pattuito il prezzo coi libici, ed era il valore di borsa della fine d'agosto, il titolo FIAT non doveva subire troppe oscillazioni ».[38]

A metà del 1987 tutto il mercato italiano soffriva per il surplus di azioni FIAT già proprietà della Libia, che per la maggior parte erano state riscaricate in Italia. Essendo le FIAT il principale *blue chip* sul mercato azionario, le conseguenze dell'affare libico avevano, a detta sia dei banchieri sia degli operatori di borsa, un generale effetto depressivo sul prezzo delle azioni. Era, secondo una battuta sardonica, « la vendetta del colonnello ». In un rapporto per altri versi entusiastico sulla FIAT, un analista d'investimenti di New York riassumeva così la situazione un anno dopo l'operazione: « Riteniamo che il problema sia un grave malessere dovuto all'offerta delle 'azioni di Gheddafi'. Questo tanto pubblicizzato collocamento di azioni a livello europeo si è lasciato dietro membri di sindacato scontenti, investitori scontenti, la Deutsche Bank come grosso azionista della FIAT... e PAURA! Paura che, dovesse il prezzo muoversi ancora, le azioni parcheggiate saranno scaricate sul mercato per ridurre al minimo le perdite ».[39]

Così il mercato azionario milanese andò alla deriva, prima ancora di sentire l'impatto della crisi mondiale delle borse nell'ottobre 1987. E decine di banche italiane e internazionali furono lasciate sotto il peso di enormi perdite, e di montagne di azioni FIAT che avrebbero preferito non possedere. Solo due persone erano uscite incolumi, anzi in assai miglior salute di prima, dall'operazione libica: il colonnello e l'Avvocato. Per tutti gli altri era stata una catastrofe.

L'ultima parola venne, com'era giusto, da Agnelli stesso. Una bella mattina del tardo settembre 1987, a un anno quasi preciso dal lancio dell'operazione per il collocamento delle «azioni di Gheddafi», Agnelli apparve davanti a un'assemblea di azionisti della società di famiglia. Gli azionisti, molti dei quali erano parenti e amici, furono per la maggior parte gentili col presidente della FIAT; per lui, era un'altra occasione di crogiolarsi al calore della loro ammirazione. Tre dozzine di giornalisti italiani, fuori della sala, seguivano attentamente l'andamento della riunione su una televisione a circuito chiuso. Togliendosi un invisibile pelucco dal blazer blu scuro, Agnelli si alzò a rispondere alle domande, e non parve turbato quando un azionista gli chiese quante azioni fossero rimaste alla Deutsche Bank. Poco meno di 1 miliardo di marchi tedeschi, rispose il presidente della FIAT; cioè, circa 550 milioni di dollari. La Deutsche Bank aveva pagato ben caro per essersi lasciata coinvolgere in quell'impresa. Come pure le altre banche italiane internazionali. Alla fine dei conti chi – banche o altri investitori – aveva investito nel settembre '86 si trovava nell'estate 1988 con una perdita di carico di quasi il 40 per cento.

Invece, con un bel sorriso, Agnelli commentò la situazione come se si fosse trattato di una piacevole coincidenza: «Siamo felici di avere come azionista la Deutsche Bank, e la Deutsche Bank è felice di essere un nostro azionista». Alla domanda se questo significava che la Deutsche Bank era ora un azionista permanente della FIAT, Agnelli cominciò a prendere un'aria annoiata e osservò che dipendeva dalle «condizioni di mercato e da considerazioni fiscali» e inoltre, per dire la verità, «è un problema più loro che mio».[40] Con questa battuta noncurante si chiuse la pubblica discussione d'una delle più controverse operazioni finanziarie nella storia recente d'Italia.

La volta successiva in cui ha parlato della vicenda, Agnelli è riuscito a presentarla in modo decisamente più lusinghiero per la FIAT: il 29 giugno 1988 ha infatti annunciato a duecento giornalisti riuniti a Torino che la Deutsche

Bank ha deciso di trasformare in una « partecipazione permanente » il suo 2,5 per cento di azioni FIAT, che ormai sono costate alla banca tedesca una perdita contabile pari a 200 milioni di dollari. Agnelli ha anche letto passaggi di una lettera di Alfred Herrhausen della Deutsche Bank, in cui il banchiere tedesco dice che questa decisione è stata presa « in vista dello sviluppo europeo e dell'obiettivo politico di creare un unico mercato interno nel 1992 ». La notizia è stata presentata come una prova dell'« impegno » della Deutsche Bank verso l'Italia. Nel mondo finanziario, gli operatori di borsa hanno accolto queste spiegazioni con scetticismo, pur non escludendo la possibilità che dalla presenza della Deutsche Bank possa venire qualche bene.

Ma purtroppo per Gianni Agnelli la fine dell'alleanza finanziaria con Gheddafi non portò immediatamente i contratti per lo Scudo Spaziale che nel 1986 aveva creduto dietro l'angolo. Washington era sempre più preoccupata per la scoperta di esportazioni di tecnologia missilistica da parte di un'azienda del gruppo FIAT, che ad alcuni alti funzionari dell'amministrazione Reagan sarebbero parse gravi quanto la presenza di un azionista libico. L'azienda in questione si chiamava SNIA-BPD e produceva tecnologia per razzi, missili e munizioni. La FIAT rafforzò il suo controllo della SNIA nel 1986, lo stesso anno del ritiro di Gheddafi. E i modi in cui gli uomini di Agnelli manovrarono per garantirsi il controllo della SNIA furono non meno esplosivi delle munizioni che l'azienda produce e vende.

1 Vedi Valerio Castronovo, *Agnelli*, UTET, 1971, pp. 39-42; vedi anche Gino Pallotta, *Gli Agnelli*, Newton Compton, 1987, pp. 35-37.
2 Vedi il dossier preparato da Democrazia Proletaria nel novembre 1987 e intitolato « L'affare FIAT-Libia e l'acquisto di azioni proprie da parte della FIAT ». Vedi anche *Corriere della Sera*, « Azioni Fiat cedute ai Libici: la magistratura indaga », 30 marzo 1988; *Il Giornale*, « Fiat-Lafico: inchiesta a Torino », 30 marzo 1988; *Il Manifesto*, « Azioni Fiat-Lafico, la procura torinese avvia un'istruttoria », 30 marzo 1988.
3 Vedi il rapporto annuo di Mediobanca per il 1986-87. Vedi anche gli articoli della stampa italiana sulle dichiarazioni di Umberto Agnelli all'assemblea an-

277

nuale degli azionisti IFIL, 30 giugno 1987, e in particolare le sue dichiarazioni citate sul *Sole - 24 Ore* nel numero del 1° luglio 1987.

4 *Le Nouvel Économiste*, « Exclusif: Agnelli parle », 4 marzo 1988, p. 22.

5 *Il Mondo*, « Quell'incontro con Bush », 6 ottobre 1986, p. 35.

6 *La Repubblica*, « USA soddisfatti per il lieto fine », 26 settembre 1986, di Enrico Franceschini.

7 *La Stampa*, 26 settembre 1986.

8 *Il Sole - 24 Ore*, « L'IFIL spiega alla Consob i dettagli dell'acquisto delle azioni di Gheddafi », 26 settembre 1986; dell'approccio fatto a metà agosto dalla Libia parlò Romiti in un'intervista rilasciata al *Corriere della Sera* il 25 settembre 1986.

9 *The Financial Times*, « Libyans not ready to sell interest in Fiat », 4 giugno 1986, di James Buxton; *The Wall Street Journal*, « Fiat's Bid to Buy 15% Stake Held by Libya is Rejected », 4 giugno 1986, di John Winn Miller.

10 *The Wall Street Journal*, « Libyan fund of $ 4.9 m frozen in Italy », 7 agosto 1986, di Laura Colby.

11 *Il Mondo*, 6 ottobre 1986, p. 36.

12 *Il Mondo*, 6 ottobre 1986, p. 38.

13 La legge che vieta alle aziende di acquistare proprie azioni senza approvazione formale è l'articolo 2357 del Codice Civile italiano.

14 *La Repubblica*, « Si chiude con successo il collocamento sui mercati europei », 25 settembre 1986, di Marco Panara.

15 Vedi bilancio di Mediobanca per il 1986-87.

16 *La Repubblica*, « Le audaci manovre dei grandi gruppi: l'affare FIAT-IFIL », 6 ottobre 1986, di Salvatore Braganti.

17 Vedi p. 82 del rapporto annuo di Mediobanca per il 1986-87.

18 *Il Sole - 24 Ore*, « IFIL, 900 miliardi in cassa », 1° luglio 1987, di Rodolfo Bosio.

19 Dossier di Democrazia Proletaria, « L'affare FIAT-Libia e l'acquisto di azioni proprie da parte della FIAT ». Il dossier denunciava violazioni degli articoli 2357 e 2358 del Codice Civile.

20 Intervista dell'autore a Luigi Cipriani, 3 marzo 1988, Milano.

21 Vedi nota 20.

22 Secondo la legge italiana, un magistrato non può violare il « segreto istruttorio » parlando di un'inchiesta che sta svolgendo. Non c'è però niente di illegale se di quella stessa inchiesta desidera parlare in pubblico un membro del Parlamento o altro testimone chiamato a comparire davanti a quello stesso magistrato. In altre parole, il magistrato è tenuto al segreto, i testimoni no.

23 Intervista dell'autore, 9 novembre 1987, Londra.

24 *Euromoney*, « Fiat backfires », novembre 1986, di Lillian Chew.

25 Cit. a pag. 32 del *Mondo*, 6 ottobre 1986.

26 *The Wall Street Journal*, « A Fiasco with FIAT », 18 settembre 1987, di Matthew Winkler.

27 Intervista dell'autore, 10 novembre 1987, Zurigo.

28 Vedi nota 24.

29 *The Wall Street Journal*, « Underwriters face losses on Fiat offer », 29 novembre 1986, di Matthew Winkler.

30 *La Stampa*, « È partita la maxi-offerta, a Londra 'bruciati' i titoli », 25 settembre 1986, di Mario Ciriello.

31 *Il Mondo*, 6 ottobre 1986, p. 38.

32 *The Wall Street Journal*, « Fiat Issue Throws Euro-Equities for Loop », 2 ottobre 1986, di Matthew Winkler e Philip Revzin.

33 Vedi nota 24.

34 *Il Mondo*, 6 ottobre 1986, p. 39.

35 *Espansione*, « Chi paga le grandi manovre », marzo 1988, di Roberto Ceredi, p. 27.

36 Vedi dossier di Democrazia Proletaria.
37 *Il Sole - 24 Ore*, « Ifil, 900 miliardi in cassa », 1° luglio 1987.
38 Cesare Romiti, intervistato da Giampaolo Pansa, *Questi anni alla Fiat*, Rizzoli, 1988, p. 199.
39 Vedi rapporto della First Boston, 15 settembre 1987, p. 7.
40 Commenti uditi dall'autore e riportati nel *Financial Times*, « Deutsche Bank retains £ 335 m stake in Fiat », 26 settembre 1987, di Alan Friedman.

12. *Dalle automobili alle bombe*

LA piccola sala del famoso Ristorante Bice a Milano era piena fino a scoppiare all'ora di pranzo di giovedì 15 ottobre 1987. Entravano disegnatori di moda, attrici, uomini politici locali, salutati da Roberto, il maître, che si fa un punto d'onore d'intonare a gran voce il nome degli illustri clienti. La Bice, a un passo da via Montenapoleone, il centro del quartiere più elegante ed esclusivo di Milano, è uno dei posti dove i milanesi vanno per essere visti, uno fra i locali favoriti dalla gente alla moda.

In quel trambusto di camerieri con cravattino a farfalla che si destreggiavano come giocolieri fra signore coperte di gioielli, portando piatti di pasta e stappando bottiglie, nessuno faceva caso all'uomo dai capelli scuri che sedeva a un tavolino d'angolo e, stranamente fuori di posto nel modesto abito grigio – la divisa dei dipendenti FIAT di basso rango –, giocava col suo « primo » rifiutando un bicchiere di vino. Pur essendo da qualche anno alla SNIA-BPD, l'azienda di armamenti, prodotti chimici e fibre controllate dalla FIAT, l'uomo si permise un paio di osservazioni leggermente irrispettose nei confronti di Agnelli e Romiti prima di correggersi con un profluvio di elogi per il management e i robusti utili della società. Ma improvvisamente sulla sua faccia si disegnò un'espressione afflitta e leggermente imbarazzata. Gli era stato chiesto un parere sulla controversa operazione finanziaria che nel 1986 aveva consentito al gruppo Agnelli di rafforzare il suo controllo della SNIA-BPD, un'operazione che alcuni hanno definito « un capolavoro della finanza » e altri « un disonore per il mercato ».

L'uomo della SNIA adesso sembrava nervoso. Distolse lo sguardo, lo fissò su un'abbronzata indossatrice al tavolo vicino, infine l'abbassò sul suo piatto prima di dare una risposta che fu più sussurrata che detta. « L'affare cui lei allude », cominciò, « è andato molto bene per la FIAT. Le ha assicurato il controllo della SNIA una volta per tutte. » Ma era stato onesto nei confronti dei 19.000 piccoli azionisti della società? E non era stato molto eterodosso? « Direi », rispose l'uomo della SNIA, che a questo punto si agitava, a disagio, sulla seggiola, « che è stato il tipo di operazione che si può fare soltanto in Italia. Fosse fatta negli Stati Uniti, probabilmente sarebbe considerata illegale. » [1]

Ecco, l'aveva detto. Solo un'opinione, niente di più. Aveva tradito l'azienda? Ma no! Del resto, di quell'affare aveva parlato tutto il mondo finanziario italiano, e lo stesso tipo di giudizio era stato espresso in privato da parecchi banchieri da Roma a Milano. Solo, nessuno aveva osato criticarlo in pubblico. Nessuno aveva osato mettere in discussione un'operazione che dopo tutto portava tutti i segni di uno « special » del gruppo Agnelli, il tipo di manovra finanziaria che sposta pacchetti d'azioni da una tasca all'altra. Roba di tutti i giorni in Italia; niente di illegale. Mentre è molto probabile che avrebbe attirato l'attenzione delle autorità in America.

L'operazione SNIA non fu esattamente simile al gioco inventato da Cuccia per pagare Gheddafi e liberare la FIAT della sua presenza. Nessuno ne mise in dubbio la legalità e molti operatori di borsa la giudicarono solo un'altra nella sempre più lunga serie di mosse espansionistiche di Agnelli, orchestrata dal fedele Cuccia e da Romiti, amministratore delegato che, guarda caso, era anche presidente della SNIA. L'operazione SNIA fu molto vantaggiosa per Agnelli e Romiti, ma lasciò in una posizione più debole migliaia di piccoli azionisti. Vediamo come andò.

Detto semplicemente, la FIAT rafforzò il suo controllo della SNIA nella primavera del 1986, pagando non con denaro ma conferendo alla SNIA una delle sue aziende. Così, alla fine la FIAT non tirò fuori una lira e mantenne il controllo « in famiglia ». In altre parole, accadde questo: 1. la FIAT aveva già il controllo effettivo della SNIA, ma 2. lo rafforzò notevolmente trasferendo alla SNIA un'azienda di tecnologia medica registrata in Olanda (la Bioengineering International BV) che passò dall'essere una società al 100 per cento della FIAT all'essere una società al 100 per cento della SNIA; 3. la SNIA « pagò » la FIAT per la Bioengineering cedendo un pingue pacchetto delle proprie azioni; 4. risultato, la FIAT portò la sua quota di controllo della SNIA dal 22 per cento circa a poco più del 38 per cento, senza pagare un soldo e mantenendo il controllo della Bioengineering attraverso la SNIA.[2]

Banchieri italiani dissero che era come se la FIAT avesse comprato una casa e l'avesse pagata portandovi dei mobili, ma manovrando in modo che alla fine possedeva sia la casa sia i mobili usati per pagarla. L'operazione fu giudicata come minimo eterodossa, e da alcuni anche molto dubbia. Come osservò un commentatore italiano, « il controllo assoluto del capitale è stato raggiunto con il conferimento di una partecipazione e non ha comportato per la FIAT alcun esborso ».[3] Ma non era tutto qui.

Il 24 gennaio 1986 il consiglio d'amministrazione della SNIA-BPD, presieduto da Cesare Romiti, approvò ufficialmente l'operazione. Alcuni particolari erano veramente sensazionali. Per esempio, il consiglio approvava l'emissione di 87 milioni di nuove azioni SNIA, pari al 16 per cento circa della società, e il trasferimento delle azioni stesse alla FIAT, a un prezzo che si sarebbe rivelato molto inferiore al loro prezzo di mercato.[4] In base ai termini decisi da Romiti e dal resto del consiglio, la FIAT avrebbe infatti ricevuto le azioni SNIA al prezzo di 4300 lire. Ma quello stesso 24 gennaio le SNIA furono quotate 5450 lire, cioè il 26,7 per cento più di quanto le pagava la FIAT. Non solo: il 19 marzo 1986, quando gli azionisti della SNIA si riunirono per approvare l'operazione, il prezzo delle azioni in borsa era salito a 6710 lire, che era il 56 per cento più di quanto la FIAT « pagava » trasferendo alla SNIA la Bioengineering.

In altre parole, se la FIAT avesse semplicemente comprato 87 milioni di azioni SNIA sulla Borsa di Milano nell'aprile 1986 avrebbe dovuto pagare circa 600 miliardi di lire contanti; invece, pagò trasferendo la Bioengineering, valutata 376 miliardi di lire. La differenza, 224 miliardi, poteva

282

ben essere considerata una perdita per la SNIA e per i suoi 19.000 azionisti. Perché la FIAT ebbe quelle azioni SNIA a un prezzo che comportava un utile di carico immediato di 224 miliardi? Negli Stati Uniti un'operazione di questo genere avrebbe sicuramente provocato un'inchiesta da parte dell'autorità di controllo.

I 19.000 azionisti di minoranza della SNIA, non chiamandosi Agnelli, non poterono far nulla per bloccare l'operazione, svantaggiosa anche perché, essendo le nuove azioni SNIA riservate esclusivamente alla FIAT, tutte le altre partecipazioni ne risultavano automaticamente annacquate. La FIAT diventava il principale azionista della SNIA, e per di più era fiancheggiata da un partner col quale avrebbe avuto la maggioranza assoluta della SNIA. Il partner era Mediobanca.

E gli strumenti usati? Una volta di più furono la Sicind, la stessa società FIAT usata per l'operazione Lafico; la Spafid, fiduciaria di Mediobanca, anche questa usata per l'affare Gheddafi; più, società finanziarie del gruppo FIAT come la International Holding FIAT (IHF) di Lugano, che controllava a sua volta la FIAT Finance BV dei Paesi Bassi, che controllava a sua volta la Bioengineering International BV olandese, che a sua volta controllava la Sorin Biomedica, una società quotata alla Borsa di Milano e con un prezzo di mercato molto superiore a quello che le era attribuito nell'operazione SNIA-FIAT-Bioengineering.[5] Non c'era da stupirsi che l'uomo della SNIA si innervosisse a sentirsi chiedere di quell'operazione.

Che cosa si era « comprata » la FIAT? Aveva ottenuto il controllo di una delle più importanti aziende italiane nel campo della difesa e dell'industria aerospaziale. Un'azienda che sia Agnelli sia Romiti vedevano come una delle principali partecipazioni strategiche per uno sviluppo futuro; anzi, data l'importanza dello Scudo Spaziale e dell'industria militare, forse *la* più importante.

La SNIA è un conglomerato di grandi proporzioni che fabbrica munizioni, razzi, prodotti chimici e tessili. Sotto la presidenza di Romiti, è la società su cui la FIAT appunta le speranze di ottenere contratti nel quadro dello Scudo Spaziale. Benché gran parte della produzione di armamenti della SNIA sia connessa con la fabbricazione di esplosivi, la società produce anche alta tecnologia in campo aerospaziale. Fabbrica motori e scudi termici per satelliti spaziali ed è uno dei tre produttori europei di propellenti solidi per razzi. I suoi propellenti sono così avanzati che sono stati usati per lo Space Shuttle e per molti tipi di razzi e missili militari americani.

Oltre a produrre propellenti solidi, la SNIA è attiva in altri campi: sistemi di propulsione avanzati, più progettazione, sviluppo e fabbricazione di lanciatori, motori per la separazione degli stadi, motori per lanciatori e sistemi per spostamenti orbitali. Attraverso la Serit, joint-venture, cominciata nel 1986, con un'altra azienda italiana chiamata FIAR, la SNIA è attiva anche nella produzione di sistemi sofisticati di guida elettronica.[6] La FIAR produce « thermal imagers », cioè sofisticati sistemi che aiutano un missile a identificare il bersaglio, mentre i booster della SNIA sono stati usati per il programma Ariane.[7]

Negli anni '70 la SNIA ebbe un lungo periodo di crisi; poi il crescente spostamento dei suoi interessi dai prodotti chimici e dalle fibre alla tecnologia militare la fece prosperare. La guerra Iran-Iraq, il programma di riarmo della NATO, l'espansione delle attività spaziali e il continuo sviluppo di razzi d'ogni genere vennero tutti in suo soccorso. Nei primi anni '80 risulta che la SNIA avesse venduto grandi quantità di componenti di missili e altre armi a paesi come la Libia, l'Iraq, la Nigeria, l'Argentina, il Venezuela e l'Ecuador.[8] Dopo che il governo di Roma mise al bando la vendita di armi all'Iran e all'Iraq, la SNIA dovette concentrarsi maggiormente sull'ottenere contratti dalla NATO e dagli Stati Uniti.

Quando la FIAT aumentò il suo controllo sulla SNIA attraverso l'« acquisto » da parte di quest'ultima della Bioengineering, Romiti presentò l'operazione agli azionisti come una diversificazione dalle armi e dalle fibre al campo delle tecniche mediche ad alta sofisticazione [9] e diede gran peso alle sinergie fra bioingegneria e le altre attività della SNIA. Agli analisti di borsa parve piuttosto che la FIAT avesse una volta di più semplicemente allargato la sua rete di potere, questa volta dalle auto alle bombe.

Non c'era molto di sorprendente nel cresciuto interesse del gruppo Agnelli per l'industria bellica; c'erano anzi precedenti storici in abbondanza sia nella famiglia Agnelli sia in quella di Romiti. Per Romiti, il cui figlio Maurizio è un diligente pupillo di Cuccia dal 1977 e ha lavorato con Cuccia, nel 1983, alla prima operazione che ha dato alla FIAT un ruolo più rilevante alla SNIA, era una faccenda di famiglia. La stampa italiana sottolineò l'esistenza di « Due Romiti per una SNIA ».[10] Nel 1983, Maurizio Romiti collaborò a un'operazione grazie alla quale la FIAT ottenne azioni SNIA dalla Montedison, allora controllata da un gruppo di azionisti capeggiato dalla FIAT e da Mediobanca. Più tardi si sarebbe detto che in quell'operazione il prezzo di vendita era stato giudicato « più favorevole al compratore che al venditore ».[11]

In Italia la famiglia è sempre importante, e il caso della SNIA ne è un esempio. Come osservò un commentatore italiano a proposito dell'operazione del 1983, quando per Maurizio Romiti di Mediobanca venne il momento di trasferire il controllo della partecipazione SNIA della Montedison alla FIAT non fece « che telefonare al babbo ».[12] Fu questa operazione a dare alla FIAT un'influenza sufficiente perché un anno più tardi Cesare Romiti diventasse presidente della SNIA. Maurizio era già membro del consiglio d'amministrazione della SNIA, e lo è tuttora. Piergiorgio, il secondo figlio del boss della FIAT, lavora anche lui al gruppo SNIA, come direttore generale della sua divisione « moulding systems ». I legami della famiglia Romiti con la SNIA risalgono però più indietro nel tempo: Cesare Romiti spese i primi ventidue anni della sua carriera alla BPD, poi alla SNIA, dopo la fusione di questa con la BPD. Per l'amministratore delegato della FIAT, le operazioni SNIA del 1983 e del 1986 devono avere avuto più che un valore puramente finanziario e industriale; Cesare Romiti aveva dedicato all'industria bellica più di metà della sua vita professionale.

Anche per Gianni Agnelli l'industria bellica è un affare di famiglia. Nella prima guerra mondiale suo nonno aveva cavato non pochi profitti dalle forniture militari. Il ventennio fascista fu un'altra epoca d'oro, con remunerative vendite FIAT sia alle forze armate italiane sia, più tardi, alla Germania di Hitler. Negli anni '80 la FIAT vendeva prodotti bellici in tutto il mondo. E nel 1987 si trovò molto vicina – troppo, anzi – a persone implicate in un grosso scandalo d'armi: Ferdinando Borletti, vecchio amico di Agnelli e membro fino al giugno 1988 del consiglio d'amministrazione della FIAT e tuttora consigliere d'amministrazione della SNIA, fu arrestato sotto l'accusa di aver partecipato all'esportazione illegale e clandestina di mine in Iran.[13] Borletti respinse subito le accuse.

Borletti, « Nando » per Agnelli e altri amici di Saint Moritz, fu arrestato insieme a quarantaquattro altre persone nel settembre 1987; la magistratura italiana sosteneva che la Valsella Meccanotecnica, l'azienda della famiglia Borletti proprietà al 50 per cento della FIAT, avesse venduto mine al Medio Oriente tramite triangolazioni con società di comodo in Spagna, Nigeria e Singapore. La FIAT si trovò nella posizione molto imbarazzante di avere due suoi alti dirigenti fra i sei membri del consiglio d'amministrazione della Valsella. Ma il portavoce di Agnelli dichiarò immediatamente che la FIAT non aveva nessun controllo operativo sul management della Valsella e sottolineò che nessuno dei due dirigenti FIAT facenti parte del consiglio della Valsella era stato accusato di nulla.[14] Come prima cosa, c'era da chiedersi quanto fossero efficienti i controlli nel più grosso gruppo italiano. La posizione della FIAT fu paragonata da banchieri e diplomatici a quella del presidente Reagan nel caso Irangate: se Torino non sapeva che cosa stesse facendo un'azienda al 50 per cento di sua proprietà, e questo pur avendo due uomini suoi nel consiglio d'amministrazione, *perché* non lo sapeva?

Infine, dopo quasi due settimane di discussioni e polemiche a livello nazionale, Agnelli ruppe il silenzio sullo scandalo in cui era coinvolto un intimo amico e socio d'affari. « Per quanto riguarda l'inchiesta da parte della magistratura », spiegò Agnelli, « naturalmente non posso interferire. Quel che posso dire è che conosco da tutta la vita Borletti e la sua famiglia e ho dato loro piena fiducia e anche la responsabilità del management. »[15] Affermazioni di questo genere da parte del presidente della FIAT valgono in Italia come una di quelle testimonianze che risolvono un caso giudiziario. Pochi giorni dopo Borletti usciva di prigione, indignato, protestando la sua innocenza. Sei mesi dopo, nel marzo 1988, era però messo agli arresti domiciliari, di nuovo accusato di traffico illegale d'armi, questa volta con l'Iraq. Nel luglio '88, intanto, verrà assolto dall'accusa di traffico di mine dall'Italia alla Siria.[16]

Gli uomini di Torino trovarono certo imbarazzante il caso Borletti, ma respirarono di sollievo: il gruppo Agnelli non era stato toccato dallo scandalo. Meno rassicurante fu la notizia che arrivò poco dopo il secondo arresto di Borletti: Franzo Grande Stevens, amico personale e legale della famiglia Agnelli, aveva ricevuto avviso di reato in quanto sospetto di complicità per avere agito come consulente legale nella vendita di mine all'Iraq.[17] Un'accusa presto e discretamente caduta.

Le inchieste dei governi statunitense e italiano avevano nel frattempo portato in luce le prove di altre vendite forse discutibili da parte della stessa SNIA;[18] ma queste rimasero altamente confidenziali. Il pubblico non avrebbe saputo nulla degli affari di cui era sospettata la SNIA e che avevano fatto infuriare alcuni funzionari dell'amministrazione Reagan.

Così nel 1988 la SNIA fu completamente consolidata nel bilancio FIAT benché l'azienda torinese ne possedesse meno del 50 per cento (la pratica internazionale è che una società possa essere consolidata solo se è controllata al 51 per cento, ma la FIAT aveva trovato una scappatoia nei regolamenti italiani: il cosiddetto controllo di fatto). Nel marzo 1988 la FIAT controllava più del 47 per cento della SNIA; secondo maggiore azionista, con quasi il 12 per cento era Mediobanca.[19] Gianni Agnelli e Cesare Romiti si dedicano con grande impegno ai loro progetti di espansione nella sfera militare. La SNIA ha ottenuto piccole commesse a livello di ricerca e sviluppo connessi col programma Scudo Spaziale, ma per il momento niente di importante. Il controllo della FIAT nella SNIA non è però messo in discussione, ed è visto come la piattaforma di lancio del gruppo Agnelli nel business dell'alta tecnologia, ben lontano dal settore automobilistico.

Le discussioni riguardanti la ragnatela di potere della FIAT non sono però spente. È diventato un problema cronico, che perde interesse quando il governo italiano passa attraverso una delle sue periodiche crisi politiche e si riacutizza quando i politici hanno tempo di occuparsi di problemi di più vasta portata. Per molti osservatori italiani e stranieri, Torino non è più soltanto una città industriale con una grossa azienda automobilistica come suo principale datore di lavoro. La vastità incredibile delle partecipazioni di Agnelli fa sì che Torino sia vista sempre più quasi come una città sovrana. Nel 1988 Gianni Agnelli, a sessantasette anni, ha raggiunto l'apogeo della sua vita. Il suo impero in Italia è vasto e potente come nessun altro posseduto da un singolo in nessun'altra nazione industrializzata. E, considerata la debolezza e la corruzione dei governi italiani, alcuni addirittura pensano che una tale concentrazione di potere non sia un male. A molti però sembra che Gianni Agnelli abbia tratto eccessivo profitto dal vuoto di potere in altri segmenti della società italiana. L'Avvocato ha creato nulla meno che uno Stato dentro lo Stato.

1 Intervista dell'autore, 15 ottobre 1987, Milano.

2 Vedi *Il Sole - 24 Ore*, « SNIA-BPD, un '86 al galoppo grazie a dollaro e petrolio », 20 marzo 1986.

3 *La Repubblica*, « Due Romiti per una SNIA risanata », 5 giugno 1987, di Felice Lenti.

4 Vedi il comunicato stampa SNIA-BPD in data 24 gennaio 1986. Il prezzo delle azioni SNIA-BPD era 6710 lire il 19 marzo 1986 (giorno dell'assemblea degli azionisti) e 7000 lire il 24 aprile 1986 (mentre si stava completando l'operazione). Il valore attribuito al dollaro nei calcoli seguenti è di L. 1542, cambio medio per il marzo 1986.

5 Gli 87 milioni di azioni SNIA furono poi trasferiti, al principio del 1987, alla Sicind. Mediobanca conservò le sue azioni SNIA tramite la sua fiduciaria Spafid. Vedi bilancio FIAT consolidato per il 1986, pp. 27 e 41.

6 Vedi *Jane's Defence Weekly*, « Venture in guidance », 12 luglio 1986, p. 35. La FIAR è una controllata del gruppo svedese Ericsson; la società è quotata alla Borsa di Milano.

7 Vedi « Un futuro di esperienze », pubblicazione dell'ufficio stampa della SNIA, 1987.

8 Vedi *L'Espresso*, « All'Avvocato piacciono le armi », 15 maggio 1983, di Leo Sisti; vedi anche *L'Espresso*, « Armi, utili e dividendi », 8 maggio 1983, di Leo Sisti; e *l'Unità*, « Con l'acquisto della SNIA la FIAT diventa un colosso negli armamenti », 10 maggio 1983.

9 Vedi nota 2.

10 Vedi nota 3.

11 Vedi nota 3.

12 Vedi nota 3.

13 *The Wall Street Journal*, « Italy arrests 32 on charges on unauthorized arms deals: FIAT director Borletti, son linked to alleged sales of weapons to Iran, Syria », 7 settembre 1987, di Laura Colby; *The Financial Times*, « Italian executives accused of Mideast arms exports », 7 settembre 1987, di Alan Friedman.

14 *The Financial Times*, « Back to the school for scandal », 12 settembre 1987, di Alan Friedman e John Wyles.

15 *The Financial Times*, « Agnelli speaks on scandal », 18 settembre 1987, di Alan Friedman.

16 *The Financial Times*, « FIAT director arrested », 11 marzo 1988, di John Wyles.

17 *La Stampa*, « Caso Valsella: avviso di reato a Grande Stevens », 17 marzo 1988; *La Repubblica*, « Avviso di reato all'avvocato Stevens », 17 marzo 1988.

18 Vedi capitolo 14.

19 Il bilancio consolidato FIAT per il 1986, p. 41, attribuisce alla FIAT una partecipazione del 38,64 nella SNIA-BPD, ma aggiunge in una nota che il 31 dicembre 1986 il numero di azioni ordinarie con diritto di voto corrispondeva a un controllo del 42 per cento. Il 27 maggio 1987 Francesco Paolo Mattioli, direttore finanziario della FIAT, disse a una conferenza stampa che la FIAT avrebbe consolidato la SNIA-BPD nel bilancio del gruppo per il 1987 anche se deteneva solo il 42,5 per cento delle azioni. Questo, spiegò Mattioli, era consentito da una clausola nel sistema regulatory italiano che permette la consolidazione di compagnie controllate a meno del 51 per cento se esiste un controllo « de facto ». La FIAT spiega questo interessante punto contabile a p.

28 del suo bilancio consolidato per il 1986. Vedi *The Financial Times*, 28 maggio 1987, di Alan Friedman. Gli ultimi aggiornamenti sulla partecipazione della FIAT nella SNIA sono stati forniti dall'ufficio stampa della SNIA l'11 luglio 1988.

13. *Lo Stato dentro lo Stato*

POTERE finanziario. Potere industriale. Influenza politica, Concentrazione editoriale. La rete di potere controllata da Gianni Agnelli si estende a tutte le aree della vita nazionale. Nel 1988, come abbiamo visto, la FIAT è diventata ben più che un'azienda automobilistica; il gigante di Torino ha assunto un ruolo ben più importante di quanto suggerisca la sua posizione di massimo conglomerato industriale privato del paese. È diventata un'istituzione nazionale. «La FIAT», osservava un commentatore nel marzo 1988, «non è più solo una fabbrica di automobili ma un'ideologia vincente che occupa uno spazio politico oltre che una buona parte dell'economia italiana.»¹ Gli Agnelli, osannati da una stampa piena di deferenza, controllano quasi un quarto del mercato azionario italiano e quasi un quarto della circolazione di quotidiani. E non basta. L'Avvocato è divenuto una specie di eroe nazionale, alla pari con Garibaldi o Verdi, oggetto di un culto della personalità di portata nazionale, l'indiscusso Numero Uno della società italiana.

Agnelli non può fare niente che non sia giusto. Così, il giudizio ultimo su operazioni discutibili è sempre a favore della FIAT. La Teksid? Una necessaria ristrutturazione. La Telit? Un peccato. La Libia? Un affare brillante. L'Alfa? Un bel colpo. E la SNIA? L'operazione con cui la FIAT si è assicurata il controllo della SNIA è passata inosservata tranne che da pochi operatori di borsa e banchieri milanesi; e, come altre operazioni che altrove avrebbero destato a dir poco perplessità, rientrava perfettamente nelle norme della legge italiana.

I critici della FIAT si preoccupano per il fatto che non esiste nulla che possa porre un freno al potere dell'impero Agnelli, nulla che possa controbilanciarlo. Persino un fan della FIAT come Henry Kissinger, buon amico e consigliere di Agnelli, ammette che i capitani d'industria italiani sono pieni di dinamismo e d'energia, ma «non c'è nessun ostacolo naturale a fermarli».[2] Kissinger non si preoccupa per il potere della FIAT perché ritiene che i suoi innegabili contributi positivi all'economia italiana controbilancino largamente ogni altra considerazione. Inoltre, sottolinea l'ex segretario di Stato, in Italia le cose si fanno in modo diverso che in altri paesi. Ha certamente ragione. Ma non tutti pensano che il fine giustifichi i mezzi.

Uno Stato, secondo le definizioni dei dizionari, è un'entità organizzata sotto un governo, responsabile di una data comunità. Uno Stato può essere una federazione, una repubblica o una qualche altra forma di entità nazionale. Nel 1988, le sfaccettature geografiche, politiche, economiche, industriali e così via dell'impero di Gianni Agnelli hanno, agli occhi di molti, cominciato ad assumere l'aspetto complessivo di uno Stato *de facto* entro la struttura dello Stato italiano di diritto. Agnelli ha persino una sua politica estera, che guarda alla NATO, propugna l'integrazione europea eppure sembra seguire le linee di una potenza mercantile del XIX secolo: cioè, fare affari con l'Oriente e l'Occidente, col Nord e col Sud, con democratici e dittatori, insomma con tutti e chiunque.

Le discutibili alleanze della FIAT con despoti come Gheddafi sono sempre state controbilanciate dal filoamericanismo di Agnelli, dai suoi legami sociali, finanziari e politici con l'establishment della costa orientale degli Stati Uniti, dall'azione svolta a favore del Council on Foreign Relations, della Commissione Trilaterale, degli incontri di Bilderbung e di molti altri istituti di studio e ricerca che la FIAT ha sponsorizzato o sostenuto in altro modo. Gianni Agnelli è un uomo rispettato e famoso in tutto il mondo occidentale.

Che alcune aziende della FIAT siano state messe sotto inchiesta dal Pentagono per la proposta vendita di know-how di alta tecnologia all'Unione Sovietica; che altre siano state accusate dal governo statunitense di vendere tecnologia missilistica a paesi del Terzo Mondo, violando i termini di un accordo a sette per il controllo di questa tecnologia;

che il governo britannico si sia allarmato nel 1982 per l'uso da parte dell'Argentina, nella guerra delle Falkland, di mine fabbricate da una società del gruppo FIAT – tutti questi fatti hanno sicuramente turbato l'Avvocato. E, onore al vero, quanti seguono la FIAT a Washington e a Londra dicono che, quando ne è informato, Agnelli interviene per rimettere le cose in riga. Ma non una parola intorno a queste delicate questioni è mai apparsa sulla *Stampa*, né su alcun altro giornale italiano.

Perché le attività militari del gruppo Agnelli sono veramente « off limits », e di queste cose in Italia generalmente non si scrive né si parla. Provate a interrogare qualcuno della SNIA sulle attività dell'azienda; vi risponderà seccamente: « Noi non parliamo dei dettagli; mai! » [3]

Anche delle preoccupazioni di Washington per certi affari della FIAT con l'Unione Sovietica e con paesi del Terzo Mondo prossimi al nucleare non si è mai parlato pubblicamente, ma funzionari dell'amministrazione Reagan hanno avuto in anni recenti una serie di incontri con esponenti della FIAT per discutere precisamente di queste cose. Hanno persino mandato un « gruppo d'ispezione » a Torino, alla luce soprattutto del desiderio di Agnelli di ottenere commesse militari dal Pentagono. Sono poi molto interessanti in proposito le testimonianze dirette di diplomatici occidentali di stanza in Italia.

« Ho trattato con la FIAT per quattro anni e mezzo », ricorda un alto funzionario della diplomazia britannica che ha lavorato a Roma occupandosi dei problemi della difesa europea e di alta tecnologia militare, « e non mi è mai piaciuto. Non mi sentivo tranquillo. Loro avevano troppe linee dirette col governo di Roma. Ero sempre molto cauto quando parlavo con loro di questioni delicate. » [4]

L'atteggiamento di questo funzionario inglese, come quello di molti suoi colleghi americani, rivela una diffidenza piuttosto viva nei confronti della FIAT. Tale diffidenza non è ispirata dalle altre attività del gruppo: questi funzionari stanno molto attenti a quel che dicono perché parlano di armamenti e di tecnologia avanzata, non di automobili o di finanza. E le forniture militari che fruttano alla FIAT più d'un miliardo di dollari di fatturato annuo sono la parte meno visibile dell'impero Agnelli.[5]

Il diplomatico inglese, intervistato nel suo elegante appartamento londinese a un tiro di pietra da Harrods, ripete che non si deve fare il suo nome. Uomo navigato, sembra tuttavia un po' teso nel parlare delle sue esperienze con la FIAT. Perché? Che cosa lo ha colpito tanto? Che cosa lo preoccupa?

« La FIAT », spiega, dopo aver bevuto un sorso dal suo bicchiere e aver preso un lungo respiro, « è molto più che una semplice azienda automobilistica. Per tutti quegli anni ho sentito che non stavo trattando con un'azienda ma con uno Stato, con un'organizzazione di proporzioni e importanza nazionale, e anche molto reticente e sospettosa. »

Uno Stato? Sì, ripete, « una specie di Stato dentro lo Stato ». A Washington, nelle viscere del Pentagono, un funzionario del dipartimento della Difesa, con anni d'esperienza in Italia, non solo conferma questa valutazione ma si spinge anche più in là: « Lei sa qual è la situazione in Italia? Noi lo sappiamo. La FIAT praticamente governa il paese ».[6]

Può sembrare curioso che un esperto funzionario di carriera del Foreign Office inglese e un navigato funzionario del governo americano definiscano la FIAT esattamente con gli stessi termini usati dal socialista Claudio Martelli o da funzionari del partito comunista a Roma. Cos'hanno in comune questi uomini? Eppure tutti adoperano la stessa frase: uno Stato dentro lo Stato. Gli italiani parlano di un fenomeno economico o sociale; l'americano e l'inglese parlano di una struttura societaria altamente sofisticata, con suoi obiettivi di politica estera motivati dal profitto e un'avanzata tecnologia militare.

Stato dentro lo Stato. L'espressione sembra trita, uno slogan. Eppure, per molti dei più esperti e meglio informati osservatori dell'Italia, questa non è un'esagerazione e non ha niente di inverosimile. E in effetti sono molte le manifestazioni della « sovranità » della FIAT: la potenza finanziaria, la capacità produttiva, l'influenza politica, il possesso di media e, non ultimo, un superefficiente servizio di sicurezza interna, con a capo il colonnello Giorgio Castagnola, ex agente del SISMI.[7] Come uno Stato, la FIAT mantiene un segreto assoluto su certe attività, e soprattutto su due particolari aree della politica estera e militare del gruppo: i rapporti col blocco orientale e il business degli armamenti.

I rapporti della FIAT con la Russia risalgono a prima della rivoluzione, più precisamente al 1912.[8] Ma solo negli anni '80 funzionari americani cominciarono a interessarsi da vicino ai legami d'affari fra Torino e Mosca. Fin dai suoi inizi, infatti, l'amministrazione Reagan cercò di limitare al massimo la vendita all'URSS, da parte di imprese statunitensi, europee occidentali e giapponesi, di certe tecnologie avanzate – dalla microelettronica alla robotica – che considera a « doppio uso ». In altre parole, Washington teme che prodotti « civili » possano trovare impiego in progetti militari sovietici, come in realtà è effettivamente accaduto in numerosi casi. Qualche volta, in questa loro determinazione di impedire l'esportazione di tecnologie, ad alcuni loro alleati gli americani sono parsi anche troppo zelanti.

La FIAT non è certo l'unica azienda italiana le cui attività siano state sottoposte ad attento esame da parte degli organismi americani – dipartimento della Difesa, dipartimento del Commercio, dipartimento di Stato, Tesoro e servizi segreti – che nel corso della loro normale attività controllano le vendite di tecnologia a Mosca. Questi controlli sono stati esercitati anche sull'Olivetti, la Selenia, l'Oto Melara e varie altre aziende italiane. E, secondo funzionari del governo americano, le varie inchieste condotte in proposito sulla FIAT non hanno messo in luce nessun caso documentato di violazione delle norme. Questo però non ha impedito agli americani di rimanere all'erta. E se si passa alla vendita di tecnologia missilistica, la storia cambia: gli americani hanno mosso accuse di scorrettezza, e il governo italiano ha addirittura confermato che la SNIA non era in regola con l'accordo a sette che controlla questo tipo di vendite a paesi del Terzo Mondo. Ma del problema missili torneremo a parlare.

Pur non avendo provato comportamenti illegali di nessuna azienda italiana, gli americani hanno continuato a tenere sotto controllo i commerci Est-Ovest, anche perché – e non è l'ultima delle ragioni – Washington ha spesso ripetuto che, di tutti i paesi della NATO che fanno affari con Mosca, l'Italia è quello meno capace di tenere segreti. Difficilissimo avere le prove di una qualche violazione delle norme, ma questo non impedisce ai funzionari americani di dire apertamente, in privato, che l'Italia è un vero « setaccio » nei confronti del blocco orientale. Naturalmente il governo italiano respinge queste accuse.

I sovietici, dicono i funzionari dei servizi occidentali, presero di mira l'Italia come fonte di tecnologia occidentale già negli anni '50. Fu in quel decennio che la FIAT, la Pirelli, l'Olivetti e altre grandi aziende italiane contribuirono a finanziare le attività di Piero Savoretti, un *brasseur d'affaires* torinese non molto noto, trasferito a Mosca. Savoretti fondò la Novasider, una società che doveva promuovere la compartecipazione italo-sovietica in alcuni dei più grossi progetti di costruzioni di fabbriche nell'era post-bellica e il cui più grande successo fu il contratto per la costruzione del complesso di Togliattigrad. Questo intraprendente italiano, che visse per anni in una minuscola camera d'albergo a Mosca, con un letto, una scrivania e una cyclette, poi sposò una russa e oggi passa buona parte del suo tempo a Courmayeur, assunse un ruolo così vitale nei rapporti commerciali tra Est e Ovest che alcuni esperti gli attribuiscono un'importanza non inferiore a quella del famoso Armand Hammer della Occidental Petroleum.

Savoretti cominciò la sua attività in Russia negli anni '50, ma dovette aspettare il 1963 per un primo risultato veramente importante: la firma di un accordo tecnico e scientifico fra la Novasider e il Comitato sovietico per la scienza e la tecnologia, noto come GKNT. Ufficialmente il GKNT ha un ruolo di primo piano nel mantenere contatti commerciali con le imprese occidentali, nella ricerca di tecnologie occidentali che i sovietici desiderano importare e nella coordinazione dei programmi tecnologici di Mosca. Secondo i servizi segreti statunitensi, però, il GKNT ha anche altre attività; cioè, lavorando di conserva col KGB, col ministero sovietico per il Commercio con l'estero e con la Commissione per l'industria militare (VPK), è intensamente impegnato nell'acquisizione di tecnologia occidentale con possibili applicazioni militari.[9] Questo non significa che le imprese occidentali commettano qualcosa di illegale facendo affari con il GKNT; significa soltanto che questa organizzazione sovietica ha altre funzioni oltre a quelle ufficialmente riconosciute.

Per molti anni la forza trainante al GKNT fu German Gvishiani, genero dell'ex primo ministro Aleksej Kossighin e membro di rilievo, insieme a personalità occidentali fra cui Gianni Agnelli, del Club di Roma. Per quanto riguarda la tecnologia, Gvishiani è l'« uomo di punta » di Mosca nei rapporti con l'Occidente. Conosce tutti ed è dappertutto; se Mosca vuole qualcosa, è compito suo procurarla. Gvishiani, che ha dedicato anni a « coltivare » Agnelli e altri industriali europei, negli anni '60 usò spesso Savoretti come collegamento nelle più grosse operazioni commerciali italo-sovietiche. Diventò più tardi presidente della Commissione italo-sovietica per la cooperazione scientifica e tecnologica.

Savoretti, che dunque fece da mediatore fra le aziende italiane e i sovietici, era convinto che la FIAT fosse il miglior partner possibile per l'URSS. Molto prima che Gianni Agnelli assumesse la presidenza nel 1966, aveva stabilito con Valletta un saldo rapporto, basato sulla stima e l'affetto reciproci. Per tutti i nove anni della sua permanenza in Unione Sovietica, Savoretti si tenne in contatto con Valletta con rapporti quasi settimanali, aiutò a organizzare per Valletta e Agnelli incontri con personalità sovietiche come Kruscev e Kossighin, e contribuì più di ogni altro a promuovere la cooperazione fra Torino e Mosca. Si dice che negli anni '60 abbia promosso e organizzato non meno di 57 visite di delegazioni sovietiche a varie installazioni FIAT.

Il 1° luglio 1965 Savoretti ebbe la soddisfazione di veder Valletta firmare con il GKNT un accordo di cooperazione per produrre veicoli a motore.[10] Pochi particolari dell'accordo, che avrebbe portato alla costruzione di una fabbrica sovietica di automobili, furono resi pubblici nel 1965, ma l'importanza dell'operazione era dimostrata dal fatto che per la parte sovietica era presente il vicepremier Konstantin Rudnev. L'anno seguente, nel suo discorso programmatico al XXIII congresso del partito, il premier Kossighin sottolineò la necessità di importare tecnologia dall'estero.[11] In quello stesso 1966 l'Unione Sovietica perfezionò il patto con la FIAT varando uno dei più grossi progetti industriali sovietici di tutti i tempi, destinato a più che quadruplicare la produzione annua di automobili, che era allora di 201.000 unità. Il 4 maggio, quattro soli giorni prima che Agnelli assumesse la carica di presidente della FIAT, fu firmato un accordo che avrebbe fatto storia.

L'accordo riguardava la costruzione del complesso di Togliattigrad per la produzione di automobili VAZ.[12] Una bella ironia della storia che per una fabbrica FIAT fosse stata scelta proprio la città intitolata a Togliatti, prima chiamata Stavropol e ribattezzata da Mosca in onore del leader comunista italiano. Il complesso, che nell'aprile 1970 cominciò a produrre una versione della FIAT 124, era destinata a una produzione di 660.000 automobili l'anno. Fu un affare costoso: circa 800 milioni di dollari, secondo la maggior parte delle stime. Per fortuna della FIAT e dei sovietici, il governo italiano contribuì a finanziarne una buona parte, attraverso l'Istituto Mobiliare Italiano (IMI), di proprietà dello Stato, che concesse un prestito di 300 milioni di dollari a un basso tasso d'interesse. Il tasso offerto ai sovietici nel 1966, meno del 6 per cento, fu definito da un osservatore « molto al di sotto dei normali tassi italiani e al di sotto persino di quelli solitamente concessi per altre operazioni d'esportazione a pagamento dilazionato». Costò al governo italiano molti milioni di dollari per sovvenzionare i tassi d'interesse.[13]

Al gigantesco contratto seguirono presto accordi in tutta l'Europa orientale; nel 1968 modelli FIAT venivano prodotti in Polonia, Jugoslavia, Bulgaria e Romania. Pochi mesi dopo l'accordo di Togliattigrad, il presidente della FIAT si sentì ispirato dal successo a una delle sue dichiarazioni di politica estera; un anno e mezzo prima che i carri armati sovietici invadessero la Cecoslovacchia, nella brutale repressione della «primavera di Praga», Agnelli si alzò a parlare a Varsavia, dove si trovava per firmare un altro contratto, e proclamò la sua «ferma convinzione» che la guerra fredda era finita.[14]

Rapidamente Agnelli era diventato uno dei più entusiastici sostenitori dei rapporti commerciali fra l'Occidente e il blocco orientale. Era un visionario, in anticipo di anni sul disgelo, o un uomo d'affari con dei prodotti da vendere? «I paesi orientali», affermò nel 1968, «possono offrire all'industria occidentale europea un mercato sempre più prezioso. Dovremmo collaborare e commerciare con loro il più possibile perché i loro mercati continueranno a espandersi.»[15] Nell'estate del 1980, Agnelli aveva codificato le sue opinioni sui rapporti di commercio col blocco orientale in un articolo di diciassette pagine che apparve su *Foreign Affairs*, la prestigiosa rivista americana. Pur concedendo che certe ben definite aree di importanza strategica dovevano essere escluse dal commercio con l'Est, per non fornire all'altra parte prodotti di possibile impiego militare, Agnelli escludeva l'esistenza di rischi.[16]

Meno di due anni prima che la Polonia e altre nazioni del blocco orientale, indebitate per molti miliardi di dollari, sospendessero il pagamento degli interessi alle banche occidentali, Agnelli dichiarava che, «a meno che scoppi una guerra, è escluso che il pagamento degli interessi possa essere sospeso dall'oggi al domani».[17] E mentre i sovietici si davano da fare per ottenere tutto un assortimento di delicate tecnologie militari da parte di aziende come la Toshiba giapponese e la norvegese Kongsberg, Agnelli argomentava che «è difficile credere che la grande espansione del potere militare sovietico sia veramente condizionata dal commercio Est-Ovest». Era, insisteva Agnelli, «impossibile provare – a esclusione di poche aree di alta tecnologia – che il commercio Est-Ovest accresce il potere sovietico più di quanto contribuisca al benessere delle economie occidentali».[18] Attribuire al commercio Est-Ovest la responsabilità per l'incremento della potenza militare sovietica, affermava Agnelli, era «non realistico». A Washington, gli investigatori americani che hanno scoperto centinaia di casi di applicazioni militari sovietiche di tecnologia industriale occidentale («a doppio uso») non sono molto d'accordo su questo punto.

Le indagini americane sulla FIAT vanno dunque viste nel contesto della politica dell'amministrazione Reagan, che negli anni '80 cercò con severità crescente di reprimere le «diversioni» di tecnologie delicate verso l'Est europeo. Il governo statunitense ha chiesto ai suoi alleati della NATO di essere più duri nel bloccare le vendite di tecnologie incluse in un elenco compilato dal COCOM (Coordinating Committee for Multilateral Export Controls). Il COCOM, che ha il suo quartier generale in un piccolo annesso dell'ambasciata statunitense a Parigi, è una poco nota organizzazione di 16 nazioni fondata nel 1949 col compito di tentar di limitare l'esportazione all'Est di merci di possibile interesse militare. È un'organizzazione controversa, anche perché alcuni governi europei accusano gli Stati Uniti di tentar di limitare le vendite delle loro aziende per favorire le esportazioni americane. Bisogna anche dire che, mentre gli americani, specialmente nei dipartimenti della Difesa e del Commercio, trattano la materia con un rigore quale non si era mai visto dal tempo in cui agenti dell'FBI cercavano di mettere le mani su Al Capone, molti europei non prendono la cosa molto sul serio. L'Italia, per esempio, non pubblica nemmeno l'elenco delle merci di cui il COCOM ha vietato l'esportazione. Fatto curioso, presidente del COCOM è sempre un italiano.

Gli americani si lagnano che troppi loro alleati considerano l'indebita vendita di tecnologia a Mosca come poco più che una piccola scorrettezza, quando in realtà è in gioco la sicurezza nazionale. «Il governo e le aziende italiani», spiega un funzionario del dipartimento di Stato, «non è che *vogliano* fornire all'Est tecnologie vietate; solo che di tanto in tanto c'è una contraddizione fra quello che pensano e quello che fanno.» [19] Un altro funzionario dello stesso dipartimento chiarisce: «Negli Stati Uniti le aziende devono, per legge, chiedere il permesso d'esportazione a Washington. In Italia le aziende *possono* consultare il governo di Roma se pensano che il problema sia delicato: è tutto a completa discrezione delle aziende. Poi, un povero diavolo al ministero degli Esteri a Roma deve decidere se vuole affrontare un'azienda e correre il rischio di finire in tribunale». [20]

Anche nel clima di distensione sopravvenuto con l'avvento di Gorbaciov, gli americani continuano con immutata severità a cercar di limitare l'esportazione a Mosca di tecnologie delicate, al punto che tengono d'occhio anche le vendite di prodotti che non rientrano nella competenza del COCOM. Naturalmente, alcuni settori dell'amministrazione americana sono più severi di altri, e di tanto in tanto sono esplose rivalità fra il dipartimento di Stato e quello della Difesa o fra Difesa e Commercio. Però, politica burocratica a parte, l'atteggiamento nei confronti di quello che nel gergo di Washington si chiama «tech transfer» rimane molto duro.

La FIAT incontrò la resistenza di Washington per la prima volta nei tardi anni '70 e al principio degli anni '80, quando alla FIAT Allis (a quel tempo joint-venture tra la FIAT e la Allis-Chalmers del Milkwaukee) fu temporaneamente impedito di vendere bulldozer all'URSS. [21] Gli Stati Uniti temevano che i sovietici avrebbero potuto adattarli alla posa di oleodotti. Il dipartimento della Difesa tentò quindi di bloccare la vendita, benché riuscisse poi solo a rimandarla.

Secondo funzionari governativi a Washington, fra il 1983 e il 1986 la FIAT e il governo statunitense discussero non meno di otto progetti che secondo gli americani avrebbero comportato l'esportazione in URSS di tecnologie «di grande importanza strategica». Fra questi progetti c'era, secondo Washington, la proposta vendita da parte della COMAU (la produttrice di robot controllata della FIAT) di know-how progettuale per sistemi di produzione flessibili. Destò preoccupazione anche la proposta vendita di know-how da parte dell'IVECO (altra società FIAT, produttrice di veicoli industriali) per la produzione di un motore diesel a iniezione a 10 cilindri ad alte prestazioni. In tutti i casi discussi il governo statunitense, e in particolare il dipartimento della Difesa, temevano che le tecnologie di cui si proponeva l'esportazione potessero essere impiegate a fini militari. Una speciale delegazione addirittura andò a Torino e fu portata in giro per le fabbriche, anche se un membro dice che la visita fu troppo frettolosa per essere utile. Questo visitatore americano ricorda inoltre di essere stato molto colpito da scritte di benvenuto in russo appese dentro la COMAU; trovò che non era il modo migliore per rassicurare un gruppo d'ispezione venuto da Washington.[22] I suoi ospiti gli assicurarono però che alle delegazioni russe non si facevano mai visitare gli impianti di importanza strategica.

Il gruppo d'ispezione americano concluse il suo lavoro, e in anni successivi fu la FIAT a inviare a Washington alcuni dei suoi uomini di punta – come Paolo Zannoni, oggi a capo dell'ufficio della FIAT a Washington, e Marco Pittaluga, oggi a capo della SNIA – che riuscirono a placare i timori del governo americano. Pittaluga, in particolare, assicurò a Washington che, se i sovietici chiedevano certe tecnologie avanzate, questo non significava che la FIAT gliele fornisse.[23]

Secondo un membro dello staff del dipartimento di Stato, alti funzionari americani si sono rivolti ad Agnelli in perso na « quando si sono presentati problemi seri di trasferimento di tecnologie ». Per un po' ha spiegato questa fonte, « ci è parso che la FIAT mirasse troppo a espandere i rapporti commerciali con l'Est, ma a un certo punto devono aver deciso di cambiare politica e di puntare piuttosto sui contratti per lo Scudo Spaziale ».[24] E, nonostante le molte inchieste americane, negli incontri tra Washington e Torino non saltò mai fuori, come si è espresso un funzionario, « nulla per cui si possa portare qualcuno in tribunale ».

Nel periodo fra il 1980 e il 1986 le forniture FIAT all'Unione Sovietica si mantennero su livelli alti. Inclusero macchine per movimento terra, trattori e altre macchine agricole, macchine utensili e catene di saldatura robotizzate per la produzione di automobili, per un totale di circa 500 milioni di dollari.[25] Gli americani potevano avere dei sospetti sul trasferimento di tecnologie delicate ma non riuscirono mai a documentarli; la FIAT uscì immacolata da tutte le indagini.

Anche i diplomatici inglesi che trattarono con la FIAT su questioni militari e di tecnologia dicono di avere spesso avuto dei sospetti ma di non avere mai trovato prove concrete che la FIAT avesse commesso qualcosa di illegale. Il governo di Sua Maestà britannica non fu però felice di scoprire che la MISAR, fabbrica d'armi parzialmente controllata dalla FIAT, aveva venduto all'Argentina micidiali mine antiuomo proprio mentre stava per scoppiare la guerra delle Falkland.

Per quasi tutta la durata del conflitto nell'Atlantico meridionale, il comportamento dell'Italia non fu tale da piacere al governo inglese. Tanto per cominciare, Londra aveva chiesto agli alleati europei di interrompere i rapporti commerciali con Buenos Aires; l'Italia in un primo momento aderì all'embargo collettivo istituito dalla CEE il 16 aprile 1982, ma dopo un mese cambiò idea. Come notò un osservatore a Buenos Aires, « l'Italia finì col riallacciare i suoi rapporti commerciali con l'Argentina, giudicando che le era più vantaggioso proteggere gli interessi della numerosa comunità italiana nell'America Latina che sostenere indefinitamente l'impresa churchilliana della signora Thatcher ».[26] In ogni caso, l'embargo CEE non si estendeva a contratti firmati in precedenza, e le aziende potevano quindi violarlo semplicemente retrodatando le transazioni.

Gli inglesi si infuriarono anche di più quando furono informati da rapporti confidenziali che micidiali missili Exocet di fabbricazione francese venivano trasportati via nave in Argentina passando per i porti italiani. Gli Exocet, lanciati da aerei Super Étendard, avevano affondato navi come le inglesi HMS *Sheffield* e *Atlantic Conveyor*. Secondo un funzionario britannico, i missili venivano trasportati attraverso il territorio italiano e raggiungevano poi Buenos Aires a bordo di navi libiche. I servizi segreti britannici seppero addirittura che erano stati chiusi in casse con la scritta « macchine agricole ».[27]

Non c'è quindi da stupirsi che, nel pieno della guerra delle Falkland, il governo inglese si allarmasse quando sulle isole furono scoperte mine antiuomo e anticarro. E chi le fabbricava? La MISAR, allora al 50 per cento della controllata della FIAT Gilardini. La pubblicità della mina antiuomo SB-33 informa il potenziale cliente che la mina suddetta ha « una forma irregolare e piccole proporzioni che rendono difficile individuarla sul terreno; basso peso, che aumenta la quantità di mine che un elicottero può trasportare; largo piatto di pressione che consente alla mina di funzionare sia dritta sia capovolta; le mine si possono spargere da elicotteri o posare a mano, e si possono anche seppellire subito sotto la superficie del terreno ».[28]

« Andammo a Torino a parlare di queste mine con la FIAT », ricorda un funzionario inglese, aggiungendo che « sono piccole mine plastiche tremende, veramente tremende ». Gli uomini della FIAT si mostrarono abbastanza disposti a collaborare e fornirono persino esemplari di mine, ma « negarono di averne vendute dopo lo scoppio delle ostilità; dissero che stavano soltanto completando ordinazioni precedenti ».[29] Fu pura fortuna, dicono i funzionari inglesi, se le mine vendute in enormi quantità all'Argentina non provocarono la morte di soldati inglesi.

La FIAT non era sicuramente l'unica azienda europea che avesse venduto armi al governo argentino. Ma la vendita di mine da parte di una consociata FIAT impallidisce al confronto con una questione ben più grave che verso la metà degli anni '80 attirò l'attenzione non solo di Londra ma anche di Washington.

Verso la fine del 1987 il direttore generale per gli affari economici del ministero degli Esteri italiano chiese a due alti diplomatici americani di andare a fargli visita. Di ritorno all'ambasciata americana in via Veneto, i due americani fecero battere a macchina il contenuto della loro conversazione e inviarono un rapporto al dipartimento di Stato a Washington. Quel che il governo italiano aveva comunicato a Washington era certamente insolito: per una volta, sembrava, gli italiani erano disposti a confermare i sospetti che da tempo nutrivano i dipartimenti di Stato e della Difesa.

Messo sotto decisa pressione da Washington, il governo italiano aveva svolto indagini sulla SNIA-BPD e, benché cercasse di minimizzare l'importanza della questione, era costretto ad ammettere che l'azienda non era del tutto «in regola» con il Missile Technology Control Regime, o MTCR, un delicatissimo e importantissimo accordo fra sette paesi inteso a prevenire un catastrofico matrimonio fra tecnologia delle armi nucleari e tecnologia dei missili balistici nei paesi del Terzo Mondo. L'espressione burocratica che definisce un'azienda non «in regola» con un accordo di quell'importanza si potrebbe tradurre con la più semplice parola «violazione». Ma gli italiani amano sfumare i contorni, soprattutto quando si parla di problemi spinosi o di qualche iniziativa scorretta della FIAT o del governo.

Gli italiani ammisero che la SNIA, uno dei più avanzati produttori europei di tecnologia missilistica, aveva venduto la sua tecnologia a un paese prossimo al nucleare. In base ai termini dell'accordo MTCR, quella nazione non avrebbe dovuto *poter* comprare né know-how tecnologico né relativi

306

prodotti dall'Italia. Gli americani quindi consideravano la questione molto grave. Ma la storia era molto più complessa: secondo funzionari di Washington, la SNIA aveva venduto tecnologia missilistica a un paese sudamericano il quale era impegnato, in collaborazione con finanziatori mediorientali, nel progetto di costruire missili balistici a medio raggio che avrebbero potuto alterare l'equilibrio delle forze in quell'area di conflitto. La nazione che aveva acquistato tecnologia missilistica dalla SNIA, secondo i servizi segreti occidentali e altre fonti del governo statunitense, era l'Argentina.

1 *Milano Finanza*, « Padre, padrone e padrino », 14 marzo 1988, di Maurizio Blondet, p. 34.
2 Intervista dell'autore a Henry Kissinger, 27 gennaio 1988, New York.
3 Intervista dell'autore a un funzionario della SNIA, 15 ottobre 1987, Milano.
4 Intervista dell'autore, 26 dicembre 1987, Londra.
5 Cesare Romiti dichiarò che la FIAT traeva 1500 miliardi di lire di profitti dal settore della difesa. Fece questa dichiarazione in una sua apparizione davanti alla commissione bilancio della Camera dei Deputati, il 9 dicembre 1987. Vedi gli atti relativi, p. 46.
6 Intervista dell'autore, 19 novembre 1987, Washington, D.C.
7 Il colonnello Castagnola entrò alla FIAT verso la metà degli anni '70 come coordinatore generale dei servizi interni di sicurezza. Tra i suoi compiti c'è la sicurezza delle tecnologie militari delicate che la FIAT riceve nel quadro dei contratti NATO. Non è insolito che il capo dei servizi di sicurezza di un'azienda italiana venga dai servizi segreti.
8 Nel 1912 la FIAT fu la prima azienda italiana ad aprire una controllata in Russia; la controllata FIAT produceva auto e pezzi di ricambio (vedi pubblicazione dell'ufficio stampa FIAT, « FIAT », p. 15). L'azienda firmò altri accordi di collaborazione con Mosca sulla fine degli anni '20 (vedi Valerio Castronovo, *Agnelli*, UTET, 1971, pp. 474-75).
9 Un rapporto sul come le organizzazioni chiave sovietiche gestiscono la ricerca militare e l'acquisizione di tecnologia occidentale si può trovare in « Soviet acquisition of military significant western technology: an update », pubblicato dal governo statunitense nel settembre 1965.
10 *The Financial Times*, « Fiat pact with Soviet Union », 2 luglio 1965.
11 Linda Melvern, David Hebditch e Nick Anning, *Techno-bandits: How the Soviets are stealing America's hich-tech future*, Houghton Mifflin, 1984, p. 58.
12 *The Financial Times*, « Fiat signs deal to set up car plant in USSR », 5 maggio 1966.
13 *The Financial Times*, « Cost of Fiat plant in Russia », 11 aprile 1967, di Peter Tumiati.
14 *The New York Times*, « Fiat sees cold war over », 25 ottobre 1966, di Henry Kamm.
15 *Newsweek*, « The man who put Fiat into high », 23 dicembre 1968, p. 74.
16 *Foreign Affairs*, numero dell'estate 1980, « East-West trade: a European view », di Gianni Agnelli.

17 Vedi articolo alla nota 16 (p. 1025).
18 Vedi articolo citato alla nota 16 (p. 1027).
19 Intervista dell'autore, 23 gennaio 1988, Washington, D.C.
20 Intervista dell'autore, 29 gennaio 1988, Washington, D.C.
21 *The Financial Times*, « Fiat Allis fights licence refusal », 24 febbraio 1980, di Ian Hargreaves.
22 Intervista dell'autore, 28 gennaio 1988, Washington, D.C.
23 Queste informazioni sono basate su una serie di conversazioni con funzionari statunitensi che incontrarono Zanone e Pittaluga a Washington. Le conversazioni avvennero nel novembre 1987 e gennaio 1988.
24 Intervista dell'autore, 25 gennaio 1988, Washington, D.C.
25 Dichiarato dall'ufficio stampa della FIAT e riportato in *Financial Times*, « Fiat in talks on Soviet engine factory », 11 dicembre 1986, di Alan Friedman.
26 Jimmy Burns, *The land that lost its heroes: the Falklands, the post-war and Alfonsin*, Bloomsbury Publishing Ltd, 1987, p. 52.
27 Intervista dell'autore, 8 gennaio 1988, Londra.
28 Vedi p. 214 di *Jane's Weapons Systems*, 1987.
29 Intervista dell'autore, 26 dicembre 1987, Londra.

14. *I missili e la* SNIA

« SIAMO PREOCCUPATI », disse il funzionario del governo americano a Washington. « Temiamo che il denaro mediorientale, combinato con la tecnologia europea, porti alla progettazione e fabbricazione di missili balistici nel Terzo Mondo, missili che potrebbero facilmente finire con l'essere venduti nel Medio Oriente dove potrebbero alterare l'equilibrio strategico delle forze. Lo scopo di un accordo internazionale come l'MTCR è di prevenire un catastrofico matrimonio fra armi nucleari e tecnologia per missili balistici in paesi del Terzo Mondo. E la tecnologia missilistica che è stata venduta può non essere in sé e per sé nucleare, ma può essere adattata a fini nucleari. Questo Regime di Controllo ha di mira stati prossimi al nucleare. E il pericoloso programma missilistico cui collaborano Argentina e Egitto ha usato tecnologia missilistica venduta all'Argentina dalla SNIA, azienda della FIAT. » [1]

Il funzionario americano non avrebbe potuto essere più chiaro. Come altri a Washington, era profondamente irritato con il governo di Roma e con il gruppo FIAT. Irritato e sconcertato. Da anni gli americani andavano svolgendo indagini sulla sospetta vendita all'Argentina di tecnologie connesse con segreti sistemi di guida e propulsione per missili balistici. Fra le aziende tenute più attentamente d'occhio c'erano la Messerschmidt-Boelkow-Blohm, Germania occidentale, e la SNIA-BPD. Il coinvolgimento della Messerschmidt era stato pubblicamente rivelato nel dicembre 1987, ma il ruolo della controllata FIAT era rimasto fin allora un segreto. [2] Nel gennaio 1988 un alto funzionario dell'amministrazione Reagan riassunse il giudizio di Washington in termini che non davano adito a equivoci: « Abbiamo inchiodato la SNIA », dichiarò.

Ma provare pubblicamente che c'era stata violazione dell'intesa internazionale sulla vendita di tecnologia missilistica era tutt'un altro paio di maniche. Il governo italiano aveva ammesso in una comunicazione tra governi che la SNIA non era in regola con il Regime di Controllo, ma gli uomini di Agnelli potevano venire fuori con ogni sorta di scappatoie, spiegazioni, circostanze attenuanti e altre ragioni per lasciare impunita la SNIA.

Neppure l'impero Agnelli, tuttavia, poté impedire il verificarsi di un fatto imbarazzante. Nel 1987 il governo di Washington bloccò le sue joint-ventures con partner americani in tecnologie missilistiche delicate, come la United Technologies e la LTV. A casa sua, in Italia, la FIAT era forse onnipotente, ma non negli Stati Uniti. Questo veto a un trasferimento di tecnologia dalle aziende americane alla SNIA non fu mai rivelato pubblicamente. Il divieto fu tolto il 15 aprile 1988, dopo sei mesi e in seguito a un acceso dibattito all'interno degli organismi americani connessi con la sicurezza nazionale. Fra le ragioni di questo sblocco, di cui si parlerà a fondo più avanti, c'erano la considerazione di più ampie relazioni bilaterali, politiche e diplomatiche fra Washington e Roma, e la riluttanza da parte dei servizi segreti americani a rendere pubbliche le prove che avevano contro la SNIA. Il gruppo Agnelli, commentò un funzionario americano nell'aprile 1988, « è stato molto fortunato ».

Di cosa si trattava in sostanza? E come era riuscita la SNIA-BPD a sottrarsi all'accusa di aver venduto tecnologia per missili balistici a una nazione prossima al nucleare? Per capire bene come il gruppo Agnelli si mise nei pasticci con l'amministrazione Reagan è necessario fare un passo indietro e chiarire l'importanza dell'accordo sui missili. Va anche detto che buona parte della storia rimane « top secret ». Quanto segue è dunque solo la parte non « top secret » di cui funzionari del governo americano e inglese hanno accettato di parlare, mantenendo però l'anonimato e in conversazioni private.

Il 16 aprile 1987, i giornalisti accreditati alla Casa Bianca al seguito di Ronald Reagan in California furono informati che « il presidente ha il piacere di annunciare una nuova politica per limitare la proliferazione di missili capaci di portare armi nucleari».[3] L'annuncio della Casa Bianca significava che, dopo più di quattro anni di negoziati segretissimi, gli Stati Uniti e altri sei grandi paesi industriali avevano messo a punto un accordo chiamato Missile Technology Control Regime, o MTCR. L'accordo era un tentativo senza precedenti di mettere un freno alla diffusione mondiale di tecnologie collegate con armi nucleari. Diversamente da tutti i precedenti trattati di non proliferazione, che si erano concentrati sulle materie prime (come l'uranio arricchito) necessarie per la fabbricazione di bombe nucleari, l'MTCR era un tentativo da parte di Stati Uniti, Gran Bretagna, Francia, Germania occidentale, Giappone, Italia e Canada di imporre severi controlli collettivi sull'esportazione delle tecnologie relative ai sistemi di guida e propulsione dei missili nucleari, e non soltanto sull'esportazione delle materie prime.

Non è difficile seguire la logica che ispirò l'MTCR: oggi i princìpi di una bomba nucleare sono talmente chiari a tanta gente che non è esagerato dire che un bravo studente di fisica ne potrebbe costruire una. Per una dozzina di nazioni non sarebbe difficile neanche costruire una testata nucleare. Ma i propellenti e i sistemi di guida elettronica di un missile nucleare pongono problemi ben più complessi, sono altamente sofisticati e molto costosi.

L'accordo MTCR include un lungo elenco di apparecchiature e tecnologie che non si debbono vendere neanche a paesi amici e neanche se lo scopo dichiarato del missile è pacifico.[4] Questo a causa del problema del «doppio uso»: non c'è modo di essere certi che una tecnologia «civile» non venga usata anche per scopi militari. E buona parte della tecnologia necessaria per costruire un missile tattico difensivo è la stessa usata per un missile balistico con potenzialità nucleari. Ciò rende facile coprire le proprie tracce. Gli esperti chiamano questa zona ambigua tra civile e militare l'«area grigia». Controllare l'esportazione di tecnologia missilistica, anche se sembra che debba servire solo per razzi tattici difensivi o di pura ricerca scientifica, è quindi un mezzo fondamentale per contenere il rischio di una proliferazione di armi nucleari in tutto il mondo. Gli esperti ne sono sicuri. Leonard Spector, specialista di problemi nucleari al Carnegie Endowment for International Peace, salutò l'MTCR come « veramente molto significativo », dichiarando che l'accordo era « probabilmente la più importante iniziativa contro la proliferazione » presa dall'amministrazione Reagan.[5] Purtroppo l'accordo è pieno di ambiguità e scappatoie, anche e soprattutto per quanto riguarda i mezzi per farlo rispettare.

Contro chi era diretto l'MTCR? Gli Stati Uniti non amano parlarne pubblicamente, ma esperti nell'industria, nel governo e al Congressional Research Service di Washington hanno identificato nove nazioni che si ritiene siano in una fase avanzata di sviluppo della tecnologia missilistica: il Brasile, l'India, Israele, il Pakistan, la Corea del Sud, Taiwan, il Sudafrica, la Libia e l'Argentina.[6] Quattro di queste nazioni, Argentina, India, Pakistan e Brasile, erano il vero obiettivo del Regime di Controllo. Tutti questi paesi stanno progredendo verso lo sviluppo di missili *balistici*, autopropellenti e autoguidati. L'MTCR regolamenta i missili che possono trasportare un carico nucleare di 500 chilogrammi per una distanza di almeno 300 km. Questo breve quadro spiega perché funzionari di governo a Washington furono messi in allarme dai numerosi rapporti dei servizi segreti secondo i quali la SNIA stava vendendo tecnologie missilistiche all'Argentina.

Come abbiamo già visto, la SNIA produce, fra l'altro, avanzatissimi propellenti solidi per razzi e sistemi avanzati di propulsione, e lavora alla progettazione, sviluppo e produzione di lanciatori, motori per separazione in stadi, per lanciatori spaziali e per spostamenti orbitali. Attraverso la Serit, sua joint-venture con la FIAR (società del gruppo svedese Ericsson), la SNIA si occupa anche della produzione di sofisticati sistemi elettronici di guida.[7] La FIAR produce gli avanzati sistemi termici di elaborazione delle immagini che aiutano un missile a identificare il bersaglio. I boosters del-

la SNIA sono stati usati nel programma spaziale europeo
Ariane. L'azienda continua a operare nel quadro del programma spaziale europeo.[8]

Gli americani che hanno visitato il Centro Prove e altri
impianti della SNIA a Colleferro vicino a Roma (fra i visitatori c'erano funzionari del governo statunitense impegnati
nel programma Scudo Spaziale) ne sono rimasti molto col-
piti. La SNIA, dicono, ha molti degli elementi necessari per
mettere insieme un programma missilistico: combustibile,
sistema di guida, testate e altro. Un impianto SNIA-Techint
è addirittura incluso in un elenco di « Sensitive Nuclear Fa-
cilitis in COCOM Destinations », una lista preparata dal dipartimento del Commercio americano per mantenere sotto
controllo impianti con dotazioni e apparecchiature potenzialmente utilizzabili per esplosivi nucleari.[9]

In breve, la SNIA è in primo piano fra le aziende impegnate nel business internazionale della missilistica militare
e spaziale. Ciò significa che il gruppo Agnelli, in aggiunta
alle sue numerose altre attività, dispone di potenzialità militari uniche; e sono in vendita.

Il primo pubblico accenno al fatto che degli italiani stavano forse collaborando a un programma missilistico argentino risale all'aprile 1987, cioè a una data di poco posteriore
a quella in cui fu annunciato il Missile Technology Control
Regime. Giornali americani fra cui il *Washington Post*, il
New York Times e il *Wall Street Journal* fecero almeno
menzione del tentativo argentino di sviluppare, con l'aiuto
di esperti italiani e tedeschi, quello che il *Washington Post*
chiamava « un missile capace di colpire le isole Falkland
dal continente sudamericano ».[10] Date le circostanze, non
era neppure necessario che il missile avesse una testata nucleare per mettere in allarme almeno uno fra i paesi membri
del Regime di Controllo: la Gran Bretagna, evidentemente.

Secondo il *Wall Street Journal* il progetto riguardava « il
primo stadio di un missile a raggio intermedio chiamato
Condor, realizzato con l'aiuto di scienziati tedesco-
occidentali e italiani ».[11] E il *New York Times* riportava un

dato del 1985 secondo il quale il Condor poteva avere una portata di parecchie centinaia di chilometri, molto oltre i limiti fissati dal MTCR.[12] Nessuno dei giornali che davano la notizia era però riuscito a identificare le aziende tedesche e italiane partecipanti al programma. Vari servizi segreti occidentali ne conoscevano il nome, ma l'informazione fu mantenuta segreta. I giornali americani, forse senza rendersi conto di quanto delicato fosse il problema, avevano semplicemente accennato all'esistenza di un programma argentino, che all'interno degli organismi statunitensi di sicurezza veniva chiamato « Condor II ».

Il programma argentino aveva implicazioni più complesse di quanto potessero immaginare i non informati. Non si trattava, infatti, di un'iniziativa isolata ma, come fu rivelato verso la fine del 1987, di un piano in collaborazione con l'Egitto e con il supporto finanziario dell'Iraq. In altre parole, il missile Condor II, con un raggio stimato di circa 800 chilometri, avrebbe potuto alterare in misura significativa l'equilibrio strategico delle forze nella zona più « calda » del pianeta, il Medio Oriente, oltre ad avere serie implicazioni per la sicurezza delle Falkland. Tutto questo fu reso di pubblica ragione, alla fine del 1987, da un articolo apparso sul *Financial Times* di Londra; ma neppure stavolta i media americani afferrarono la gravità della cosa.[13]

Funzionari del governo americano andavano svolgendo indagini sul progetto Condor II fin dal 1983, e avevano indagato anche sulle aziende europee che vi partecipavano. Il lettore normale probabilmente non lo notò, ma i funzionari di Washington dovettero accorgersi di quante informazioni nuove conteneva l'articolo del *Financial Times*: citava osservatori bene informati al Cairo, i quali avevano detto che la collaborazione fra Argentina e Egitto durava da circa cinque anni; conteneva la conferma da parte del ministero della Difesa argentino che Buenos Aires collaborava con l'Egitto a un missile di medio raggio (benché il ministro dichiarasse che doveva servire solo per il lancio di satelliti); conteneva la conferma da parte di funzionari del governo inglese che erano al corrente del progetto, essendone stati informati da Israele in un periodo precedente di quello stesso anno. L'articolo riferiva anche che sia l'Argentina sia l'Egitto erano stati contattati da governi firmatari dell'MTCR, preoccupati per la proliferazione delle armi nucleari.

Infine, il *Financial Times* rivelava che un'azienda della Germania occidentale, la Messerschmidt-Boelkow-Blohm, « a quanto si ritiene ha partecipato al programma missilistico argentino tramite una società di un terzo paese ». Il pubblico non sapeva però nulla delle vendite di tecnologia missilistica in Argentina da parte della SNIA-BPD. Come succede spesso quando sono in gioco problemi di sicurezza nazionale, alcuni pezzi del puzzle erano stati identificati, ma solo esperti dei governi occidentali avevano accesso ai rapporti confidenziali dei servizi segreti che permettevano di collegarli.

Così, nel 1988 il mondo ancora non aveva idea del fatto che investigatori statunitensi avevano scoperto l'esistenza di una rete internazionale, fra i cui elementi c'erano la vendita di tecnologia missilistica all'Argentina, con un appoggio finanziario arabo, la collaborazione di società con base in Italia e nella Germania occidentale, e vendite che questi investigatori credevano convogliate attraverso società di facciata con sede nella città svizzera di Zug e nel principato di Monaco. Gli investigatori americani hanno identificato una di queste società di facciata come la IFAT Corp. Ltd of Zug. In conversazioni private, una fonte governativa a Washington avrebbe detto che la vicenda del missile argentino « sembrava la trama di un thriller di Robert Ludlum ».[14]

Secondo funzionari di Washington, la fornitura di tecnologia missilistica all'Argentina non era il primo caso in cui la SNIA era stata sospettata di contribuire alla proliferazione dei missili. Negli anni '70 (molto prima che la FIAT assumesse il controllo dell'azienda) c'erano stati molti sospetti a proposito di vendite SNIA al Sudafrica, al Brasile e all'Argentina, ma non si era mai appurato niente.

« Questa volta », dichiarò un alto funzionario dell'amministrazione Reagan, « abbiamo inchiodato la SNIA, ma tentar di indurre l'Italia a cooperare è stato molto difficile. » Gli americani cominciarono a contattare Roma in privato sul problema SNIA già nel 1985. Secondo Washington, il grosso delle vendite SNIA di tecnologia missilistica ebbe luogo fra il 1984 e l'86. Ma gli italiani furono lenti a reagire: gli americani si lagnano che, sebbene avessero fornito a Roma solide informazioni, le risposte non furono soddisfacenti: « Roma non fece altro che trascinare i piedi e ci fu di pochissimo aiuto », ha dichiarato un esperto di missilistica del governo americano.

Nel dicembre 1985 il Regime di Controllo della Tecnologia Missilistica veniva ormai osservato *de facto* dalla maggior parte dei sette paesi che lo avrebbero firmato nel 1987. Nella primavera del 1986 tutti i sette paesi, Italia compresa, avevano promesso di aderire al controllo delle esportazioni di tecnologia missilistica previsto dall'accordo. La firma di questo, nell'aprile 1987, fu dunque solo la consacrazione formale e pubblica di un patto in vigore già da tempo; quindi, affermano gli americani, il governo di Roma avrebbe dovuto intervenire attivamente nei confronti delle vendita SNIA.

Finalmente, dopo mesi di inutili tentativi, nel giugno 1987 fu fatto un passo formale a proposito della SNIA; la comunicazione diplomatica da Washington a Roma fu però trattata al livello ministeriale relativamente basso di direttore d'ufficio. Agli americani, questi sostengono, fu detto che il programma argentino riguardava soltanto la fabbricazione di razzi sonda per ricerche sull'atmosfera; in altre parole, si trattava di un programma scientifico e non militare. « È un'importante scappatoia che potrebbe tirare la SNIA fuori dei guai; solo, noi non crediamo che il governo argentino non abbia altro in mente », commentò un funzionario a Washington.

Nell'ottobre 1987 gli italiani non avevano ancora dato una risposta soddisfacente alla nota diplomatica inviata da

Washington in giugno, il che aumentò la preoccupazione e l'irritazione ai dipartimenti della Difesa, di Stato e del Commercio. Dopo consultazioni interne fra i vari dipartimenti, gli americani decisero di prendere un atteggiamento più duro e inviarono a Roma una seconda nota in cui dichiaravano di avere prove sufficienti per dimostrare che un problema esisteva. Erano però riluttanti a rivelare delicate informazioni dei servizi segreti per timore di lasciar capire quali ne fossero le fonti e di esporle a rischi. La seconda nota fu trattata a livelli molto più alti, di sottosegretario di Stato e di ambasciatore, e questa volta Roma rispose.

Di lì a poche settimane un alto funzionario del ministero degli Esteri italiano – il direttore generale per gli affari economici, Attolico – convocò nel suo ufficio due diplomatici americani a Roma. Prima di parlare della SNIA, affrontò un altro argomento: ammise che il governo italiano si era convinto che l'Innocenti, azienda produttrice di acciaio e di macchine utensili, avesse esportato prodotti nell'Unione Sovietica violando le regole del COCOM. L'Innocenti era la società italiana nominata nel famoso caso « Kongsberg » del 1987, in cui la polizia norvegese aveva scoperto che la Kongsberg, insieme con la Toshiba giapponese, aveva fornito a un arsenale di Leningrado sofisticati macchinari per la produzione di eliche per sottomarini,[15] col risultato che i movimenti dei sottomarini sovietici erano diventati molto più silenziosi e per gli americani era diventato più difficile seguirne le mosse. Il caso Toshiba-Kongsberg mise a rumore il Senato americano ed è tutt'oggi il più famoso esempio di vendita illegale di tecnologie delicate a Mosca.

Il funzionario italiano, evidentemente imbarazzato per il caso Innocenti, ricordò ai diplomatici americani che una cooperazione bilaterale nell'area della difesa era « very good » e lasciò capire che sia Washington sia Roma avevano interesse a mantenere il segreto, evitando che la stampa fosse informata della questione. Secondo un rapporto confidenziale di quell'incontro, il diplomatico italiano disse che, se il caso fosse stato discusso pubblicamente, l'adozione in

Italia di nuove leggi sul trasferimento di tecnologia sarebbe diventata più difficile (vedi *Documento 5 in Appendice*).

Il funzionario passò poi al problema non meno delicato della SNIA. In risposta alla nota di Washington, dichiarò che il governo di Roma aveva concluso la sua inchiesta sul trasferimento di tecnologia missilistica da parte della SNIA e riteneva che « solo una piccola parte delle attività SNIA non era strettamente in regola con l'MTCR ». Inoltre, aggiunse, queste attività erano già state « eliminate ». A Washington queste dichiarazioni non parvero abbastanza rassicuranti. « Il problema », osservò un funzionario, « è che a Roma giocano con le parole e abbiamo una quantità di aree grigie. »

Il rapporto dell'ambasciata americana su quell'incontro alla Farnesina, indirizzato al segretario di Stato George Schultz, illustrava anche la principale ragione per cui il governo italiano, per non parlare della FIAT, era così ansioso di minimizzare il problema missili. La SNIA, fu spiegato agli americani, era molto interessata a ottenere commesse militari dal governo americano, specialmente nel programma Scudo Spaziale. Perciò la SNIA voleva avere una « fedina pulita » e avrebbe fatto « ogni sforzo » per chiarire la questione delle sue vendite di tecnologia missilistica.

Nel gennaio 1988 molti a Washington non si erano ancora lasciati convincere da queste assicurazioni. Dirigenti della SNIA in visita a Washington verso la fine del 1987 avevano negato di aver mai esportato prodotti come per esempio sistemi di navigazione inerziale e garantito che in ogni caso le vendite sospette erano cessate, ma gli americani temevano che non fossero stati cancellati i programmi di assistenza e garanzia. Ammisero però che, mancando nell'accordo MTCR clausole relative alla sua applicazione, era difficile dimostrare le violazioni commesse dagli italiani. Il caso del missile argentino ebbe però altre conseguenze: ispirò al governo americano seri dubbi sull'opportunità di affidare alla SNIA importanti commesse nel quadro dello Scudo Spaziale.

Per i bene informati, nell'amministrazione e al Senato americano era in discussione un problema di vasta portata, e cioè: era saggio mettere una società come la SNIA a parte della tecnologia connessa con lo Scudo Spaziale? Alla fine del 1987 la SNIA era stata colpita da sanzioni americane quando i dipartimenti della Difesa e di Stato avevano bloccato le licenze di esportazione per il trasferimento di tecnologia da parte della LTV, azienda aerospaziale con base nel Texas che stava collaborando con la SNIA a un veicolo per i lanci spaziali.[16] Lo stesso era stato fatto per un trasferimento di tecnologia dalla United Technologies alla SNIA. Questa società, accusata di violare il Regime di Controllo, era un partner ideale per il programma Scudo Spaziale?

Un alto funzionario dell'amministrazione Reagan disse che « i nostri dubbi sul problema se la SNIA sia il tipo di azienda con cui desideriamo collaborare sono abbastanza gravi. Questo non significa che ci sia automatica disapprovazione, ma dubbi sì, e stiamo con gli occhi bene aperti ». Quanto alla cooperazione del governo di Roma sul caso SNIA, il funzionario diede una risposta niente affatto diplomatica: « Ne abbiamo piene le tasche ». Però, come molti funzionari americani, era sicuro che « quando Agnelli sarà informato che una società del gruppo commette infrazioni, interverrà per rimettere le cose in riga ». Pieni voti all'Avvocato, dunque, ma la preoccupazione che Agnelli non potesse tenere dietro a tutto. L'impero era diventato troppo vasto. E a dirigere la SNIA non c'era Agnelli, ma Romiti.

La FIAT si diede gran da fare, attraverso i suoi lobbisti, perché fossero annullati i provvedimenti presi contro la SNIA. Poi fece una cosa che molti al Pentagono, al dipartimento di Stato e al Senato giudicarono a dir poco scorretta. Al principio di gennaio del 1988 un funzionario del dipartimento della Difesa che era stato responsabile per le questioni italiane, aveva lavorato ai negoziati per il memorandum d'intesa italo-americano sullo Scudo Spaziale, aveva persino contribuito ai negoziati con la FIAT sull'affare libico, e sapeva tutto sul problema missili in cui era coinvolta la

SNIA e su altri problemi egualmente delicati, si dimise dal suo posto. Era Mark Schwartz, un giovane membro dello staff nell'ufficio European and NATO Policy della divisione International Security Policy del Pentagono. Dopo le sue dimissioni, Schwartz fu assunto come consulente dalla FIAT a Washington. Quando funzionari della Difesa e del Senato americani sollevarono il problema dell'etica di questa assunzione, si sentirono rispondere che non c'era niente di scorretto perché i legali del dipartimento della Difesa avevano approvato. Così la FIAT poté addirittura assicurarsi i servigi di un funzionario del Pentagono che solo settimane prima si era occupato di problemi riguardanti la FIAT, in una posizione che gli consentiva di conoscere gli aspetti classificati « top secret ».

Intanto a Washington diventava sempre più difficile, disse un funzionario, « mantenere il blocco alla SNIA ». Il governo italiano sosteneva che le violazioni al MTCR da parte della SNIA erano state eliminate, e l'accordo non conteneva clausole relative alla sua applicazione. Erano poi numerose le scappatoie; benché tra gli americani non mancasse chi era convinto che la tecnologia della SNIA fosse usata nel progetto argentino-egiziano, nessuno voleva esibirne le prove per non rivelare informazioni dei servizi segreti. C'erano poi considerazioni diplomatiche che rendevano desiderabile evitare qualsiasi conflitto fra Roma e Washington. Per esempio, al principio del 1988 Washington voleva trasferire in Italia i 72 jet F-16 fin allora stazionati in Spagna. Inoltre, gli Stati Uniti volevano conservarsi l'appoggio europeo per il programma Scudo Spaziale, e l'Italia era uno dei tre soli alleati che vi avevano aderito a livello governativo. Infine, quando al principio del 1988 si seppe che la Cina aveva venduto missili CSS-2 all'Arabia Saudita, a Washington non parve più il caso di fare fuoco e fiamme perché un'azienda italiana aveva venduto tecnologia all'Argentina. Insomma, la FIAT fu fortunata. Il 15 aprile 1988 fu deciso di annullare il divieto di trasferimento di tecnologie da aziende americane alla SNIA. Questo provvedimento, come del resto il divieto, non sono mai stati resi noti al pubblico. E non è impossibile che il gruppo Agnelli riceva qualche commessa per lo Scudo Spaziale, anche se i funzionari americani assicurano che terranno gli italiani sotto stretto controllo.

Così il gruppo Agnelli, nell'aprile 1988, evitò il problema più grosso, e potenzialmente più imbarazzante a livello internazionale, fra quanti gli si fossero mai presentati.

Nel giugno 1988 nella vicenda dei missili argentini c'è stata una svolta: in America sono stati eseguiti alcuni arresti in connessione con il programma missilistico argentino-egiziano-iracheno. Sono stati infatti arrestati un colonnello egiziano, uno specialista americano di propulsione a razzi e altre due persone accusate di associazione nell'esportazione di materiali sofisticati per il cono di un missile balistico (che è una violazione della legge americana riguardante l'esportazione di tecnologia delicata) e di riciclaggio di denaro sporco. Una complessa operazione di sorveglianza svolta fra il marzo e il giugno 1988, completa di registrazioni telefoniche autorizzate dalla magistratura, ha rivelato che gli accusati si proponevano di contrabbandare al Cairo del « carbon-carbon », un materiale resistente al calore che può rendere meno visibile al radar il cono di un missile. Gli arresti sono stati eseguiti mentre una scatola di cartone contenente la fibra di carbonio stava per essere caricata su un C130, un aereo militare egiziano da trasporto, al Baltimore-Washington International Airport. La storia di questa rete di cospiratori, operanti in Austria, Svizzera, Egitto e a Washington, Baltimora e Sacramento, sembra veramente un thriller di Ludlum.[17]

Una fra le rivelazioni più interessanti contenute in una dichiarazione scritta e giurata depositata da un agente speciale del Tesoro riguarda il trasferimento, fra il dicembre 1987 e il marzo 1988, di oltre 1 milione di dollari dalla IFAT Corp. Ltd Zug in Svizzera tramite la Bayerische Hypotheken und Wechsel e la Chase Bank di New York. Questo *affidavit*, giurato il 22 giugno 1988 davanti al giudice

Esther Mix, il magistrato per l'Eastern District of California, rivelava per la prima volta il nome di una delle società di facciata svizzere che secondo funzionari dei servizi segreti occidentali sono state usate fin dall'inizio degli anni '80 in congiunzione con il progetto del missile argentino-egiziano.

Il giornale egiziano semiufficiale *al-Ahram* reagì, il 26 giugno, affermando che « le istituzioni egiziane non hanno mai commesso violazioni di norme né organizzato operazioni di spionaggio né sottratto documenti militari americani segreti al Pentagono né altrove ».[18] Il giornale israeliano *Yediot Acharonot*, citando fonti attendibili (probabilmente dei servizi segreti israeliani), spiegava invece che il carboncarbon è un « componente essenziale per il progetto missilistico iracheno-egiziano noto come 'Bader 2000', un missile terra-terra basato sul Condor argentino, la cui produzione è stata interrotta per mancanza di fondi in Argentina ».[19] Consultato per telefono, un funzionario del governo americano a Washington si è limitato a un commento: « Ora almeno abbiamo portato allo scoperto un altro elemento di tutto questo imbroglio ».

Intanto il 7 luglio 1988 un senatore americano ha rivolto all'amministrazione Reagan una dettagliata richiesta di intervento sulla diffusione della tecnologia missilistica in cui per la prima volta si chiama esplicitamente in causa la SNIA-BPD: si tratta del senatore Jeff Bingaman, democratico del New Mexico, presidente della sottocommissione per l'Industria e la Tecnologia della Difesa, della Commissione Difesa del Senato americano, il quale ha scritto una lettera di due pagine al segretario della Difesa Frank Carlucci. In questa lettera il senatore Bingaman si dice sempre più preoccupato per il fatto che il dipartimento della Difesa non sembra dare sufficiente importanza al problema della diffusione della tecnologia dei missili balistici nel Terzo Mondo. « A quanto mi risulta », scrive il senatore, « esistono forti indizi che società dell'Europa occidentale come la SNIA-BPD controllata dalla FIAT si siano rese colpevoli di violazioni al

Missile Technology Control Regime, nel caso della SNIA fornendo tecnologia missilistica all'Argentina.» Il senatore deplora che il dipartimento della Difesa abbia consentito nello scorso aprile la ripresa di programmi militari in collaborazione con la SNIA e, pur ammettendo che è difficile avere prove incontrovertibili di violazioni degli accordi internazionali da parte della SNIA, osserva che « le conseguenze di una proliferazione della tecnologia missilistica sono così pericolose per la nostra sicurezza nazionale che bisognerebbe dare gran peso anche a prove non indiscutibili, e anche se questo può comportare qualche rischio per i nostri rapporti con governi alleati ».

A livello ufficiale, tutto quello che si sa nel luglio 1988, al momento in cui scriviamo, è che Washington ha accettato di pagare l'80 per cento dei 400 milioni di dollari necessari per uno scudo antimissili balistici col quale Israele si difenderà dai nuovi missili con cui si stanno armando i suoi vicini arabi.

Michael Armacost, sottosegretario per gli affari politici del dipartimento di Stato, durante una visita a Gerusalemme ha detto di condividere le preoccupazioni di Israele per la possibile proliferazione in Medio Oriente di missili capaci di portare vari tipi di testate, comprese quelle per la guerra chimica. Il progetto argentino-egiziano-iracheno, dunque, porta con sé il rischio di una proliferazione di missili balistici capaci di carichi chimici o nucleari, oltre che convenzionali. Eppure le due società europee che in anni recenti hanno esportato tecnologia missilistica in Argentina – la Messerschmidt e la SNIA-BPD – non sono state colpite da sanzioni durevoli né da Washington né dai governi di Bonn o di Roma, tutti firmatari del Missile Technology Control Regime.

Nel momento in cui scriviamo, il pubblico non sa nulla del coinvolgimento della SNIA sull'affare dei missili argentini. E intanto in Italia, per la FIAT continuano gli anni d'oro: nuovi modelli, risultati finanziari brillantissimi e sempre più ambiziosi programmi d'espansione. Ma, come la

324

faccenda dei missili ha mostrato, Gianni Agnelli è oggi a capo di un'organizzazione ben più vasta, ben più complessa che una semplice azienda di automobili; e c'è da chiedersi se sia ancora in grado di controllarla tutta.

Mentre Gianni Agnelli si scalda al sole della gloria, Romiti continua a marciare nelle paludi del business italiano, attento a stroncare qualunque tentativo di scalzare il primato della FIAT. Nel prossimo capitolo vedremo come ci sia stato un momento in cui è parso che alcuni « nuovi venuti » minacciassero seriamente questo primato; un momento in cui si è quasi potuto pensare che la struttura di potere che fa capo ad Agnelli stesse per subire un cambiamento radicale.

La « ribellione » è stata poi domata, ma è molto significativo che i nuovi venuti, approfittando dell'ampliamento del mercato finanziario, avessero osato anche solo farsi avanti. E vale la pena di raccontare la storia di questi aspiranti usurpatori, non foss'altro perché tre di loro – Mario Schimberni, Carlo De Benedetti e Raul Gardini – sono arrivati molto vicini a mettere in forse la supremazia di Torino. L'impero stava però per restituire il colpo, con la forza di uno dei razzi della SNIA: come un missile ad altissima precisione, con propellenti potentissimi e comandi infallibili, la FIAT avrebbe presto preso la mira e colpito.

1 Intervista dell'autore, 25 gennaio 1988, Washington, D.C. I funzionari del governo americano citati in questo capitolo non sono indicati per nome, ma si trovano in tre dipartimenti del governo, inclusi il dipartimento di Stato e quello della Difesa. Le conversazioni si svolsero nel novembre 1987 e nel gennaio 1988 con undici diversi funzionari.
2 *The Financial Times*, « Egipt and Argentine in long range missile plan », 21 dicembre 1987, di Tony Walker dal Cairo e Andrew Gowers e David Buchan da Londra.
3 Annuncio della Casa Bianca del Missile Technology Control Regime, 16 aprile 1987.
4 Prodotti e tecnologie sono divisi in due categorie: vedi « Equipment and Technology Annex » del MTCR.
5 *The New York Times*, « 7 nations agree to limit export of big rockets », 17 aprile 1987, p. 1, di John H. Cushman Jr.
6 Vedi « Status of third world ballistic missile tecnology », preparato da Joe D. Pumphrey, Divisione armi e sistemi, Defence Intelligence Agency, settembre 1986. Vedi anche « Ballistic missile proliferation potential in the third

world», Servizio di ricerca del Congresso, The Library of Congress, 23 aprile 1986.

7 Vedi *Jane's Defence Weekly*, « Venture in guidance », 12 luglio 1986, p. 35.

8 Vedi « Un futuro di esperienza », pubblicazione dell'ufficio stampa della SNIA, 1987.

9 Vedi dipartimento del Commercio USA, *Quarterly Newsletter*, gennaio 1987, Ufficio per le licenze di esportazione, « Sensitive nuclear facilities in COCOM destinations ».

10 *The Washington Post*, « 7 nations bar sales of missiles: agreement intended to limit potential for nuclear warfare », 17 aprile 1987, di John M. Goshko.

11 *The Wall Street Journal*, « Allies to curb flow of missile tecnology », 17 aprile 1987, di John J. Fialka.

12 *The New York Times*, « Tightening the reins in ballistic missile race », 19 aprile 1987, di John H. Cushman Jr.

13 *The Financial Times*, « Egypt and Argentina in long-range missile plan », 21 dicembre 1987, di Tony Walker, Andrew Gowers e David Buchan.

14 Conversazione privata, 28 gennaio 1988, Washington, D.C.

15 « Investigation of the transfer of technology from Kongsberg Vapenfabrikk to the Soviet Union », Drammen Police Department, 14 ottobre 1987.

16 Per particolari sul progetto « Scout » LTV-SNIA, vedi *Aviation Week & Space Technology*, « US to Bolster Its Capability in Small Space Launch Vehicles », 7 dicembre 1987, di Craig Covault.

17 Vedi il comunicato stampa del US Department of Justice, 27 giugno 1988. Vedi anche « Affidavit di David Burns, Customs Investigator, US Department of Treasury, davanti al giudice Esther Mix, Sacramento, California, 22 giugno 1988 ».

18 *The Jerusalem Post*, 27 giugno 1988, « *Al Ahram* calls reports about smuggling try: much ado about nothing ».

19 *Yediot Acharonot*, « Egyptian diplomats sought to smuggle material from US for completion of missiles », 26 giugno 1988, di Ron Ben Ishai.

20 *The Independent*, « US gives backing to Israeli missile shield », 1° luglio 1988, di Adel Darwish.

15. *Gli usurpatori*

Mario Schimberni è figlio di un barbiere, e crebbe in un quartiere povero di Roma. Carlo De Benedetti viene da una ricca famiglia piemontese, ma da bambino dovette lasciare l'Italia per sfuggire alle leggi razziali di Mussolini. Raul Gardini era un proprietario terriero di provincia, entrato poi col matrimonio in una famiglia di ricchezza favolosa, con oltre 1 milione di ettari in Europa, America settentrionale e Sudamerica.

Che cos'hanno in comune questi uomini? Negli anni '80 tutti e tre sono saliti a posizioni di grande preminenza nel business italiano. Ma nessuno di loro viene da un background aristocratico né ha mai saputo cosa significhi appartenere all'«ala nobile» del capitalismo italiano; tutti loro hanno cominciato la loro vita come outsider.

Questi tre uomini non sono gli unici imprenditori che abbiano raggiunto fama e fortuna nel business italiano. Luciano Benetton ha lavorato come commesso in una città a nord di Venezia prima che gli venisse l'idea di produrre in massa maglioni di colore pastello e venderli in negozi Benetton in tutto il mondo. Silvio Berlusconi ha cominciato a lavorare come guida turistica e ha fatto il fotografo e il cantante di night prima di diventare un imprenditore edilizio e di creare il suo impero televisivo. Ma il successo di Benetton o di Berlusconi non hanno mai dato ombra a Torino; nessuno dei due ha mai sfidato il potere della Vecchia Guardia. Ben diverso il caso di Schimberni, De Benedetti e Gardini. Questi uomini intraprendenti hanno gravemente minacciato la supremazia dell'impero, e in risposta ciascuno di loro è stato messo di fronte a una scelta senza compromessi: essere o cooptato o schiacciato.

Carlo De Benedetti ha combattuto una lunga e dura battaglia per costruire un impero rivale. Alla fine, come ammettono i suoi amici e colleghi, è stato parte cooptato in Italia, parte costretto a cercare la sua fortuna altrove in Europa, fuori del dominio della famiglia Agnelli. Oggi rimane tuttavia l'unico ancora in grado di sfidare Torino.

Mario Schimberni ha scelto di combattere solo, e l'ha pagato a caro prezzo; quando qualcuno pesta i piedi ad Agnelli e alla sua rete di potere in Italia, la retribuzione può essere veloce. Schimberni, che aveva sfidato l'impero, è stato messo all'ostracismo, ha subìto umiliazioni sociali che si sono estese a sua moglie, e da ultimo, alla fine del 1987, è stato senza cerimonie buttato fuori dal tempio.

Raul Gardini ha resistito quanto più a lungo ha potuto al soffocante abbraccio offerto da Agnelli e Romiti, e quando resistere non gli è più stato possibile è stato cooptato nel « salotto buono » del capitalismo italiano.

De Benedetti, Schimberni, Gardini. Ciascuno di loro ha sfidato un potere che, in Italia almeno, era quasi inattaccabile; un potere costituito che da tempo detta il destino della nazione; e tutti e tre hanno dovuto constatare che l'impresa è impossibile. Perché anche nella « nuova Italia » degli anni '80, nonostante le apparenze e gli indici macro-economici, c'è poco posto per i dissidenti e ce n'è meno ancora per gli usurpatori.

L'Italia d'oggi può essere il quinto o sesto paese più industrializzato del mondo, con tecnologie avanzate, una solida produzione e un prodotto nazionale lordo pari a oltre 700 miliardi di dollari (quasi per il 5 per cento dovuto all'impero Agnelli), ma questa nazione con 57 milioni di abitanti rimane il paese delle città-stato rivali, delle congiure vere o ipotetiche, degli intrighi « di palazzo » e di molte altre istituzioni medievali che sembrano materia prima per libri di storia, non per la realtà del xx secolo.

Abolita la monarchia, la famiglia Agnelli ha preso quasi immediatamente il posto di casa Savoia. Per un non italiano è difficile capire quale aura circondi gli Agnelli, mentre riesce quasi naturale a molti italiani, inclusi alcuni tra i più sofisticati banchieri e industriali. Sfidare casa Agnelli è quasi impensabile. Perciò De Benedetti, Schimberni e Gardini sono personaggi così insoliti nella storia italiana recente.

Tutti e tre, ciascuno a suo modo, hanno lanciato una sfida. Ma quando le loro tecniche operative simili a quelle in uso a Wall Street – come la scalata ostile o l'offerta pubblica di acquisto – vengono usate nel mondo finanziario italiano, la reazione è di sospetto e la gente comincia a chiedersi quali « motivi » ci siano « dietro », come se la ricerca di crescita aziendale e di profitti maggiori non fosse un motivo sufficiente. La verità è che – con la sua mancanza di controlli veramente efficaci per prevenire la creazione di monopoli, con la sua mancanza di sanzioni contro l'« insider trading », con alle spalle duemila anni di mercanteggiamenti del potere in un sistema frammentato di città-stato – la « nuova Italia » è solo in parte veramente moderna. Anche il nuovo disegno di legge anti-trust avrà probabilmente scarso effetto reale: non è retroattivo.

In questa atmosfera De Benedetti, Schimberni e Gardini, insieme ad altri imprenditori meno noti, tentarono negli anni '80 di cambiare lo status quo. Ma che speranza avevano, se Gianni Agnelli, l'incontestato Numero Uno della nazione, usava ancora il linguaggio dei Medici per descrivere transazioni d'affari del ventesimo secolo? « Ci siamo annessi una provincia debole », proclamò nel 1986, quando si assicurò il controllo dell'Alfa Romeo. E nel 1988, quando controllava due dei tre più importanti giornali del paese, definì « un'eresia » insinuare che la stampa italiana non era totalmente libera.

Per quanto riguarda poi i compiti sgradevoli, Agnelli ha sempre seguito alla lettera il consiglio di Machiavelli: i principi devono « le cose di carico fare sumministrare ad altri, quelle di grazia a loro medesimi ». Devono cioè fare amministrare ad altri quanto implica decisioni odiose, tenendo per sé le gradite.[1]

Evocare lo spirito di Machiavelli non è fuori luogo in Italia. Persino operatori di borsa milanesi parlano ancora di « usurpatori » e di « cortigiani » nonché, naturalmente, di un certo principe. La ragnatela di potere con a capo Agnelli e la politica del capitalismo italiano sono dunque ancora visti in termini che si sarebbero potuti applicare perfettamente al mondo del xv secolo. Data questa forza della storia, a uomini come De Benedetti e Schimberni non sarebbe bastato essere finanzieri e industriali astuti, con un forte senso del tempismo politico: hanno avuto bisogno anche di un grande coraggio. Perché l'Italia non è gli Stati Uniti, e l'uomo d'affari che oggi sbaglia la mossa non sarà facilmente riammesso di qui a qualche mese. Nel mondo italiano degli affari, con pochissime eccezioni, o sei dentro o sei fuori, al freddo.

« In questo paese », ha dichiarato Indro Montanelli, il grande saggio, il grande iconoclasta, « per chi esce dal branco e fa stecca sul coro, la vita è dura. Saranno ghettizzati e silenziati... Nella subdola arte del 'fuori gioco'... il conformismo italiano è maestro. » [2]

Usurpatori, non conformisti... Non importa il termine preciso; quel che conta è che, negli ultimi dieci anni, tre uomini hanno osato battersi, agendo da soli, contro l'establishment.

Il più noto dei tre usurpatori è Carlo De Benedetti, che si impose per la prima volta all'attenzione della comunità economica internazionale assumendo il controllo dell'Olivetti nel 1978 e operandone un risanamento « da manuale ». De Benedetti trasformò l'Olivetti, azienda in perdita, in uno dei massimi produttori europei di personal computer e di sistemi per l'elaborazione di dati. E uno dei suoi primi provvedimenti fu ridurre drasticamente la manodopera, in anni in cui questo sembrava impensabile e prima che lo stesso tipo di chirurgia fosse applicata alla FIAT dal suo successore Romiti.

Oggi De Benedetti è un rappresentante della nuova razza di capitalisti europei, uno che non ha paura di parlar chiaro, si muove in fretta ed è deciso a creare un conglomerato che tratti l'Europa come un mercato singolo. I suoi critici lo chiamano un « raider »; lui risponde di essere un « builder », cioè un « costruttore ». In Italia, si dice che vuole costruire qualcosa come l'impero della FIAT; si dice anche che nel fondo del suo cuore rimanga un residuo di complesso d'inferiorità nei confronti di Gianni Agnelli.

De Benedetti è mosso da un'ambizione divorante ed è molto impaziente. In un'ora di conversazione può passare da una sofisticata analisi delle tendenze di borsa e dell'economia mondiale a poco meno che sfoghi di cattivo umore. Intervistato alla televisione, la sua risposta a una voce di borsa può essere un semplice «No comment», ma altrettanto spesso, un più colorito «Balle!» Una delle sue lunghissime giornate lo può portare dal suo appartamento milanese, in un palazzo restaurato vicino alla Scala, a una colazione d'affari a Parigi, a un volo in Concorde a New York e ritorno.

Già adesso De Benedetti «vale» molto più di 500 miliardi di lire, ma sente un bisogno disperato di rifarsi del tempo perduto. L'insieme delle sue partecipazioni industriali e finanziarie è già considerevole, benché valutato a meno di un quarto dell'impero Agnelli. Quando gli si chiede quale logica detti l'acquisizione di interessi così disparati, da società elettroniche a fabbriche di pasta, partecipazioni in Yves Saint-Laurent e in banche svizzere, aziende di componenti d'auto in Francia e società d'assicurazioni in Italia, si irrita, tira fuori gli Agnelli e osserva che nessuno chiede perché gli Agnelli hanno partecipazioni di così diversa natura. «Guardi l'IFI. Auto, vermuth, assicurazioni, cemento. Nessuno va a chiedere che cos'è l'IFI perché esiste da tanto tempo»,[3] risponde. «Perché la gente non si preoccupa di quanto è grossa la FIAT? Io semplicemente faccio in una generazione quello che gli Agnelli hanno fatto in tre.»[4]

Può non essere una coincidenza che i due grandi rivali del mondo economico italiano siano entrambi piemontesi. Da bambino Carlo De Benedetti viveva in un appartamento nello stesso palazzo degli Agnelli e spesso veniva portato a scuola in compagnia del piccolo Umberto. Carlo e Umberto sono nati nello stesso anno, il 1934. La famiglia di Carlo era tutt'altro che povera, ma la ricchezza degli Agnelli apparteneva a un'altra dimensione. Poi, quando Mussolini emanò le leggi razziali, i De Benedetti – nonostante il matrimonio del padre di Carlo con una cattolica – furono bollati come ebrei e quindi come cittadini « di serie B ».

Quando i tedeschi occuparono Torino, Carlo, che aveva allora nove anni, fuggì con la famiglia in Svizzera. Si lasciarono dietro tutto, tranne poche monete d'oro che portarono con sé nascoste in un portasapone. Andarono a piedi e al confine con la Svizzera il padre di Carlo tirò alla sorte con suo fratello per decidere chi per primo sarebbe strisciato dall'altra parte. Vinse il padre di Carlo, che con la sua famiglia passò la frontiera sano e salvo. Pochi minuti dopo soldati nazisti sorpresero i cugini di Carlo dalla parte italiana; due dei bambini finirono uccisi a colpi d'arma da fuoco, gli adulti furono mandati in un campo di concentramento.

A Lucerna, Carlo era un rifugiato che non parlava tedesco; lo imparò in fretta. Quell'esperienza, doveva dire più tardi, « mi ha fatto crescere molto in fretta » e lo segnò « per tutta la vita ». Non per via delle privazioni materiali, ma perché gli aveva insegnato « quanto sia imprevedibile il futuro. In Svizzera ho capito quanto sia impossibile immaginare che cosa ci riservi l'avvenire ».[5]

Molto più tardi, nel 1976, De Benedetti si era fatto una fama a Torino come manager dinamico e pieno di talento. Fu allora che Gianni e Umberto Agnelli gli chiesero di andare ad aiutarli alla FIAT. Come abbiamo già visto, De Benedetti vi rimase solo 150 giorni. Alla FIAT lo soprannominarono « tigre » per la ferocia con cui trattava i vecchi dirigenti pigri. Pare che lo stesso Gianni Agnelli gli dicesse una volta: « Caro ingegnere, lei è giovane e bello, perché non pensa un po' anche a divertirsi invece di essere pronto ogni mattina per un attacco a Entebbe? »[6] E qui era la differenza fondamentale fra Agnelli e De Benedetti. Agnelli aveva preso in parola suo nonno, quando gli aveva detto di godersela per un po'; a De Benedetti non è mai parso di avere del tempo da perdere a « godersela ».

Ancora irritato per i limiti messi alle sue capacità alla

FIAT, nel 1978 De Benedetti si assicurò una partecipazione chiave alla Olivetti e ne fu nominato amministratore delegato. In questa posizione, nessuno gli impedì di dar prova della sua abilità, e non andò molto che i più grandi banchieri di Wall Street e di Londra sentirono parlare di lui. Sempre irrequieto, dopo avere riportato largamente in attivo l'Olivetti e tenendola come base, De Benedetti passò ad acquistare altre aziende in perdita, applicandovi gli stessi metodi. E non solo in Italia: come nessuno prima di lui, fece il giro d'Europa, assicurandosi partecipazioni nella Acorn (computer) in Gran Bretagna, nella Valeo (componenti d'auto) in Francia, nella Triumph Adler (macchine per scrivere) in Germania, e così via. Nel 1983 concluse un accordo con l'American Telephone and Telegraph (AT&T), in base al quale il gigante americano delle telecomunicazioni diventò azionista primario dell'Olivetti e questa ottenne un accesso sul mercato americano per i suoi personal. L'alleanza con l'AT&T ha cominciato a sembrare meno solida nel 1988, ma nei quattro anni precedenti si è rivelata estremamente utile per la Olivetti.

De Benedetti stava espandendo il suo impero, ma, dato il potere degli Agnelli, di tanto in tanto gli sembrava opportuno fare atto d'omaggio a Torino. Perciò nel 1986, quando stava per acquistare una partecipazione nella Valeo, fece prima una telefonata a Romiti. « Mi ha informato due giorni prima », rivelò più tardi Romiti, definendo la telefonata « un gesto di cortesia ».[7]

Nel 1985, quando i prezzi delle azioni italiane cominciarono a salire, De Benedetti capì meglio di ogni altro il significato di questa apertura del mercato azionario italiano; ed era in condizione di volgere a suo profitto questo mutamento. Fra il 1984 e l'87 usò il mercato per mettere insieme 3000 miliardi di lire: un record. Alcuni dicono che sfruttò il mercato, ma diventò presto una specie di eroe popolare per i milioni di italiani che investivano e guadagnavano in borsa per la prima volta in vita loro. De Benedetti quotò una società dopo l'altra sulla Borsa di Milano, e le azioni non fecero che salire e salire; ignorò la vecchia ragnatela di potere Agnelli-Cuccia e fu il primo grande imprenditore italiano a ottenere un successo di quelle proporzioni senza avere prima piegato il ginocchio alla Vecchia Guardia. Nella sua eccitazione e nel suo zelo, commise però vari errori tattici. L'idea di infliggere ogni possibile sconfitta all'impero Agnelli gli piaceva troppo; dimenticò che per Torino sarebbe venuto il tempo della vendetta, e strofinò troppo sale nella ferita.

I blitz di De Benedetti sono leggenda. Nel gennaio 1985 la Mediobanca di Cuccia stava per perfezionare la vendita della Buitoni e della controllata Perugina alla BSN, il più grosso gruppo alimentare francese, che sarebbe diventata presto partner degli Agnelli. De Benedetti seppe delle trattative all'undicesima ora, quando il contratto stava per essere firmato; un suo emissario piombò sulla famiglia Buitoni e offrì una somma più alta. Nel giro di ventiquattr'ore il Learjet di De Benedetti aveva portato i Buitoni da Perugia alla Olivetti in Piemonte e De Benedetti aveva tolto la Buitoni di sotto il naso a Mediobanca e alla BSN. In Italia fu come fosse successo un terremoto. Erano cose che non si facevano. Ma per il momento il punteggio era De Benedetti 1, Vecchia Guardia 0.

Più tardi in quello stesso anno De Benedetti acquistò segretamente in borsa azioni Pirelli, fino a possedere un'importante quota di minoranza nell'azienda controllata da Leopoldo Pirelli; con grande stupore di quest'ultimo, troppo tardi informato della manovra. Qualche settimana dopo De Benedetti riduceva il suo pacchetto a un livello più accettabile e una diplomatica dichiarazione parlava di piani per un incrocio di pacchetti fra De Benedetti e Pirelli.

Però lo stile De Benedetti non funziona sempre. Quando la Zanussi stava per essere venduta a un consorzio messo insieme da Mediobanca, capeggiato dalla svedese Electrolux e di cui faceva parte la FIAT, l'Ingegnere tentò di nuovo di intervenire all'ultimo momento, ma stavolta non ebbe fortuna. Un'altra volta, quando Giampiero Pesenti, ora alleato subalterno dell'establishment Agnelli ereditò un gruppo diversificato, De Benedetti gli propose un'alleanza, ma anche questa volta non ebbe successo.

In Italia, ha osservato un operatore di borsa legato a De Benedetti, non vai lontano se prima non hai la luce verde da Torino. Invece l'Ingegnere voleva attraversare anche col rosso. E nonostante il suo innegabile talento sia come finanziere sia come esperto di risanamenti aziendali, ha un difetto di carattere che a volte gli è costato caro. Tende a parlar troppo.

« Salotto buono? » disse nel 1985, supremamente sicuro di sé. « Ma ai salotti buoni tengono soprattutto quelli che hanno i divani con le molle rotte. Sono solo loro che hanno ancora quest'idea in testa, agli altri non importa molto. »[8]

Nel 1985 De Benedetti era sulla cresta dell'onda; riconosciuto dall'élite del mondo finanziario internazionale, attirava investitori prestigiosi come Suez di Parigi, Warburgs di Londra, Nomura di Tokyo e Shearson Lehman di New York. Diventò più spavaldo che mai e bersagliò con allusioni appena velate Agnelli e la vecchia rete del potere. Attaccò il « sistema feudale » che favoriva la proprietà personale o familiare di società a contrasto con il concetto angloamericano di azionariato pubblico. Abbandonò l'atteggiamento caratteristico della Vecchia Guardia, smise cioè di trattare operai e sindacati come nemici, e nel momento stesso in cui riduceva i posti di lavoro cercò di intavolare un dialogo diretto con i comunisti. Introdusse sistemi di incentivi ai manager legati agli utili, una novità assoluta per l'Italia. Proclamò l'inizio di una « rivoluzione sociale » nella finanza italiana ed esaltò la « voglia di capitalismo » che in effetti spingeva milioni di italiani a seguire per la prima volta l'andamento del mercato azionario. « Il lavoratore », disse De Benedetti, « è insieme un contribuente, un risparmiatore e un consumatore. Se riconosciamo questo, l'anacronistica idea italiana di coscienza di classe potrà essere finalmente buttata nella spazzatura. »[9]

Il suo successo come pioniere della « nuova Italia » portò

la sua faccia sulla copertina di *Time*, *Fortune*, *Business Week* e innumerevoli altre riviste d'ogni parte del mondo. Era diventato il profeta di una rivitalizzata economia italiana, di una nazione che aspirava a qualcosa di più moderno della vecchia oligarchia. A Torino, i finanzieri intorno a Gianni Agnelli non erano contenti, e parlavano del capo dell'Olivetti in tono sempre più sarcastico e scettico. Intanto la stampa italiana, che ama i soprannomi, ne aveva trovato uno anche per De Benedetti; se Agnelli era noto a tutti anche come l'Avvocato, De Benedetti diventò ora l'Ingegnere.

L'Ingegnere non sembrava condividere il rispetto che una generazione di italiani aveva imparato a nutrire per Gianni Agnelli. « Io sono un industriale e a questo mestiere dedico tutto », disse a un giornalista americano nel 1985. « Non si può essere un industriale e un playboy, sono due cose che non stanno insieme. » [10] E un anno dopo a Roma, davanti a un pubblico di cui facevano parte alcuni dei più grandi banchieri e industriali d'Europa, fra cui lo stesso Agnelli, De Benedetti parlò della « rottura positiva » che si era prodotta nel capitalismo italiano. « Un sistema irrigidito attorno a pochi poli di natura familiare o pubblica, che in passato avevano monopolizzato la crescita del mercato del capitale riducendone quindi le potenzialità, si è andato disgregando. Nuove riaggregazioni sono in atto, caratterizzate da una maggiore presenza sul mercato e quindi dalla creazione di un sistema più articolato e pluralistico. » [11]

Parole forti, per le quali avrebbe pagato. Nel 1987 De Benedetti aveva smesso di attaccare in dichiarazioni pubbliche l'impero Agnelli; aveva raggiunto molti dei suoi scopi, stava costruendo un impero rivale, era rispettato internazionalmente. Nel gennaio 1988 tentò un'impresa molto ambiziosa, la scalata al più grosso conglomerato belga, la Société Générale de Belgique. In Italia era già stato nominato vicepresidente della Confindustria e diventò azionista e membro del consiglio d'amministrazione di Mediobanca « privatizzata ». La sua fama in centri internazionali della finanza come Wall Street e Londra rivaleggiava con quella di Agnelli. Ma nel frattempo il nuovo venuto era stato cooptato, anche se lui ancor oggi ama vedersi come un outsider. Comunque, cooptato o no, gli uomini di Agnelli, a cominciare da Romiti, non avevano intenzione di dimenticare i suoi atti d'insubordinazione. Come vedremo fra poco, l'impero stava per restituire il colpo.

Un'altra delle grandi sfide degli anni '80 all'impero Agnelli venne dall'introverso figlio di barbiere chiamato Mario Schimberni. Schimberni fu presidente della seconda più grossa società del settore privato dopo la FIAT, il gruppo Montedison, dal 1980 al 1987. In questo periodo risanò il gruppo, razionalizzandolo e dimezzando la manodopera, e fu acclamato come brillante manager; nel 1985 la Montedison andò per la prima volta in attivo, dopo un decennio in cui aveva accumulato perdite per 1,6 miliardi di dollari. Poi Schimberni impegnò, contro un consorzio che vantava Agnelli come più grosso azionista, una battaglia per creare una *public company* che sarebbe stata posseduta da una vasta base di piccoli azionisti. Un'idea rivoluzionaria per un paese che conosceva soltanto lo stile all'antica di Gianni Agnelli e della sua ragnatela del potere. E il tentativo di Schimberni di «democratizzare» il capitalismo italiano non tardò a provocare le ire di Cuccia e dell'Avvocato.

Cosa anche peggiore agli occhi della Vecchia Guardia, Schimberni violò le «regole del gioco» stabilite dalla FIAT e da Mediobanca. Per esempio, portò alla Borsa di Milano metodi stile Wall Street, acquisendo il controllo di una società industriale-finanziaria con a capo uno degli alleati minori di Agnelli; e lo fece senza chiedere prima il permesso. Poi aggravò la situazione tentando di dare la scalata a una compagnia di assicurazioni su cui Agnelli aveva messo gli occhi, una compagnia che il caso voleva fosse controllata parzialmente da Mediobanca. Anche questa volta Schimberni si era rifiutato di piegare il ginocchio e chiedere la benedizione di Torino.

Chi è dunque precisamente questo figlio di barbiere che

si è « fatto da sé »? E come uscì dai ranghi e arrivò a sfidare l'impero Agnelli in Italia e a fare amicizia con i più grandi banchieri americani e con Henry Kissinger? « Schimberni mi piaceva moltissimo », doveva ricordare Kissinger più tardi; aggiungendo che in Italia « uno come Schimberni deve muoversi con grande cautela ».[12]

Il problema è che Mario Schimberni non si mosse con cautela. È combattivo per natura, e tutta la vita ha dovuto lottare per farsi strada con le sue sole forze. Ebbe un'infanzia povera, negli anni della depressione. Mentre suo padre tagliava i capelli agli impiegati della vicina Banca d'Italia, sua madre lavorava in casa come cucitrice, per contribuire a sbarcare il lunario. Due fratelli di Schimberni morirono bambini, e lui e una sorella cominciarono a far lavoretti fin da quando avevano nove anni. Mario aiutava suo padre, spazzolando i clienti dopo il taglio e spazzando il pavimento, portava piatti di pasta da una vicina trattoria a bottegai del quartiere per raccogliere mance e di tanto in tanto badava al banchetto di fiori di suo nonno.

Queste esperienze infantili sembra abbiano avuto un effetto durevole su Schimberni, che oggi, a sessantacinque anni, è un uomo dalla faccia stanca, con i capelli bianchi, che parla con un'aria di tranquilla determinazione. « I miei genitori hanno patito molte privazioni », dice, aggiungendo che ricorda di aver visto suo padre, « umiliato dai clienti borghesi nella sua bottega. » Il sabato pomeriggio suo padre tentava di chiudere all'una, ma i clienti insistevano a venire più tardi. « Due o tre volte mio padre accettò i clienti in ritardo ma poi, dopo aver detto loro che chiudeva all'una, li mandò via. Perse dei clienti, ma non il suo orgoglio. »[13]

Schimberni fu compagno di scuola di un altro futuro capitano d'industria, anche lui romano, anche lui di origini modeste, Cesare Romiti. I due sono stati alternativamente amici e rivali ormai per mezzo secolo. « A scuola [Romiti] era il più bravo della classe », ha osservato una volta Schimberni, « poi nella vita non è sempre così. »[14]

Schimberni e Romiti lavorarono molti anni per la stessa compagnia, la BPD, e Schimberni fece da padrino a Maurizio Romiti, il figlio di Cesare. Ma i rapporti fra i due ex compagni di scuola sono oggi di profonda inimicizia; non si parlano nemmeno più.

Che il background di Schimberni abbia influenzato il suo modo di pensare è chiaro, per sua stessa ammissione. « Ho sempre voluto dimostrare a quelli che sono nati ricchi e privilegiati che siamo tutti uguali », dice, e aggiunge: « Ho subìto molti colpi, molti attacchi, ma volevo gestire la Montedison senza chiedere a nessuno il permesso di gestirla negli interessi di tutti gli azionisti e non soltanto di pochi eletti ».[15]

L'idea di Schimberni, trasformare la Montedison – una società con un giro d'affari di 10 miliardi di dollari l'anno – in una società ad azionariato diffuso stile Wall Street, era assolutamente troppo per la Vecchia Guardia. Le grandi battaglie con Agnelli e Cuccia scoppiarono solo nel 1985, ma i guai erano cominciati molto prima. Schimberni fu nominato presidente della Montedison nel 1980, quando lo Stato deteneva ancora la partecipazione più grossa: un pacchetto del 17 per cento. Fin dall'inizio Schimberni cercò di liberare la Montedison dalle interferenze politiche che negli anni '70 avevano portato il gruppo sull'orlo della rovina. Questo significava indurre lo Stato a vendere il suo pacchetto a investitori privati, il che a sua volta significava mettersi d'accordo col « vecchio folletto » Enrico Cuccia.

Cuccia doveva, alla fine, orchestrare la vendita della partecipazione statale nella Montedison a un consorzio chiamato Gemina e con a capo Agnelli, Pirelli e personaggi minori come Luigi Orlando. Ma prima che – il 18 giugno 1981 – fosse concluso l'accordo con la Gemina, Cuccia tentò di persuadere Schimberni ad accettare qualche sua astuta proposta. La più sfacciata, che Schimberni si rifiutò addirittura di prendere in considerazione, fu avanzata il 13 novembre 1980, ed era un classico tentativo della rete di potere di assicurarsi il meglio, lasciando gli scarti ai piccoli investitori.

L'idea di Cuccia era prendere le attività più remunerative della Montedison – come le centrali idroelettriche, beni immobili e quote delle imprese più efficienti – e metterle in una nuova scatola finanziaria che Cuccia intendeva chiamare Finamont. Prima, la partecipazione dello Stato nella Montedison sarebbe stata venduta a gruppi privati, poi i privati avrebbero preso il controllo della Finamont. Cuccia si rendeva conto che esistevano quelle che chiamava «difficoltà», «ostacoli» e «punti incerti», e li elencò per Schimberni. In primo luogo c'era la difficoltà di tenere il tutto nella riservatezza assoluta tanto cara all'allora amministratore delegato di Mediobanca. C'erano poi considerazioni d'ordine fiscale e perfino il problema dei «prezzi» che il sistema politico avrebbe potuto richiedere per consentire l'attuazione del progetto. E poi c'era sempre il problema se il residuo di attività chimiche in perdita lasciato alla Montedison si sarebbe potuto salvare dalla bancarotta. Nel frattempo però gli amici di Cuccia avrebbero messo le mani su un grosso bottino. Schimberni naturalmente provvide a far abortire il piano di Cuccia; la sua sfida alla rete del potere era già cominciata.

Ma il grande colpo di Schimberni contro quello che lui stesso definisce «l'Impero» ebbe luogo nel 1985-86. Nello spazio di dodici mesi egli commise due peccati imperdonabili, due volte acquistando società senza prima chiedere il nulla osta ad Agnelli. «Ho fatto cose», dice, con l'aria di non esserne affatto pentito, «che hanno dato molto fastidio alla Vecchia Guardia e l'hanno spinta a usare ogni metodo per tentare di distruggermi, metodi puliti e metodi anche sporchi.» [16]

Il primo peccato fu commesso nel luglio 1985. A quell'epoca vi erano ancora diverse società scalabili quotate alla Borsa di Milano: l'occasione più ricca era rappresentata da un grosso conglomerato di proprietà immobiliari, compagnie di assicurazione e attività finanziarie. Francesco Micheli – un mago della finanza che possiede anche una casa d'aste italiana, la Finarte – si accorse che la famiglia proprietaria della Bi-Invest deteneva poco più del 30 per cento delle azioni; il resto era sul mercato. Vide anche che la Bi-Invest aveva fra le sue attività un prezioso pacco del 25 per cento della Fondiaria, gruppo fiorentino di assicurazioni ricco di liquidità. Così cominciò ad acquistare in borsa azioni Bi-Invest, fino a mettere insieme un pacchetto del 37 per cento, che poi vendette per più di 100 milioni di dollari alla Montedison di Schimberni, che si stava diversificando dalla chimica alla finanza. Era una transazione come se ne fanno ogni giorno a Wall Street; ma in Italia fu una bomba.

La stampa italiana fece dell'affare Bi-Invest un dramma nazionale, di cui le prime pagine dei giornali andarono avanti a parlare per tutta l'estate del 1985. Perché tanto scalpore? Secondo Schimberni, perché « in Italia era la prima volta che si compravano azioni sul mercato invece di ricorrere alla trattativa privata ».[17] C'era anche un'altra ragione: la famiglia che fin allora aveva controllato la Bi-Invest si chiamava Bonomi, uno dei più bei nomi di Milano. Fino agli anni '80, leader del gruppo Bonomi era stata Anna Bonomi Bolchini, un'energica signora i cui rapporti con Roberto Calvi avrebbero portato nell'aprile 1988 alla sua denuncia per concorso in frode per il fallimento del Banco Ambrosiano nel 1982. Al tempo dell'operazione Schimberni, a capo della Bi-Invest era il figlio di Anna, Carlo Bonomi, un azzimato ex playboy ed ex campione di offshore, appartenente al gruppo mondano degli amici di Agnelli e alleato minore della rete di potere. Bonomi era anche azionista della Gemina, che dal canto suo era la maggiore azionista della Montedison. Questa volta si poteva dire che Schimberni ringhiava contro la mano che lo nutriva.

Sulle prime parve che Schimberni avesse mancato di lealtà nei confronti dei suoi padroni; Agnelli e i suoi amici e vassalli nella Gemina, da Pirelli a Lucchini, erano furibondi, e lo dissero pubblicamente. Schimberni rispose che Agnelli e la Gemina non avevano motivo di mostrarsi tanto offesi, perché lui aveva offerto il pacchetto Bi-Invest prima a loro. « Non li ho traditi. Ho offerto il pacchetto a loro e loro lo hanno rifiutato», dichiarò più tardi.[18] La guerra fra Schimberni e Agnelli era adesso allo scoperto. Alla fine Schimberni vinse la sua battaglia, assunse il controllo della Bi-Invest, e Carlo Bonomi si ritirò nella sua lussuosa casa di Londra.

Poco dopo l'affare Bi-Invest, Agnelli e i suoi alleati alla Gemina decisero di vendere la loro quota del 17 per cento nella Montedison. Ne trassero un bel guadagno, e parve che Schimberni fosse lasciato a farsi in pace gli affari suoi. Imbaldanzito da questa libertà, un anno dopo Schimberni gettò di nuovo il guanto, e questa volta segnò una vittoria ancora più clamorosa. Il 30 luglio 1986 un operatore di borsa che rappresentava banche internazionali informò Schimberni di avere un pacchetto del 12,4 per cento della Fondiaria, la ricca società di assicurazioni di cui la Montedison già controllava il 25 per cento in seguito alla scalata alla Bi-Invest. Acquistando la partecipazione nella Fondiaria, Schimberni si sarebbe assicurato il controllo effettivo di una ricca fonte di denaro; ma c'erano un paio di problemi. Uno, il cosiddetto « sindacato di controllo » degli azionisti, di cui faceva parte Mediobanca, vietava ai suoi membri di accrescere in misura significativa le loro partecipazioni. Due, nel mondo finanziario circolavano molte voci secondo le quali Agnelli voleva per sé il controllo della Fondiaria.

Questa volta Schimberni sottopose l'offerta del pacco d'azioni Fondiaria all'esame del consiglio di amministrazione dell'Iniziativa Meta, la sua controllata che deteneva le partecipazioni finanziarie. Il prezzo era alto – pari a oltre 700 miliardi di lire – e molto più elevato rispetto ai mesi precedenti, ma la Fondiaria portava con sé qualcosa di molto speciale: una partecipazione nientemeno che a Mediobanca. Questa volta Schimberni addentava la mano che lo nutriva.

La reazione fu violenta. Secondo Schimberni, la Vecchia Guardia inviò emissari per cercar di bloccare l'operazione. « Quel pacco lo volevano loro. Mi dissero di lasciarlo stare. Mi dissero di non comprarlo. Mi dissero di venderlo, di cederlo. Sembrava che averlo fosse un loro diritto regale. Ricorsero a pressioni sociali, dissero a varie persone di non vedermi più, cercarono di isolarmi. Non fui più invitato a incontri ai quali era presente Agnelli. Da un momento all'altro fu fatta circolare la voce che stavo per dare le dimissioni. Dappertutto giravano voci che mi ero comportato in modo scorretto, che avevo pagato troppo, che ero un imbroglione. Mia moglie fu persino snobbata in gallerie d'arte e a cene e in altre occasioni mondane in cui erano presenti le mogli di industriali della Vecchia Guardia.» [19]

Per Schimberni la vita diventò più dura di quanto fosse mai stata. Cuccia diede il via a una campagna pubblica, di una violenza senza precedenti, contro il capo della Montedison, e intanto un magistrato milanese istruiva un'inchiesta per appurare se ci fossero state violazioni valutarie. Il prezzo pagato per la Fondiaria sembrava così alto che molti, e non solo nemici di Schimberni, insinuarono che quest'ultimo doveva aver guadagnato personalmente sull'affare. Oggi, a chiederglielo in faccia, lui nega, spiegando: « Quando compri una partecipazione che ti dà il controllo di una società devi pagare un prezzo molto salato »; [20] ma non nega che la sua fu una mossa rivoluzionaria.

Gianni Agnelli ruppe il silenzio con la parafrasi di un proverbio latino: « *Bi-Invest: humanum. Fondiaria, diabolicum*». Era stato umano sbagliare una volta, con la Bi-Invest, ma diabolico perseverare nell'errore con la Fondiaria. Le malelingue del mercato avrebbero poi trovato un'altra applicazione per questa frase, dicendo che era stato umano scaricare la Teksid sulle spalle del governo facendosela pagare oro e diabolico dilazionare il pagamento per l'Alfa Romeo incamerandola così per quattro soldi. Ma intanto, per Schimberni il ballo era cominciato in pieno.

Il capo della Montedison rispose da quell'orgoglioso figlio d'artigiano che era. Dichiarò che le vecchie regole da conventicola del capitalismo italiano erano diventate anacronistiche. Alla televisione, definì Agnelli un « monarca » e molto più tardi riassunse così la situazione: « Che diritto, domando, aveva Gianni Agnelli di dire la sua su quest'operazione? Non era nemmeno più azionista della Montedison ».[21]

Ma non importava che Agnelli non avesse nessun diritto formale di criticare l'affare Fondiaria. Il « re » aveva parlato. Il fedele Luigi Orlando si fece portavoce di tutta l'« ala nobile » del capitalismo italiano dichiarando che Schimberni aveva « trasgredito » violando « le regole del gioco ».[22] Se non si rispettavano i vecchi sindacati di controllo degli azionisti, ammoniva l'infuriato Orlando, il mondo degli affari si sarebbe trasformato in una giungla.[23] Ma negli anni '80, continuò a tentar di spiegare Schimberni in un discorso dopo l'altro, gli affari erano esattamente questo, e nel business moderno non c'è posto per grandi signori feudali con speciali privilegi.

In quello stesso autunno 1986 in cui Schimberni era fatto segno al fuoco di fila della Vecchia Guardia, comparve sulla scena un personaggio nuovo e insolito, Raul Gardini. Gardini, che fino a quel momento era stato visto dai più come un ricco barone dello zucchero residente nella sonnacchiosa Ravenna, annunciò improvvisamente di avere speso mezzo miliardo di dollari per mettere insieme una partecipazione del 14,5 per cento nella Montedison. Il leader dell'agricoltura italiana era diventato inaspettatamente arbitro nella battaglia fra Schimberni e l'establishment Agnelli-Cuccia; pareva che Schimberni avesse trovato un salvatore. Gardini non aveva mai avuto molto tempo per il mondo dell'alta società frequentato dagli Agnelli, e ora pareva far sua la causa di Schimberni. In realtà l'ingresso in scena di Gardini – che la stampa italiana non tardò a battezzare « il contadino » – avrebbe assicurato a Schimberni soltanto una tregua.

Gardini si divertiva intanto a dare l'impressione di essere un « ragazzo di campagna ». La sua carriera come usurpatore era stata molto più fulminea che quella di Schimberni o De Benedetti. Mentre quest'ultimo aveva cominciato a mettere insieme le sue partecipazioni subito dopo l'uscita dalla FIAT nel 1976, Gardini non tenne neppure una conferenza stampa prima dell'autunno 1985. E lo stile e sostanza di Gardini erano di tutt'altro genere.

Gardini era l'«uomo del mistero» del business italiano, un miliardario timido e sorridente i cui conflitti con Torino sono stati tenuti in gran parte segreti e sono adesso accuratamente dimenticati. E mentre si può discutere se De Benedetti sia più un finanziere o un industriale, Gardini non è né una cosa né l'altra. Ha la mentalità di un mercante di granaglie, e questa è in effetti la sua formazione. Non ha niente della soavità di Gianni Agnelli, del talento manageriale di Schimberni, del sensazionale fiuto di De Benedetti. È un ricco provinciale che ama il buon vivere, un uomo le cui vere passioni sono sparare alle anatre alle cinque del mattino, andare in barca a vela, cavalcare nelle pampas argentine e fumare una sigaretta dietro l'altra. Non va però sottovalutato. In meno di tre anni si è catapultato da un'«illustre oscurità» a una posizione di enorme potere nel capitalismo italiano e nell'agricoltura europea. Gardini controlla ora società con più di 20 miliardi di dollari di fatturato annui ed è il più grosso barone europeo dello zucchero.

Fra il 1985 e l'87 Gardini sfidò la cittadella del capitalismo italiano cercando di creare un centro di potere alternativo. Ma si espanse troppo rapidamente, si caricò di troppi debiti, non aveva intorno a sé i consiglieri che gli occorrevano, e alla fine fu costretto a rivolgersi, berretto in mano, alla vecchia eminenza grigia della finanza italiana, Enrico Cuccia. Per costringere Gardini a far atto di sottomissione la Vecchia Guardia aveva impiegato ventiquattro mesi.

Nato nel 1933 a Ravenna, da una famiglia di proprietari terrieri, Gardini passò la prima adolescenza, durante la seconda guerra mondiale, a pescare, andare in bicicletta, cacciare e giocare a pallavolo. Crebbe in Romagna, da romagnolo. I romagnoli hanno il sangue caldo e se ne vantano.

Raul Gardini fu bocciato in matematica a sedici anni; tre anni dopo abbandonò gli studi universitari. Ma aveva altre qualità, fra cui un'innata scaltrezza che doveva essergli di grande aiuto quando, nel 1979, avrebbe ottenuto il controllo della fortuna Ferruzzi – proprietà terriere, commercio di cereali, trasporti marittimi, cementifici e zucchero. Arrivò a controllare la Ferruzzi perché molto tempo prima aveva sposato Idina, figlia del fondatore del gruppo, Serafino Ferruzzi. Serafino morì in una notte di nebbia sulla fine del 1979, quando il suo Learjet si fracassò contro una casa vicino a Ravenna. Alla sua morte il gruppo possedeva oltre 1 milioni di ettari di terreni agricoli di prima qualità in Italia, Stati Uniti e Sudamerica. Gardini era andato a lavorare da Serafino Ferruzzi, come suo assistente, lo stesso giorno del 1957 in cui si era fidanzato a Idina. Il gruppo Ferruzzi rimase un'organizzazione discreta e silenziosa perché Serafino voleva così; non era quotato in borsa e non preparava un normale bilancio consolidato. Poco dopo la morte di Serafino, Raul Gardini andò da sua moglie, dalle sorelle e dal fratello di lei e si offerse di dirigere il gruppo, che già allora aveva 6 miliardi di dollari di fatturato annuo.

Quel che Gardini propose era per la famiglia Ferruzzi una specie di rivoluzione. Voleva espandersi internazionalmente, come poi fece, aggiungendo alle sue partecipazioni nel settore zuccheri la combine francese Beghin-Say e diventando il più grosso produttore europeo. Ma aveva piani ancora più ambiziosi. Negli anni '80 si lanciò in una serie di scalate per migliaia di miliardi, in Italia, Francia, Inghilterra e Brasile, incluso il tentativo non riuscito di annettersi la British Sugar. Si comprò anche un palazzo rinascimentale, vecchio di cinque secoli, sul Canal Grande e si fece costruire un nuovo maxi yacht di 22 metri, il *Moro di Venezia III*, per regatare in tutto il mondo. Due o tre volte la settimana vola per l'Europa su uno dei suoi cinque jet personali. E si gode una vacanza annua di un mese nel ranch di 20.000 ettari che la famiglia possiede in Argentina. Ma rimane un provinciale orgoglioso di esserlo, nonostante il raggio internazionale delle sue partecipazioni, e conserva una mentalità da commerciante. Durante la sua espansione negli anni '80 ebbe cura di mantenere le distanze dagli Agnelli, i cui legami con la Ferruzzi (nel campo dei cementi) aveva troncato appena morto Serafino.

« È incredibilmente impulsivo, incredibilmente volubile, e a volte incredibilmente maleducato », osservò un addetto alle relazioni pubbliche che non riuscì a convincere Gardini a fornire dati finanziari sufficienti per soddisfare la comunità internazionale degli azionisti.[24] Altri dicono che Gardini è « lirico » nei suoi piani d'affari. In effetti proprio per questa ragione vale la pena di riferire il modo in cui lui stesso ricorda come assunse la presidenza della Ferruzzi. Nel 1984 radunò sua moglie e gli altri azionisti della famiglia e fece un discorsetto: « Gli dissi: stammi a sentire, i nostri affari vanno benissimo, potremmo decidere di riposarci, di essere quei ricchissimi che siamo. Ma voi lo sapete, io sono superattivo, se davvero mi volete come presidente, io vi chiederò pieni poteri per fare delle scelte a lungo respiro, per affrontare momenti anche emozionanti – e in questo credo di averli più che accontentati. Insomma gli dicevo: siamo arrivati in un porto protetto, c'è a riva un buon ristorante, abbiamo il collegamento elettrico e telefonico ma a me star fermo non piace e non mi importa se il barometro sta calando, io vorrei uscire lo stesso ».[25] Quando Gardini cominciò ad acquistare una partecipazione alla Montedison di Schimberni, Agnelli fu udito commentare: « Ho sentito che Gardini si sta costruendo un'altra barca per venti pesanti e mari difficili ».[26]

Le differenze di sostanza fra Gardini e l'impero Agnelli affiorarono solo raramente durante l'espansione della Ferruzzi negli anni '80, ma le differenze di stile furono evidenti sempre. Dopo la prima conferenza stampa di Gardini nell'ottobre 1985, quando cento giornalisti furono convocati a Ravenna solo per sentirsi dire che il gruppo Ferruzzi sarebbe diventato più importante e aveva scelto un nuovo logo, la famiglia offrì un dinner party molto fuori del comune. La folla fu trasportata in un luogo sulla costa adriatica, dove era stato eretto un tendone e dove gli ospiti furono ricevuti da Raul Gardini, sorridente, e da sua moglie Idina, abbronzata, grondante ori e vestita con una minigonna Saint-Laurent a macchie di leopardo. A metà pranzo, quando uno dei camerieri locali ruppe un vassoio, le tavolate di dirigenti Ferruzzi intonarono un canto, come vuole la tradizione romagnola. Alcuni dei presenti cercarono di immaginare Gianni e Marella Agnelli in circostanze analoghe, ma non ci riuscirono.

Né alcuno avrebbe potuto immaginare a che tipo di pressione Raul Gardini fu sottoposto nell'autunno 1985, quando Agnelli e Romiti lo invitarono a cena a Torino e gli dissero che erano pronti a vendergli la partecipazione del 17 per cento nella Montedison allora in possesso della Gemina. Per Agnelli l'affare aveva attrattive evidenti; era irritato con Schimberni e dalla transazione avrebbe tratto un bel profitto. Inoltre, era già chiaro che la Gemina stava per diventare il nuovo veicolo d'espansione della Vecchia Guardia e, offrendo la partecipazione a Gardini, Agnelli avrebbe potuto tirarlo dentro il cerchio magico. Era un esempio classico del come la rete del potere coopta chi la potrebbe sfidare. Ma Gardini, per quanto forte fosse il suo desiderio di mettere le mani sulla Montedison, aveva il tipo d'orgoglio contadino che non gli permetteva di lasciarsi tirare in un simile affare.

« Il nostro gruppo non ha mai avuto bisogno del Salotto Buono », avrebbe detto più tardi in tono di sfida, aggiungendo che quando Agnelli gli offrì il 17 per cento della Montedison, lo ringraziò ma respinse l'offerta.[27] Quando si fu finalmente assicurato il controllo della Montedison diciotto mesi più tardi – senza inchinarsi davanti all'Avvocato – dichiarò di essere molto contento di aver fatto a modo suo.[28]

Il rifiuto di Gardini non piacque al re della FIAT. Per di più, era la seconda volta in pochi mesi che il Contadino gli diceva di no. La prima idea di Agnelli era stata che Gardini entrasse a far parte della Gemina, ma il testardo capo della Ferruzzi non ne aveva voluto sapere.[29] Così Gardini se ne andò per la sua strada, convinto di poter espandere il suo gruppo in piena autonomia, senza darsi pensiero dell'Avvocato né del suo vecchio consigliere a Mediobanca. I fatti avrebbero dimostrato che su questo punto si sbagliava.

In risposta al rifiuto di Gardini, l'impero Agnelli ricorse a una tattica supercollaudata per garantirsi che la storia avrebbe registrato i fatti nel modo in cui Torino desiderava che fossero ricordati. Non una parola della cena Agnelli-Gardini era trapelata in pubblico quando, il 1° novembre 1985, *La Stampa* pubblicò in prima pagina e su tre colonne un'« intervista» piuttosto strana a Cesare Romiti. L'articolo non accennava a offerte di azioni Montedison fatte da Agnelli a Gardini, ma riportava la dichiarazione di Romiti: « Gardini ci ha detto senza mezzi termini che non ha alcuna intenzione di andare oltre la piccola quota... che già detiene».[30] Così il quotidiano della FIAT dava dei fatti una versione un po' deformata.

Dal giardino del suo palazzo di Ravenna, Gardini replicò di lì a pochi giorni, dicendo alla stampa che era indiscreto rivelare in pubblico i particolari di una conversazione privata. E interrogato a proposito delle affermazioni di Romiti, rispose con ironia: « Chissà cos'hanno in mente quegli importanti signori di città? Noi qui in campagna preferiamo essere discreti e stare zitti».[31]

Nei due anni successivi, dal novembre 1985 al novembre 1987, Gardini e Romiti si scambiarono colpi verbali in varie occasioni. Sulla fine del 1986 Gardini annunciò addirittura un'alleanza con scambio di piccole quote azionarie con Carlo De Benedetti, e per un po' parve che due degli usurpatori avessero unito le forze. Nel frattempo, mentre Schimberni andava predicando i meriti di una *public company*, Gardini sulla fine del 1986 e il principio dell'87 diventava quel che di più simile a un *raider* di Wall Street si sia mai visto in Italia: spendeva 1,6 miliardi di dollari per rastrellare azioni Montedison sul mercato, assicurandosi il 42 per cento del gruppo e facendosi beffe dell'idea di Schimberni di una *public company* con una vasta base di piccoli azionisti.

Per un po' Gardini stette al fianco di Schimberni, nel 1986 appoggiandolo contro Cuccia e Agnelli nell'affare Fondiaria e lodando le sue capacità manageriali. Nel giugno 1987 Gardini addirittura si lamentò del fatto che « il vecchio establishment sta cercando di creare frizioni tra me e Schimberni » e disse di sperare « che non credano di poter tenere fuori i nuovi venuti ».[32] Quando gli fu chiesta la sua opinione su Gianni Agnelli, riuscì solo a esprimere un giudizio non impegnativo: « Agnelli ha vissuto in grande stile, da grande protagonista. Non posso dire di lui nulla di negativo ».[33]

Agnelli per parte sua cercò, al solito, di tenersi al disopra della mischia. Si disse lieto dell'ingresso di Gardini alla Montedison come maggiore azionista perché i Ferruzzi « sono una grande famiglia ».[34] Ma anche in quest'occasione lui e l'accigliato Romiti si divisero le parti, e mentre l'Avvocato faceva il gentile, Romiti nel maggio 1987 pronunciò uno dei suoi più strani discorsi, lanciandosi in un attacco all'ondata di « immoralità » nell'industria e nella finanza e criticando quanti andavano in cerca di « scorciatoie » per il successo. Era un tema su cui sarebbe tornato più e più volte nei dodici mesi successivi. Ci si domandava con chi ce l'avesse; e non l'ultimo a porsi questa domanda era Raul Gardini, al quale Romiti era ormai decisamente antipatico. Uscendo da un convegno del *Financial Times* a Milano, un lunedì mattina del maggio 1987, il presidente della Ferruzzi chiese che Romiti si decidesse a « fare dei nomi ». In un linguaggio non troppo sottile, Gardini in pratica diceva a Romiti che parlasse chiaro o stesse zitto. Gli osservatori stranieri tentarono di immaginare il capo della Chrysler che predicava di etica mentre la stampa americana ricamava sull'appena inventata « questione etica » nel mondo degli affari; ma l'analogia non funzionava. In nessun altro paese fuorché in Italia una bordata che si fingeva sparata a casaccio poteva essere chiaramente intesa da tutti e da ciascuno come un attacco contro un ben preciso rivale.

Romiti, che solo pochi mesi più tardi avrebbe preso di mira gli ambienti politici col suo famoso discorso a proposito di « rigurgito di anticapitalismo », rispose a Gardini che per capire bastava « guardare i giornali degli ultimi due anni » – un'allusione alla serie di « takeover » e altre operazioni finanziarie compiute da De Benedetti, Gardini stesso e Schimberni.[35]

Se qualcuno aveva ancora un dubbio su quello che stava accadendo in Italia, l'ultima sfuriata di Romiti glielo tolse. De Benedetti, Schimberni e Gardini avevano passato il segno. Troppi « takeover ». Gli usurpatori avevano invaso troppo territorio. E intanto la FIAT si sentiva più forte che mai. Le vendite non facevano che crescere, e il 1987 si sarebbe chiuso con un balzo avanti del 31 per cento negli utili operativi, che avrebbero raggiunto un totale di quasi 2,6 miliardi di dollari. Ma dal punto di vista della FIAT la situazione nel 1987 deve essere sembrata stranamente minacciosa. I politici, da sinistra a destra, mettevano in discussione la supremazia dell'impero Agnelli con le loro richieste di leggi anti-trust, e nuovi venuti non appartenenti al « salotto buono » creavano scompiglio nel mondo degli affari. In USA, in Europa, in Giappone, De Benedetti stava diventando famoso come lo stesso Avvocato; e adesso la faccia di Gardini ornava la copertina dell'edizione europea di *Newsweek*.

Per mantenere una presa sicura sul proprio Stato, ha scritto Machiavelli quasi cinque secoli fa, « alcuni principi... hanno disarmato e' loro sudditi; alcuni altri hanno tenuto divise le terre subiette; alcuni hanno nutrito inimicizie contro a sé medesimi; alcuni altri si sono volti a guadagnarsi quelli che li erano suspetti nel principio del suo stato; alcuni hanno edificato fortezze; alcuni le hanno ruinate e destrutte ».[36] Nella « nuova Italia » del 1987, le tattiche usate dalla ragnatela di potere di Agnelli contro i potenziali usurpatori si sarebbero rifatte a tutte le famose prescrizioni di Machiavelli, e con notevole successo. De Benedetti sarebbe stato disarmato su vari fronti; le divisioni fra Schimberni e Gardini si sarebbero andate accentuando; Romiti avrebbe nutrito inimicizie sufficienti per dieci; Cuccia avrebbe finito col « guadagnarsi » il recalcitrante Gardini; i legali di Agnelli avrebbero edificato la più inattaccabile delle fortezze societarie. E prima che finisse l'anno la personale fortezza di Schimberni sarebbe stata ridotta a un mucchio di macerie. Una cosa era modernizzare l'economia italiana, una cosa tutta diversa sfidare l'equilibrio del potere. Così, alla fine del 1987 i leali uomini di Agnelli stavano scrivendo un nuovo capitolo della storia d'Italia. Ai non italiani poteva sembrare un confuso scontro di condottieri, ma ai bene informati era chiaro che l'impero stava per colpire ancora.

1 Machiavelli, *Il Principe*.
2 *Il Giornale*, «Uscita di sicurezza», 15 novembre 1987, di Indro Montanelli.
3 *The Financial Times*, «A machine of men and money», 19 settembre 1986, di Alan Friedman.
4 *Business*, «What makes Carlo run?», aprile 1987, di Sari Gilbert.
5 *Business Week*, «Dealmaker De Benedetti», 24 agosto 1987, di William C. Symonds, Thane Peterson, John J. Keller e Marc Frons.
6 La battuta è stata riferita molte volte, l'ultima in *Italia Oggi*, «Il guaio per De Benedetti è che Agnelli è nato prima», 23 gennaio 1988, di Marta Boneschi e Mario Margiocco.
7 *Il Giornale*, «Romiti: ecco la FIAT dell'espansione», 22 aprile 1986, di Paolo Mazzanti e Flavia Podestà.
8 *Panorama*, «Basta con i salotti buoni», 1° dicembre 1985, di Giuseppe Oldani.
9 *Time*, «A Dazzling Comeback», 18 febbraio 1985, di Frederick Panton.
10 *The Wall Street Journal*, «Olivetti's Profit, Sales Surge, But Chief Still Isn't Satisfied», 26 febbraio 1985, di Roger Cohen and Lawrence Ingrassia.
11 Discorso di Carlo De Benedetti all'European Business Forum del *Financial Times*, 10 novembre 1986, Roma.
12 Intervista dell'autore a Henry Kissinger, 27 gennaio 1988, New York.
13 Intervista dell'autore a Mario Schimberni, 15 ottobre 1987, Milano.
14 Minoli, p. 13.
15 Vedi nota 13.
16 Vedi nota 13.
17 Intervista dell'autore a Mario Schimberni, 14 marzo 1988, Milano.
18 Vedi nota 17.
19 Vedi nota 13.
20 Vedi nota 17.
21 Vedi nota 17.
22 Cesare Peruzzi, *Il Caso Ferruzzi*, Edizioni del Sole - 24 Ore, 1987, p. 15.
23 *The Financial Times*, «Clasch of styles in Montedison boardroom», 12 settembre 1986, di Alan Friedman.
24 Conversazione privata, 23 marzo 1988, Milano.
25 *La Repubblica*, intervista a Raul Gardini, 16 maggio 1987, di Giorgio Bocca.
26 *Il Venerdì*, *La Repubblica*, «Raul Gardini: Il principe del capitalismo e il crack annunciato», 13 novembre 1987, di Antonio Ramenghi.
27 Peruzzi, p. 12; vedi anche *The Financial Times*, «Down on the farm», (intervista a Raul Gardini), 13 luglio 1987, di Alan Friedman; vedi anche intervista a Gardini in *La Repubblica*, 16 maggio 1987.

353

28 *The Financial Times*, « Down on the farm », 13 luglio 1987, di Alan Friedman.
29 Peruzzi, p. 12.
30 *La Stampa*, « Romiti parla di Mediobanca e Montedison: Dietro l'autunno caldo della finanza italiana », 1° novembre 1985, di Mario Pirani.
31 *The Financial Times*, « Backwoodsman with financial flair: profile of Raul Gardini », 7 aprile 1986, di Alan Friedman.
32 Intervista dell'autore a Raul Gardini, 24 giugno 1987, Ravenna.
33 Vedi nota 32.
34 *The Financial Times*, « Italy's old-style capitalism », 27 ottobre 1986, di Alan Friedman.
35 *The Financial Times*, « Trading insults » (rubrica Men and matters), 26 maggio 1987.
36 Machiavelli, *Il Principe*.

16. *L'impero colpisce ancora*

« Ho CAPITO dove va lei. C'è una festa, una grande festa. E ci sarà Gianni Agnelli! Appena l'ho messa giù, filo a casa e me la guardo alla televisione. »

Il cordiale tassista milanese passò in terza e traversò a tutta velocità un semaforo che stava per diventare rosso; non vedeva l'ora di raggiungere il Palatrussardi, ai margini della città, e di tornarsene a casa.

Aveva fretta di unirsi ai quasi sei milioni di italiani che avrebbero seguito il lungo spettacolo sui loro teleschermi; e intanto, era già un'emozione portare un invitato con tanto di biglietto sul luogo dell'Evento: una celebrazione di due ore e mezzo, parlata, cantata e ballata, dell'ultimissimo prodotto del gruppo FIAT, l'Alfa 164. Pazienza se sulla strada manifestanti levavano cartelli anti-FIAT cercando di attirare l'attenzione dei passeggeri a bordo delle macchine di lusso che a decine si stavano dirigendo verso l'entrata. Pazienza se un piccolo esercito di poliziotti si stava dando da fare per mantenere l'ordine mentre banchieri in abito da sera scortavano le elegantissime mogli passando oltre i drappelli di operai Alfa in cassa integrazione.

Il tassista chiese di poter vedere il biglietto d'invito alla festa di Agnelli. Una mano sul volante, esaminò con cura il cartoncino giallo e grigio e lesse ad alta voce il titolo dello spettacolo: *Effetto Nuvolari: Miti, Musica e Motori*. E d'improvviso cedette alla piena dei sentimenti.

« Mi ricordo che quattro o cinque anni fa ho avuto la fortuna di vederlo da vicino », disse, mentre superavamo un secondo blocco di controllo. « Ero a Pavia, e lui era proprio lì, la stessa distanza che adesso è lei. Quando abbiamo visto chi era, mia moglie e io abbiamo detto 'Buongiorno, signor Agnelli', e sa cosa? Lui ha sorriso e ci ha fatto segno con la mano. Gentile, no? » E il buon tassista, finito il suo racconto, raggiante d'orgoglio, fermò la macchina davanti all'auditorio.

Le grida dei manifestanti si spegnevano non appena messo piede nella hall, dove hostess in graziose uniformi rosse sorridevano senza risparmio e indicavano la strada attraverso i metal detector e verso lo spettacolo. Alle 8 quasi duemila invitati – complessivamente noti come «tutta la Milano che conta» – erano sotto la tenda. Il sindaco socialista di Milano, cognato di Craxi, sembrava a disagio in mezzo all'entourage di Agnelli; il presidente della Borsa era assorto in conversazione con alcuni dirigenti della FIAT, e in prima fila Cesare Romiti, per l'occasione di buon umore, chiacchierava con Marella Agnelli, in abito da sera nero accollato e una semplice collana d'oro. Enrico Manca, presidente della RAI, sedeva vicino a Gianni Agnelli; più in là lungo la fila Egon von Fürstenberg e altri membri della famiglia aspettavano che cominciasse lo spettacolo.

Scopo di quest'ultimo, che la televisione trasmetteva dal vivo, era presentare la nuova Alfa 164 ai venditori del gruppo FIAT. In altri paesi le società produttrici di automobili radunano i loro venditori più in privato per quelle che sono presentazioni commerciali a uso interno, ma la FIAT aveva persuaso la televisione di Stato a co-sponsorizzare lo spettacolo, la cui messa in scena era costata più di un miliardo e mezzo.

D'improvviso l'immenso tendone si riempì d'ondate di musica corale e il sipario si alzò su settantotto coristi vestiti di nero. Poi sullo schermo gigante comparvero alcune decine di macchine antiche allineate sulla pista di Monza. Seguì l'entrata in scena di un famoso attore televisivo italiano su un'Alfa Romeo del 1925. Poi, mentre le telecamere riprendevano le facce soddisfatte di Gianni e Marella Agnelli e sullo schermo passavano immagini futuriste, cominciò la narrazione. L'automobile – fu detto ai milioni di telespettatori nelle loro case – è progresso, velocità, modernità. Fu poi recitata una poesia dedicata all'automobile, cui tenne dietro la comparsa di quaranta ragazze che cantavano e ballavano, in hot pants di plastica rossa e alti stivaletti con tacco a spillo.

E così lo spettacolo continuò, con le telecamere che ogni pochi minuti tornavano a inquadrare l'Avvocato, ragazze che gli sfilavano davanti in taffetà bianco e pagliette d'argento, e fuori i manifestanti che gridavano « Non mangiate il pranzo di Agnelli! È avvelenato!» Dopo mezz'ora molti VIP cominciarono ad agitarsi nelle loro poltrone, ma siccome la trasmissione era dal vivo, nessuno se ne poteva andare. Un banchiere si mise a leggere il giornale mentre entrava in scena un corpo di ballo su pattini a rotelle. Un famoso attore recitò un lungo monologo in cui faceva dello spirito sulle automobili non italiane e sul progetto governativo di aumentare l'IVA sulle auto FIAT. Dopo l'esibizione di un prestigiatore travestito, furono letti un omaggio a Milano e alla Lombardia e la ricetta in versi del risotto alla milanese, mentre sul grande schermo passavano immagini di ballerine e ballerini che saltellavano qua e là per i locali delle aziende milanesi del gruppo Agnelli: Rinascente, *Corriere della Sera*, fabbriche Alfa Romeo. Poi finalmente fu scoperta la nuova Alfa 164, con otto modelle di gamba lunga che le camminavano attorno, al suono di una musica fortemente ritmata.

Romiti aveva l'aria di divertirsi, Marella sembrava molto stanca, Gianni Agnelli seguiva lo spettacolo col mento appoggiato sul dorso di una mano; il tutto era forse un po' troppo anche per lui. Il presidente della FIAT riprese però un po' di vita quando Alberto Sordi scese dal palco e recitò un ossequioso monologo in cui diceva all'Avvocato che « una volta le automobili erano solo per i privilegiati, ma oggi grazie alla FIAT ognuno ha una macchina». Agnelli prese un'aria un po' imbarazzata quando Sordi proclamò: «Lei, Avvocato, ha fatto un miracolo per tutti gli italiani, Lei ha fatto sì che ognuno di noi potesse guidare una macchina». E non era finita. « Ha mai pensato», continuò il famoso attore, « che Lei, Avvocato, sarebbe diventato un uomo tanto affascinante, tanto elegante, tanto importante? Bravo, Avvocato. Io mi sento privilegiato di stare davanti a Lei.»

Lo spettacolo durò due ore e mezzo abbondanti, culminando nell'entrata in scena di un'antica Alfa Romeo con a bordo un astronauta americano che aveva camminato sulla Luna, Buzz Aldrin, e un cosmonauta russo, Valerij Kubazov. Questi due si strinsero la mano mentre un coro di cinquanta bambini intonava *Blue Moon*. Come se non bastasse, il gran finale fu un rumoroso balletto con trenta « astronauti » in tute argentate che saltavano su e giù davanti alla nuova Alfa 164. Poi, pranzo per 2000 invitati, con Gianni e Marella Agnelli come padroni di casa: aragosta, gamberetti, salmone e altre raffinatezze. Questa era l'Italia di Gianni Agnelli.

« Ho visto tutto alla televisione », osservò uno dei suoi più vecchi amici qualche giorno dopo. « Una cosa deplorevole, era volgare. Non capisco perché Gianni e Marella ci siano andati, avrebbero dovuto mandare Ghidella o Romiti. » [1]

Altri si strinsero nelle spalle e spiegarono che la grande festa rappresentava « i saltimbanchi di corte che fanno divertire il loro re ». E in effetti nel settembre 1987, quando lo spettacolo ebbe luogo, non era sbagliato parlare di Agnelli in termini regali o imperiali. Agnelli è, per usare le parole di Kissinger, « l'establishment permanente, la continuità, ciò di cui l'Italia può andare orgogliosa ».[2]

Anche Romiti, in una lunga intervista pubblicata sotto forma di libro nell'aprile 1988, non poté negare questo semplice fatto. Chi comanda oggi nel capitalismo italiano? gli fu chiesto. « Io non userei il verbo 'comandare' », fu la risposta. « Mi domanderei, piuttosto, chi è il punto di riferimento del capitalismo in Italia. Bene, un punto di riferimento c'è, preciso, fermo, riconosciuto da tutti: Giovanni Agnelli. Su questo non ci possono essere dubbi. » [3]

No, dubbi non ci potevano essere. L'impero Agnelli era il massimo centro di potere della nazione, e Romiti aveva lavorato sodo per operare questa concentrazione del potere. Non aveva soltanto blandito e corteggiato in numerose occasioni gli uomini politici, aveva anche visto con soddisfazione fallire le sfide degli usurpatori. Cos'era stato di De Benedetti, Schimberni, Gardini? A partire dal 1987 l'impero aveva restituito i colpi, seguendo fedelmente le prescrizioni di Machiavelli per « tenere securamente lo Stato ». Al momento in cui è stato scritto questo libro, solo Carlo De Benedetti teneva duro, indebolito ma ancora spavaldo. Gardini era stato cooptato nel club di Cuccia (anche se in privato lo nega). Schimberni schiacciato.

Per buona parte del 1987 i destini di Gardini e Schimberni rimasero legati l'uno all'altro, ma questo stato di cose non durò a lungo: una volta assunto il controllo della Montedison, Gardini si accorse che, come padrone, aveva più cose in comune con Agnelli che con Schimberni. Per di più quest'ultimo, nonostante le mutate circostanze, non voleva rinunciare al suo sogno di una *public company*. Ancor oggi Schimberni afferma di avere fervidamente creduto nell'idea di creare società ad azionariato diffuso di modello americano, non come fine in sé, ma come « uno strumento di crescita che non impone a una famiglia di sborsare grosse somme ogni volta che acquista azioni in borsa ».[4]

Nel 1987 l'ostinato Schimberni s'imbarcò in una serie di costose acquisizioni nei settori chimico e farmaceutico, comprando aziende negli Stati Uniti e in Spagna e così attingendo pesantemente alle risorse finanziarie del suo principale azionista, Raul Gardini. A Wall Street gli operatori di borsa facevano battute sulla « guerriglia » di Schimberni contro Gardini; « un'acquisizione al giorno ti toglie Gardini d'intorno », scherzavano. Ma Gardini era nei debiti fino al collo. Tra Ferruzzi e Montedison, alla fine del 1987 era indebitato con le banche per 9 miliardi di dollari. Nell'ottobre 1987 Schimberni aveva tentato di ridurre l'indebitamento cercando denaro fresco sul mercato; ma Milano, come il resto del mondo, fu colpita dal « lunedì nero » che fece crollare il prezzo delle azioni, e l'operazione fu sospesa. Gardini aveva un grosso problema finanziario, e le redini del comando rimanevano in mano a Schimberni. Gianni Agnelli dovette osservare lo sviluppo degli eventi con una certa soddisfazione. Due dei suoi principali avversari erano adesso impegnati in duello l'uno contro l'altro. Non c'era neppure bisogno che intervenisse direttamente: ci sarebbe stato per forza un cedimento da qualche parte.

Certo controvoglia, alla fine del 1987 Gardini dovette ricorrere, cappello in mano, al vecchio mago di Mediobanca, Enrico Cuccia. Pochi mesi prima il capo della Ferruzzi aveva ammesso alla televisione che « io e il dottor Cuccia non ci siamo trovati d'accordo su una cosa molto semplice e anche molto chiara: il dottor Cuccia pensava che il dottor Schimberni non fosse più adatto a gestire Montedison in quel modo e io ero di un avviso completamente diverso ».[5] Ma adesso, sotto il peso dei debiti, non aveva altra scelta che scendere a compromessi. L'establishment Agnelli-Cuccia affilò dunque i lunghi coltelli. Cuccia non aveva dimenticato il peccato mortale di Schimberni, le sue scalate operate senza chiedere prima il permesso. Gardini aveva cercato di evitare il ricorso a Cuccia, ma non gli rimaneva altra scelta. Quando hai dei problemi, vai da Cuccia, aveva sempre detto suo suocero Serafino; e precisamente questo, gli piacesse o no, fece ora il barone ravennate dello zucchero.

Cuccia non avrebbe potuto essere più contento; Gardini, e di conseguenza Schimberni, erano nelle sue mani. Contento anche l'establishment Agnelli; Cuccia aveva pronto un piano di ristrutturazione. Prima però andava regolato un vecchio conto. Per il mondo finanziario italiano non fu una sorpresa l'annuncio, dato il 26 novembre 1987, che Schimberni si dimetteva dalla carica di presidente della Montedison e Gardini prendeva il suo posto. *La Stampa* mise il fatto in prima pagina, dando nel titolo la notizia: « Gardini rimuove Schimberni, guiderà lui la Montedison. A Ravenna tutto il potere, finito il mito della 'public company' ».[6] Il *Corriere della Sera* stampava un titolo ancora più grosso, su sei colonne: « Gardini silura Schimberni » e un editoriale che proclamava: « l'establishment economico non si dispiace di veder punito Schimberni, quel manager che pretendeva di farla da padrone in barba a tutte le regole del capitalismo e che si era reso responsabile, con le scalate a Bi-Invest e Fondiaria, di due scalate mai perdonate ».[7] Mesi dopo Romiti stava ancora assaporando la sconfitta del suo ex compagno di scuola. Smentì come assurdità le affermazioni di alcuni giornalisti secondo i quali dietro la cacciata di Schimberni era da vedere « lo zampino di Romiti » e dichiarò che il destino dell'ex capo della Montedison era stato deciso fin dal 1985, con la scalata della Bi-Invest. Quanto all'idea di *public company* sul modello di Wall Street, Romiti dichiarava: « La mia opinione è negativa ».[8]

L'impero aveva colpito, ma senza alzare nemmeno un dito. Due degli usurpatori si erano distrutti a vicenda, e Cuccia non aveva dovuto fare altro che raccattare i pezzi. Schimberni e Gardini erano stati divisi, la fortezza di Schimberni rasa al suolo. Ma mentre Romiti e Cuccia celebravano la vittoria, la comunità internazionale vedeva le cose in modo un po' diverso.

Henry Kissinger, una delle poche persone che ha conservato buoni rapporti con Agnelli e Schimberni, disse di pensare che « Schimberni ha fatto qualche errore tattico » e argomentò che « Schimberni è stato allontanato dalla Montedison perché l'Italia non ha ancora pienamente compiuto la transizione al tipo americano di *public company* ».[9]

L'*Economist* di Londra deplorò il licenziamento di Schimberni, dicendo che « l'approccio italiano al business, centrato sulle grandi famiglie, sta perdendo le occasioni di creare grosse società, rese necessarie dalla struttura del mercato mondiale ». Benché fosse chiaro che o Schimberni o Gardini se ne dovevano andare, osservava la rivista inglese, « è un peccato per l'industria italiana che sia stato chiesto di andarsene a Schimberni, uomo d'affari di stile americano ». E, riferendosi al fallimento del progetto Telit, l'*Economist* aggiungeva: « Il mese scorso la famiglia Agnelli... ha bloccato un tentativo di fusione fra l'Italtel e la Telettra », costringendo le due società « a procedere per la loro piccola strada, in un'industria dominata da giganti ».[10]

A Milano, Harry Richter, da dieci anni presidente della società italiana del gruppo chimico inglese ICI, diede un giudizio ancora più brusco: « Schimberni si illudeva di poter creare una *public company* e aprire una breccia nella struttura feudale dell'establishment Agnelli. Ora il business italiano rischia di regredire ai suoi vecchi sistemi feudali ».[11]

Ma le opinioni di Londra o Wall Street non ebbero grande effetto sulla Vecchia Guardia del capitalismo italiano. Coloro che avevano peccato dovevano essere puniti, mentre a chi accettava la supremazia del Salotto Buono si sarebbe provveduto. Machiavelli consigliava al suo principe di « guadagnarsi quelli che li erano suspetti nel principio », e questo fecero Agnelli e Cuccia. All'inizio del 1988 i segnali da Torino diventarono sempre più amichevoli nei confronti del capo della Ferruzzi. Poco tempo dopo i due gruppi facevano affari insieme: la Gemina di Romiti comprava da Gardini per oltre 100 miliardi di lire un palazzo nel centro di Milano e Gardini comprava dalla Gemina una grossa fetta di azioni che gli consentiva il controllo assoluto della più grossa società di brokeraggio assicurativo in Italia. E Cuccia, pur non avendo a Mediobanca nessuna posizione ufficiale fuorché il titolo di presidente onorario, escogitò per Gardini un audace piano di ristrutturazione che avrebbe sottratto alla Montedison le sue attività più preziose, inclusa la Fondiaria, trasferendole alla Ferruzzi. Fu annunciato come un piano per ridurre l'indebitamento, ma uno dei principali risultati fu che i 100.000 piccoli azionisti della Montedison sarebbero stati privati della lucrativa Fondiaria se non avessero acquistato nuove azioni Ferruzzi che contenevano le stesse attività di cui gli azionisti erano già proprietari grazie alle azioni Montedison. Per un po' la borsa italiana si ribellò e il prezzo delle azioni Ferruzzi precipitò. Ma Mediobanca promise di garantire l'operazione, nel caso che qualcosa non fosse andato per il giusto verso.

Con un misto di orgoglio e arroganza, Gardini rispose alle critiche di Wall Street che quella era un'operazione ita-

liana sul mercato italiano e non gli importava se era criticata in base a criteri internazionali. Gli azionisti a cui piaceva
potevano accettarla e quelli a cui non piaceva potevano dire
no. Erano liberi di prendere o lasciare.[12] Pazienza dunque
se al mercato l'ultimo piano di Cuccia non piaceva; Gardini
era contento, la Vecchia Guardia pure. Gardini non rappresentava più una minaccia, tutto era tornato « in famiglia ».

A questo punto, inizi del 1988, con Schimberni messo
fuori combattimento e Gardini che faceva affari con Cuccia, l'impero Agnelli volse la sua attenzione all'ultimo su-
perstite fra gli aspiranti usurpatori, Carlo De Benedetti. De
Benedetti si era infuriato, minacciando anche di dare le dimissioni dal consiglio della società capogruppo di Gardini,
perché il piano di Cuccia per la Ferruzzi gli era stato presentato come un fatto compiuto.[13] Intanto, nei circoli finanziari, banchieri e operatori di borsa di primo piano cominciavano a parlare della « restaurazione » dei vecchi poteri
monarchici dell'establishment Agnelli-Cuccia. La borsa
non attraversava un momento felice e non poteva più gene-
rare i fondi di cui in passato nuovi venuti come De Benedetti si erano serviti per costruire i loro imperi nascenti. Le
autorità di controllo, nonostante la retorica in contrario,
sembrava non potessero o non volessero sfidare lo status
quo. Nello stile e nella sostanza pareva che le dinastie del-
l'Italia ancien régime si stessero riaffermando. « Enrico
Cuccia, il grande vecchio di Mediobanca », scriveva un
giornale finanziario di Milano, « sta dettando le condizioni
per la restaurazione. »[14]

De Benedetti era l'unico usurpatore che si rifiutava di
prendere ordini da Cuccia, ormai ottantenne ma sempre in
piena forma. Che al comando ci fosse sempre lui, si capì
molto bene dal comportamento in televisione di Antonio
Maccanico, presidente di Mediobanca, che nell'aprile del
1988 diventò ministro del nuovo governo De Mita. A Maccanico fu chiesto come Cuccia, che non parlava con la
stampa da quarantadue anni, avrebbe preso la comparsa in
televisione del presidente di Mediobanca. « Dipende », ri-

spose cauto Maccanico, « da quello che dico! Se dico delle cose giuste, lui sarà contento. » [15]

Carlo De Benedetti, invece, si rifiutava di « dire le cose giuste » e fu punito per questo, a volte indirettamente. Quando per esempio, nel settembre 1987, decise di formare un'alleanza azionaria con suo cugino Camillo De Benedetti, quest'ultimo improvvisamente si disfece della sua partecipazione nella Gemina. Della sua uscita furono date altre spiegazioni, ma per il mondo finanziario la situazione era chiara: amici e alleati di De Benedetti non sono ammessi nel Salotto Buono.

Analogamente, nello stesso 1987, una battaglia fra De Benedetti e Gemina per il controllo dell'Intercontinentale, una compagnia di assicurazioni, si chiuse con il trionfo dell'impero, che rilevò la quota di De Benedetti e assunse il controllo. E quando in Italia cominciò lo sviluppo dei fondi comuni d'investimento, il gruppo Agnelli si assicurò rapidamente una quota del 50 per cento nella Prime, uno dei più grossi fondi del paese, con migliaia di miliardi di lire di raccolta, molto più grande dei fondi di De Benedetti.

Nel gennaio 1988, lamentandosi con amici di essere « bloccato » su tutti i fronti in Italia, De Benedetti tentò il più audace takeover della sua vita e spese più di un miliardo e mezzo di dollari per cercare di assicurarsi il controllo della Société Générale de Belgique, il gigantesco gruppo con base a Bruxelles da cui dipende circa un terzo dell'economia belga. In Europa la « campagna del Belgio » fece storia perché era la più grossa scalata ostile che si fosse mai vista. In Italia, il mondo finanziario si chiese se la longa manus di Gianni Agnelli avrebbe cercato di bloccare De Benedetti. Nel giro di settantadue ore il presidente della FIAT rese noto il suo giudizio, definendo l'affare belga di De Benedetti un brillante colpo di teatro finanziario.[16] Pochi credettero alla sincerità di questo ambiguo complimento.

Si dice che la crescente fama internazionale di De Benedetti desse fastidio all'Avvocato. Questi però, sempre diplomatico, disse tutte le cose giuste, addirittura proclamando, nel marzo 1988, di essere contento che fosse stato un altro piemontese a condurre la corsa a Bruxelles. Però Agnelli dichiarò anche che il takeover all'americana semplicemente non rientrava nella « filosofia » della FIAT.[17] Questo fu interpretato in Italia come una critica implicita all'operazione belga, e De Benedetti, secondo un suo assistente, se ne lamentò con Agnelli; Agnelli rispose che non aveva inteso muovere critiche, e in ogni caso aveva letto solo « complimenti » a proposito dell'operazione.[18]

Tuttavia, l'impressione in Italia era che Torino non fosse molto soddisfatta di vedere De Benedetti così alla ribalta per mesi e mesi, e quando l'Ingegnere subì un'iniziale sconfitta nell'aprile 1988, certi banchieri dissero di aver percepito un « discreto sospiro di sollievo » da Torino.

Poi, mentre De Benedetti dedicava alla battaglia di Bruxelles il grosso delle sue energie, in Italia gli uomini di Agnelli si prepararono per menare all'avversario quello che avrebbe dovuto essere un grosso colpo. Da due anni De Benedetti raccoglieva le forze per formare un gruppo di azionisti amici che assumesse il controllo del Credito Romagnolo, la banca bolognese, seconda in ordine di grandezza fra le banche private italiane. A nessun azionista singolo era consentito, per lo statuto della banca, di avere una partecipazione diretta superiore al 2 per cento, ma questo non impedì a De Benedetti di formare una coalizione di famiglie e industriali bolognesi che controllavano una partecipazione complessiva del 40 per cento.

Gli uomini di De Benedetti avevano trascurato un particolare: sulla fine del 1986 una finanziaria chiamata Sogespar aveva acquistato una quota del 2 per cento del Credito Romagnolo; a sua volta, la Sogespar era proprietà al 100 per cento della FIAT. L'impero Agnelli era già presente nel settore banche perché Gemina di Romiti era diventata azionista di primo piano del Nuovo Banco Ambrosiano. E nel 1988 era stato formato un nuovo « sindacato di controllo degli azionisti », con la Gemina fra gli istituti che insieme controllavano quasi il 63 per cento del Nuovo Banco Ambrosiano. I vecchi intricati metodi del capitalismo italiano funzionavano meglio che mai. Fra i rappresentanti di Gemina nel consiglio dell'Ambrosiano c'era Francesco Paolo Mattioli, che oltre a essere un consigliere di Gemina era anche al vertice della FIAT con la responsabilità per la finanza del gruppo. Nell'aprile 1988 Mattioli fu nominato vicepresidente del Nuovo Banco Ambrosiano; ma, come spiegò Gemina, aveva ricevuto questa carica in quanto dirigente della Gemina stessa, non della FIAT.[19]

Il 13 aprile 1988, grande colpo di scena: solo due settimane prima di una cruciale assemblea di azionisti che avrebbe deciso il destino del Credito Romagnolo, la FIAT se ne venne fuori con una dichiarazione pubblica in sostegno della coalizione avversa a De Benedetti: niente « personalismi », dichiarava la FIAT, ma « solo la constatazione che l'espansione di questa grande banca, la sua indispensabile internazionalizzazione, non devono avvenire a prezzo di colonizzazioni e strumentalizzazioni dell'istituto stesso ».[20]

Sulla fine dell'aprile 1988 i giornali italiani si riempirono di titoli tipo « Guerre finanziarie. Agnelli contro De Benedetti ».[21] Per gli italiani il messaggio non poteva essere più chiaro: l'impero Agnelli si preparava a colpire l'aspirante usurpatore Carlo De Benedetti. Come al solito Agnelli si tenne fuori della mischia: a dare battaglia furono mandati dei sostituti. Le forze di Agnelli erano capeggiate, ufficialmente, da Pietro Barilla, re della pasta. Più difficile spiegare cosa c'entrasse Franzo Grande Stevens, « l'avvocato dell'Avvocato », che si diede da fare in attività di fiancheggiamento a favore della coalizione Barilla. A Torino, un portavoce del gruppo Agnelli disse che si trattava solo di « una coincidenza » e che Grande Stevens agiva in proprio, per aiutare altri azionisti, e non rappresentava la FIAT.[22]

Chissà perché, allora, l'avvocato di Agnelli si offrì di portare a Torino un piccolo azionista in un jet privato di proprietà della FIAT. Pochi giorni prima dello showdown di Bologna una rivista italiana riferì che Grande Stevens faceva la corte ad Alfredo Biavati, un ragioniere ottantaduenne che aveva giurato fedeltà a De Benedetti. Quando Grande Stevens offrì a Biavati il jet della FIAT perché potesse andare a parlare personalmente con Romiti, il vecchio ragioniere rispose che «in Italia lui aveva una certa paura di volare».[23] Biavati avrebbe detto più tardi che, «quando Grande Stevens offrì di portarmi in aereo a Torino, gli dissi che avevo già dato la mia parola a De Benedetti e non vedevo lo scopo di parlare con Romiti».[24]

La battaglia Agnelli-De Benedetti ebbe una conclusione sensazionale: dopo un'assemblea fiume durata fin quasi le 4 del mattino del 30 aprile, il 63 per cento circa dei 27.000 azionisti del Credito Romagnolo votò a favore degli uomini di De Benedetti. Per l'Italia era un fatto senza precedenti. Mai prima a migliaia di piccoli azionisti era stato chiesto di decidere il destino di una banca in un'elezione democratica; e messi di fronte a una scelta, gli orgogliosi bolognesi avevano detto di no ad Agnelli.

De Benedetti aveva riportato una vittoria. Ma per altri versi era stato costretto a scendere a compromessi con l'impero Agnelli. Era diventato vicepresidente della Confindustria, dove l'influenza di Agnelli continua a essere decisiva. Era diventato un azionista e un consigliere di Mediobanca. E allora, De Benedetti adesso è dentro o fuori l'establishment capeggiato da Agnelli? La riposta sembra essere che De Benedetti è in una posizione unica, insieme dentro e fuori: l'unico usurpatore non del tutto cooptato né schiacciato. È tuttavia improbabile che raggiunga mai una posizione di preminenza pari a quella di Agnelli; almeno in Italia, le circostanze gli sono troppo sfavorevoli.

Corrado Passera, ex consulente di management per il gruppo americano McKinsey e principale assistente personale di De Benedetti, riassume la situazione in parole battagliere: «A Torino sono disposti a fare qualunque cosa solo per dimostrare che possono bloccare chiunque si opponga loro».[25] L'impero Agnelli respingerebbe come assurda l'opinione di Passera, ma molti in Italia non la pensano così. Per esempio Marco Borsa, uno dei migliori commentatori finanziari italiani, ha dichiarato che la FIAT aveva perso la battaglia romagnola perché si era mossa troppo tardi e accampando ragioni non convincenti e ha accennato delicatamente alla possibilità che l'obiettivo della FIAT fosse presumibilmente quello di bloccare De Benedetti, per motivi che restano oscuri.[26]

Le ragioni per cui la FIAT desidera bloccare De Benedetti non sono però così oscure come suggeriva questo commentatore. La Vecchia Guardia vuole semplicemente tenere « rigorosamente fuori » gli outsider. Questa è stata la precisa frase usata da Franzo Grande Stevens al principio del 1988, nel descrivere la grande riorganizzazione delle partecipazioni azionarie della famiglia Agnelli che lui stesso ha operata allo scopo di mantenerne stabile la proprietà.[27] E appunto con questa idea in mente Gianni Agnelli aveva chiesto al suo fedele avvocato di erigere un'imprendibile fortezza finanziaria tale da garantire alla dinastia Agnelli il sicuro possesso della FIAT per molti anni a venire.

In previsione del XXI secolo, quando potrebbe non esserci più un Agnelli al timone, l'avvocato della famiglia Agnelli ha fatto ricorso a uno strumento che fu usato per la prima volta dal business italiano alla fine del secolo scorso. Il risultato è uno schiaffo al concetto americano moderno di *public company*. Il risultato è che, anche quando Gianni Agnelli sarà uscito di scena, resterà « tutto in famiglia ».

1 Intervista dell'autore, 6 ottobre 1987, Milano.
2 Intervista dell'autore a Henry Kissinger, 27 gennaio 1988, New York.
3 Cesare Romiti, intervistato da Giampaolo Pansa, *Questi anni alla Fiat*, Rizzoli, 1988, p. 232.
4 Intervista dell'autore a Mario Schimberni, 14 marzo 1988, Milano.
5 Raul Gardini disse queste frasi in un'intervista condotta da Giovanni Minoli a *Mixer*, 23 giugno 1987.
6 *La Stampa*, « Gardini rimuove Schimberni, guiderà lui la Montedison. A Ravenna tutto il potere, finito il mito della 'public company' », 27 novembre 1987.
7 *Corriere della Sera*, « Gardini silura Schimberni » e « Trasparenza e appetiti », di Giulio Anselmi, 27 novembre 1987.
8 Vedi l'intervista di Giampaolo Pansa a Romiti, *Questi anni alla Fiat*, pp. 247-264.

9 Intervista dell'autore a Henry Kissinger, 27 gennaio 1988, New York.

10 *The Economist*, « Montedison's family way: dynasties do not breed world beaters », 5 dicembre 1987.

11 Intervista dell'autore a Harry Richter, 25 marzo 1988, Milano.

12 Raul Gardini disse queste frasi durante una lunga conferenza stampa a Milano, il 22 marzo 1988.

13 Intervista dell'autore, Milano, 22 aprile 1988.

14 *Milano Finanza*, « Torna a casa Fondiaria », 7 marzo 1988, di Marina Bonandin e Alessandro Rossi.

15 Antonio Maccanico in un'intervista condotta da Giovanni Minoli a *Mixer*, 10 aprile 1988.

16 *Italia Oggi*, « Il blitz di De Benedetti? Un bel colpo di teatro », 21 gennaio 1988, di Marco Zatterini; *La Stampa*, « Il caso De Benedetti-SGB: L'Europa delle imprese », 23 gennaio 1988, di Mario Deaglio.

17 *Le Nouvel Économiste*, « Exclusif: Agnelli parle », 4 marzo 1988.

18 Intervista dell'autore a Corrado Passera, 21 aprile 1988, Milano.

19 *The Financial Times*, « Fiat executive for Ambrosiano », 28 aprile 1988, di Alan Friedman.

20 *La Stampa*, « Romagnolo: la Fiat a fianco di Barilla », 14 aprile 1988.

21 *Panorama*, « Guerre finanziarie/Agnelli contro De Benedetti per il Credito Romagnolo », 1º maggio 1988, di Umberto Brindani; vedi anche *La Repubblica*, « Due eserciti per una banca: gli schieramenti capeggiati da Carlo De Benedetti e Gianni Agnelli affrontano lo scontro decisivo », 29 aprile 1988, di Antonio Ramenghi.

22 *The Financial Times*, « Factions wage fresh battle for Credito Romagnolo », 29 aprile 1988, di Alan Friedman.

23 Vedi nota 22.

24 Intervista dell'autore ad Alfredo Biavati, 29 aprile 1988, Bologna.

25 Intervista dell'autore a Corrado Passera, 21 aprile 1988, Milano.

26 *Corriere della Sera*, « Industriali e banche », 1º maggio 1988, di Marco Borsa.

27 *The Financial Times*, « Lawyer who tightened the Agnelli dynasty's grip on Fiat », 15 marzo 1988, di David Lane.

17. *Tutto in famiglia*

FORSE la più grave sfida a Gianni Agnelli è venuta, ironicamente, non da De Benedetti o dai politici di Roma ma dal suo unico figlio. L'oggetto del contendere era chiarissimo: la successione alla FIAT.

Se qualcuno volesse scrivere una telenovela su una grande dinastia, gli sarebbe difficile trovare per i suoi personaggi modelli migliori dei membri della famiglia Agnelli. Ecco Gianni Agnelli, l'orgoglioso ex playboy diventato patriarca; ecco sua moglie Marella, la principessa dal collo di cigno; il fratello Umberto, che si diletta di affari e di politica; la brillante sorella Susanna, sottosegretario agli Esteri; Cesare Romiti, l'energico capo d'azienda. Ed ecco l'irrequieto figlio di Gianni e Marella, Edoardo, lo studioso di religioni e filosofie orientali, il giovane giramondo che nella sua inquieta adolescenza è andato in cerca dei guru indiani e più tardi si è guadagnato presso gli amici di New York il soprannome di « Crazy Eddy ».[1]

Il disaccordo con Edoardo venne in luce la sera di lunedì 27 ottobre 1986, quando il figlio di Gianni, davanti alla chiesa di Santa Chiara ad Assisi, si proclamò pronto ad assumersi « in prima persona tutte le responsabilità che spettano alla proprietà di un grande gruppo come il nostro ».[2] Mentre ad Assisi Giovanni Paolo II, insieme ad alte personalità religiose musulmane, cristiane ed ebraiche, pregava per la pace, l'allora trentaduenne Edoardo Agnelli convocava giornalisti italiani di primo piano e metteva a nudo il suo cuore in una serie di dichiarazioni che avrebbero per la prima volta rivelato al pubblico l'esistenza di gravi divisioni in casa Agnelli.

Dopo avere spiegato di aver cercato in India « l'essenza della presenza di Dio » e come questa ricerca era stata ispirata da vari motivi, fra i quali « una contrapposizione al materialismo » e « l'era psichedelica », Edoardo prese di mira « qualcuno [che] sta interpretando questa mia ricerca personale come un'astensione volontaria dai problemi del gruppo, quasi che io fossi incapace di assumermi delle responsabilità». Nel caso che quest'ultima frase non fosse abbastanza chiara, Edoardo ammoniva poi che « i manager non devono sentirsi autorizzati a decidere da soli sulle grandi questioni di fondo, strategiche, che competono a chi ha la proprietà di un gruppo » e ricordava a Cesare Romiti di avere riconosciuto lui stesso che i manager devono « limitarsi a fare il loro mestiere evitando la tentazione di esorbitare dalle loro funzioni ». E pur augurando a suo padre Gianni lunga vita come presidente della FIAT, Edoardo aggiungeva di sperare « che predisponga la sua successione in maniera corretta ».[3]

In Italia, questa intervista di Edoardo Agnelli fece l'effetto di una bomba. Fu anche come manna dal cielo per quegli osservatori della FIAT che, un po' come i cremlinologi, si specializzano nell'interpretazione di sottigliezze e sfumature. Non c'era però bisogno di affaticarsi in analisi sottili, potendo disporre di un Romiti. Tre settimane dopo la pubblicazione dell'intervista con Edoardo Agnelli, uno sdegnoso Romiti andò in televisione su una rete nazionale e fu interrogato sulle intenzioni di Edoardo di intervenire nella direzione della FIAT. « Edoardo non fa parte di nessun organismo della FIAT, né del consiglio né di altri », esplose Romiti, aggiungendo poi sarcasticamente che, « se lui mi chiede di parlarmi, in quanto Edoardo Agnelli, io parlo volentieri con lui come con tutti, compatibilmente col mio tempo ».[4]

Dietro questa diatriba, insolitamente pubblica, fra Cesare Romiti ed Edoardo Agnelli, c'era il problema della successione: un problema che nel 1986 divideva la famiglia. Edoardo stesso rivelò che interrogato in proposito, suo padre « in maniera piuttosto vaga parlò del fratello Umberto e quindi del figlio Giovanni, mio cugino. Ricordo che la cosa mi infastidì molto ».[5]

Edoardo poteva essere infastidito, ma Gianni Agnelli si trovava di fronte a un problema grave. Romiti era diventato così potente dentro il gruppo che era necessario controllarne il potere in futuro assicurando la presenza di un membro della famiglia Agnelli al timone dell'azienda. Umberto, di tredici anni più giovane di Gianni, poteva andar bene per un po', ma poi? Il figlio di Umberto, Giovanni, è considerato il più intelligente fra i giovani Agnelli e il più probabile candidato, ma tecnicamente il primo nella linea di successione è Edoardo. «È un problema grosso, molto grosso», dice un vecchio amico di Agnelli.[6]

Più tardi Gianni Agnelli avrebbe fatto sapere che in futuro Umberto assumerà la carica di presidente e Vittorio Ghidella succederà a Romiti come amministratore delegato.[7] Ma questa è ancora una soluzione a breve termine. Intanto, nell'inverno 1986-87 Gianni Agnelli passò molto tempo a volare fra Torino e Roma, in incontri con Marella, Edoardo e altri membri del clan. Questi «vertici» di famiglia ebbero come risultato finale la creazione, nell'aprile 1987, di un singolarissimo meccanismo legale, una nuova e definitiva società di famiglia battezzata «Giovanni Agnelli & C.».

Il nuovo meccanismo è una forma di società di partecipazione che raccoglie il 76 per cento delle partecipazioni della famiglia Agnelli e ha così rafforzato la presa della famiglia sulla FIAT. È stato escogitato da Franzo Grande Stevens, l'elegante avvocato dai capelli bianchi che, oltre a essere il legale degli Agnelli, è anche presidente del Consiglio Nazionale Forense, la più alta associazione italiana della categoria. Grande Stevens però non ha inventato niente di nuovo: si è soltanto rifatto allo stesso tipo di società di partecipazione che fu usato per la prima volta nel 1883 da Giovanni Battista Pirelli. Questo tipo di società, chiamato in Italia «società in accomandita per azioni», è una specie di «cassaforte di famiglia» che molti si sono affrettati a imitare: l'esempio degli Agnelli infatti è stato rapidamente seguito dagli Orlando, dai Ferruzzi e da altri. Ben presto tutte le grandi famiglie si sono preoccupate di «mettere via» i loro gioielli, lasciando circolare nel mercato di borsa solo le azioni di minoranza.

La Giovanni Agnelli & C. si è associata a Cesare Romiti

con una partecipazione simbolica ma lusinghiera. E se Edoardo non ha motivo di rallegrarsi, l'Avvocato può vivere tranquillo almeno fino al 1996, quando avrà 75 anni e dovrà ritirarsi. Anche dopo, la nuova formula prevede che i partner futuri potranno essere nominati solo dai partner che si ritirano. Così, la cassaforte è ben chiusa e una volta di più il controllo è *tutto in famiglia.*

Questa formula ottocentesca, che Franzo Grande Stevens ha definito « un meccanismo per tenere unite le famiglie e impedire che si aprano brecce » e in cui « gli outsider sono tenuti rigorosamente fuori », non è vista da tutti come un passo verso il futuro.[8] « È uno strumento bell'e pronto per concentrare il potere, al sicuro da possibili takeover, nelle mani delle grandi famiglie », ha dichiarato il senatore Guido Rossi, uno degli uomini più impegnati nel chiedere una riforma del business italiano. La Giovanni Agnelli & C. ha aggiunto, « è uno strumento per chiudere, non per aprire » e quindi « un altro tentativo provinciale di incatenare le grandi aziende alla logica del patto segreto più che alle regole del mercato ».[9]

Queste critiche non turbano casa Agnelli: quello che conta è che la fortezza sia sicura. E fuori della fortezza, anche l'occasionale vittoria di un usurpatore come Carlo De Benedetti è una cosa di poca importanza, una seccatura ma non una minaccia. Perché Gianni Agnelli, nel 1988, rimane l'indiscusso Numero Uno e può lasciar spaziare lo sguardo sul suo regno, sicuro che tutto va per il meglio.

Nel 1988 tutto continua ad andare per il meglio anche a Mediobanca, dove Enrico Cuccia è diventato una specie di Deng Xiaoping del mondo bancario, ufficialmente in ritiro ma di fatto ancora con la mano sulle leve del comando. E il nuovo presidente di Mediobanca, Francesco Cingano, deve essere grato per le parole del suo amico Cesare Romiti, il quale dice che Cingano « è uno dei più noti e capaci banchieri in Italia e all'estero. Noi, come azionisti di Mediobanca, non possiamo che esprimere il più totale apprezzamento ».[10]

Nel 1988 tutto continua ad andare bene alla Confindustria, alla cui presidenza c'è ora Sergio Pininfarina, fedele alleato degli Agnelli la cui società di progettazione deve gran parte del suo fatturato al gruppo FIAT. Carlo De Benedetti, che si è battuto contro l'elezione di Pininfarina, lo ha definito «un gentiluomo, ma non un uomo di carattere». Gianni Agnelli, che di queste cose si dovrebbe intendere, ha obiettato che non si tratta di qualità «antitetiche».[11] E Pininfarina, che è stato accusato di essere niente più che un vassallo della FIAT alla Confindustria, nega l'accusa e risponde un po' fiaccamente: «La stima di Agnelli mi onora».[12]

Nel 1988 tutto continua ad andare bene nella politica italiana, dove le parole di iniziale incoraggiamento di Gianni Agnelli al nuovo governo di Ciriaco De Mita sono state giudicate dalla stampa italiana meritevoli di un posto in prima pagina. Che poche frasi dette da un fabbricante d'auto costituiscano una notizia d'interesse nazionale come un'«offerta di pace» al governo, è una cosa che può succedere solo in Italia.[13]

Sul fronte anti-trust, il Parlamento italiano sembra deciso a introdurre nuove leggi, ma Gianni Agnelli ha detto chiaramente quello che ne pensa quando al principio del 1988 è comparso davanti a una commissione del Senato. In netto contrasto con la retorica di Romiti a proposito di «rigurgito di anticapitalismo», Agnelli ha preso un tono molto più costruttivo, ma ha tuttavia messo in dubbio che la FIAT o qualsiasi altro gruppo italiano abbiano bisogno di essere regolati da leggi intese a mantenere viva la competizione.[14] Qualunque forma prenderà la legge, è improbabile che minacci in modo significativo la supremazia dell'impero Agnelli.

Sul fronte dei media si parla molto dell'influenza esercitata sulla stampa dal gruppo Agnelli. Il governo di Roma nella primavera '88 ha tentato di varare una legge (la cosiddetta «opzione zero») intesa a impedire che la FIAT (attraverso Gemina e Rizzoli) estenda i suoi acquisti alla televisione. Cesare Romiti, sempre pronto a partire all'attacco, prima ha definito un « errore » queste limitazioni [15] e più tardi « imbecille » la legge che il governo sembrava deciso ad adottare. Nell'estate '88, con le prese di posizione di molti politici e giuristi, l'opposizione contro questo disegno di legge è diventata sempre più forte. Ma qualunque risoluzione legislativa verrà presa c'è da aspettarsi che Torino trovi qualche modo di aggirare le leggi che minacciano le sue partecipazioni nel campo dei media, molto probabilmente affidando tali partecipazioni nelle mani di amici e alleati.

Quanto alla posizione monopolistica dell'impero Agnelli, pressoché unico produttore di auto italiano, con una quota pari al 60 per cento del mercato interno, la linea della FIAT è dichiarare prive d'importanza le considerazioni d'ordine domestico e alzare la bandiera dell'integrazione europea. Nel mercato europeo la FIAT è ormai il numero uno quanto a vendite di macchine, con una quota superiore al 15 per cento, e ogni argomento che enfatizza la dimensione europea invece di quella nazionale è molto efficace perché in tutta Europa sono vivi l'attesa e l'interesse per l'apertura delle frontiere economiche e commerciali che avverrà nel 1992. Ignora però completamente lo strangolamento del mercato interno operato dalla FIAT.

Al momento non è evidente se l'inchiesta della Commissione CEE sull'acquisto dell'Alfa Romeo riuscirà a dimostrare alcunché contro Torino. Che la FIAT non debba pagare una sola lira del prezzo d'acquisto fino al gennaio 1993 può sembrare incredibile, ma per gli investigatori di Bruxelles è difficilissimo provare che l'offerta della Ford era più vantaggiosa, anche se personalmente ne sono convinti.

Quanto all'immagine internazionale di Gianni Agnelli, rimane sfolgorante come sempre. La discutibile vendita di tecnologia missilistica da parte della SNIA non ha fatto danno perché è rimasta segreta. E l'abilissimo presidente della FIAT ha acquistato altro lustro patrocinando manifestazioni artistiche internazionali e così guadagnandosi fama presso l'élite inglese, francese e americana.

A Londra, la grande esposizione di arte italiana del XX secolo che si aprirà presso la Royal Academy of Art nel gennaio 1989 è co-sponsorizzata dalla FIAT. A Parigi, la FIAT ha finanziato una fondazione culturale in cooperazione con l'Institut de France, una delle cinque accademie nazionali create nel 1793. Nel marzo 1988 Gianni Agnelli è stato eletto membro dell'elitaria Accademia di Scienze Morali e Politiche, che fa parte dell'Institut de France.

Pochi giorni prima di essere insignito di questa onorificenza francese, Gianni Agnelli veniva festeggiato a New York da un migliaio di persone del bel mondo al Metropolitan Museum of Art, al quale ha fatto una donazione di 300.000 dollari per restaurare un gruppo di affreschi pompeiani. E prima ancora, a Washington, la Agnelli Foundation aveva co-sponsorizzato una conferenza sull'Italia, in occasione della quale vennero esposte bellissime foto dell'Avvocato in conversazione con il governatore di New York Mario Cuomo.

In Italia, nel febbraio 1988 Gianni Agnelli ha consegnato a Sir Isaiah Berlin, celebre accademico inglese, un assegno di 200.000 dollari, fondando il cosiddetto primo premio mondiale per l'etica. Questo premio porta il nome dell'amato nonno, il senatore Giovanni Agnelli.

Sulla scena internazionale, non si può dubitare del prestigio di Agnelli. Con un'iniziativa che senza dubbio aggiungerà lustro alla sua gloria, nel 1987 il re della FIAT ha affidato a un giornalista americano il compito di scrivere la sua « autobiografia » ufficiale. La vendita dei diritti a editori di New York, Londra e Milano ha già fruttato quasi un milione di dollari. La percentuale che toccherà ad Agnelli verrà naturalmente devoluta a opere di beneficenza o alle arti.

Gianni Agnelli continua a godere la vita come ha sempre fatto. Se ha dei critici in patria, se li può sempre lasciar dietro salendo sul Concorde e volando a New York. Agnelli visita spesso la sua casa su Park Avenue o invita leader mondiali nella sua villa di Saint Moritz. Vive ancora con l'irrequieto fervore del playboy di tanti anni fa.

Cosa accadrà quando non ci sarà più Gianni Agnelli a giocare i ruoli di carismatico ambasciatore della FIAT e di capo di Stato non ufficiale? « Non so cosa accadrà quando lui uscirà di scena », osserva il suo buon amico Henry Kissinger. « Non so se è possibile convertire la FIAT da azienda essenzialmente familiare in una *public company*. » [16] Per gli italiani, dice Kissinger, « è senza dubbio un grosso problema quel che accadrà quando spariranno questi grandi capitani ». « Immagino », conclude Kissinger, « che dovranno diventare più sistematici. Forse non saranno così divertenti. Forse faranno cose meno interessanti. È difficile immaginare queste aziende senza questi personaggi. » [17]

Kissinger, con la sua consueta perspicacia, ha individuato uno dei grossi punti interrogativi nel futuro della rete di potere che fa capo ad Agnelli. È veramente difficile indovinare che cosa accadrà quando il grande capo non ci sarà più. La rete continuerà a esistere e funzionare, sotto la guida di altri Agnelli e altri Romiti? O l'attuale stato di cose è un fenomeno che non può durare e che passerà nei più oscuri recessi della storia come un episodio, un effimero momento di gloria, o forse come il racconto di un ricchissimo industriale europeo che negli anni '80 ha raggiunto un livello di influenza personale, politica ed economica, quale pochi esseri umani hanno mai conosciuto? Al momento non ci sono risposte facili a queste domande. L'unica cosa certa è che la storia di Gianni Agnelli e della sua rete di potere, pur essendo per certi versi una saga tipicamente italiana, è anche la storia di un pugno di uomini straordinari che operano ai vertici del potere nel mondo occidentale. Come tale, Gianni Agnelli è un simbolo non del bene né del male, ma del potere, che è sempre a-morale.

1 Vedi *Epoca*, « La prima volta di Edoardo », 23 agosto 1985, di Giuseppe Bonazzoli e Alberto Salani.
2 *Panorama*, « L'erede sono io », intervista a Edoardo Agnelli di Pino Buongiorno, 9 novembre 1986.
3 Vedi nota 2.

4 Le frasi di Romiti furono dette in un'intervista condotta da Giovanni Minoli alla televisione, 23 novembre 1986.

5 *La Repubblica*, « Ora parla Edoardo Agnelli », 6 maggio 1987, di Salvatore Tropea.

6 Intervista dell'autore, 9 novembre 1987, Londra.

7 *La Repubblica*, « Umberto sarà il mio successore, annuncia il presidente della FIAT », 18 dicembre 1987, di Salvatore Tropea. I conflitti ci sono anche tra Romiti e Ghidella, e queste tensioni sono venute alla luce nell'estate 1988. Vedi *La Repubblica*, « La grande disfida tra Ghidella e Romiti », 28 agosto 1988, di Salvatore Tropea.

8 *The Financial Times*, « Lawyer who tightened the Agnelli dynasty's grip on Fiat », 15 marzo 1988, di David Lane.

9 *Lombard*, « The Dynasties are Locking Up the Old Safe », aprile 1988, di Gabriele Capolino e Alessandro Rossi.

10 *Il Sole - 24 Ore*, « Romiti: Fiat non teme l'arrivo della Chrysler », 23 aprile 1988.

11 *The Financial Times*, « Clash of titans on industry post », 11 marzo 1988, di John Wyles.

12 *La Repubblica*, « La stima di Agnelli mi onora », 12 marzo 1988, di Salvatore Tropea.

13 Vedi le osservazioni pronunciate da Agnelli a una seduta della Confindustria a Napoli e riportate dai giornali italiani del 24 aprile 1988.

14 *The Financial Times*, « Agnelli decries plan for monopoly law », 21 gennaio 1988, di John Wyles.

15 *Il Sole - 24 Ore*, « Romiti: Fiat non teme l'arrivo della Chrysler », 23 aprile 1988.

16 Intervista dell'autore a Henry Kissinger, 27 gennaio 1988, New York.

17 Vedi nota 16.

Epilogo

Secondo Henry Kissinger, è dunque difficile prevedere cosa sarà della FIAT e dell'impero Agnelli quando Gianni Agnelli uscirà di scena. Difficile dire se è possibile « convertire la FIAT da azienda essenzialmente familiare in una *public company* ». La questione di che cosa accadrà in futuro è però importante non solo per la famiglia Agnelli e per la FIAT ma, data l'enorme influenza di Torino su tutto il paese, anche per l'Italia intera.

E lo stesso Henry Kissinger, benché amico da lunga data di Agnelli, riconosce che il guaio, con i « condottieri » italiani, è che « non c'è nessun ostacolo naturale a fermarli ». Sotto questo rispetto l'Italia è molto diversa dagli altri paesi industrializzati occidentali, dove economie più pluralistiche, a base più vasta, consentono il fiorire di migliaia di imprese. La cosiddetta nuova Italia del 1988 invece rimane un paese di consorterie, di cosche e di arcaici rapporti feudali del potere.

L'impero Agnelli non è certo l'unica struttura di potere di questo tipo esistente in Italia, e Gianni Agnelli non è l'unico signore feudale in un paese con 57 milioni di abitanti. Però l'impero Agnelli è senza dubbio la struttura di potere più grossa e Gianni Agnelli è l'individuo più potente in tutto il paese. E in definitiva quanti credono nelle riforme e nella modernizzazione, quanti ammirano il dinamismo, l'energia, il fiuto imprenditoriale degli italiani sono arrivati a chiedersi se questo stato di cose sia sano per l'economia del paese, per il governo centrale, tradizionalmente debole, e per l'uomo della strada.

Il presidente di una banca milanese, che come moltissimi altri italiani intervistati per questo libro ha implorato che non si faccia il suo nome, esprime il pensiero di molti osservando che « non è sano per l'economia italiana che tanto potere sia concentrato nelle mani di un solo uomo. È una cosa che ritarda lo sviluppo ». Naturalmente Gianni Agnelli non è venuto a trovarsi in questa posizione unica grazie ai suoi soli meriti: ha mantenuto questo potere grazie alla sua abilità, ma lo ha ricevuto per nascita. Vale la pena di ricordare ancora una volta che prese in mano il timone della FIAT quando aveva quarantacinque anni, dopo un'esistenza frivola, da uomo di mondo più che da uomo d'affari. Aveva moltissimo da imparare, e solo dopo un decennio di tentativi e di errori, un decennio disastroso in cui tentò di dirigere l'azienda con l'aiuto del fratello Umberto, si rese conto che gli Agnelli possono avere molte qualità, ma la capacità manageriale non è fra queste. È vero che rimase al suo posto nei tremendi anni '70, anni di terrorismo nelle fabbriche, di difficoltà finanziarie e di scioperi a catena. La sua mossa più saggia fu riconoscere la necessità di collaboratori dal carattere deciso e assumere manager professionali come Cesare Romiti e Vittorio Ghidella. E nel corso degli anni si è fatto un punto di educarsi alla politica internazionale e di promuovere un'Europa forte e una forte NATO.

Qualcuno sarebbe portato a dire che Agnelli è caduto in preda a tentazioni di « totalitarismo illuminato ». Altri lo vedono come una figura di salvatore nazionale, un industriale-statista di stampo rinascimentale che da solo ha fatto dell'Italia una grande potenza industriale. La verità, come sempre, sta in mezzo. Agnelli non è né un megalomane come affermano i suoi critici, né una figura senza macchia come vorrebbero i suoi ammiratori. È semplicemente ciò che la sua vita l'ha fatto: un uomo pieno di charme, di educazione internazionale, cinico e opportunista, a volte frivolo altre volte serissimo, un uomo d'affari piemontese che ha forte il senso del suo destino e della sua importanza nella vita del paese; e questo senso della sua importanza è continuamente rafforzato dall'ossequio che gli tributa la stampa italiana. Gianni Agnelli è un uomo per molti versi assolutamente normale e « comune », solo che si trova a essere una delle persone più potenti del pianeta.

Se c'è da menare un colpo, non è mai lui a farlo: preferisce che siano altri a sporcarsi le mani. Non è stato sempre così; ma ha imparato quanto sia importante coltivare un'immagine senza macchia e, con l'aiuto di un piccolo esercito di addetti alle relazioni pubbliche, ci è riuscito. Sotto questo aspetto, è un po' come Reagan: gli interessa il risultato finale, ma qualche volta preferisce non conoscere i particolari. Per i particolari ci sono sempre Romiti e innumerevoli tirapiedi. Così, è raro che Agnelli debba affrontare personalmente polemiche e controversie; in genere, riesce a dare l'impressione di guardare gli eventi dall'alto di una distante collina.

Guidato da Agnelli e gestito da Romiti, finora il gruppo FIAT è riuscito a sventare minacce sia interne sia esterne al suo impero. Gli aspiranti usurpatori italiani sono stati tenuti a bada. Carlo De Benedetti è sempre in pista, ma è improbabile che raggiunga mai le olimpiche altezze degli Agnelli. Il mondo politico italiano di tanto in tanto magari abbaia, ma la verità è che nessun governo di Roma è mai stato abbastanza forte da sfidare il potere di Torino. Il mercato azionario italiano può essere avviato a modernizzarsi, ma nessun competitore arriva nemmeno vicino alla posizione di Gianni Agnelli, il quale da solo ha la sovranità sopra società per un valore totale che negli ultimi dodici mesi ha toccato i 40.000 miliardi di lire, pari a circa un quarto dell'intero mercato azionario. Per quanto riguarda i media italiani, ci possono essere « tasche » di resistenza, ma nessun altro individuo controlla una tale concentrazione di giornali e, con poche eccezioni, nessun altro gode di un trattamento così persistentemente acritico. Aggressori stranieri sul fronte degli affari, come per esempio la Ford Motor Company di Detroit, hanno finito per soccombere alla propaganda patriottica della FIAT. Persino una questione d'importanza internazionale come le accuse americane alla SNIA di avere venduto tecnologia missilistica è stata tenuta segreta; per quanto riguarda il governo degli Stati Uniti, la SNIA è ufficialmente « pulita ». Non si può fare a meno di ammirare l'efficienza dell'apparato di Gianni Agnelli, fatto d'uomini e di denaro. Anzi, diciamo di più: per l'uomo comune è difficile concepire una tale straordinaria organizzazione, un impero privato che spesso somiglia a un ente sovrano in sé concluso e che è più stabile e più forte di quasi tutti i governi d'uno dei più grandi paesi industrializzati del mondo. La vera paura di Gianni Agnelli dovrebbe riguardare quello che accadrà nel 1992, quando si abbatteranno le barriere protezionistiche fra i paesi del mercato comune europeo e le automobili giapponesi fabbricate in Europa potranno essere vendute in Italia. A questo punto sarà difficile conservare una quota del 60 per cento sul mercato automobilistico interno; e a questo punto il cuore dell'impero Agnelli diventerà vulnerabile.

Henry Kissinger dice di non saper prevedere che cosa accadrà in futuro al gruppo Agnelli; altri invece hanno qualche idea in proposito, e l'hanno espressa.

Carlo De Benedetti ha detto che « nel nostro paese hanno dominato famiglie che, a mio avviso, hanno distrutto il sistema capitalistico, in quanto hanno tenuto ciò che serviva loro e hanno scaricato allo Stato ciò che consideravano inutile ».[1] De Benedetti non ha espressamente parlato degli *intrecci* tra aziende come la FIAT e Roma, ma è chiaro a che cosa alluda.

Mario Schimberni dice che nel 1992, quando i confini d'Italia si dovranno aprire a una vera competizione, « le vecchie dinastie non potranno mantenere il controllo sull'economia nazionale ». Per nulla pentito, Schimberni spera che colossi economici in mano a famiglie private, come la FIAT, lasceranno il posto a *public company* stile Wall Street. « Ma lo strumento delle *public company* », ammonisce, « sarà una realtà solo se gli italiani vorranno veramente lavorare allo sviluppo e alla modernizzazione della nostra economia. »[2]

Romano Prodi, presidente dell'IRI, ricorre a circonlocuzioni: « Quasi tutte le aziende italiane », dice, « hanno capito che il futuro sta nella loro capacità di competere a livello internazionale e non in immagini propagandistiche o nei rapporti con i politici. Alcune delle più grandi aziende italiane ancora non la pensano così, anche se a parole rendono omaggio al capitalismo moderno e alla vera competizione». Quando gli si chiede che cosa pensi della concentrazione di potere nelle mani del gruppo Agnelli, diventa un po' più esplicito: «I colossi economici di questo paese», risponde, «sono come i personaggi televisivi che si vedono in *Dallas* o *Dinasty*. È ridicolo. È un gioco di potere». Soprattutto, ammonisce Prodi, «se negli anni '90 non ci sarà una vera pressione competitiva dall'esterno, l'attuale concentrazione di potere potrebbe diventare molto pericolosa per l'Italia, veramente molto pericolosa».[3]

E Gianni Agnelli? Gianni Agnelli è invecchiato insieme al suo potere, e secondo molti è ormai troppo vecchio per cambiare. Nel bene e nel male ha raggiunto l'apogeo della sua vita; la sua eccezionale odissea si avvicina alla fine. Certo quest'uomo ha vissuto molte vite, dai tempi del playboy, tra feste, yacht, belle donne, alla sua posizione attuale. Nessun uomo politico italiano, neanche fra quelli che hanno raggiunto posizioni di primo piano, è nato con la ricchezza e il potere che sono toccati a Gianni Agnelli. Si potrebbe paragonarlo soltanto a un monarca, non fosse che nessun monarca oggi gode di tanta influenza. E questa è forse la ragione per cui in Italia lo chiamano spesso «il re». Senonché, anche i re passano alla storia. «La famiglia Agnelli», ha detto un manager di primissimo livello della General Motors, «è una grande famiglia, nessuno lo può negare, ma una famiglia la cui epoca si avvicina alla fine.»[4]

L'impero Agnelli continuerà a esistere, in una forma o nell'altra, anche quando non ci sarà più Gianni Agnelli: provvederà a questo la struttura-fortezza eretta nel 1987. E forse nel contesto culturale italiano suonerà sempre come una bestemmia criticare Gianni Agnelli, padre della nazione.

Non tutti però pensano che il futuro dell'Italia sarà affidato a una struttura arcaica e feudale. Gli italiani degli anni '80 hanno un profondo desiderio di modernizzare la loro economia e il loro sistema politico, e considerano questa modernizzazione necessaria per migliorare la loro condizione e giocare una parte più importante nella storia del mondo. I prossimi anni potrebbero dare inizio a questo periodo di cambiamento; anzi, ci sono molti segni che suggeriscono come il cambiamento sia già cominciato. Per chi crede nel genio del popolo italiano – nonostante gli ostacoli storici, culturali, economici, politici – è solo questione di tempo. Non occorre altro: solo tempo.

1 *Panorama*, « E De Benedetti punzecchia », 3 gennaio 1988.
2 Intervista dell'autore a Mario Schimberni, 20 aprile 1988, Milano.
3 Intervista dell'autore a Romano Prodi, 24 aprile 1988, Roma.
4 Vedi *The Financial Times*, « Gianni Agnelli: A good week, an excellent year », 27 settembre 1986, di Alan Friedman.

Appendice

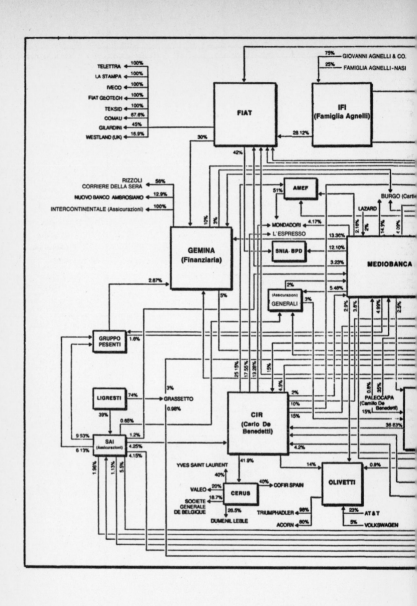

DOCUMENTO 1. *La ragnatela del potere: rapporti tra le dinastie del potere privato in Italia, alla data dell'aprile 1988 (per gentile concessione del* Financial Times)*. Vedi testo a p. 117.*

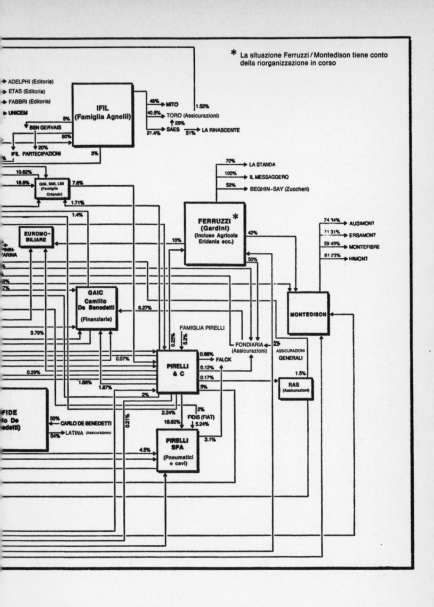

* La situazione Ferruzzi / Montedison tiene conto
della riorganizzazione in corso

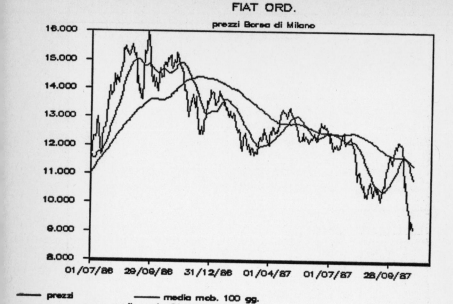

FIAT ORD.

prezzi Borsa di Milano

— prezzi
— media mob. 100 gg.
— media mob. 21 gg.

DOCUMENTO 2. *Prezzo delle azioni* FIAT *ordinarie e volume delle azioni scambiate alla Borsa di Milano, dal 1° luglio 1986 al 28 settembre 1987 e oltre. Vedi testo a p. 259.*

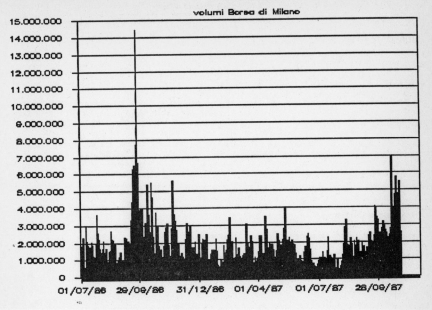

FIAT ORD.

volumi Borsa di Milano

INTERNATIONAL
SECURITY POLICY

25 September 1986

MEMORANDUM FOR RICHARD PERLE

Through: PDASD/ISP

Subject: FIAT Buys Out Libyan Ownership

As you have heard, Libya agreed to sell its stock in FIAT (@ 15%) and arrangements were finalized on 23 September. Libya is to get about $3.1 Billion (for details see attached).

We asked the Italian Embassy if anything could be done to reduce or delay the actual transfer of cash into the hands of Libya. The Italian Embassy agreed that this is a worthwhile pursuit but that all previously explored avenues seemed closed to the GOI by Italian law i.e., an Italian creditor with a financial claim against Libya would have to take its claim to the Italian courts. Since the GOI has no direct financial claim against Libya and since there are no capital gains taxes in Italy, the GOI could not take any direct action against Libya's "disinvestment" in FIAT.

However, there are several government-owned companies which do have a claim against Libya and, in fact, some Italian creditors did successfully take their claim to court; a court has placed a freeze on about $4 Million of Libyan assets in Italy. In addition, a group of Italian creditors with claims against Libya have banded together and on 22 September met with Craxi to seek an injunction against Libya's then-rumored disinvestment in FIAT.

Although we are pleased with the further isolation of Libya which results from the buy-out of Libyan shares, this act does not help FIAT in competing for SDI research contracts as is being widely reported in Italy thereby raising expectations. The legal agreement reached in August which established the FIAT Trading Company of North America as FIAT's sole conduit for doing business with DOD was sufficient to allow FIAT and its subsidiaries to compete for SDI research contracts. Whether or not FIAT wishes to continue doing business with DOD only through this new trading company is a matter for FIAT to decide although, for management and tracking purposes, we see some advantages in retaining the current arrangement. It remains to be seen what reaction Congress will have to the situation.

John J. Maresca
Deputy Assistant Secretary
of Defense
European and NATO Policy

Mark L. Shwartz
OASD/ISP x76025

DOCUMENTO 3. *Il memorandum del Pentagono relativo alla vendita delle azioni FIAT da parte della Libia. Vedi testo a p. 261.*

25 settembre 1986

MEMORANDUM PER RICHARD PERLE
Tramite: PDASD/ISP
Oggetto: la FIAT rileva la quota azionaria dei Libici

Come sapete, la Libia ha acconsentito a vendere la propria quota di azioni FIAT (15%); gli ultimi accordi sono stati definiti lo scorso 23 settembre. Da questa operazione la Libia ricaverà circa 3,1 miliardi di dolla.i (per dettagli vedi allegati).

Abbiamo chiesto all'Ambasciata italiana se è possibile fare qualcosa al fine di ridurre o posticipare il trasferimento di tale somma di denaro in mani libiche. L'Ambasciata italiana ha convenuto che ciò sarebbe certamente auspicabile, ma ha aggiunto che tutte le strade finora tentate per questo scopo sono chiuse al GOI [Governo italiano] dalla legge italiana: un creditore italiano che abbia una pendenza finanziaria contro la Libia deve rivolgersi al tribunale italiano. Dal momento che il GOI non ha una pendenza finanziaria diretta contro la Libia, e poiché in Italia non vi sono tasse sui *capital gains*, il GOI non può intervenire in modo diretto contro il « disinvestimento » della Libia nella FIAT.

Tuttavia, esistono numerose società di proprietà dello Stato che hanno un contenzioso finanziario con la Libia; infatti alcuni creditori italiani si sono rivolti al tribunale italiano, e con successo: una corte ha « congelato » circa 4 milioni di dollari di beni libici in Italia. Inoltre, un consorzio di creditori italiani che rivendicano somme dalla Libia si sono riuniti e hanno avuto un incontro con Craxi lo scorso 22 settembre per cercare di ottenere una ingiunzione contro il già ventilato ritiro della Libia dalla FIAT.

. . . .
. . . .
. . . .

Per quanto noi siamo soddisfatti dell'ulteriore stato di isolamento della Libia dopo il ritiro delle quote azionarie libiche, ciò non aiuta la FIAT nella competizione per i contratti di ricerca per lo SDI (Scudo Spaziale), come invece si continua ad affermare in Italia dando luogo ad aspettative. L'accordo legale stabilito in agosto, secondo cui la FIAT Trading Company del Nord America diventa l'unico canale della FIAT autorizzato a trattare affari con il DOD [Dipartimento della Difesa], è stato sufficiente a permettere alla FIAT e alle sue consociate di competere per i contratti di ricerca relativi allo SDI. Spetta soltanto alla FIAT decidere se intende continuare o no a concludere affari con il DOD solamente attraverso questa nuova società commerciale, anche se, dal punto di vista del management e delle direttive di fondo, a nostro giudizio mantenere l'assetto corrente presenta alcuni vantaggi. Resta da vedere quali reazioni avrà il Congresso verso questo stato di cose.

....
....
....

JOHN J. MARESCA
Vice Assistente
del Segretario per la Difesa
Affari Europei e NATO

Mark L. Shwartz
OASD/ISP X 76025

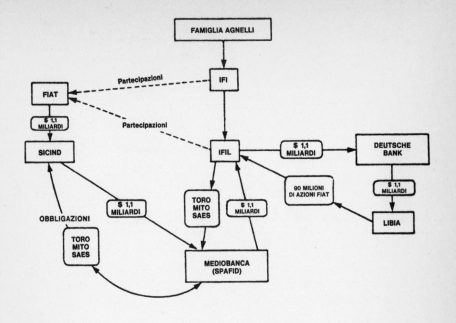

DOCUMENTO 4. *Il gioco di prestigio di Cuccia nell'operazione Lafico.* *L'IFIL aveva bisogno di 1,1 miliardi di dollari (pari a circa 1565 miliardi di lire). La FIAT sottoscrive obbligazioni speciali Mediobanca per 1,1 miliardi di dollari. Queste obbligazioni sono convertibili in partecipazioni di controllo nelle società principali dell'IFIL (Toro, Mito, SAES). Mediobanca concede all'IFIL un prestito per la somma di 1,1 miliardi di dollari. Questi 1,1 miliardi di dollari passano dall'IFIL, via Deutsche Bank, ai libici, che cedono i 90 milioni di azioni FIAT (pari al 6,7 per cento del capitale del gruppo FIAT) all'IFIL. La famiglia Agnelli rafforza così il suo controllo sulla FIAT. Tutta l'operazione si svolge con tassi d'interesse bassissimi. Vedi testo a p. 264.*

TO SECSTATE WASHDC IMMEDIATE 1825
INFO AMEMBASSY PARIS 3377

C O N F I D E N T I A L SECTION 01 OF 02 ROME 27138

E.O. 12356: DECL: OADR
TAGS: ETTC, PARM, COCOM, MNUC, IT
SUBJECT: TECHNOLOGY TRANSFER: ITALY ACCEPTS
RESPONSIBILITY FOR COCOM VIOLATION IN KONGSBERG
CASE, CONCLUDES INVESTIGATION OF SNIA-BPD
MISSILE TECH TRANSFERS AND HOPES FOR RESOLUTION
OF OLIVETTI CASE

1. CONFIDENTIAL - ENTIRE TEXT. ACTION REQUESTED PARA 9.

2. ITALIAN INVOLVEMENT IN THE TOSHIBA-KONGSBERG CASE.
DCM AND ECMIN WERE CALLED TO THE FOREIGN MINISTRY
NOVEMBER 13 BY DIRECTOR GENERAL FOR ECONOMIC AFFAIRS
ATTOLICO,

6. SNIA-BPD INVESTIGATION. ATTOLICO, NOTING THAT THE
SUBJECT WAS AN ENTIRELY SEPARATE ONE, SAID THE GOI
INVESTIGATION OF SNIA-BPD'S TRANSFER OF MISSILE
TECHNOLOGY HAS BEEN CONCLUDED. THE GOI BELIEVES THAT
ONLY A SMALL PART OF SNIA-BPD'S ACTIVITIES WAS NOT
STRICTLY IN LINE WITH THE MISSILE TECHNOLOGY CONTROL
REGIME (MTCR) AND THAT THESE ACTIVITIES HAVE ALREADY
BEEN ELIMINATED. THE GOI IS READY TO DISCUSS THIS
QUESTION IN ROME WITH WHOMEVER WE WOULD LIKE TO NAME
AT A MUTUALLY AGREEABLE TIME. ATTOLICO EMPHASIZED
THAT THERE ARE TWO DISTINCT ISSUES INVOLVED IN THIS
CASE. ONE IS THE QUESTION OF TECHNOLOGY COMPATIBILITY
WITH THE MTCR. THE OTHER IS THE POLITICAL QUESTION
OF WHETHER COOPERATION WITH PARTICULAR COUNTRIES IS
APPROPRIATE. THE GOI WOULD BE PREPARED TO DISCUSS
BOTH QUESTIONS BUT IT WOULD PREFER TO DO SO SEPARATELY.

7. ATTOLICO EMPHASIZED THAT SNIA-BPD IS A COMPANY
WITH STRONG INTEREST IN COOPERATION WITH THE U.S.,
INCLUDING WORK ON SDI, AND THEREFORE WISHED TO HAVE AN
ENTIRELY CLEAN RECORD. HE SUGGESTED SNIA-BPD WOULD
MAKE EVERY EFFORT TO CLEAR UP QUESTIONS SURROUNDING
ITS SALES OF MISSILE TECHNOLOGY.

8. OLIVETTI. ATTOLICO EMPHASIZED WITH RESPECT
TO THE OLIVETTI CASE THAT ITALY HAS BEEN VERY ATTENTIVE
TO COCOM REGULATIONS, HAS WAITED A YEAR TO CONCLUDE
A COMMERCIALLY ATTRACTIVE DEAL, AND BELIEVES THAT
ITS CURRENT PROPOSAL MEETS THE LETTER AND SPIRIT OF
COCOM. IF BROADER QUESTIONS OF CONTRIBUTING TO
SOVIET INDUSTRIAL CAPABILITIES ARE OF CONCERN TO THE

C O N F I D E N T I A L SECTION 02 OF 02 ROME 27138

E.O. 12356: DECL: OADR
TAGS: ETTC, PARM, COCOM, MNUC, IT
SUBJECT: TECHNOLOGY TRANSFER: ITALY ACCEPTS

U.S., ATTOLICO EMPHASIZED THAT THEY SHOULD ALSO BE
OF CONCERN IN THE U.K. CASE. THERE IS NO REASON,
ATTOLICO SAID, TO ALLOW THE U.K. TO GO AHEAD WITH ITS
PROPOSED PROJECT IF ITALY IS NOT ALLOWED TO PROCEED.

9. ACTION REQUESTED: PLEASE INFORM WHEN U.S. DELE-
GATION MIGHT COME TO ROME FOR DISCUSSION ON THE SNIA-BPD
CASE. RABB BT

DOCUMENTO 5. *Documento sulla* SNIA *in relazione al Regime di Controllo della Tecnologia Missilistica. Vedi testo a p. 318.*

A Segretariato di Stato, Washington DC
p.c. Ambasciata americana, Parigi

CONFIDENZIALE Sezione 01 di 02, Roma

OGGETTO: trasferimento di tecnologie: l'Italia accetta la responsabilità
per la violazione del COCOM nel caso Kongsberg, conclude l'indagine
sui trasferimenti di tecnologie missilistiche della SNIA-BPD e auspica una
risoluzione del caso Olivetti.
1. Confidenziale - testo integrale - azione richiesta: par. 9.
2. Coinvolgimento italiano nel caso Toshiba-Kongsberg.
DCM e Ecmin sono stati convocati al Ministero degli Esteri il 13 novembre dal direttore generale degli Affari Economici Attolico.
....
....
....
6. L'indagine SNIA-BPD. Dopo aver evidenziato il fatto che l'argomento
è del tutto a sé stante, Attolico ha detto che l'indagine GOI sul trasferimento di tecnologie missilistiche della SNIA-BPD è stata conclusa. Il
GOI [Governo italiano] ritiene che solamente una piccola parte delle
attività della SNIA-BPD non fosse rigidamente in linea con il MTCR
(Regime di Controllo delle Tecnologie missilistiche) e che tali attività siano già state sospese. Il GOI è pronto a discutere su tale questione
a Roma con chiunque noi vorremo incaricare, in un momento convenuto. Attolico ha ricordato che in questo caso sono presenti due questioni distinte. La prima è la questione della compatibilità tecnologica con il MTCR. La seconda è una questione politica: la cooperazione
con paesi particolari è lecita oppure no? Il GOI si dichiara disposto a
discutere su entrambe le questioni, ma preferirebbe farlo separata-
mente.
7. Attolico ha messo in rilievo il fatto che la SNIA-BPD è una società con
un forte interesse a cooperare con gli Stati Uniti, anche nel settore
dello SDI [Scudo Spaziale], e che pertanto vorrebbe ritornare ad avere
un'immagine pulita. Ha lasciato intendere che la SNIA-BPD sarebbe
disposta a compiere ogni sforzo per chiarire positivamente le questioni relative alle sue vendite di tecnologie missilistiche.
8. Olivetti. In merito al caso Olivetti, Attolico ha affermato che l'Italia
ha sempre prestato molta attenzione ai regolamenti COCOM, ha atteso
un anno per concludere un affare commercialmente interessante, e
crede che la sua attuale proposta sia in linea con la lettera e con lo
spirito del COCOM. Se questioni di maggior respiro relative al contributo alle capacità industriali sovietiche sono di spettanza degli Stati
Uniti, dovrebbero anche essere di spettanza – ha affermato Attolico –
per quanto attiene al caso del Regno Unito. Non vi è ragione, ha det-

to Attolico, di permettere al Regno Unito di procedere con la sua proposta di progetto se all'Italia ciò non è invece concesso.

9. Azione richiesta: si prega comunicare quando la delegazione statunitense prevede di giungere a Roma per discutere sul caso SNIA-BPD.

RABB BT

Indici

Indice dei nomi

Hebditch, David, 306n
Herrhausen, Alfred, 269, 272, 273, 276
Heseltine, Michael, 246
Hitler, Adolf, 24, 285
Hoffman, Paul, 59n
Horowitz, David, 48n

IBM, 112
ICI, 362
IFAT Corp. Ltd, 315, 321-322
IFI (Istituto Finanziario Industriale), 45, 50, 77, 78, 81, 88, 121-122, 167, 250, 256, 259, 262, 331
IFIL, 256, 262-266, 273, 276n
IMI (Istituto Mobiliare Italiano), 298
Ingrassia, Lawrence, 352n
Iniziativa Meta, 342
Innocenti, 317
Intercontinentale, 364
International Investment Associates, 120
Ippolito, Roberto, 204n
Irangate, 285
IRI, 54, 65-66, 87, 104, 108, 109, 113, 121, 127-132, 135n, 136n, 139, 165-166, 173, 186, 196, 199-200, 210, 212-213, 215-216, 222, 384
Italmobiliare, 125, 135n
Italstat, 86
Italtel, 194-199, 361
ITT, 120-121, 196
IVECO, 302

Johns, Derek, 9
Jotti, Nilde, 166
Joyce, James, 101
Jucker, Cristina, 135n
« Juventus », 19, 20, 33, 45, 167, 257

Kaletsky, Anatole, 230n

Kamm, Henry, 306n
Keller, John J., 352n
Kennedy (famiglia), 39, 45, 151-152, 245
Kennedy, Edward (Ted), 258
Kennedy, Jackie, 40, 41, 45, 57-58
Kennedy, John Fitzgerald, 40, 45, 46, 77
Kenny, Mary, 98n
KGB, 297
Khan, Ali, 35, 37, 45
Kissinger, Henry, 45, 121, 135n, 148, 169, 183n, 291-292, 396n, 338, 352n, 358, 361, 368n, 369n, 378, 379n, 381, 384
Kissinger Associates, 121
Komarov, Nikolaj, 242
Kongsberg, 300, 317
Kossighin, Aleksej, 244, 297-298
Kruscev, Nikita, 46, 297
Kubazov, Valerij, 358

Lacey, Robert, 48n
La Ferla, Mario, 99n
Lafico (Libian Arab Foreign Investment Company), 236, 239, 249, 256, 258, 260, 263, 265, 267, 268, 274, 282
Lama, Luciano, 75-76
La Malfa, Ugo, 178
Lambert, Richard, 8-9
Lancia (vedi anche Alfa-Lancia), 85, 209, 211, 217, 221, 229
Lane, David, 98n, 135n, 203n, 204n, 369n, 379n
La Palombara, Joseph, 180-181, 184n, 186, 188-189, 203n, 207, 230n
Last, Donald, 97n
Lazard (Lazard Brothers, Lazard Frères), 45, 113, 120-122, 127-129, 131-132, 133, 135n, 164, 245, 268-269

412

Indice generale

Finito di stampare
nel mese di settembre 1988
per conto della Longanesi & C.
dal Nuovo Istituto Italiano di
Arti Grafiche s.p.a. di Bergamo
Printed in Italy